A CENTURY OF REPORTING

UN SIECLE DE REPORTAGE

"Published on the occasion of the Centennial of Canadian Confederation and subsidized by the Centennial Commission".

"Ouvrage publié à l'occasion du Centenaire de la Confédération Canadienne, grâce à une subvention de la Commission du Centenaire".

A CENTURY OF REPORTING

THE NATIONAL PRESS CLUB ANTHOLOGY

UN SIECLE DE REPORTAGE

ANTHOLOGIE DU CERCLE NATIONAL DES JOURNALISTES

Edited by / Préparée par

LUCIEN BRAULT/JEAN-LOUIS GAGNON
WILFRED KESTERTON/D. C. McARTHUR
FRANK UNDERHILL/CHRISTOPHER YOUNG

CLARKE, IRWIN & COMPANY LIMITED
Toronto/1967/Vancouver

Printed in Canada

ACKNOWLEDGMENTS

REMERCIEMENTS

In addition to the six people whose names are given as the editors of this book, many others helped at various stages of its production. In particular, the National Press Club of Canada wishes to thank, reading from east to west: Michael Cook and Donald Snowden, St. John's, Newfoundland; W. Graham Allen, Halifax; Langevin Coté and Peter Hendry, Montreal; Allan Anderson, Frederick Johnstone, Peigi Kirby, W. Kaye Lamb, Mario Lavoie, C.W.E. MacPherson, W.H. Metcalfe and Jean-Marc Poliquin, Ottawa; Charles Bruce, Miss A.L. Cook, E.C. Phelan, Gillis Purcell, Percy A. Rowe, E.U. Schrader and Richard Snell, Toronto; Craig Oliver and Eric Wells, Winnipeg; Charles Bell, Regina; Andrew Snaddon, Edmonton; Barry Broadfoot, Vancouver. Others who have given advice, help and suggestions, too many to mention, will perhaps come across their own traces in this book.

To the organizations that have allowed material originally published or broadcast by them to be reprinted here, thanks also are given. They are credited wherever their material appears.

Illustrations for the book have been supplied by the following sources:
Alexandra Studio: the Mud Bowl and Terry Sawchuk (both by Turofsky)
Ashley and Crippen: Matthew Halton
The Calgary Herald: "Footsteps to Death"
Canada In Cartoon: cartoons on pages 117, 157, 259
Capital Press: Mackenzie King at Liberal ladies' tea
Le Cercle du Livre de France and Robert LaPalme: cartoons on pages 200, 203; caricatures of Olivar Asselin and Louis Francoeur
Le Devoir and Normand Hudon: cartoons on pages 261, 287; caricature of Jean-Charles Harvey
The Globe and Mail: cartoon on page 78; front page of *Saturday Globe* (Nov. 3, 1900), Toronto police shooting at thief (by Boris Spremo)

The Halifax Herald: cartoon on page 257; men reading newspaper extras
The Hamilton Spectator: girls at Beatles' concert
Miller Services: men reading newspaper extras
The Montreal Star: cartoon on page 137; Laurier Palace Theatre fire, FLQ bomb explosion
The Ottawa Citizen-United Press International: Charlotte Whitton with George Hees
The Ottawa Journal-Dominion Wide: CF-100 crash, Prime Minister Pearson lighting Centennial flame
Public Archives: cartoons on pages 70, 78, 137, 232, 257; George Brown, Nicholas Flood Davin, Henri Bourassa, "The Election Monster," "The Charge at Batoche," *The Saturday Globe* (Nov. 3, 1900)
La Presse and Roland Berthiaume: cartoons on pages 60, 175, 268, 273
Royal Canadian Navy: Canadians landing on D-Day
Le Soleil: cartoon on page 259
The Telegram: cartoon on page 90; Roosevelt and Churchill, *Noronic* fire
Toronto Daily Star: cartoons on pages 271, 285, 292, 298; Canadians going over the top, 1935 hunger march, unemployed man receiving handout, Hurricane Hazel, Camilien Houde and Maurice Duplessis, stabbing on Queen St., Ray Timson and Gerda Munsinger
Toronto Public Libraries: cartoons on pages 8, 19, 26, 31, 42, 65
The Vancouver Province: "Wait for me, Daddy"
The Vancouver Sun: cartoons on pages 185, 277; sit-down strikers fleeing tear gas, Doukhobor march
The Windsor Star: woman concealing Prohibition liquor
Winnipeg Free Press and Miss Julie Dale: cartoons on pages 181, 189, 211

The poem *Remembrance* by George Johnston, quoted on page 160, is from the book *Home Free*, published by Oxford University Press; the excerpt from *Queen Victoria, Born to Succeed* on page 79 is by courtesy of Curtis Brown, Ltd.

CONTENTS

A selection of outstanding photographs from Canadian newspapers appears between pages 144 and 145.

TABLE DES MATIERES

Un choix d'excellents photos provenant de journaux canadiens se trouve de la page 144 à la page 145.

INTRODUCTION

News, said a man who taught half a generation of Winnipeg cubs the art and craft of journalism, is what the city editor says is news. If many have tried, no newspaperman has yet found a more accurate definition. Any judgment of what is the best in any given flow of journalistic effort must be equally subjective. The best is what the editor says is best, what the publisher says is best, what the awards committee says is best, or, conclusively, what the reader (that abstraction for whose edification and stimulation we all strive) says is best.

The National Press Club of Canada here presents what it thinks are some of the most interesting expressions of the journalistic art since Confederation. In English, the selections run from George Brown, on July 1, 1867, to Peter Newman, on April 28, 1967. The French selections cover the same span, from Confederation Day to the first day of Expo '67. They are discussed in more detail in a following introduction by Jean-Louis Gagnon.

George Brown and Peter Newman, accidentally or not, share certain qualities: both serious-minded, intense, sometimes wrong, sometimes brilliant, and passionately involved in the Canadian experiment. It is a fairly certain guess that the anonymous writer of the first French selection, an editorial in *L'Ordre*, like the writer of the last one, Claude Ryan, was born and seasoned in the Quebec environment. But Brown and Newman, like so many other makers and shakers of English-speaking Canada, were immigrants: Brown from Scotland via New York at the age of 25; Newman from Czechoslovakia, via Italy, France and Britain, when he was 11. There is this important difference: Brown not only founded and built *The Globe*; he led the Clear Grits, made and unmade cabinets, helped to sire Confederation both as politician and as editor. The thought that Peter Newman might run for Parliament is almost inconceivable.

In a colonial society, there are so few men capable of leading public opinion either politically or editorially that the two functions are often combined. Not only George Brown, but Joseph Howe, D'Arcy McGee, Wilfrid Laurier and Henri Bourassa, among others, were journalists as well as statesmen. One finds this combination today in new nations lately emerged from colonial status, but rarely in Canada. Gerard Pelletier has moved from the editorship of *La Presse* to Parliament, Douglas Fisher in the opposite direction; but journalistic experience is seldom found on the front benches, and political experience is even less common among publishers and editors.

We are specialists now, in terms of skills, though we remain generalists in terms of fields of interest. The journalist is still the man who knows a little about a lot of things. We resist the contemporary trend toward ever-deeper knowledge of ever-narrower fields, believing in our mission to understand society in general, even if that understanding may be somewhat superficial. The specialists agree that we fail to do them justice. What they forget is that we are surrogates for Everyman, not experts, not historians, not public relations men. We hope to provide accurate reportage and intelligent comment, but our perspective is today's view of yesterday's event. The finest journalism, as readers of these pages will discover, turns that limitation to advantage, making yesterday live in the mind's eye. Normally, an editor is satisfied if a reporter's account will stand up next day. Occasionally, it will stand for years.

This book is the National Press Club's Centennial project. The aim was to assemble in one volume a selection of outstanding daily journalism, taken from newspapers published in Canada since 1867 or broadcast over Canadian stations since broadcasting became a force in journalism. Photographs and cartoons supplement the written word, as they do in a daily newspaper.

No claim is made that this is a definitive anthology. It is certain that excellent work has been left out. Canadian newspaper files are not complete, nor has it been possible to read every line in the files that survive. We have worked through regional committees and through the Public Archives. The results reflect to some extent the industry and thoroughness of our regional representatives, to some extent the care with which certain newspapers or the Public Archives have kept the files, and to some extent the chance business of whether a newspaper entered the field early and lived to see the Centennial. Few seem to care about the files of dead newspapers, and we are fortunate to have found selections from some of them. Before the day of microfilm, fire was another recurrent and often fatal hazard to the bound volumes in which each newspaper's record of itself was kept.

It is even less possible to offer here a definitive selection of excellence from the vast outpourings of the broadcasters. Much of their best work cannot be transcribed with any valuable result. The greatest achievement of early radio, for example, was the Canadian Radio Broadcasting Commission's coverage of the Moose River mine disaster in 1936. For the first but not the last time, the entire country hung on the words of a radio announcer—in that case J. Frank Willis—as he croaked out the dramatic story through the night and through the static. To reproduce a few hundred words of those extemporaneous broadcasts would give no idea of their emotional impact at the time. The tighter, tidier scripts of radio correspondents such as Matthew Halton and Louis Francoeur, on the other hand, stand up vividly on the printed page, and are among the the memorable chapters of this book.

Television, because its medium is something else, cannot be reproduced in print, but its influence on journalism may be sensed in the later sections of the book. No longer can the newspaperman expect to be regularly first with the news; increasingly he turns to analysis, interpretation and illumination as his proper functions. He cares less for speed—though he must still care a good deal about that—and more for style. He cares less for big, black type—despite a nostalgic hankering—and more about making a contribution to the general understanding of public affairs.

The great scoop still occurs: witness Bob Reguly's sensational discovery of the living Gerda Munsinger in 1966. But on a day-to-day basis, newspaper editors are now more interested in publishing special insight and compelling prose than in selling the exclusive story.

The printed medium will survive competition from the exciting new media of sight and sound because it allows reflective attention at a time and pace of the reader's choosing. It follows that to survive successfully print must deserve and bear reflective scrutiny. It cannot be claimed that Canadian newspapers have entirely adjusted to this new competitive environment, but they are certainly aware of it, and their best work shows a strong response to the challenge.

When preparation of the present book began early in 1964, there were long discussions as to whether it should be published in two volumes, one devoted to English-language journalism and one to French; whether all the selections should be translated for inclusion in either one volume or two; or whether the original material should be presented only in the language of the writer. We chose this last alternative. The articles follow in chronological sequence, and the French and English fall where they may.

Introductory passages for the English selections have been written by Professor Frank Underhill, of the political science department at Carleton University; for the French by Jean-Louis Gagnon, former editor of *La Presse* and *Le Nouveau Journal*. For the convenience of unilingual readers, we have translated these passages so that every reader may taste at least some flavor of the material printed in a language he does not read. Some of the passages have been edited for greater brevity, and typographical errors in the original have been corrected.

The sole purpose of the National Press Club in sponsoring and underwriting this book is to make some appropriate contribution to the Centennial celebrations. As George Brown put it, in a curious Scottish archaism used at the end of his historical sketch on July 1, 1867: "So mote it be."

Christopher Young
Chairman, Centennial Project Committee
National Press Club of Canada
Ottawa
July, 1967

AVANT-PROPOS

De même que les journalistes n'ont jamais songé à se substituer aux historiens, de même ce panorama de la presse canadienne de langue française depuis le ler juillet 1867 à nos jours, ne saurait se confondre avec un travail patiemment construit, obéissant en tout aux règles de la recherche scientifique. Pour qu'il en soit ainsi, il aurait fallu:

1 que le choix des articles corresponde de façon rigoureuse à l'évolution de la presse d'expression française au Canada, et que l'ordre chronologique soit établi en fonction même de l'histoire;

2 que, tenant compte de tous les événements importants qui ont marqué le premier centenaire de la Confédération, et ceci quelle que soit leur nature, les articles reproduits constituent le film ininterrompu de notre aventure;

3 que les articles choisis prennent la forme d'un palmarès, afin qu'on y retrouve les noms de tous ceux qui, peu importe la rubrique, ont illustré le journalisme canadien de langue française depuis 1867;

4 enfin que sur toutes les questions disputées, un choix judicieux ressuscite fidèlement ce climat constant de confrontation ou de polémique qui est le propre de toute presse libre.

Malheureusement peut-être, un travail de cette nature ne pouvait être entrepris: nous n'en avions ni les moyens ni le temps. C'est donc une oeuvre "journalistique", conçue par des gens du métier et non par des spécialistes de la recherche sociologique, que nous présentons à nos lecteurs. Mais nous restons persuadés d'avoir fait oeuvre utile, d'avoir rendu justice au siècle comme à ceux qui, au jour le jour, ont rédigé, souvent avec passion mais parfois avec humour, cet aide-mémoire du peuple: le journal.

* * *

Comment, dans les conditions données, avons-nous *choisi*? Quels ont été nos critères? Un historien, M. Brault, procéda à un premier choix: environ 150 articles. Je n'eus qu'à compléter le travail commencé et, une fois rassuré sur l'ensemble des articles colligés, qu'à tailler dans le vif. A la façon d'un journaliste qui, tout en protégeant l'essentiel, doit faire un choix en fonction de l'espace qu'on lui a attribué, je me suis efforcé de dégager une image d'ensemble, en tenant compte des événements majeurs de notre histoire, des hommes qui ont façonné notre vie collective et, surtout, de ceux qui en furent les témoins oculaires: les journalistes d'hier et d'aujourd'hui.

Et la presse parlée?

Même si la première station de langue française à Montréal, CKAC, fut inaugurée il y a cinquante ans, en 1922, que la radio et la télévision rejoignent aujourd'hui plus de gens que la presse écrite, on ne trouvera dans cette collection d'articles qu'un seul "commentaire" signé Louis Francoeur.

La raison en est simple: il appert que la plupart de ceux qui ont fait jusqu'ici la renommée de la presse parlée, appartiennent ou ont appartenu en tout premier lieu à la presse écrite. Quant aux autres, se sont pour la plupart des *improvisateurs* et, par voie de conséquence, on ne peut reproduire ce qui n'existe pas: leurs papiers. De toutes façons, il était normal de procéder ainsi puisqu'en définitive, c'est *l'histoire de la presse française par les textes,* depuis la Confédération à nos jours, et non celle de la radiodiffusion que nous avions pour tâche de raconter.

* * *

Pas plus que l'Histoire du Canada, celle du journalisme de langue française en Amérique du Nord ne débute en 1867. Le *Canadian Newspaper Directory* nous informe, en effet, qu'en 1864—soit l'année même où George Brown offrit sa collaboration au parti conservateur et amorça du coup le grand débat sur la Confédération—on comptait au Canada, plus précisément sur l'ensemble du territoire actuel, 23 quotidiens et 275 périodiques. Cent ans environ avaient suffi pour construire une presse libre qui progressivement avait triomphé des pouvoirs et des obstacles dressés sur sa route.

Sous le régime français, l'imprimé était un monopole réservé au pouvoir royal ou métropolitain. Ce n'est qu'au lendemain du Traité de Paris que le premier journal publié à Québec vit le jour. Comme le nom l'indique, c'était une publication bilingue: *The Quebec Gazette—La Gazette de Québec.* Mais reconnaissons-le, c'est moins aux autorités locales qu'aux entreprenants colons de la Nouvelle-Angleterre que nous devons nos premiers journaux: *The Halifax Gazette* qui parut en 1752, et celle de Québec en 1764. Le premier journal publié à Montréal, dans l'occurrence *La Gazette du Commerce et littéraire,* n'aurait été lancé sans doute que beaucoup plus tard si Fleury Mesplet, profitant de l'invasion américaine de 1776, n'avait choisi d'émigrer de Philadelphie et d'apporter dans ses bagages son matériel d'imprimerie.

A l'exception du *Courrier de Saint-Hyacinthe,* fondé le 24 février 1853, aucun des journaux de langue française lancés avant 1867 n'a survécu. *L'Evénement* lui-même, pourtant centenaire, a dû prendre congé de ses lecteurs à l'instant même où ceux-ci se préparaient à célébrer l'anniversaire de la Confédération. Pourquoi ont-ils disparu? En premier lieu, si la plupart n'étaient que des pamphlets, donc de nature éphémère, les autres étaient au mieux des organes politiques. Longtemps d'ailleurs, au Canada français, le bon directeur de journal fut par définition un politicien aguerri: Duvernay, Antoine-Aimé Dorion, Hector Langevin, Wilfrid Laurier, Rodolphe Lemieux, Lomer Gouin, Israel Tarte, Godfroy Langlois, Arthur Sauvé, Fernand Rinfret, Henri Bourassa. . . . Mais en second lieu, il était inévitable que le jour vint où, pour survivre, tout journal allait être forcé de se transformer en entreprise de presse, donc en entreprise rentable.

En gros, nous pouvons couper le siècle en deux: de 1867 jusqu'à la première guerre mondiale, le journal est d'abord *un organe politique,* c'est là sa raison d'être; puis on s'achemine rapidement vers le quotidien d'information tel que nous le concevons aujourd'hui. Comme aux Etats-Unis et en Europe occidentale, la mutation sera lente et naturellement conditionnée par le progrès scientifique et la révolution industrielle. L'idée même de considérer l'information comme une matière première, d'en faire une denrée ou un produit d'échange, ne pouvait se faire jour qu'à la condition de posséder les moyens requis pour en assurer le transport ou la diffusion. En d'autres termes, l'agence de presse ne pouvait exister qu'à partir du télégraphe et du rail. Mais pour que le journal d'opinion puisse se transformer en quotidien d'information, qu'à l'idée d'allégeance politique se substitute le désir de s'adresser à tous, au plus grand nombre, il faudra, par surcroît, que la publicité devienne la règle du commerce.

S'il est impossible de suivre de façon méthodique l'évolution de la presse française au Canada depuis 1867, d'en rationaliser le processus au point de déterminer avec précision le moment auquel le journal d'opinion a fait place au quotidien d'information, il reste que c'est *La Patrie* qui donnera le coup de barre décisif dans cette direction, quelques mois après sa fondation, le 24 février 1879, en ouvrant largement ses portes à la publicité. On eut tôt fait de se rendre compte des avantages inhérents à ce mode de financement et, du même coup, qu'il existerait dorénavant une sorte de rapport de cause à effet entre le tirage et la recette publicitaire. L'évolution, encore qu'on ne puisse généraliser, fut si rapide que vingt ans plus tard, donc au tournant du siècle, Israel Tarte, face à la concurrence, se trouva dans l'obligation de dépolitiser partiellement ses pages d'information comme l'ont noté Beaulieu et Hamelin dans *Les Journaux du Québec de 1764 à 1964:* "Le journalisme canadien subissait depuis quelques années une évolution essentielle dans sa forme. Cette transformation se manifestait principalement par l'importance grandissante attachée aux nouvelles, aux faits divers, aux grands et aux petits événements du jour. Le public paraissait ne plus goûter le journal exclusivement militant, mais voulait aussi trouver dans ses pages une lecture variée, offrant plus de place aux faits qu'aux dissertations et aux commentaires."

Faut-il préciser que la plupart des journaux québecois ont mis des années à s'affranchir de la tutelle des partis politiques ou de l'idéologie qui les identifiait? On ne renonce pas du jour au lendemain à sa raison d'être comme en témoigne l'évolution du *Soleil*, de Québec: après s'être affiché durant 60 ans "organe du parti libéral", ce n'est qu'après l'élection générale de 1936 que ce quotidien devint "organe libéral" et, vingt ans plus tard, exactement en 1957, que la direction coupa court à ses attaches politiques. Dans ce domaine comme dans beaucoup d'autres, les transitions sont lentes entre les époques, les styles ou les modes de pensée, et les coupures sont rarement aussi nettes que les frontières des Etats sur une carte géographique.

* * *

Dès l'instant où nous avons dû renoncer à l'idée de présenter au public intéressé soit une anthologie, soit une histoire de la presse écrite du Canada français depuis 1867, nous ne pouvions éviter l'arbitraire puisque l'entreprise était alors fondée sur le choix. Il est donc probable qu'on nous reprochera certains oublis—et pourquoi pas d'avoir mis l'accent sur certaines polémiques ou même d'avoir monté en épingle certaines tendances?

De fait, nous nous sommes efforcés de tirer de l'oubli l'ordinaire des combats d'hier afin que nos jeunes camarades se rendent compte (et même beaucoup d'anciens à la mémoire courte) qu'ils inventent moins qu'ils ne le croient. Car ce qui est typique des cent dernières années, c'est le rebondissement constant de plusieurs questions dites "fondamentales" et qui, à ce titre, agitent toujours l'opinion. Par exemple, la réforme de l'enseignement, le partage des impôts, le nationalisme québecois, etc. Et l'on a subitement l'impression que chaque génération, ignorant les luttes de ses aînés, repart toujours à zéro! A ce point de vue, il ne fait aucun doute que certains des articles colligés pourront servir d'aide-mémoire à beaucoup de journalistes impatients.

Et la langue?

La lecture des articles reproduits devrait en faire réfléchir plusieurs. Les "caïds" de la presse écrite, à quelques exceptions connues, écrivent aujourd'hui moins bien que les "grands" de la génération qui les a précédés: Fournier, Asselin, Francoeur, Harvey et même Bourassa! On constatera aussi que la langue des anciens reporters, rarement châtiée, corrompue d'anglicismes et demeurée archaique, n'en était pas moins alerte et vigoureuse, quand la nôtre, par comparaison, a tendance à se dessécher. Ultime constatation: notre syntaxe hélas! n'est pas plus rigoureuse qu'elle ne l'était en 1867.

La chose est regrettable, mais on ne trouvera ici aucun article concernant les arts et les lettres; aucun papier consacré au sport; rien ou presque sur l'économie du milieu canadien-français. C'est évidemment qu'il a fallu "faire vite et court" comme on dit dans les salles de rédaction. Mais ceci n'est qu'un début d'explication. Car il reste que nos journaux, durant la première moitié du centenaire attachaient peu d'importance à ces questions: notre littérature restait à faire, l'art était encore un produit d'importation, le sport professionnel n'existait pas et l'économie demeurait le monopole des "Anglais". Certes les choses depuis ont changé. Du moins dans une certaine mesure. Mais l'importance qu'on attache à la production littéraire et artistique est récente, et nous savons tous que la rubrique des sports n'est rédigée dans une langue qui soutienne la comparaison avec l'ensemble du journal, que depuis peu de temps. Et l'économie? La presse d'information étant d'abord le miroir de la société qu'elle dessert, il aurait été miraculeux que les journaux se soient attardés à une question qui demeurait sans attrait pour la majorité de leurs lecteurs. D'où l'insignifiance prolongée, le vide, des pages économiques et financières de la presse française jusqu'à (soyons aimable!) 1960.

Il fallait trouver autre chose, et tout naturellement, nous nous sommes rabattus sur la politique.

* * *

Longtemps le journalisme politique a joui, au Canada français, d'un prestige certain. La raison en est simple: si on fait exception des quelques poètes mineurs et des folkloristes qui, souvent à compte d'auteur, se sont appliqués à célébrer nos vertus dans d'héroïques couplets, notre littérature (je veux dire l'art de bien écrire) est née dans les salles de rédaction. En effet, en ces temps difficiles et à moins d'être clerc, quel écrivain de race n'a été forcé de chercher refuge dans un journal? D'où la grande importance du journalisme politique dans l'histoire de la littérature canadienne-française, du moins à ses débuts, encore que peu de nos hommes de lettres en soient informés. Reconnaissons cependant qu'il n'est pas facile de s'y intéresser. Car, dans presque tous les cas, il s'agit de travaux dispersés et globalement inaccessibles, à moins d'être soi-même un rat de bibliothèque.

De même, à la lecture, on aura une fois de plus l'occasion de se rendre compte de l'importance du fait divers dans les journaux d'information. L'assassinat de D'Arcy McGee, l'incendie du parlement canadien, la chute du pont de Québec, les émeutes de Saint-Roch et les voyages du capitaine Bernier ont quand même un autre intérêt, une autre saveur, que certaines informations que trop souvent, en 1967, on retrouve à la une des quotidiens! En lisant ces "papiers", comment ne pas se convaincre que la jeunesse s'intéresserait davantage au passé, qu'elle réussirait même à y comprendre quelque chose, si le ministère de l'Education avait enfin le sens commun de lui mettre sous les yeux des textes toujours vivants parce qu'ils racontent la vie, ses drames et ses joies, au lieu de s'en tenir aux seuls manuels et à l'exégèse d'enseignants pour la plupart au français douteux?

Un dernier point.

Il n'est pas toujours facile de situer un article dans le contexte historique qui, au moment où il a été écrit, justifiait qu'il le fût et le valorisait. La note explicative qui précède chacun des articles reproduits vise, avant tout, à lui rendre sa raison d'être et à mieux *l'éclairer.* On se tromperait en croyant voir dans ce procédé un effort soutenu pour reconstituer le passé. L'ensemble de ces notes ne constitue, il va de soi, ni une leçon d'histoire en raccourci ni un commentaire en profondeur sur cent ans de journalisme au Canada français!

Mais je veux croire qu'il s'agit d'un travail utile, propre à intéresser ceux qui ont toujours pour tâche d'informer les gens, d'éclairer l'opinion et de raconter pour demain la vie unanime de notre société.

Jean-Louis Gagnon
de l'Académie canadienne-française

ABOUT THE EDITORS

LUCIEN BRAULT is an Associate Professor of history at the Royal Military College, Kingston.

JEAN-LOUIS GAGNON, now a member of the Royal Commission on Bilingualism and Biculturalism, is the former editor of *La Presse* and *le Nouveau journal.*

WILFRED KESTERTON is an Associate Professor of journalism at Carleton University, Ottawa.

D.C. McARTHUR, who passed away early in 1967, was the founder of the CBC news service.

FRANK UNDERHILL has been called the "dean of Canadian historians." He is now with the political science department at Carleton University, Ottawa.

CHRISTOPHER YOUNG is the editor of *The Ottawa Citizen.*

EQUIPE DE REDACTION

LUCIEN BRAULT est professeur associé d'histoire au Collège militaire royal de Kingston.

JEAN-LOUIS GAGNON, aujourd'hui membre de la Commission royale d'enquête sur le bilinguisme et le biculturalisme, anciennement directeur de *La Presse* et du *Nouveau journal.*

WILFRED KESTERTON est professeur associé de journalisme à l'Université Carleton, d'Ottawa.

D.C. McARTHUR, qui est décédé au début de l'année 1967, était le fondateur du service des nouvelles de Radio-Canada.

FRANK UNDERHILL est considéré comme le doyen des historiens du Canada anglais. Il enseigne aujourd'hui au département des sciences politiques de l'Université Carleton, à Ottawa.

CHRISTOPHER YOUNG est rédacteur au journal *Ottawa Citizen.*

PART I / PREMIERE PARTIE

1867-1913

GEORGE BROWN

CONFEDERATION DAY

On the first Dominion Day, July 1, 1867, George Brown wrote a long, magisterial editorial for his Toronto Globe *in praise of Confederation. The article occupied two whole pages in the newspaper, totalling some 9,000 words.*

J. M. S. Careless in his life of Brown tells of its composition. Brown arrived at the Globe *office before midnight to prepare the leading article for the next day. His night foreman told him that he had until 2.30 a.m. if he wanted the paper to be ready for the eastern mails. Brown was still writing past this deadline, and at 4.00 a.m. the foreman warned him that the western mails were in doubt; at 5.00 a.m. all the mails were lost. Finally at 7 o'clock Brown finished, with the aspiration "that the people who shall populate the northern part of the continent shall under a wise and just government reap the fruits of well directed enterprise, honest industry and religious principle in the blessings of health, happiness, peace and prosperity. SO MOTE IT BE."*

Toronto celebrated the day with military ceremonies, band concerts, fireworks and the ringing of church bells. But one advertisement in The Globe *of that day shows that not everybody was interested in the political significance of the occasion. It announced an exhibition of "The Big Little Woman," who weighed 516 pounds, was 38 inches around the calf and 7 feet 9 inches (no hoops) around the body. "Her affable and pleasant manner in conversation, supported by a liberal endowment of intellect and wit from nature, make her entertainment of the most attractive kind. Admission 15 cents, children 10 cents."*

Pour la première fête du Dominion, soit le 1er juillet 1867, George Brown écrivit de main de maître un long éditorial dans le Globe *de Toronto à la louange de la Confédération.* L'article *remplissait deux pages du journal et comptait 9,000 mots.*

Toronto célébra cette fête par des cérémonies militaires, des concerts d'orchestre, des feux d'artifices, des sonneries de cloches. Une annonce du Globe *de ce jour-là montrait pourtant que le sens politique d'une telle fête n'intéressait pas tout le monde. Elle moussait l'exhibition de "la grosse petite femme" qui pesait 516 livres, avait des mollets de 38 pouces et un tour de taille de 7 pieds 9 pouces (pas de cerceau). "Affable et agréable en conversation, elle a une intelligence généreusement douée d'esprit par la nature, ce qui accroît l'aménité de son commerce. Admission 15c., enfants 10c."*

With the first dawn of this gladsome midsummer morn, we hail the birthday of a new nationality. A united British America, with its four millions of people, takes its place this day among the nations of the world. Stamped with a familiar name, which in the past has borne a record sufficiently honourable to entitle it to be perpetuated with a more comprehensive import, the DOMINION OF CANADA, on this First day of July, in the year of grace, eighteen hundred and sixty-seven, enters on a new career of national existence. Old things have passed away. The history of old Canada, with its contracted bounds, and limited divisions of Upper and Lower, East and West, has been completed, and this day a new volume is opened, New Brunswick and Nova Scotia uniting with Ontario and Quebec to make the history of a greater Canada, already extending from the ocean to the head waters of the great lakes, and destined ere long to embrace the larger half of this North American continent from the Atlantic to the Pacific.

Let us gratefully acknowledge the hand of the Almighty Disposer of Events in bringing about this result, pregnant with so important an influence on the condition and destinies of the inhabitants of these Provinces, and of the teeming millions who in ages to come will people the Dominion of Canada from ocean to ocean, and give it its character in the annals of time. Let us acknowledge, too, the sagacity, the patriotism, the forgetfulness of selfish and partisan considerations, on the part of our statesmen, to which under Providence are due the inception of the project of a British American Confederation and the carrying it to a successful issue. Without much patient labour, a disposition to make mutual concessions, and an earnest large-minded willingness to subordinate all party interests to attainment of what would be for the lasting weal of the whole people of British America, the result we celebrate this day would never have been achieved. It has taken just three years to accomplish —not certainly an unreasonable space of time for a work of such magnitude. Three years ago, Mr. Brown, Mr. Mowat, and Mr. McDougall, as representing the Reformers of Upper Canada, joined Mr. John A. Macdonald, Mr. Cartier, and their political associates, in forming a Government whose single and sole mission it should be to aim at the establishment for these Provinces of a new state of political existence, in which we should be rid of the peculiar evils and grievances which had hitherto obstructed our progress, and enter on a happier and brighter era. The Government was formed on the 30th June, 1864. On the 1st July, 1867, we witness the fruition of what was then undertaken. The public men of the Maritime Provinces joined in the good work, the sympathy and support of the great mass of the people were soon found to be heartily enlisted in the movement, the cordial and generous co-operation of the mother country was given to it, and this day the Dominion of Canada is proclaimed; and, as Canadians, no longer confined within petty Provincial limits, but members of a larger nationality, New Brunswick and Nova Scotia, Quebec and Ontario, join hands, and a shout of rejoicing goes up from the four millions of people who are now linked together for weal or for woe, to work out in common the destinies of a united British America.

The preliminary negotiations for the Union of the British American Provinces, contemplated a Confederation of the two Canadas and the four Maritime Provinces, with provision for the admission, at some future time, of the colony of Red River, the North-West Territory, and British Columbia. The greater part of this project has been realised. The accomplishment of the rest appears to be only a matter of time. Prince Edward Island has chosen for the present to remain out in the cold, and Newfoundland was not quite ready to throw in her lot with the sister Provinces. But, so far as legislation is concerned, the measure for the union of the whole of British America, under the title of the Dominion of Canada, is a fait accompli. The actual bringing into the Confederacy of its outlying members is a mere matter of detail to be arranged, as the occasion arises, by a simple Order in Council, the Imperial Parliament having done all that is necessary in the way of legislation. As regards British Columbia, Newfoundland and Prince Edward Island, the whole machinery for their admission has already been provided. So soon as they are prepared to enter the Confederacy, all they have to do is to express, through their Legislatures a desire to that effect, and by an Order in Council, with the consent of the Dominional Parliament without any further reference to the Imperial Parliament, Her Majesty will admit them. In like manner, as regards the Red River Settlement and the North-West Territory, so soon as the Senate and House of Commons of Canada are in a position to organize Governments for those regions, they have only to intimate their wishes, and Her Majesty will give effect to them. In its most important aspect, therefore, we may look upon the Confederation of the whole of British North America as completed. The incorporation of Rupert's Land and the North-West Territory is made, by the act of Union, to depend on the will of Canada herself, and to suppose that she will shrink from the responsibility thus laid upon her by the mother country, would be to cast a libellous imputation on her fitness for the high career on which she is now entering. And as regards the three Provinces, which have still separate Governments of their own, we may safely assume that, studying what will be for their own weal, as well as looking to the general advantage, both from an Imperial and a Colonial point of view, of the interests and influence of the whole of British America, they will speedily adopt the necessary measures for giving complete effect to the Act which extends the Dominion of Canada over the broad expanse of the continent, so as to include under one Government the whole of Her Majesty's subjects throughout British North America.

We celebrate then to-day an event of much greater importance than the Confederation merely of three or four Provinces—the union of two of the Maritime Provinces with Canada. We celebrate the inauguration of a new nationality, to which are committed the interests of Christianity and civilization over a territory larger than that of the ancient Roman Empire, larger, too, than the territory which is controlled by the great neighbouring Republic, and with a population greater than that with which the United States began their career ninety years ago. In the duties, therefore, of the present, and in the hopes and aspirations which gild our future, there is room and scope ample enough for the purest patriotism and the loftiest ambition. Let us hope that Canadians—using the word in its new and large acception—will worthily fulfil the duties which Providence has confided to them.

L'Ordre, Québec—1er juillet 1867

CONFEDERATION

D'abord ultramontain, adversaire acharné du Pays *et de l'aile radicale du parti libéral,* L'Ordre, *fondé le 23 novembre 1858, se détache du parti conservateur deux ans plus tard lorsque J.-A. Plinquet en fait l'acquisition. Ses principaux rédacteurs: Joseph Royal, de Bellefeuille, Boucher et Beaubien, démissionnent en juin 1861. Pour sa part, le nouveau rédacteur en chef, Hector Fabre, croit à la séparation nécessaire de l'Eglise et de l'Etat. C'est l'époque où Charles Laberge, collaborateur régulier, signe ses articles inspirés de Montalembert d'un pseudonyme révélateur:* Libéral mais catholique. *A la suite de Jean-Baptiste Eric Dorion, de Wilfrid Laurier lui-même,* L'Ordre *combat le projet d'une confédération des provinces de l'Amérique du nord britannique, parce qu'à ses yeux celle-ci "anéantirait l'élément canadien-français et signifierait le sacrifice entier de la minorité catholique du Haut-Canada".*

Le 1er juillet 1867, L'Ordre, *journal publié à Québec, fait état de la résistance de la population française de Montréal aux réjouissances du jour, car la Vieille Capitale, château-fort du parti de Cartier-Macdonald, est au contraire largement pavoisée. Mais dès le 23 novembre,* L'Ordre *va se rallier à la Confédération et, justifiant son changement d'attitude, écrit qu'il faut donner aux hommes qui l'ont bâtie "le temps et la facilité d'en faire la preuve".*

Following Jean-Baptiste Eric Dorion and Wilfrid Laurier himself, L'Ordre *fought the project of a confederation of the provinces of British North America because, in its eyes, this "would utterly destroy the French-Canadian element and would mean the complete sacrifice of the Catholic minority in Upper Canada." On July 1, 1867,* L'Ordre, *which was published in Quebec City, noted the refusal of Montreal's French population to join in the celebrations of the day. By contrast the Old Capital, stronghold of the Cartier-Macdonald party, was liberally decked with flags. But from November 23,* L'Ordre *was to rally to Confederation and, in justification of its change of attitude, write that the men who built it must be given "time and opportunities to prove it."*

Nous entrons aujourd'hui dans une des phases les plus importantes de notre histoire: une constitution est remplacée par une autre constitution qui s'étend maintenant sur quatre provinces au lieu de deux, avec la perspective d'embrasser plus tard toutes les possessions anglaises de l'Amérique du Nord. Comme celui auquel il succède, le nouveau régime a été littéralement imposé au Bas-Canada pour satisfaire l'ambition d'hommes politiques: sera-t-il plus heureux que le premier? L'avenir le dira.

En attendant, nous entrons dans la Confédération avec crainte, mais avec le ferme espoir de détourner à temps de notre race les dangers que nous avons tant raison d'appréhender. Loin de vouloir repousser violemment l'état de choses accompli, nous désirons lui donner l'occasion de se faire valoir, et aux hommes qui l'ont amené le temps de le mettre en pratique, afin que plus tard ils n'aient pas à invoquer la raison d'une opposition factieuse, dans le cas où leur entreprise ne réussirait pas. D'ailleurs, nous le répétons, la Confédération est faite; au moment où nos lecteurs lisent ces lignes le canon en proclame l'avènement par sa voix sonore, et nous sommes encore à nous demander ce qu'il y a à faire constitutionnellement contre un fait établi? Rien, et à moins d'une révolution armée, nous ne voyons pas qu'il reste à prendre d'autre alternative que celle d'accorder franchement au nouveau régime un juste essai. De la révolution nous en repoussons énergiquement même l'idée. Il sera toujours temps plus tard de corriger la nouvelle constitution.

La Minerve a donc bien tort de nous faire des misères à propos d'une affaire qui n'a aucune importance en elle-même. Nos explications ont été assez catégoriques depuis que la nouvelle Constitution a été sanctionnée par le gouvernement impérial: nous n'avons pas à y revenir.

Mais, tout en acceptant le nouveau régime, nous ne saurions pas être de ceux qui se réjouissent de son avènement. Ceux-là peuvent avoirs leurs raisons pour proclamer à hauts cris leur triomphe; nous avons les nôtres pour nous abstenir de prendre part à une démonstration qui est pour le moins ridicule et qui, dans tous les cas, n'est pas généreuse. Les auteurs du système politique qui est inauguré aujourd'hui savent bien pourtant qu'ils ne sont pas justifiables de se laisser aller à l'enthousiasme, puisqu'ils n'ont dû leur succès qu'à la manière tyrannique dont ils se sont conduits en refusant de demander au peuple du Bas-Canada un verdict qu'ils prévoyaient avec raison leur être défavorable. Qu'ils gardent donc pour eux leurs réjouissances et qu'ils fassent des voeux pour qu'elles ne soient pas trop prématurées.

Quant à ceux qui ont toujours combattu la Confédération tant qu'il y a eu espoir d'en empêcher la consommation et qui la subissent aujourd'hui comme une chose qui ne peut plus être repoussée, ils passeront cette journée d'une tout autre manière; ils demanderont au ciel qu'il éloigne de nous les dangers que craignent les véritables patriotes qui s'intéressent intimement aux intérêts de leur patrie avant de servir de mesquines ambitions politiques; ils imploreront la divine Providence pour qu'elle protège dans la sombre carrière qui s'ouvre devant lui le peuple canadien français qui conserve une inaltérable confiance dans les destinées qu'elle lui a assignées sur ce coin de terre de l'Amérique.

Nous donnons pour mémoire le programme suivant des fêtes officielles qui ont lieu aujourd'hui à Montréal à l'occasion de l'inauguration de la Confédération.

A 9 heures, ce matin, les troupes régulières, la milice volontaire et la Brigade du Grand-Tronc se rangeront en colonnes serrées sur la ferme Logan, les Réguliers à droite, les Volontaires à gauche, et la Brigade du Grand-Tronc au centre.

A 10 heures, Son Honneur le Maire arrivera avec une escorte, au son de la trompette et proclamera la Nouvelle Puissance.

La Batterie de Campagne Volontaire tirera alors un salut royal de 21 coups de canon, auquel on répondra par un même salut sur l'Ile Ste. Hélène.

On lancera trois hourras pour la Reine, trois pour la Nouvelle Puissance, et les troupes, se déployant, tireront un feu de joie.

Des gardes d'honneur de différents régiments se tiendront aux carrés publics dans l'ordre suivant pour recevoir le Maire, qui lira la Proclamation, savoir:

Du 100 Régt .... A la place d'Armes
Rafle Brigade .... Au carré Victoria
Hochelaga .... Au carré Dalhousie

Avant que la proclamation soit lue sur la Place d'Armes, 21 coups de canon seront tirés sur les quais.

A part cela, il y aura le soir, à 9 heures, quelques feux d'artifices dont les principaux auront lieu au Réservoir de la Montagne et au Carré-Viger: c'est la Corporation qui en paie les frais. Les plus chauds partisans illumineront peut-être leurs demeures, mais ils seront en petit nombre. Quant aux banques et aux édifices publics, ils n'en ont pas voulu entendre parler.

Et voilà ce que sera cette grande démonstration. Certes, les organes ministériels n'ont pas eu tort de se plaindre de l'apathie de la population: leur fête sera un fiasco bien conditionné, à Montréal du moins.

CONFEDERATION

En juillet 1867, lorsque fut proclamée la Confédération, Le Journal de Québec *qui avait été fondé par Joseph Cauchon et Augustin Côté le 1er décembre 1842, appuyait le parti libéral-conservateur, mais en ayant soin de préciser que ses positions politiques n'avaient rien à voir avec les conflits ethniques ou de races. Modéré,* Le Journal de Québec *avait accepté le principe et le fait de la Confédération.*

Joseph Cauchon, après des absences prolongées et des recommencements difficiles, en était à ce moment le rédacteur en chef. Il devait avoir une carrière politique tourmentée. En 1872, Cauchon se ralliera aux libéraux à la suite du scandale du Pacifique canadien. Ministre dans le gouvernement Mackenzie (libéral), il démissione en 1877 et Laurier, élu député de Québec-Est après l'échec de Drummond-Kamouraska, devient ministre. C'est alors que Cauchon est nommé lieutenant-gouverneur du Manitoba qui est entré dans la Confédération en 1872.

A compter de 1879 — et ceci jusqu'à sa mort en octobre 1889 — Le Journal de Québec *qui, pour toutes fins pratiques, avait remplacé* La Gazette de Québec *au moment de sa fondation, donnera son appui au parti conservateur. Au nombre de ses collaborateurs (et selon les saisons . . .) on note: l'abbé Bois qui signait Neveu; F.-X. Garneau qui publia dans ce journal quelques récits de voyage, et surtout Chauveau qui allait devenir premier ministre du Québec.*

In July 1867, when Confederation was proclaimed, Le Journal de Québec *(founded by Joseph Cauchon and Augustin Côté on December 1, 1842) supported the Liberal-Conservative Party, while being careful to state explicity that its political position had nothing to do with ethnic or racial conflicts. Moderate in policy,* Le Journal de Québec *had accepted the principle and the fact of Confederation.*

Joseph Cauchon, after prolonged absences and a difficult resumption of duties, was editor at the time. He was to have a troubled political career. In 1872 Cauchon threw his lot in with the Liberals after the Pacific Scandal. A minister in the Mackenzie government, he resigned in 1877 and Laurier, elected Member for Quebec East after the Drummond-Kamouraska failure, became minister in his place. Cauchon was then appointed Lieutenant-Governor of Manitoba, which had entered Confederation in 1870.

La Confédération a été inaugurée hier dans toute l'étendue de la Souveraineté du Canada par des réjouissances magnifiques.

Notre bonne ville de Québec, redevenue encore une fois capitale, a voulu aussi chômer l'ère nouvelle. Les affaires sont restées suspendues; des pavillons, des drapeaux flottaient sur presque tous les édifices publics.

A onze heures, les régiments de la garnison et les différents corps des volontaires se formèrent en carré sur l'Esplanade, tandis qu'une foule compacte se pressait aux alentours. Son Honneur le Maire fit la lecture de la proclamation, et aussitôt trois hourras enthousiastes poussés par les troupes et les spectateurs, saluèrent le nouvel ordre de choses. Cette réunion, ces acclamations, nous rappellent les immenses assemblées des Francs, les fêtes des champs de mai de la vieille monarchie française.

La proclamation fut aussi lue à Saint-Roch, au faubourg Saint-Jean et le plus grand enthousiasme a éclaté dans ces faubourgs.

Pendant le reste de la journée, la ville semblait presque déserte; la température était accablante et chacun cherchait l'ombre et la fraîcheur de la campagne pour fuir le double fléau des villes, la chaleur et la poussière. On avait organisé de toutes parts de nombreuses parties de plaisir, et l'Ile d'Orléans, Lorette, le Sault Montmorency, etc., reçurent chacun leur contingent de citadins, fiers et heureux de fêter la Confédération à la campagne.

Le soir, il y eut illumination dans une bonne partie de notre ville, l'Evêché, le Séminaire, l'Université et les maisons d'un très grand nombre de citoyens montraient des croisées brillantes de lumières. Un immense transparent placé sur le haut de l'Université laissait voir en lettre de feu le nom de Laval et plusieurs devises.

Le bureau du Mercury était bien décoré, un tableau emblématique attirait les regards de la foule. Quatre femmes personnifiaient les provinces confédérées, tandis que dans le fond scène on apercevait au milieu de l'Océan un dauphin monté par un insulaire de l'île du Prince-Edouard, plus loin un caniche mal peigné rappelait les récalcitrants de Terre-neuve.

Les résidences de sir N.F. Belleau et de l'hon. M. Langevin, maître-général des Postes, étaient illuminées d'une manière splendide.

M. Iloliwell, en face du bureau de poste, avait disposé dans ses croisées plusieurs jolis transparents et des devises telles que: Succès à la Confédération, l'Union fait la force.

La rue Saint-Jean était illuminée dans toute son étendue, partout on lisait des inscriptions anglaises et françaises, Vive la Confédération, Success to the New Dominion, United we stand, Divided we fall.

Les vaisseaux dans le port étaient illuminés et pavoisés; cette multitude de lumières répétées dans les eaux du fleuve produisait un effet enchanteur. Les marins lancèrent nombre de fusées, de chandelles romaines, etc.

Nos voisins de l'autre côté du fleuve avaient rivalisé de zèle pour célébrer la Confédération, et ils sont arrivés à un résultat en tout digne de la florissante ville de Lévis. Vue de Québec l'illumination avait un aspect magnifique.

Dans le lointain, on apercevait sur les rives de l'île d'Orléans des feux de joie, et des pièces d'artifices partaient du campement militaire.

Confederation! the much-fathered youngster.
La Confédération, enfant issu de plusieurs pères!

The rise of political cartooning in English Canada dates from 1873, when J.W. Bengough founded his satirical weekly, *Grip*, in Toronto. Here Bengough pokes fun at the claims to be the *real* Father of Confederation put forward on behalf of George Brown, Sir Francis Hincks, William McDougall and Sir John A. Macdonald.

Au Canada anglais, les caricatures politiques ont commencé à devenir vraiment populaires à partir de 1873, quand J.W. Bengough eut fondé son hebdomadaire satirique, le *Grip*, de Toronto. Bengough raille ici George Brown, sir Francis Hincks, William McDougall et sir John A. Macdonald, parce que chacun d'eux était censé être le *vrai* père de la Confédération.

GEORGE BROWN

THE CONFEDERATE CABINET

Two days after Confederation Day, The Globe *was back in the thick of political controversy again, as was all the rest of the press. Here George Brown gives his frank opinion of Sir John A. Macdonald's new coalition cabinet.*

Le surlendemain du jour de la Confédération, le Globe *se retrouvait au plus épais de la controverse politique, comme d'ailleurs tous les autres journaux. George Brown exprime ici sa franche opinion au sujet du nouveau cabinet de coalition de sir John A. Macdonald.*

It is reported in Ottawa, that the following programme has been agreed upon for the new Cabinet:

Sir John A. Macdonald, Premier and Minister of Justice.
Hon. A. T. Galt, Chancellor of the Exchequer.
Hon. G. E. Cartier, Minister of Militia.
Hon. A. J. Fergusson-Blair, President of the Council.
Hon. Peter Mitchell, Minister of Marine and Fisheries.
Hon. Alex. Campbell, Postmaster-General.
Hon. J. L. Langevin, Home Secretary.
Hon. A. G. Archibald, Foreign Secretary.
Hon. Wm. McDougall, Minister of Public Works.
Hon. J. C. Chapais, Minister of Agriculture.
Hon. W. P. Howland, Minister of Internal Revenue.
Hon. Mr. Tilley, Minister of Customs.
Hon. Edward Kenney, Receiver-General.

The Cabinet is thus reported to consist of thirteen members, and in order to find duties for them, or pretence of duties, the actual business of the country is cut up into infinitesimal portions with a most ludicrous result. It would have been less absurd to have appointed two men to the same office, one to watch the other, as they do in Japan; for then, perhaps, the proclivities of Sir John A. Macdonald and his colleagues towards corruption, to which Mr. McDougall alluded at the Convention, might have been checked. The Minister of Finance and the Receiver-General of Canada have hitherto managed the financial affairs of the country; and the Federal officials will, for many years, have less to do than their predecessors in this Province; yet four Ministers are appointed for the work. Mr. Galt is Chancellor of the Exchequer; Mr. Howland has charge of the Internal Revenue; Mr. Tilley of the Customs; and Mr. Kenney is Receiver-General. There is a Foreign Secretary; but what his business is to be, we are utterly at a loss to imagine: and there is a Home Secretary, but his occupation, when the whole service is already cut up among twelve colleagues, is beyond conjecture. There is to be a Minister of Marine and Fisheries, who will doubtless find ample occupation in controlling the movements of Capt. Fortin and his schooner. The object of this ridiculous subdivision of offices is evidently to cover over the original error of making the Cabinet unreasonably large. When the whole business of the United States is transacted by seven Cabinet officers, it is surely absurd to appoint thirteen for the Dominion of Canada. The Cabinet doubtless has been made large in order to secure votes, but is it not a bad beginning of the new system to show so utter a disregard of economy and, we may add, of the dictates of common sense.

The worst point in the constitution of the Cabinet is the appointment of Mr. A. T. Galt to the office of Finance minister, or, as he is to be absurdly called, the Chancellor of the Exchequer. Mr. Howland is to abandon the place, and the Grand Trunk financier to take it. This is undoubtedly one of the concessions to Reformers of which Mr. McDougall and Mr. Howland boasted at the Convention. With the revival of credit and a low money market in England, a long railway to build and raw legislature to manipulate,—doubtless Mr. Galt sees before him a brilliant prospect. He has obtained a new appointment to the old position, and, strange to say, it is the Reformers of Upper Canada who are asked to grant it to him. The fact that Mr. Galt has resumed his old place, indicates how completely Messrs. Blair, Howland and McDougall have deserted to the enemy, how completely they are without influence in the new Government. Mr. Howland has been heard to say that he never would be a member of a Cabinet of which Mr. Galt was Finance Minister, yet he humbly accepts the minor post of Minister of Internal Revenue, with unlimited powers, doubtless, over the duties on whisky, while he leaves Mr. Galt to manipulate the great monetary interests of the Province. Mr. Galt's appointment is an insult, not simply to the Reformers, but to all classes of the people of Upper Canada. No western man, Tory or Radical, has an atom of confidence in the wisdom or uprightness of his policy. No one trusts him, no one expects from his administration wise or beneficial results. The announcement of his appointment will be an intimation to ninety-nine out of every hundred, in Upper Canada at least, that extravagance and waste in expenditure, carelessness in the imposition of public burdens, and increase of the public debt, are sought to be perpetuated under the new Constitution. We defy a single honest journalist, Tory or Radical, in Upper Canada, to print in plain terms his approval of Mr. Galt as a Finance Minister. A creature of the Government may do so, but no independent man would commit such an act of hypocrisy. Yet, with the choice of at least two members of the Cabinet, better financiers than he, who are or were Reformers, it is he that is chosen, simply because he is a friend and an ally of the Tory Premier, Sir John A. Macdonald. The Tory papers say there is nothing to quarrel about—nothing to draw party lines upon. We answer that the appointment of Mr. Galt to the office of Finance Minister is sufficient ground for opposing the new Ministry. It shows that his party have neither repented of their sins nor intend amendment.

The same determination to grasp at the chief offices of the Cabinet is shown in the appointment of Mr. Campbell to the Postmaster-Generalship,—an office for which he is utterly unfit, but in which he will possess considerable patronage. Sir John A. Macdonald and Messrs. Galt, Cartier, Campbell, Langevin and Chapais, six, are old colleagues and allies. They have associated with them, three quondam Upper Canada Reformers, Messrs. Blair, Howland and McDougall, and three Lower Province representatives, Messrs. Archibald, Tilley and Mitchell. The fourth Lower Province delegate was a Reformer in former days, but has for many years acted with Dr. Tupper, and is placed in the Cabinet as his representative. The pretence that, because of Mr. Kenney's presence, the Reformers will have a majority, is absurd. Mr. Kenney cannot be considered a Reformer at present, either from his own personal views or his political connections; and moreover, to pit three Western Reformers, deserters from their party, with three Lower Province Reformers unaccustomed to act with them, against six Conservatives, sworn allies, and led by Sir John A. Macdonald and Mr. Galt, with Dr. Tupper's representative to act as umpire in case of a difference of opinion, could only be considered an equal bargain by one in search of a Companionship of the Bath, or a salary of $8,000 a year. The Reformers of the Dominion hold its destinies in their hands. They will elect in the coming contest a considerable majority of the representatives of the whole country; and nothing but downright treachery to the party could have induced any one of its members to give his countenance to so scandalous an arrangement.

STARTLING & DIABOLICAL MURDER

It was D'Arcy McGee, apparently, who first used and popularized the phrase "a new nationality," which was quoted in the Confederation debates of 1865 and quoted again in the Speech from the Throne of the first session of the first parliament of Canada. McGee had been one of the Young Ireland nationalists who had tried to raise a revolution in 1848. After that he spent some time in the United States, and finally in 1857 he settled in Canada. All these years he was a vigorous agitator and writer. In Canada he became a representative in the Legislature of Montreal's Irish population, first as a Reformer and then as a Conservative ally of Sir John A. Macdonald. He was a member of the Canadian government that negotiated the terms of Confederation at the Charlottetown and Quebec conferences in 1864; and his brilliant, witty speech-making made him a hero of all the young nationalists in Canada.

But he also became a bitter enemy of the Fenian elements in the Irish population. This led to his murder in 1868 by Patrick James Whelan, a young Fenian who was later caught and executed. It was one of the few political murders in Canada's history.

C'est D'Arcy McGee, semble-t-il, qui, le premier, utilisa et popularisa l'expression "une nouvelle nationalité." Citée dans les débats de la Confédération de 1865, l'expression fut de nouveau citée dans le discours du trône qui ouvrit la première session de la première législature du Parlement canadien.

McGee avait été un des nationalistes de la Jeune Irlande qui avaient essayé de monter une révolution en 1848. Après quoi, il alla séjourner aux Etats-Unis. Il finit par s'établir au Canada en 1857. Tout au long de ces années, il se montra ardent à l'agitation et vigoureux écrivain. A l'assemblée législative, il devint un représentant de la population irlandaise de Montréal, d'abord comme réformiste, puis comme allié conservateur de sir John A. Macdonald. Il fit partie du gouvernement canadien qui négocia les termes de la Confédération aux conférences de Charlottetown et de Québec en 1864; le brio de ses discours pleins d'esprit en fit un héros de tous les jeunes nationalistes du Canada.

Il devint aussi un ennemi acharné des éléments féniens de la population irlandaise. Cette inimitié lui valut d'être assassiné en 1868 par Patrick James Whelan, jeune Fénien qui fut par la suite capturé et exécuté. Ce fut l'un des rares assassinats politiques de notre histoire.

This morning shortly after two o'clock the city was thrown into a state of horror and alarm by a report that the Hon. Thomas D'Arcy McGee had been assassinated at the door of his boarding-house in Sparks street. At first the dire intelligence was scarcely credited. But few who heard it could resist the desire to enquire into the correctness of the statement, which upon investigation turned out to be only too true. During the evening the appointment of Dr. Tupper as Commissioner to England had been under discussion in the House, and the honorable gentleman had addressed the Commons at some length on the subject. After the adjournment he must have left the Parliament Buildings almost immediately, as the House had not risen more than twenty minutes before he was found lying murdered on the sidewalk in a pool of blood in front of the Toronto House, where he resided. It appears that a servant in the boarding-house heard some one at the door and a shot fired. Going to the door at once she discovered the body of the murdered man lying on the planks, and at once gave the alarm. From the nature of the wound and the position in which the body lay there can be no doubt but that the murder was coolly done, and that instantaneous death ensued. The deceased was found lying on his back, his hat not even displaced from his head and his walking cane under his arm. The bullet entered at the back of the neck and came out of his mouth, destroying his front teeth and lodging in the door about two inches above the latch-key hole. It is evident, from these facts, that the honorable gentleman must have been in the act of opening the door, stooping to find the keyhold with his head close to it, and his cane under his arm, and that the assassin must have approached him cautiously, and putting the pistol to his head behind his ear, discharged it and fled.

The fearful news soon spread among the members of the Legislature, few of whom had retired to rest, and ere long the place was filled with his sorrowing friends and admirers, whose deeply expressed detestation of the cowardly crime will find an echo in every honest breast. The Premier and the Premier of Ontario, with many others, hastened to the spot, and every effort was at once set afoot to discover the perpetrator of the crime, which for audacity and cold-bloodedness stands unequalled in our history.

(From The Ottawa Citizen *of Wednesday, April 8, 1868)*

Seldom has a more intense gloom pervaded any community than the tragic fate of the Hon. Thomas D'Arcy McGee threw upon our city yesterday. When first the news of the dastardly crime was circulated among the people, few could bring themselves to give credence to the fact that a leading statesman of the country had been stricken to death by the cowardly hand of an assassin in one of the best populated portions of the Capital. Even when enquiry forced conviction on the unwilling believers, so sudden was the shock that few could realize the loss the country had sustained; but when, with succeeding hours, a full sense of the calamity came home to men's minds, a feeling of deep sorrow and firm determination to leave no means untried to bring to justice the perpetrators of the foul crime, was the all-pervading sentiment of the people. During the deep still hours which intervened between the discovery of the fatal act and the dawning day, hundreds visited the scene of the tragedy, and as time wore on, and the intelligence circled wider and wider, crowds came flocking through the cold and cheerless dawn, with hearts as dark and sad, to assure themselves of the strict truth of the sad announcement.

The scene of the foul deed was at the very door of Mr. McGee's boarding-house, "The Toronto House," where he has resided during the whole session, and forming a part of the handsome block erected by Mr. Desbarats some three years ago for the office of the Queen's Printer. From the spot where the victim fell, a large stream of blood ran down the side-walk to the street, tinging the fast-falling snow, which seemed vainly striving to cover from sight the sad trace of the iniquitous act.

News of the crime was quickly conveyed to the authorities, and Coroner VanCortlandt soon arrived at the spot, and taking the body in charge, forbade any one touching it until it was seen by the jury, which he was about empanelling for the purpose of holding an inquest. The jury having been called together at ten o'clock, proceeded to view the body, and after doing so, and ordering a post-mortem examination to be made, adjourned to meet again at seven o'clock in the evening.

The judicial and civic authorities were meanwhile not idle. His worship the Mayor issued immediate notice for a special meeting of the City Council, which assembled at the City Hall at eleven o'clock. Short as was the notice given, twelve out of the fifteen Aldermen were present, and without a dissenting voice carried the following resolution, expressing their abhorrence of the deed:

Moved by Ald. Cunningham, seconded by Ald. Goulden, That the Corporation of the city of Ottawa viewing with horror the foul crime committed in this city, by which the Hon. Thomas D'Arcy McGee was savagely assaulted on the morning of the 7th inst., hereby offer a reward of two thousand dollars for the apprehension and conviction of the assassin or assassins, or for such information as shall lead to the same—and a like sum for the apprehension and conviction of any party proven to be in any way implicated in this horrid murder, or connected with the same, and the Corporation also take this opportunity of expressing their regret at the untimely death of so eminent a statesman and request His Worship the Mayor to issue a proclamation forthwith in accordance with this resolution.

In accordance with this a proclamation was despatched to the city papers and placarded through the streets.

The Privy Council at its sitting, later in the day resolved to issue a reward of five thousand dollars for the same purpose, and the Cabinet of Ontario and Quebec offered each the sum of two thousand five hundred dollars for the conviction of the offenders—steps which met with the heartiest approbation of the whole community.

Under the direction of Dr. VanCortlandt a post mortem examination of the body was made by Drs. Wolfe, Pyne and McGillivray, besides whom there was present Drs. VanCortlandt, Hill, Dickinson, Chesley, Corbett, Beaubien, Leggo, Bown, and several other gentlemen. A complete examination of the body took place with the object of leaving no doubt as to the cause of death. A particularity which was noticeably wanting in the late murder case at Aylmer. The scalp being removed and the brain taken from the skull shewed that the brain was in a very healthy condition, and on being placed in the scales shewed the unusually heavy weight of 3 lbs. 11 oz. A similar healthy condition was observed in all other portions of the body on examination.

The post mortem examination being over the body was given in charge to some of the city friends of the deceased, by whom it was placed in a handsome metallic coffin, having been first cleansed from the clotted blood which had adhered to his mouth, hair and beard, and dressed in an evening suit of black.

When placed in the coffin the corpse presented an unusually placid expression as if pain, sorrow, or care, had never had a place in his heart. The lips were slightly open, with a calm sweet smile formed upon them, as if in his long last sleep the joys of the absent were reflected in a dream.

During the afternoon great numbers sought permission to see the body, and strict orders had at length to be given to admit no one until the Coroner should give orders to admit them. Few that were in that chamber of death will forget the scene, and none who gazed on the features of the eloquent and impassioned orator, lying so strangely quiet and serene, could behold the scene without deep emotion. During the day a great number of rumors were afloat as to who and what the parties were by whom the fatal act was committed, but in most cases no tangible cause of suspicion could be attached to any of the parties whose names were mentioned.

No clue having been found to the murderer, the police arrested several parties on suspicion of their knowing more about the matter than they were willing to tell, and during the day special constables were despatched in every direction through the country to see if no trace of the murderer could be found. The parties taken into custody were P. Buckley, J. Buckley, both messengers of the House, and well known to Mr. McGee; P.A. Egleson and P. Egleson, clothiers, doing business in Sussex street; Ralph Slattery, a carpenter named White, residing in Upper Town, and a young man named McKenna, a printer by trade, and who, though a Canadian by birth, has been for some time residing in the United States. The reason for the arrest of these parties on suspicion is not known, nor is it likely that the charges against them will amount to anything. McKenna owed his detention simply to his own want of discretion. It appears that he went into a public house and asked for a drink, which was got for him. While getting the liquor for him the bartender made an observation lamenting the death of Mr. McGee. To this McKenna replied that he had only got his deserts. Such language was ill-calculated to promote the speaker's comfort, as he was informed that he could have nothing to drink at that bar, and some of the parties present suggested that under the circumstances lynching him might entail no loss to the country. Nothing but his timely arrest by the police saved him from serious and unpleasant consequences.

Late yesterday evening the citizens were notified generally that the body would be removed from Ottawa to Montreal by the St. Lawrence & Ottawa Railway this morning at eight o'clock.

L'ASSASSINAT DE L'HON. M. McGEE

Fondée le 9 novembre 1826, d'abord hebdomadaire, La Minerve *n'était publiée quotidiennement que depuis le 8 septembre 1865, quand Thomas D'Arcy McGee, l'un des Pères de la Confédération, fut assassiné le 7 avril 1868. Il venait d'avoir 43 ans.*

Il est curieux de constater que pour toutes fins pratiques, D'Arcy McGee et La Minerve *avaient connu une évolution parallèle. Né en Irlande, activiste républicain, McGee était venu chercher la liberté aux Etats-Unis. Ses idées évoluant, il avait choisi, en 1857, de se fixer à Montréal où il avait d'abord adhéré au parti* rouge. *Mais comme* La Minerve, *il s'était rallié au parti de Cartier-Macdonald.*

Encore que le récit de son assassinat soit écrit à la première personne ("Au moment où je vous télégraphie . . .") l'article n'est pas signé. Rappelons qu'à l'époque, le journal était dirigé par Arthur Dansereau dit "le boss". Les communications, il y a cent ans, étaient moins rapides qu'elles ne le sont aujourd'hui; par ailleurs, La Minerve *soignait davantage son information que sa mise en page; enfin le métier de "titreur" n'existait pas encore. D'où la publication des télégrammes de presse dans l'ordre où ils parvenaient au journal afin que le lecteur puisse, lui aussi, vivre d'heure en heure le drame raconté.*

Ceci est le récit du premier assassinat politique dans les annales de la Confédération. C'était aussi la première fois dans l'histoire de La Minerve *qu'il y avait du sang à la "une".*

The careers of Thomas D'Arcy McGee and the Montreal newspaper La Minerve *developed along somewhat parallel lines. When McGee settled in Montreal in 1857, he first gave his allegiance to the party of reform,* les rouges. *But, like* La Minerve, *he eventually threw in his lot with the party of Macdonald and Cartier. This account of McGee's assassination from* La Minerve *is written in the first person ("At the moment I am telegraphing you. . . ."), and marks the first time in the paper's history that bloodshed made the front page. However, the article is not signed.*

Communications a hundred years ago were not as rapid as they are today. La Minerve *paid more attention to its news bulletins than to its page layout, and the job of sub-editor-cum-"head-setter" was not yet in existence. This explains the publication of press telegrams in the order in which they reached the newspaper, so that the reader could relive the drama from hour to hour as it had unfolded.*

Ottawa, 7 avril 1868—Au moment où je vous télégraphie, 6:36 a.m. il y a une foule immense qui se presse autour de la résidence de M. McGee et l'horreur qu'inspire cet acte ignoble et lâche, est aussi profonde qu'universelle.

Voici un rapport plus complet:

Ce matin, un peu après 2 heures, la cité a été jetée dans l'émoi par la nouvelle que l'Hon. M. McGee était assassiné, à la porte de sa maison de pension, rue Sparks.

On avait d'abord peine à croire à la sinistre nouvelle; mais l'on ne pût s'empêcher d'aller constater l'exactitude du fait sur les lieux et l'on put voir qu'il n'y avait que trop de vérité.

Durant la soirée, la nomination du Dr. Tupper comme délégué en Angleterre étant revenue sur le tapis, l'Hon. M. McGee avait pris la parole assez au long sur le sujet.

Après l'ajournement, il a dû laisser les bâtisses du Parlement presque immédiatement, puisque la séance n'était pas levée depuis vingt minutes quand on le trouva baignant dans son sang sur le trottoir en face de l'Hôtel Toronto, où il se retirait.

Il parait qu'une servante de Madame Trottier, maîtresse de pension, a entendu du bruit à la porte, puis la détonation d'une arme à feu. Elle se précipita vers la porte et trouva le corps de la victime gisant sur le parapet. Elle donna l'alarme immédiatement.

Par la nature de la blessure et la position du cadavre, il n'y a pas de doute que le meurtrier a agi avec le plus grand sang-froid et que la mort a été instantanée. Le défunt a été trouvé sur le dos et son chapeau n'était même pas dérangé sur sa tête et il avait encore sa canne sous le bras.

La balle est entrée à l'arrière du cou et est sortie par la bouche, en brisant les dents de devant et elle s'est fixée dans la porte deux pouces d'avant.

Il est évident que l'Hon. Monsieur était à ouvrir la porte, le tête collée à la maison et sa canne sous le bras et que l'assassin s'est approché sans bruit et lui a appuyé le pistolet sur la tête, sous l'oreille, a lâché la détente et s'est enfui immédiatement.

La terrible nouvelle s'est vite répandue parmi les membres qui veillaient encore presque tous, et bientôt le lieu fut envahi par ses amis et ses admirateurs désolés, qui étaient unanimes à stigmatiser ce crime déshonorant et infâme.

Le Premier ministre et le Premier de Toronto, avec plusieurs autres, se sont rendus en toute hâte sur les lieux, et tous les efforts ont été employés pour découvrir l'assassin, qui, en sang-froid et en audace, ne le cède à aucun autre dans notre histoire.

Ottawa, 8 h a.m.

Vers deux heures, M. McGee s'en retournait avec M. McFarlane et M. Buckley. Ses deux amis prirent chacun leur côté et M. McGee s'en vint seul à sa pension. Il faisait un superbe clair de lune et l'on distinguait dans les rues presque aussi bien que dans le jour.

Aussitôt l'alarme donnée, le Dr. Robitaille qui était à l'hôtel, accourût et il reconnût que la blessure était mortelle.

On a trouvé sur le perron le cigare à moitié consumé qu'il avait allumé en partant du Parlement.

AUTRES DETAILS

Ottawa, 7 h a.m.

M. McGee a laissé la Chambre des Communes un peu avant 2 heures, en compagnie de M. McFarlane, M.P., et de M. Buckley. Au coin sud-est des rues Metcalfe et Sparks, M. McFarlane le laissa, et M. Buckley tourna dans la direction de sa propre demeure; M. McGee continua par un clair de lune aussi brillant que le jour, jusqu'à sa maison de pension, au Toronto House, dans la rue Sparks. Arrivé là, à dix minutes de marche au plus de la rue Metcalfe, et au moment où il introduisait son passe-partout dans la serrure de la porte, ce qui attira l'attention de madame Trottier qui vint immédiatement pour ouvrir, une détonation de pistolet se fit entendre; madame Trottier vit la lumière produite par le coup et courut répandre l'alarme dans toute la maison.

Le Dr. Robitaille, M.P. et d'autres pensionnaires accoururent précipitamment et trouvèrent étendu sur le trottoir le cadavre du grand orateur, de l'homme d'Etat distingué, du patriote irlandais, de l'Hon. Thomas D'Arcy McGee.

Le fils de madame Trottier, l'un des pages de la Chambre, tournait le coin de la rue Wellington dans la rue O'Connor, lorsque le coup de feu se fit entendre; il s'élança aussi vite qu'il le put dans la rue Sparks, et apercevant un homme étendu par terre en face de la maison de sa mère, il monta consterné au bureau du Times pour avertir les imprimeurs de ce qu'il venait de voir. L'alarme se répandit immédiatement et plusieurs membres du Parlement: Sir J. A. Macdonald, l'Orateur, l'Hon. J. S. McDonald, l'Hon. M. Holton et beaucoup d'autres, le shérif, des magistrats de police, des médecins, etc, etc, se rendirent au lieu de l'assassinat.

Ottawa, 9 h a.m.

La foule entoure la maison de Madame Trottier. La partie du trottoir teinte du sang de M. McGee a été entourée d'une palissade, et un homme de police veille à ce que personne ne la franchisse. M. McGee doit avoir abondamment saigné, car la trainée de sang s'étend à plus de quatre pieds. La porte est aussi marquée de sang à environ un pied au dessous de l'endroit où s'est enfoncé la balle.

En dedans de la maison, dans le salon d'attente, est déposé le corps de M. McGee; sa figure et sa barbe sont couvertes de caillots de sang; son pardessus est en partie déboutonné; sa main droite qu'il avait dégantée pour ouvrir la porte est placée sur sa poitrine; ses pieds sont chaussés de chaudes pantoufles. Son chapeau blanc est près de là, tout maculé de sang; sa canne et son autre gant sont près de sa tête; c'est un spectacle émouvant.

Sir John A. Macdonald s'est rendu au bureau du télégraphe, à 4 heures, et a télégraphié à tous les maires des paroisses le long de la ligne du chemin de fer de l'Ottawa, du St-Laurent et du Grand Tronc, d'user de la plus grande diligence pour rechercher le meurtrier, et d'arrêter toutes personnes suspectes.

Avec M. Buckley et M. Fréchette, un employé du bureau de poste du Parlement accompagnaient M. McGee. A peu près à l'instant du meurtre, les Hons. MM. Cartier et Galt traversaient la rue Sparks, se dirigeant vers leur pension, et allaient dans une direction opposée à la maison de pension de M. McGee.

L'enquête commencera à 10 heures, à la maison de madame Trottier sous la direction du coroner Vancourtland.

Ottawa, 11 h a.m.

Le corps de jurés assemblé à la maison de madame Trottier, se compose de MM. James Cotton, président; J. Clifford, A. McCormick, G. Kavanagh, Connell Higgins, Andrew McCormick, J. Brown, R.W. Prince, W. Davis, jr., O'Connor, Reid, Duggan, A. McDonald, J. O'Brien et Geo. H. Macaulay.

Le Dr. McGillivray commence par examiner le corps avec le jury. Une piastre en argent, un portefeuille, un portrait du fils de l'orateur Cockburn, un autre portrait et un canif, deux ou trois journaux et pamphlets, sont tous les objets trouvés sur la personne de M. McGee.

Après l'examen du corps, le jury se retire dans une autre chambre.

Sur motion de M. Cotton, secondé par M. O'Brien, l'enquête est ajournée jusqu'à 7 heures p.m., et le jury a résolu en même temps d'assister à la Chambre en corps, vêtu de noir, sans crêpe.

Ottawa, 2 h p.m.

Les affaires sont entièrement suspendues et les drapeaux sont à mi-mâts. On fait déjà des préparatifs pour le transport du corps à Montréal.

Au moment de l'assassinat, M. Workman, M.P., en se dirigeant chez lui, a vu quatre hommes venant dans la rue Sparks, deux par deux, et ayant une apparence tellement suspecte qu'il crut devoir éviter de les rencontrer; ils ont dû passer chez Mme Trottier au temps où le meurtre a été commis.

On suppose que plus d'un ont dû prendre part au crime.

$5,000 sont offerts pour la découverte de l'assassin.

PROCLAMATION

VICTORIA, Reine, par la Grâce de Dieu du Royaume-Uni de la Grande-Bretagne et d'Irlande, Défenseur de la Foi, etc,

A tous ceux qui ces présentes verront, SALUT : —

Attendu qu'au matin de ce septième jour d'avril courant, l'Hon. Thomas D'Arcy McGee, de la cité de Montréal, dans la province de Québec, et l'un des Membres de la Chambre des Communes du Canada, a été trouvé mort dans l'une des rues de la cité d'Ottawa, dans la province d'Ontario, par l'effet de la blessure d'une balle à la tête; et attendu qu'il est à supposer que le dit Thomas D'Arcy McGee a été lâchement assassiné, sachez qu'une récompense de $5,000 sera payée à aucune personne ou personnes (n'étant pas l'assassin ou les assassins), qui donneront des informations pour arriver à la découverte, appréhension et conviction du coupable ou coupables du crime supposé.

EN FOI DE QUOI Nous avons fait les Présentes lettres patentes et Nous y avons apposé le Grand Sceau du Canada.

Témoin Notre Bien Aimé Cousin, Le Très Hon. Charles Stanley Vicomte Monck, Baron Monk de Ballytramon, dans le Comté de Wexford, dans le Royaume-Uni de la Grande-Bretagne et d'Irlande, Gouverneur Général du Canada etc, etc, etc, à Notre Chambre du Gouvernement, dans la Cité d'Ottawa, le 7e Jour d'Avril dans l'année de Notre Seigneur, Mille huit cent soixante et huit, et la 31e année de Notre Règne.

Par Ordre,

HECTOR L. LANGEVIN, Sec. d'Etat.

Ottawa, 3 h 30 p.m.

Cinq personnes ont été arrêtées pour l'assassinat, les deux frères Buckley, les deux Eagleson, et un nommé White, charpentier. Les deux Eagleson font affaires dans le commerce de marchandises sèches ici, rue Sussex, et ainsi que les deux Buckley, appartiennent à la Société St. Patrice. Un des Buckley était Directeur de la Société St. Patrice le 17 mars dernier.

Ottawa, 4 h p.m.

Ordre est donné d'arrêter toutes les personnes qui ne peuvent pas rendre compte de leur conduite entre 2 et 4 heures a.m.

Un marchand marquant a été arrêté. L'excitation est au comble.

Les funérailles auront lieu à Montréal samedi ou lundi.

On attend demain matin ses amis de Montréal.

DISCOURS DE L'HON. M. CARTIER

M. l'Orateur—Je dois dire en commençant que mon coeur est rempli du plus profond chagrin. J'ai eu le plaisir dans la Chambre des Communes, avec tous les membres de cette Chambre, d'entendre, la nuit dernière, la parole éloquente de celui qui a été mon collègue dans la représentation de la cité de Montréal et personne, alors, ne s'attendait que quelqu'un d'entre nous aurait à parler aujourd'hui sur un événement aussi lamentable que celui qui nous a tous frappé après l'ajournement de la Chambre. Je regrette profondément en ce moment, de n'être pas doué de cette puissance de la parole, de cette puissance d'éloquence, qui rendait si remarquable notre ami défunt.

Je vous ferais entendre avec ce langage énergique la perte immense que nous avons soufferte, que le pays a soufferte, que l'humanité a soufferte par la mort de Thomas D'Arcy McGee. Notre collègue, M. McGee, n'était pas un homme ordinaire. Il était, je dois le dire, du nombre de ceux qu'il plait quelques fois à la providence de donner au monde afin de montrer jusqu'à quelle hauteur l'intelligence de l'homme peut être élevée par le Tout-Puissant.

M. McGee avait adopté cette terre du Canada comme son pays; mais quoique ce fût son pays d'adoption il n'a jamais cessé d'aimer sa Mère Patrie, sa vieille Irlande. Dans cette patrie d'adoption il fit tout en son pouvoir pour procurer le bonheur à ses concitoyens, soit qu'ils aient choisi ce pays, soit qu'ils soient en Irlande ou dans aucune partie du Globe où un Irlandais a mis le pied. M. McGee, quoique jeune, avait une grande expérience. Il a été mêlé aux événements politiques d'Irlande en 1848 et il n'y a pas le moindre doute que ces temps malheureux ont été la cause de ses profondes considérations sur ces malheurs politiques. Quoiqu'il fût, comme l'a dit mon hon. ami, le Chef du gouvernement, un homme de progrès et de génie, il est bien rare de rencontrer un homme possédant des dons si judicieux que notre regretté collègue.

Il n'est plus parmi nous et je crois que bien peu parmi vous peuvent se vanter d'avoir jamais entendu un autre homme aussi vraiment éloquent que lui. Hélas! Il n'est plus et nous ne devons plus nous attendre à avoir, dans le cours de notre vie, le plaisir de prêter l'oreille à autant d'éloquence.

Il n'est plus; mais il laisse derrière lui les expressions de ses sentiments de patriotisme et une masse énorme de preuves établissant qu'aucun Irlandais plus que lui n'a aimé sa chère Irlande.

M. le Président, je ne puis faire allusion, en ce moment, à cette organisation étrangère, sur le sol voisin, ni au fait qu'il n'y a pas de doute qu'en empêchant les Irlandais canadiens de se joindre à ce gouvernement, il a rendu le plus grand service qu'un Irlandais puisse rendre à son pays. (Ecoutez, écoutez).

Il a acquis aux habitants Irlandais du Canada cette inestimable réputation de loyauté, qui repousse tous les sentiments détestables de haine qui animent cette abominable organisation du fénianisme (Ecoutez, écoutez).

Il est tout probable qu'il est tombé sous les coups d'un assassin appartenant à cette confrérie, race de Caïn.

Il ne nous sied pas, en ce moment, d'exciter les sentiments de vengeance contre les auteurs de cette abominable action; mais nous savons tous que si Thomas D'Arcy McGee n'avait pas suivi une conduite aussi patriotique lors de l'invasion féniane, il n'y aurait pas eu un cadavre mutilé ce matin.

Quoiqu'il en soit, tous les Irlandais de la Puissance reconnaissants des conseils qu'il leur a donnés de ne pas participer à la conspiration organisée chez nos voisins déploreront sa perte comme nous la déplorons nous mêmes;

Maintenant, M. l'Orateur, je ne ferai pas allusion aux qualités et aux vertus de sa vie privée.

Nous l'avons tous connu et nous savons qu'il possédait peu des biens de ce monde.

J'ai l'espoir et je suis certain que la grande Puissance du Canada ne laissera pas sans ressource l'infortunée veuve et les enfants chéris du défunt. Il est mort en héros parlementaire; maintes et maintes fois, il a été averti par les journaux et par d'autres voies, de prendre des précautions contre le sort qui l'a frappé ce matin. Est-ce que cela l'a empêché de poursuivre son oeuvre en cherchant à empêcher ses compatriotes de faire partie de la détestable organisation des fénians? Non. Il a travaillé sans relâche et maintenant qu'il est parti d'au milieu de nous, nous sentons que les habitants irlandais de la Puissance vont apprécier les services qu'il leur a rendus et que cette perte irréparable va leur faire mêler leurs larmes aux nôtres.

Ottawa, 11 h p.m.

Le juré s'est assemblé à 7 heures ce soir chez Madame Trottier et s'est ensuite rendu dans une chambre du comité, dans les bâtisses de Parlement.

M. Robert Lee, avocat, surveille les procédures au nom de la Couronne. L'Hon. M. Sandfield McDonald y assiste également.

Les médecins ont fini l'autopsie.

Le Dr. McGillivray, dans sa déposition, confirme les faits déjà relatés, et ne reconnait, après l'autopsie, d'autre cause de la mort, que l'hémorragie, causée par la balle. La porte de la maison devait être ouverte quand la balle s'y est fixée.

Le Dr. Wolf, confirme cette déposition. Les autres témoignages entendus, n'émettent aucuns faits nouveaux importants, sinon que l'un d'eux, fait soupçonner fortement un ouvrier du nom de Whelan disparu depuis hier soir, de complicité dans le meurtre.

Les restes de M. McGee, ont été déposés dans le cercueil, cette après-midi; ils seront demain expédiés à Montréal, par un convoi spécial, après un service chanté à la Capitale.

The Globe, Toronto—Monday, April 4, 1870

POLICE COURT

The report of the previous day's court proceedings was a front-page feature of many nineteenth-century newspapers. As the following story shows, "The Day in Court" took the place of the comic strips of our own day.

Le reportage du procès de la veille défrayait les manchettes à la une de bien des journaux du 19e siècle. Comme le démontre la nouvelle suivante, "Une journée devant le tribunal," remplaçait les bandes dessinées de notre époque.

DRUNK.

John Meyers was found lying insensibly drunk on Adelaide street yesterday afternoon. He said that was so, and was discharged. Andrew Ily was also found drunk on Adelaide street, and he was fined $2 or 20 days in gaol. Pat Muldoon was found drunk on Adelaide street, and he was fined $2 or 20 days in gaol. Mary Sheedy was very drunk last night and abused her children awfully. Her husband appeared against her, but all the satisfaction he got was to pay 25 cents for the cab which was hired to convey Mary to the station. Margaret Keating, an "invincible," was sent down to gaol for two months. Eliza Wilson, one of the most notorious characters in the city, and who is up on an average every second day, was peaceably allowed to go and pester the neighbourhood of Church street as usual. Robert Graham, a young man becoming rather well known in Court, was fined $2 for being drunk and creating a great noise, at the corner of Yonge and Agnes streets. He begged hard of some of his friends to lend him the sum, but up till noon he could not raise it.

ASSAULT.

Edward Wells was charged with attempting to break William Kerton's head with a sling shot. He succeeded admirably, as was illustrated by the series of indentations of the skull which Kerton showed the Court. His Worship in the course of the case complimented Kerton on the possession of so hard a skull, which seemed capable of resisting a rifle bullet. Wells, who is a Cockney, conducted the defence in quite a Bow street fashion, and earned the admiration of all the Stanley street gentlemen in Court, by the acumen he manifested in cross-examining the witnesses. His Worship in speaking of the case, said he did not know exactly what to do with the case, as the other day a man who nearly cut off another man's head with an axe, was found by a jury of good men and true, at the Assizes, guilty merely of common assault. Wells was committed for trial.

John Trainer, a tall muscular man from Newmarket, fell upon Mr. Coates, Market street, and tore his coat all to shreds. For this little piece of fun John had to fork out to the extent of $6 this morning.

James Boes was fined $1 and costs for violently assaulting James Hodge within his own house. Boes seems to be a chivalrous kind of fellow and went to thrash Hodge for insulting some ladies. He paid his fine and said something about doing it again.

Henry Medcalf and Margaret Davis were charged with assaulting Elizabeth Medcalf, the wife of the former. Davis was discharged and Medcalf was finded $10 and costs.

BREAKING WINDOWS.

Timothy Rooney, a big boy about 40 years of age, was charged with breaking windows. Timothy is a soldier of the 60th Rifles, and bears the worst character of any man in the Regiment. In the course of the case it was suggested in Court that the question of Timothy's sanity should precede the window question, but that was waived, and Timothy was fined $5 and costs or 30 days.

LARCENY.

Thomas Gallagher was charged with larceny and was bailed.

John Longbeal was charged with stealing a Gamecock, the property of Robert Ward. James denied stealing the cock, and said that he merely picked it up, and locked it up. The case was remanded.

The Curse Of Canada: *Is there no arm to save?*

La malédiction du Canada: *n'y a-t-il pas de bras à sauver?*

INDIGNATION MEETING
IMMENSE CROWD

Although Louis Riel's provisional government secured provincial status for Manitoba, with constitutional safeguards for the French-Canadian community, the Red River troubles of 1870 had the tragic result of embittering feelings between Ontario and Quebec. Thomas Scott, an Orangeman from Ontario, had been executed by Riel for opposing his regime. In Ontario this act was interpreted as murder. The cry went up for Riel's blood, but Ontario was temporarily cheated of its revenge by Riel's hasty departure from the colony.

The Globe *of April 7, 1870, illustrates the bitterness displayed in Ontario over this issue. A meeting of Toronto citizens had been organized through the efforts of the little "Canada First" group, who were vigorously stirring up English-Canadian feeling against what they considered a conspiracy by the Dominion government and their Quebec supporters to turn Manitoba into a second Quebec. Dr. Schultz, the loudest advocate of the Ontario viewpoint at the Red River, and Charles Mair, the nationalist poet, had escaped from detention by Riel and made their way to Toronto, where they were welcomed by this "indignation meeting."*

Bien que le gouvernement provisoire de Riel eût obtenu un statut provincial pour le Manitoba ainsi que des sauvegardes constitutionnelles pour la collectivité canadienne-française, les troubles de la rivière Rouge eurent le résultat tragique d'aigrir les relations entre l'Ontario et le Québec. Thomas Scott, orangiste de l'Ontario, avait été exécuté par Riel pour s'être opposé à son régime. En Ontario, on qualifia ce geste de meurtre. On se mit à réclamer la tête de Riel, mais l'Ontario fut temporairement privé de l'occasion de se venger par le départ précipité de Riel qui s'enfuit de la colonie.

Le Globe *du 7 avril 1870 fait voir l'amertume manifestée en Ontario à ce sujet. Une réunion des citoyens de Toronto avait été organisée par les soins du petit groupe appelé "le Canada d'abord" qui excitait les Canadiens anglais contre ce qu'il tenait pour une conspiration du gouvernement fédéral et de ses adeptes québecois en vue de faire du Manitoba un second Québec. M. Schultz, le plus bruyant champion du point de vue ontarien à la rivière Rouge, et Charles Mair, poète nationaliste, s'étaient échappés des prisons de Riel et enfuis à Toronto où ils furent accueillis à bras ouverts par cette "réunion de gens indignés".*

Last night one of the most enthusiastic meetings that has ever been held in this city for many a day, was held first in the St. Lawrence Hall, and then in the square in front of the City Hall. The meeting was called by the Mayor on requisition, and at one time in the evening no fewer than four or five thousand people could have been present. By seven o'clock the St. Lawrence Hall was completely packed, and as the time advanced people continued to congregate to such an extent, that by eight o'clock as many as would have filled the Hall three times over had assembled on King street. When the hour of meeting had arrived, the Hall was packed from roof to ceiling—literally—for some adventurous souls perched themselves on the cornices, and seated themselves in positions which to the audience beneath seemed anything but safe. About eight o'clock the Mayor arrived and, mounting on the table on the platform, said that he thought that in justice to the people outside it would be advisable to adjourn to some more commodious place of meeting. Before doing so, however, he introduced Dr. Schultz to the meeting, who mounted on the table beside the Mayor, and was received with tumultuous applause. After this enthusiasm had been sufficiently manifested, the question was put, "where was the best place the meeting could be held?" when loud cries of the "Market Square" were heard, but the Mayor subsequently intimated that the meeting should adjourn to the space in front of the City Hall. Thereupon a rush took place, and in a few minutes afterwards the hall was empty. The crowd then set towards the square in front of the City Hall, and by half past eight no fewer than five thousand people were assembled, and the utmost enthusiasm was manifested.

His Worship the Mayor in opening the meeting read the requisition which had been presented to him, asking to call the meeting. He said when he first saw that requisition he felt some hesitation in complying with it. And whence arose the hesitation? Was it on account of want of sympathy ("no, no,") on his part with those gallant men who stood up for British supremacy in Red River? No, it was not so. Their names—the names of those brave men would live in history, and be handed down side by side with those who led the gallant charge at Balaklava (cheers) to uphold the dignity of Great Britain against the greatest odds that could be brought against them. The reason of his hesitation was that he feared for the moment lest anything should take place at this meeting which would look like want of confidence in our rulers whether Imperial or Colonial to deal with this question. (Hear, hear.) He felt perfect confidence that the same power which had been able to make itself felt at Lucknow and Delhi would be sufficient to put down that miserable creature (cheers) who attempts to usurp authority at Fort Garry, and establish again the supremacy and glory of the British flag. Under the circumstances he had a conference with the requisitionists, and when he was informed that this meeting was to be purely non-political and simply to express admiration for those who had come forward in the cause of law and order, he hesitated no longer. When he ascertained that the object of this meeting was to strengthen the hands of the Government in dealing with this matter, he felt all scruples on his part removed, and he came forward this evening as heartily and earnestly as any of his fellow-citizens to welcome loyal subjects from the North-West and to offer them such a reception as would be worthy of the city of Toronto. (Hear, hear.) But the requisition alluded to another matter—the murder of Scott. (Cheers.) Yes, he would call it by the right name, a foul and unnatural murder. But in expressing their opinions on the subject, he hoped the people would do so temperately, and with a firm reliance in our rulers and the justice of our cause—with a strong trust in Him who said, "Vengeance is mine, and I will repay." But before concluding he would make one further allusion to that gallant band of men who went forward from Portage la Prairie to rescue the Canadians imprisoned in Fort Garry. There were some of those men now present, who would address the meeting from the platform; but there was one gentleman who was not present whose name he would mention—he alluded to the gallant Major Boulton, a Canadian who had shewn the greatest bravery on the occasion, and came forward to do or die in rescuing his countrymen. He wished to read a letter from Major Boulton to his parents before starting on the expedition, but as the light was bad he would not read it now. (Cries of "Read it," "Print it.") He would read a short extract from it:—"I am going on an expedition to-morrow that may result very disastrously to some of us. The poor prisoners are now two months in gaol, and we have resolved to obtain their release or die in the attempt." (Cheers.) "It is a duty we owe to them and to our country, and I feel confident that we have right on our side." The further part of the letter alluded to the Major's parting, and to the hazardous nature of the enterprise. When all this was explained to him (the Mayor) he had great pleasure in calling this meeting, and he had no doubt it would be conducted in an orderly and proper manner, which would show to our statesmen and rulers that they were prepared to uphold British supremacy on this continent. (Cheers.)

Dr. Schultz was next introduced, amid enthusiastic and prolonged cheering. He said he could corroborate the statement made by Dr. Lynch, that it was that gentleman who had the sore throat; he (Dr. Schultz) never was in better voice in his life. (Laughter.) Some months ago, however, he had serious apprehensions of catching a very severe sore throat—(renewed laughter)—for Riel had a rope prepared for it, and £40 was offered for his (Dr. Schultz's) capture. (Never.) But though there was danger to his throat then, there was none now. This assembly wished to hear something of the situation of affairs at Red River. Well, he would give it in a few words, referring more particularly to the condition of affairs at Fort Garry. The situation at that Fort was simply this, that the Fenian flag floated from its flagstaff. (Hisses and cries of "We'll tear it down.") The rebels hold high revelry within its walls, and (he said it with reverence) Canadians lay in dungeons within it. It was to tell the people of Canada this that he had come over a long and tedious journey, and to ask them what they intended to do in the matter. ("We'll hang Riel.") But in manifesting their very just wrath, and in speaking of the people of Red River, he cautioned his hearers not to fall into what seemed to be a general error, of charging all the half breeds of Red River with complicity in this most atrocious crime. He would like to point out that it was not the half breeds, but a mere section of that people who by their utter want of energy in every rank of life had failed to attract notice to themselves. No one knew Riel or O'Donohoe eight months ago—they belonged to this class. It must be distinctly understood that at least four hundred French half breeds to-day were loyal, (cheers) and would join any force that would go to Red River to put down the rebellion.

The Globe, Toronto—Thursday, September 22, 1870

AFFAIRS IN MANITOBA

(From our Special Correspondent with the Expedition.)

FORT GARRY, Sept. 6.

Shortly after Colonel Wolseley's mixed force of Canadian militia and British regulars reached the Red River, the new lieutenant-governor, Sir Adams George Archibald, arrived to take up his duties. This phase of the Riel saga is described in a Globe dispatch that contains some of the better journalistic prose of the time. Since the CPR had not been built yet, there was a sixteen-day gap between the time of writing and the story's appearance in The Globe.

Les forces du colonel Wolseley, composées de miliciens canadiens et de soldats de l'armée régulière anglaise, venaient à peine d'arriver à la rivière Rouge, quand sir Adams George Archibald, nouveau lieutenant-gouverneur, arriva pour assumer ses fonctions. Cette étape de la saga de Riel se trouve décrite dans une dépêche du Globe *qui renferme quelque chose de la meilleure prose journalistique de l'époque. Comme le Pacifique-canadien n'avait pas encore vu le jour, il s'était écoulé 16 jours entre la rédaction de l'article et sa parution dans le* Globe.

The lull that succeeded the flight of the Provisional Government promises to be of short duration. Already the signs of returning political animation are visible, and in a short time we may expect to find the differences of party, the animosity caused by past events, and the intrigues for future power, developing themselves in a manner which could hardly have been expected from the apathy which seemed to exist in the Settlement when the Red River Expedition first made its appearance at Fort Garry. What the future is likely to be, or in which direction the course of political events are likely to turn, no man can tell; much will depend on the action of the first executive powers that may be appointed; and much also on the temper displayed by the people, and the assistance rendered by the leading people of the Settlement to the Governor and his advisers. Dr. Schultz, Dr. Lynch, and others, have arrived here, and already their vigorous and not unnatural detestation of Riel, and those connected with him, has commenced to work. On Sunday last, Archdeacon McLean announced his intention to hold a meeting on the following day to consider an address to be presented to the Lieut.-Governor. The Archdeacon submitted an address to his parishioners, but Dr. Schultz, who was present, obtained a committee to re-draft the address, and it will of course be understood that the tone and language of one emanating from Dr. Schultz will differ considerably from that proposed by a clergyman who thinks that future prosperity will be best secured by forgetting the past. The great difference of opinion as to the address to be presented to the Lieut.-Governor is as to reference being made to the troubles of last winter. It is held by one party that the address is a formal document intended merely to welcome the arrival of the Governor, and that any reference to the misdeeds of Riel or the expectations of the English settlers would be out of place. On the other hand it is maintained that Bishop Taché, who is regarded as the leader of the French party, has already explained his opinion and wishes to the Lieutenant-Governor, and that the earliest opportunity is the most suitable one to make the Lieut.-Governor aware of what the English-speaking population deem justice to themselves. The opinion of the one party will probably modify the language of the other, but it is to be hoped, and there is reason to believe, that Mr. Archibald will fully appreciate the necessities of the case, as he certainly does the gravity of the position, and inaugurate a state of things that will afford redress to those who have been injured and protection to others who may have been compelled to act against their better judgment. Amongst other questions which have arisen is that relating to the disinterment of Scott's body. It was deemed wise by those who displaced Riel, O'Donoghue and their associates to leave the matter in abeyance until the arrival of the Volunteers and other Canadians. Last night a meeting of Scott's friends was held at Dr. Schultz's house, and it was resolved to demand the body from Mr. Donald Smith. A letter was written to that gentleman, and in accordance with its tenor a deputation consisting of Dr. Lynch, Mr. Farmer and Mr. Power called at the Fort this morning.

In answer to this letter Mr. Smith told the deputation this morning that, while deeply sympathising with the spirit which may be presumed to have prompted the request made by Dr. Lynch and friends, he regretted not being in a position to comply with their desire. He would recommend that they first establish their claim, as relatives or friends of the deceased, to gain possession of his remains, by deposition before a magistrate; and then make application, in due form, to the authorities of the Province of Manitoba for permission to search for, and if possible recover the body. As regarded himself he was entirely ignorant of the spot in which the remains were deposited, except as the same had been indicated by rumour.

It was most natural and proper on the part of the Canadian gentlemen to desire the removal of the body of their friend and fellow-prisoner from the place where it was deposited; but one would imagine that there are two points to be considered before such a request could be granted. Scott's relatives may have intentions of their own respecting the ultimate disposition of the remains, intentions that may not harmonize with those of Scott's friends in Winnipeg; and as it is held that Scott was murdered, some formalities, such as a post mortem examination and a coroner's inquest, will surely be necessary before the body is laid in its final resting-place. As all in Canada will readily understand, Dr. Schultz is likely to be the most active member of what may be called the anti-French party, and, remembering his sufferings and the animosity with which he was pursued by Riel, one cannot wonder at the fact. In addition to his personal trials, he finds on his return that his house has been dismantled and converted into something little better than a stable, and that his store has been plundered, even of articles for which the Provisional Government could have little use. His feelings towards his oppressors are anything but kindly, and the latter will find in him an uncompromising opponent. The fear arising from that fact is that he may be led into some action which will do harm to himself and the interests which he espouses.

The reading of the Governor's commissions as Lieutenant-Governor of Manitoba and Lieutenant-Governor of the North-West, took place to-day in the Fort. Notice of this ceremony and the levee that was to follow had been freely circulated, and long before the appointed hour—one o'clock—the lawn in front of the house was occupied by those desirous to hear, see, and to be seen. Soon after one o'clock the Lieut.-Governor, with Colonel Wolseley and his staff and Mr. Donald Smith, entered the drawing-room of the Governor's house, when Mr. Hill, the private secretary, read the oath taken by the Lieut.-Governor, and the commissions to which I have referred. The following address was then presented by Mr. Smith:—

(The text of the welcoming address is quoted, and is followed by the Lieutenant-Governor's reply.)

It was evident that Mr. Archibald had made a favourable impression before his reply had come to an end; and it is to be regretted that what may be called the pump-handle ceremony should have been inflicted upon him immediately afterwards. All the military present were presented by Colonel Wolseley, and all the civilians, who had come from North, South, East and West, were presented by Mr. Donald Smith. There were priests, headed by a Roman Catholic Bishop, and parsons, headed by a Protestant Bishop. There were English and Scotch, Canadians, French and Half-breeds, and every man shook hands with the unfortunate Governor. Some, remembering the number that were to follow, let him off easily; others shook hands with a cordiality which they no doubt felt; some took his hand as if they were afraid it would bite them; and a few took advantage of the opportunity to see what the new Governor was like, and only relinquished their hold as they were desired to pass on to the left. What reasoning can have led to the conclusion that it is right to make a Lieut.-Governor shake hands with every individual that attends a levee, and why a mere bow should not be considered sufficient, is difficult to imagine. In the United States every one pump-handles the President to show that he considers himself as good if not better than the First Magistrate; but as English subjects admit that the representative character of a Governor elevates him, say just a shade above the public over whom he presides, it surely cannot be necessary to adopt this objectionable method of asserting that after all the public is somebody and that a Briton never will be a slave. Had to-day been fine, instead of being a miserably wet, muddy and unpleasant day, the number that attended might have been enlarged by an additional cypher, and the pump-handle process would then have lasted well into the evening. This is certainly not the way to encourage Governors to hold levees; for to have your fingers squeezed, your arm jarred, and your hand dropped or flung aside by an individual whom you never saw before and may never see again, is anything but an agreeable process to undergo. When everyone had quite finished with the Lieutenant-Governor's hand—and there were several supplementary arrivals—the Ontario Battalion marched onto the parade ground in rear of the Fort for the purpose of presenting arms to the Lieutenant-Governor, and passing in review order. The Battalion, which turned out in remarkably fine order, presented arms as the Lieutenant-Governor came on the ground; the ranks were then opened, and the Lieutenant-Governor, accompanied by Colonel Wolseley and the staff, passed through. Open column was then formed, and, headed by three guns manned by Captain McDonald's company, the Battalion passed by and saluted. They then closed to quarter-distance column, and went by at the double, concluding their evolutions by deploying into line and advancing in slow time for the general salute. The movements were one and all executed with a regularity and precision that does infinite credit to the regiment, and every day adds to their efficiency.

Since the levee of this afternoon, placards of a character calculated to disquiet certain persons resident here have been posted about Winnipeg. One is a picture of a man hanging, with the assertion written underneath that this is the proper fate of Thomas Bunn; Thomas Bunn being one of the Council of Assiniboia, and the Secretary of State of Riel's Provisional Government. Another placard asks, "What should be done with the consort of murderers?" and similar alarming sentences follow in other places. It is asserted that a tar barrel and a liberal supply of feathers have been got together for the benefit of certain gentlemen whose relationship with Riel is deemed to have been too close, and several men who have until very recently held their heads high must now be slightly alarmed. Many persons who are not favourably regarded in the Settlement are now in Canada. Their business called them away as the troops were about to enter, and people say, with an undisguised sneer, "Our leading men are away at present." It is very probable that some rough-and-tumble work will take place here, for a Nemesis is stalking abroad, and the friends of Riel are in a perilous state. Pickets are out to-night, owing to some rumoured intention as to burning the houses of some obnoxious people; but I do not believe anything of the sort will take place. The reports which reached us of Riel's arrival at Pembina have been confirmed. He lost his horse on the way, and he is reported to have sent a message to Fort Garry and Winnipeg in general, saying, "Tell them that he who ruled in Fort Garry a few days ago is a wanderer, depending for food on two dried suckers." The same authority tells me that O'Donoghue was seen, very partially clad, in the river, using or trying to use a portion of his wardrobe, which shall be nameless, to lash some rails together as a raft on which to cross the river. If this is true, it may again be remarked, "How have the mighty fallen!" Here are the two gentlemen who have been eating and making merry on plundered goods, clothed in fine linen also plundered, and holding the lives of their captives in the hollow of their hands, now appeasing their hunger with dried suckers, and using their apparel in lieu of rope. Captain Gay, the ex-commander of Riel's cavalry, has addressed a letter to the Lieut.-Governor. It was rumoured that he had collected a large force on the other side of the river, and had written a threatening letter to the Governor, but the report was "a Red River story," the truth being of quite an opposite nature.

CONFEDERATION COMPLETE

British Columbia's entry into Confederation was arranged by a delegation from the Pacific province that visited Ottawa in the summer of 1870. The Canadian government was worried about the danger of the whole Pacific coast slipping into American hands, and it met the delegation with better terms than the province had meant to demand. The chief term was the promise to build a transcontinental railway to the Pacific, to be started in two years and completed in ten. It proved impossible to finish the railway within the ten years, and a long period of bad-tempered controversy between the provincial and federal governments ensued; indeed it did not end even with the arrival of the railway. The correctly patriotic tone of this editorial of 1871 celebrating the consummation of the union is hardly typical of the relations between the two governments. The union was not a love match but a marriage of convenience. When Goldwin Smith travelled out on the new railway to visit the new province and asked a British Columbia citizen what his politics were, he received the reply: "Government appropriations."

L'entrée de la Colombie-Britannique dans la Confédération fut préparée par une délégation de la province du Pacifique qui visita Ottawa à l'été de 1870. Le gouvernement canadien redoutait de voir tout le littoral du Pacifique glisser entre les mains des Américains. Accueillant la délégation, il posa des conditions meilleures que celles que la province ne songeait à revendiquer. La principale condition était la promesse d'aménager un chemin de fer transcontinental aboutissant au Pacifique. Les travaux étaient censés débuter dans un délai de deux ans et se parachever en dix ans. On constata l'impossibilité de terminer le chemin de fer en l'espace de dix ans. Il s'ensuivit une longue période d'âpre controverse entre les gouvernements fédéral et provincial. De fait, elle ne se termina point par l'arrivée du rail.

Le ton correctement patriotique de cet éditorial de 1871 qui célébrait la consommation de cette union ne reflète guère les rapports entre les deux gouvernements. Il ne s'agissait pas d'un mariage d'amour, mais de raison. Goldwin Smith décida un jour d'aller par chemin de fer visiter la nouvelle province. Il demanda à un citoyen de la Colombie-Britannique quelle était son allégeance politique. Il s'entendit répondre: "Je suis pour les subventions de l'Etat."

To-day British Columbia passes peacefully and, let us add, gracefully into the confederated empire of British North America. Perhaps it would be more proper to put it thus: To-day the confederated empire of British North America stretches to the shores of the Pacific, 'whose limpid waters,' to quote the poetic language of Mr. J. Spencer Thompson, 'leave in baptismal welcome the brown of the new-born Province which forms the last link in the transcontinental chain—the last star in the constellation which is destined hereafter to shine so brightly in the northern hemisphere.' To-day the great scheme of Confederation in British North America may be regarded as practically complete. It is true that two islands of the Atlantic (Prince Edward and Newfoundland) still stand aloof. But Confederation can get on without them much better than they can get on without it. They will soon be found sueing for a union they have thoughtlessly spurned. To-day British Columbia and Canada join hands and hearts across the Rocky Mountains, and John Bull the younger stands with one foot on the Atlantic and the other on the Pacific—with his back to the North Pole and his face looking southward—how far we will not now venture to predict. Let the larger political union which we celebrate to-day be symbolic of a union of parties, of purpose and of action. Let the people of this Pacific Province accustom themselves to think of the Dominion as a second edition of Great Britain, and let all learn to regard each other as a band of brothers upon whom has devolved the honor and the responsibility of laying the foundations of empire. There is a feeling in the minds of some that the day which celebrates the nuptials of British Columbia and Canada at the same time celebrates the divorce of the former from the parent empire, and this feeling may tend to damp the enthusiasm of such as are the subjects of it; and we readily confess that, did any ground for the idea exist, we would sympathise with the feeling it is calculated to beget. Not only is there no ground for the idea, but the reverse is actually true. Instead of the union we celebrate weakening those bonds which connect us with the parent empire, it will impart additional strength and vitality to them. It will release us from the red tape and sealing-wax of Downing street, it is true —but then, it will draw us nearer to the throne. It will do more. It will draw together all the peoples of British North America into one common brotherhood and beget a national sentiment, a sentiment more truly British than would be compatible with isolation and discontent. Let the union we celebrate be suggestive of a drawing together, a harmonising and a nationalising of all those sometime discordant elements which have culminated in local faction; and while joining hands with Canada in the grand and patriotic work of building up a second British Empire on this continent, let us join hands among ourselves in a friendly but firm resolve to begin our new political life a united and harmonious band for the purpose of making British Columbia—what Nature designed her to be—the Queen Province of the Dominion. With one common nationality, one common interest, one object should now actuate every heart and obliterate all those lines created by the factions of the past.

"There is a tide in the affairs of men
Which, taken at the flood, leads on to fortune."

Whither Are We Drifting?

Dans quelle direction dérivons-nous?

This Bengough cartoon appeared in *Grip* after Sir John A. Macdonald prorogued Parliament in the summer of 1873, thus delaying investigation of the Pacific Railway scandal.

Cette caricature de Bengough parut dans le *Grip* après que sir John A. Macdonald eut prorogé le Parlement à l'été de 1873 et retardé ainsi l'enquête sur le scandale du chemin de fer du Pacifique.

The Globe, Toronto—Friday, July 4, 1873

GEORGE BROWN

SIR JOHN A. MACDONALD AND THE PACIFIC RAILWAY INQUIRY

The Pacific Railway scandal still holds its place as the most spectacular scandal of our political history. Macdonald's Conservative government gave the contract to build and run the Pacific Railway to a group of capitalists headed by Sir Hugh Allan of Montreal. But the Liberals were able to obtain some of Allan's correspondence, in which he talked very freely about how he had brought the Government around to his side with large sums of money. When the new parliament met in 1873, L. S. Huntington, one of the Opposition leaders, moved for a select committee to investigate the matter. The committee was appointed, but Macdonald managed to prevent its sitting before the end of the parliamentary session. The Opposition then published some of the Allan letters in the Toronto Globe *and Montreal* Herald. *A Royal Commission collected a great mass of evidence, which it reported without making any recommendations, and in a second session of Parliament the Opposition overwhelmed Macdonald in debate. He resigned without waiting for a vote of censure.*

The following editorial was written by Macdonald's arch-foe, George Brown. Although Brown ceased to be an active politician after 1867, he continued to exercise a "literary dictatorship" over the Liberal party as editor of The Globe. *After playing his part in toppling Macdonald from power, he was a major influence on the Liberal regime of Alexander Mackenzie.*

Le scandale du chemin de fer du Pacifique demeure le plus spectaculaire de notre histoire politique. Le gouvernement conservateur de Macdonald avait adjugé le contrat de construction et d'exploitation du chemin de fer à un groupe de financiers dirigés par sir Hugh Allan de Montréal. Toutefois, l'opposition libérale put obtenir une partie de la correspondance d'Allan. Dans ces lettres, Allan parlait très librement de la façon dont il avait amené le gouvernement à ses vues en employant des vastes sommes d'argent. Le nouveau Parlement s'étant réuni en 1873, L. S. Huntington, un des chefs de l'opposition, présenta une motion réclamant un comité spécial pour enquêter sur la question. Le comité fut nommé. Macdonald s'arrangea pour en empêcher les séances jusqu'à la fin de la session parlementaire. L'opposition publia alors certaines des lettres d'Allan dans le Globe *de Toronto et le* Herald *de Montréal.*

Une Commission royale finit par colliger une masse de témoignages et en fit rapport sans formuler de voeux. Lors de la deuxième session, à l'automne de 1873, l'opposition l'emporta sur Macdonald à la suite d'un débat. Macdonald démissionna sans attendre un vote de censure.

In the United States, criminal lawyers, when defending a man about whose guilt there is little or no doubt, invariably adopt the policy of delay. Every scheme which can by practised ingenuity be contrived to stave off the ultimate sentence is resorted to. This policy is based on the well-known fact, that when a case has been long before the public the retributive energy is worn out, and the sense of horror which the deed at first inspired is dulled and often destroyed. Precisely the same policy has been adopted by the Government in regard to the men for whose trial the Pacific Railway Committee was constituted, with a formal difference in favour of criminal procedure below the line: when a Stokes is tried and condemned for the murder of Fisk, a new trial is moved for; here a genius fertile in expedients, has contrived at every turn to prevent investigation taking place. Sir John A. Macdonald, in a speech characterized by his eulogists as the greatest effort in the annals of Canadian eloquence—a speech in which he shone in plumes borrowed from Grattan—said all he and his friends wanted was that they should have that measure of justice dealt out to them which would be dealt out to the vilest criminals. But it seems that he wants more than this. The measure of justice dealt out to criminals under the merciful and almost too cautious method of English law is to give them a fair trial. A fair trial is a good deal more than many of them have any desire for. They would, if they had the management of prosecutions, if they could ordain where judges would sit, have no trial at all, and not having this controlling power they sometimes take the only course open to them and seek to escape. The other day in London a vigorous stockbroker, when he made his first appearance in the dock, protested, when called on to plead, that all he wanted was a fair trial—such a trial as would be accorded to the vilest criminal. But when this innocent, virtuous, and misunderstood person, against whom the Grand Jury had found a true bill, was being removed from the Court to the prison to await his trial, he sought to give the policemen "leg-ball," and was only captured after a chase which lasted nearly an hour. Now Sir John A.

Macdonald, innocent of having sold the Pacific Railway Charter, perfectly conscious of rectitude, with the utmost confidence that investigation will show him to the public, whose First Minister he is, as a slandered man and an unblemished statesman, in an indirect way, with controlling power over the tribunal by which he is to be tried, acts precisely in the spirit of the lawyers of Stokes and the innocent stockbroker to whom we have referred. If he is innocent of these charges, he has done more than any man in the Dominion to make the world believe him guilty.

The Canadian Illustrated represented him as Ulysses. But with some points of similarity there are great differences. The wiles of Ulysses were all used for his country and against her foes; the wiles of Sir John A. Macdonald are used for himself, and against his country. However, there is a depraved resemblance, and, like the Ithacan, Sir John A. Macdonald relies on the arts of ambush, if indeed his conduct in regard to this enquiry be inspired by anything else than dire necessity. Nothing but dire necessity could make any man with Ulyssian perception place himself before the country in such a light that his best friends speak with bated breath of the impending inquest. If we could escape from the region of morals, and adopt the stand-point of Captain Macbeth, or Jonathan Wild, it would be impossible not to admire the cleverness with which he has managed this whole business—for a time humbugging the country and his own party, never deceiving us as we showed from the commencement. When it was decided to have a Committee, it was Sir John A. Macdonald who suggested that the witnesses should be examined on oath. This was a most subtle wile. To have suggested that there was no necessity for this would have been to give ground for suggestions that there was an intention of relying on testimony which would not bear the highest test. Yet Sir John A. Macdonald knew that once the instruction to examine witnesses on oath was given, he had a card in his sleeve which he would by-and-by play with the certainty of further delay. When the Committee was about to proceed with the enquiry, Sir Hugh Allan's absence gave excuse for postponement until July 2nd, by which time it was accurately calculated that the disallowance of the Oaths Bill would have come from the other side. Then it was alleged the Committee could not go on, because it was instructed "to examine witnesses on oath."

Mr. Macdonald, who thought this an insuperable objection to proceeding, is a lawyer. He is said to have some ability, and he knows as well as we do that this is the objection of a pettifogger. It is exactly the objection that would be made by a man defending a criminal and determined to seize on every plea, however slight, for delay. The instruction to the Committee was to examine witnesses first, and on oath in the second place. Of course, if the Committee had not power to examine them on oath, then this part of the instruction drops. Suppose the instruction of the House was to examine Sir Francis Hincks, Sir John A. Macdonald, Sir Hugh Allan, and Sir George Cartier. What would be thought of the man who should stand up and say: "Our instruction is to examine the four knights. One is dead, therefore we must wait for further instructions from the House." Mr. Macdonald shows great respect for the House. Yet he suggests a Royal Commission. That is to say, he wishes to take the matter out of the hands of the House. He is ready to swallow the camel, but carefully strains out a little formal gnat. We have seen enough of what comes of the suggestions of the Government not to fear those of Government partisans. If the Committee should lose itself in a Royal Commission, would not the control over the impounded documents lapse? Is this what is behind the suggestion?

The question for the public lies in a nutshell. Sir John A. Macdonald promised a full enquiry by a Parliamentary Committee. The House of Commons, under his management, chose the Committee; it has met, and behold there is no enquiry. The result is the same as if there had been no action on the subject after the House had rejected Mr. Huntington's motion for the appointment of a Committee. Plainly, when Sir John A. Macdonald promised an enquiry he spoke falsely to his followers and the public.

The Gazette, Montreal—Thursday, November 6, 1873

THE GOVERNMENT'S RESIGNATION

Here the Montreal Gazette *presents the second of the two very different interpretations of Sir John A. Macdonald's character current at the time of the Pacific scandal. The* Gazette *was the voice of the English-speaking Tory establishment of Montreal. Note the scathing references to George Brown, who is never actually mentioned by name.*

La Gazette *de Montréal présente ci-après la seconde de deux interprétations très différentes du caractère de sir John A. Macdonald, à l'époque du scandale du Pacifique.*

La Gazette *était la voix de la "bonne société" conservatrice anglophone de Montréal. On notera les allusions cinglantes à George Brown, dont le nom n'est jamais mentionné explicitement.*

It will be seen by our telegraphic despatches that the Government yesterday tendered their resignation to His Excellency, the debate being still proceeding on the amendment moved by Mr. James Macdonald, of Pictou, expressing regret at the expenditure of money at elections by all parties, but at the same time informing His Excellency that his advisers still retained the confidence of Parliament. The resignation was announced by Sir John Macdonald when the House met in the afternoon, and an adjournment took place until to-day. In the meantime Mr. Mackenzie, the leader of the Opposition, has been sent for by His Excellency, and has undertaken the task of forming a Ministry. The latest rumours as to the composition of the new Cabinet will be found in our despatches from Ottawa.

It would be the veriest affectation to pretend that we do not deeply regret this event, involving as it does the retirement from official life of an Administration, under whose conduct of the affairs of the country it has greatly prospered, and whose policy, as developed in the past, and as foreshadowed for the future, was well calculated to promote the material progress of this young Dominion. They have fallen not upon any general question of public policy, but as the result of a villainous conspiracy, in the carrying out of which the most disgraceful expedients were resorted to, to convert what is a common practice among all parties in Canada, into an attack upon electoral purity and honest administration. We have sufficiently discussed the Pacific scandal in all its bearings, and the public will not regret that so far as it is concerned, the necessity for further discussion is passed. But no one can look at the whole circumstances without feeling, that whatever may have been the motive which prompted Mr. Huntington to formulate his charges in the terms in which he couched them, in their practical results they have all the appearance of a trick to excite the public mind in relation to one class of accusation, in order that thus excited, it might the more readily be impressed with another. It cannot be denied that had Mr. Huntington simply charged the Administration with having received large contributions from Sir Hugh Allan to the party funds required for carrying on the elections, he would hardly have obtained any hold upon the public ear. But having first agitated the public with a charge that the Adminstration, in order to obtain these contributions, had sold the Pacific Railway charter to Sir Hugh Allan as representing certain American speculators, thus adding the crime of treason to the offence of trafficking in a great public franchise, he found it unfortunately but too easy to convert the mere receiving of contributions from a wealthy friend of the party for party objects into an offence meriting the gravest censure.

The scheme of the Opposition has been successful, and the party which has so long governed Canada is consigned to the Opposition benches. In this event the public attention naturally centres upon the leader of the Government, Sir John Macdonald, who, in his retirement, has reason to be proud of the loyal attachment of the party which has so long been proud to acknowledge him as its leader. Few men in any country have had so long a career of public official life as the right honourable gentleman who now, let us hope only for a time, retires from office. Since 1854, he has, with the short interval during which Mr. Sandfield Macdonald was in office, practically guided the destinies of Canada. He came into office at a time when great questions were agitating the public mind, and when the old reform party, vexed and harrassed by the selfish intolerance of one man, found itself unable to deal with them. His name is thus associated with all the great reforms of the past twenty years. He steered the ship of State through the breakers of sectional and sectarian strife, which threatened to overwhelm it. Doing simple justice to all sections of the country, and to all classes and creeds among the people, he compelled his opponents to abandon their policy of sectarian bitterness, and to recognize the fact that in Canada all religious beliefs are equal in the eyes of the law. He utilized a moment of great and critical danger to the constitutional system of old Canada, to compel the acceptance of his own pre-declared opinions, and to bring about the British American unification which at this moment is a source of so great pride and of so great prosperity. During his tenure of office, Canadian authority has been extended from the Atlantic to the Pacific, the revenues of the country have been more than quadrupled, without adding a single sixpence to the taxation of the people; railways have been constructed in every direction, so that in proportion to population no country on the face of the earth has a greater length of railway communication; the great highway to the ocean has been improved; light-houses have been placed along all our coasts, so that at this moment the navigation of the St. Lawrence has become as safe as that of any river in the world; in every respect the record of his administration has been a record of national prosperity and of national progress.

And during all these twenty years, when, had he been a man of less scrupulous personal integrity he might have amassed great wealth, he has laboured unselfishly and with a single eye to the advancement of the public welfare. His brilliant talents which, devoted to his profession, would have secured for him a splendid competency, have been given to the service of his country, unselfishly, patriotically given, so that he leaves office to-day a poor man, but without even the taint of suspicion upon his personal honour and his great name. In all the violence of party discussion, in the terribly vindictive hate with which he has been pursued by an opponent with a leading press at his command, and whose jealousy of him knew no bounds, no one has ventured to say of Sir John Macdonald that he ever profited to the extent of sixpence by his connection with public life. Even in spite of the cloud with which his opponents have, at this moment, attempted to tarnish his splendid reputation, the great heart of the country will admit that in his retirement from office it loses its greatest statesman, and its most unselfish and most upright administrator of public affairs.

No man in the history of Canada will occupy a brighter page. Standing as the great bulwark of his party he has been the object of the most bitter assault of its opponents. But as time wears off the asperities of the conflict of the moment, even they will concede a meed of justice to his career. Many a man, now in the vigour of manhood, will in the future years when the events and results of Sir John Macdonald's official life come to be estimated away from the disturbing elements of party and personal strife, recount with pride to his children and his children's children how he was a follower of the great man; while many another dwelling upon the same page of his country's history, will be forced to admit that those were evil days when the public judgment was so warped by an organized system of vilification that so great a statesman met with so unworthy a reward. He goes into opposition to-day with his personal honour unsullied, and his public record clear and bright. His one offence, if it be an offence, is that in a great electoral struggle, fighting an enemy unscrupulous in the employment of means, he sought assistance wherever he could get it, without compromising his independence as a Minister of the Crown, to help his friends in their struggle. But he stands acquitted of having touched for his own purposes a single sixpence of Sir Hugh Allan's money. Mortifying as must be the resignation forced upon him by the loss of a working majority in Parliament, which is due not to any corrupt act upon his part, but to the fact that he prevented the accomplishment of the very design he is accused of having taken subscriptions to promote, he may console himself with the reflection that the people of Canada are still loyal to him, and that from many a household to-day will go up the prayer that he may be long spared to give to his country, whether acting on one side of the House or the other, the benefit of his great statesmanship and his matured wisdom.

Blackwash and Whitewash: *Illustrating the recent great Opposition speeches, and the doings of the jolly Royal Commission.*

Comment noircir et blanchir: *illustration de grands discours récents de l'opposition et des initiatives de la fameuse Commission royale.*

The contrasting editorials on the Pacific scandal from *The Globe* and *The Gazette* illustrate the aptness of this cartoon by Bengough. At left George Brown, Sir Alexander Mackenzie and Edward Blake tar a bust of Sir John A. Macdonald; at right Sir John himself applies the whitewash.

Les éditoriaux opposés du *Globe* et de la *Gazette* sur le scandale du Pacifique révèlent l'à-propos de cette caricature de Bengough. A gauche, George Brown, sir Alexander Mackenzie et Edward Blake goudronnent un buste de sir John A. Macdonald; à droite, sir John lui-même le blanchit.

L'Evénement, Québec—7 juin 1875

GRAND SUCCES POUR LE PARTI NATIONAL

L'Evénement, *fondé le 13 mai 1867, devait vivre exactement cent ans. Journal du matin,* L'Evénement *a toujours eu l'oreille de l'élite bourgeoise de Québec et de la grande banlieue: son fondateur, Hector Fabre, était, a-t-on dit, une sorte de Buies "bien élevé" — donc connaissant à la fois la grammaire et le bon usage. . . .*

En 1875, Mackenzie est premier ministre du Canada; de Boucherville, conservateur, est premier ministre de la province de Québec. Henry Joly de Lotbinière, protestant de langue française, est candidat libéral dans Lotbinière; plus justement il est candidat du parti national dont la doctrine s'inspire largement du radicalisme de Papineau. Wilfrid Laurier est au tout début de sa carrière. Mais déjà il s'efforce de démontrer que le libéralisme canadien, au Québec comme en Ontario, n'a rien à voir avec la pensée des doctrinaires français. L'assemblée de Sainte-Croix peut être considérée comme le premier affrontement véritable entre "les castors" et "les rouges". Elu, Joly deviendra premier ministre du Québec en 1878. Mais dès '79, Chapleau prendra la barre et les conservateurs ne seront délogés du pouvoir qu'en 1887, lorsque Mercier, à son tour, prendra la direction du gouvernement.

Comme tous les quotidiens de son époque, L'Evénement *était politiquement engagé — et "la copie" s'en ressent! Libéral jusqu'à la chute de Mackenzie, le journal, en 1881, passera aux mains d'Israel Tarte qui est déjà propriétaire du* Canadien. *A la suite de grandes difficultés financières, le quotidien de la Côte de la Fabrique sera repris par des intérêts conservateurs.*

In 1875 Mackenzie was Prime Minister of Canada; de Boucherville, a Conservative, Premier of the province of Quebec. Henry Joly de Lotbinière, a French-speaking Protestant, was the Liberal candidate in Lotbinière; in reality he represented the National Party, whose doctrine had its roots to a great extent in the radicalism of Papineau. Wilfrid Laurier was at the very beginning of his career. But already he was doing his utmost to demonstrate that Canadian liberalism, in Quebec as in Ontario, had nothing to do with the thinking of French doctrinarians. The Sainte-Croix meeting, described in the following story, may be considered the first real confrontation between les castors *(extreme Catholic conservatives) and* les rouges. *Joly was elected and became Premier of Quebec in 1878. But as early as 1879 Chapleau took over and the Conservatives were not ousted until 1887, when Mercier was elected.*

A six heures hier matin, il y avait foule sur le quai Champlain. Les deux vapeurs le National et le Ste-Croix ont été bien vite remplis. Le St-Georges avait été loué par les amis du gouvernement local. On a vu sans surprise, mais non sans regret, une bande de fiers-à-bras bien connus s'y installer. A ce trait nous avons reconnu la tactique incorrigible du vieux parti conservateur. Mais nous n'avons pas songé un instant à nous en inquiéter, et c'est avec raison que quelqu'un disait près de nous: Voilà des gens qui l'auront chaude, s'ils tentent d'exécuter leur consigne et de créer du trouble: ils apprendront ce que sont les honnêtes gens de la campagne lorsqu'on les insulte.

Le mot d'ordre de ces fiers-à-bras, était, paraît-il, de faire du tapage dès le début, lorsque M. de Boucherville parlerait, afin que la presse conservatrice pût ensuite crier par tout le pays que nous avions étouffé la discussion. Du tumulte aurait sauvé au Premier Ministre l'humiliation de montrer l'insuffisance de son éloquence. Mais cette tactique a été déjouée.

On estime à plus d'un millier le nombre des personnes embarquées dans le St-Georges, le National et le Ste-Croix, qui furent rejointes à Ste-Croix par un grand nombre d'électeurs des comtés de Lotbinière et de Portneuf venus à bord de l'Etoile et du St-Antoine.

Après la messe une plateforme fut érigée en arrière de la sacristie de Ste-Croix sur une vaste place publique, et les discours commencèrent. Le coup d'oeil que présentait l'assemblée en ce moment était vraiment imposant. Nous n'avons jamais vu pareille assemblée publique représentant aussi complètement, aussi admirablement, la respectabilité et l'intelligence de nos populations rurales. On estime à 6,000 le nombre des personnes présentes. En face de cette immense réunion, dont les trois quarts évidemment étaient favorables au parti national, les meneurs conservateurs installés sur l'estrade avaient dès l'abord une mine bien déconfite.

M. Joly ouvrit l'assemblée en présentant les hommes politiques venus pour la circonstance: l'hon. M. de Boucherville, l'hon. M. Angers, l'hon. M. Chapleau, MM. Laurier,

Masson, Fréchette, Méthot, Amyot et Thibault.

M. Joly dit que la discussion qui allait avoir lieu était une discussion des plus importantes, il expliqua la manière dont cette discussion aurait lieu et il exprima l'espoir que ses amis se feraient un devoir de maintenir l'ordre et de ne pas interrompre.

Les interruptions ou injures qui seraient adressées, dit-il, à mes adversaires seraient prises par moi comme des injures faites à moi-même. Qu'on n'oublie pas que tout le pays a les yeux sur le comté de Lotbinière à l'heure qu'il est, et que chaque électeur doit se faire un devoir de mériter l'honneur qui est fait au comté par cette grande réunion.

M. de Boucherville prit alors la parole et prononça un discours d'un quart d'heure. Il fut suivi par M. Joly qui tint durant deux heures l'auditoire sous le charme de sa parole. Vinrent ensuite MM. Amyot, Laurier, Chapleau, Fréchette, Masson, Thibault. Il était huit heures lorsque se termina l'assemblée commencée à onze heures.

Nous ne pouvons donner aujourd'hui, faute d'espace, que les discours de MM. Joly et Laurier.

DISCOURS DE M. JOLY

Messieurs,

Si j'ai invité M. de Boucherville à me rencontrer, ce n'est pas en vue de l'élection, car j'espérais que la rencontre aurait lieu dans un grand centre de la Province, et vous allez voir pourquoi.

En parlant aujourd'hui je n'ai qu'un but, c'est de faire connaître les principes du parti auquel j'appartiens, c'est pour vous montrer combien ce parti désire ardemment le bien être et la prospérité de notre Province.

Je vous demande d'écouter tout le monde, d'entendre les deux partis avec courtoisie; si je porte des coups je m'expose à en recevoir et je suis aussi disposé à en recevoir qu'à en donner.

La discussion n'est pas sur le terrain sur lequel l'a mise M. de Boucherville. Ce monsieur a exprimé ses opinions personnelles en disant que l'on devait accorder la même liberté à tous, aux protestants comme aux catholiques. Cependant, ce n'est pas sur ce terrain que les journaux conservateurs et les candidats du même parti nous combattent.

M. de Boucherville parle de son gouvernement comme s'il était engagé dans cette lutte. Non, la lutte est entre l'ancien parti et le parti actuel. M. de Boucherville a été choisi comme un prête-nom, pour tenir chaude la place occupée naguère par MM. Ouimet, Chapleau et Archambault, place qu'ils ont quittée avec tant de regrets! Je vais vous prouver que le gouvernement de Boucherville n'est que la continuation du gouvernement Ouimet.

Qui a jeté le cri le premier après l'affaire des Tanneries? C'est un journal libéral, *le Bien Public.* M. de Boucherville n'admet pas qu'il y ait des coupables dans l'ex-gouvernement. Pourquoi alors a-t-il résigné, répudié par les deux tiers de la Chambre? Pourquoi donc ses amis ont-ils résigné s'ils n'étaient pas coupables? Pourquoi n'ont-ils pas attendu les chambres pour expliquer la transaction? Ah! la raison en est bien simple, c'est que ces Messieurs savaient bien qu'ils ne sont pas conservateurs pour rien! . . . Ils aiment à se conserver. La résignation est arrivée, M. de Boucherville a choisi des hommes intelligents, sans doute, mais chargés comme lui de tenir la place chaude, pour les anciens ministres. (Appl.)

Enfin, la Chambre s'est assemblée, on s'attendait à ce que le nouveau gouvernement s'occuperait sans délai de faire mettre le contrat de côté. On m'a répondu lorsque j'interpellais le gouvernement qu'il fallait faire une enquête. On m'a dit que je voulais faire du capital politique, mais que je craindrais une enquête. J'ai alors demandé moi-même une enquête sur l'affaire.

Un comité a été formé, composé de trois ministériels et de deux membres de l'opposition. Le gouvernement est responsable de l'action de ce comité. Or, les cinq membres du comité ont été unanimes à admettre que MM. Dansereau et Middlemiss s'étaient concertés pour préparer cette transaction. M. Dansereau a écrit une lettre solennelle dans laquelle il disait que les $48,000 ont été le prix de l'introduction de M. Middlemiss au gouvernement par M. Dansereau.

Il y a ici douze membres de la presse: je suis certain qu'ils se feraient un plaisir de présenter un M. Middlemiss au gouvernement à ce prix. M. Dansereau a dit quatre paroles pour présenter Middlemiss. Cela fait $12,000 par parole! Qu'on dise maintenant que notre province ne reconnaît pas les mérites de ses enfants!

Ce même comité a déclaré de plus que cette transaction a fait perdre à la Province de $60 à 100,000. Mais dira-t-on, ce Middlemiss est un rouge. Oui, c'est probablement pour cela que M. Dansereau lui a chargé aussi cher pour le présenter à ses amis les ministres de Québec. Pour ma part je répudie M. Middlemiss; il ne doit pas se trouver de pareils hommes dans notre parti.

Et, lors même que les ministres n'auraient pas mis un sou dans leur poche, ils sont coupables, car il était de leur devoir de veiller sur les intérêts de cette Province.

Ici l'orateur raconte brièvement l'affaire des Tanneries.

Une chose entr'autres a été parfaitement prouvée, c'est que M. Ouimet et autres ont dit à *la Minerve*:

"Vous êtes le journal des bons principes; voici les Tanneries et le Pacifique, servez-vous Messieurs, afin que le morale et l'honnêteté aient toujours des défenseurs en vous!"

Du reste, si l'ex-gouvernement était innocent comment se fait-il que trois de ses amis, la majorité du comité, n'ont pas osé l'exhonorer de tout blâme? C'est que ses MM. ont compris que l'ex-gouvernement était pris comme le grain entre les deux pierres de la moulange.

M. Chapleau lui, doit remercier la Providence d'avoir permis qu'il fût alors éloigné de cette Province. Cela a été la cause que sa culpabilité n'a pas été aussi apparente que celle de ses collègues.

Tant qu'on n'aura pas expliqué le résignation de l'ex-gouvernement, nous sommes en droit de le tenir coupable; car en confessant jugement, il a admis implicitement sa culpabilité. Si nous ne sommes pas capables de juger de l'affaire après avoir entendu 147 témoins, qui pourra en juger? Comment expliquer les réticences de M. Dansereau? On a été obligé d'envoyer chercher M. Dansereau par le sergent d'armes. Or quels sont ceux qui l'ont défendu en chambre? Ce sont MM. Chapleau, Mailhot et autres.

En résumé, les Tanneries ont amené le gouvernement actuel au pouvoir. Son premier devoir était de faire annuler le contrat et il ne l'a pas fait.

J'ai le droit de discuter la conduite du parti auquel M. de Boucherville appartient et je le fais. (Appl.)

M. Amyot vous a dit que le premier conservateur était Jacques-Cartier! J'ai cru qu'il avait voulu dire Georges Cartier. (Rires)

Il est une chose que tout le monde respecte et admire à quelque parti qu'on appartienne, c'est la religion. Je réclame pour mon parti la même loyauté, le même respect pour la religion que les conservateurs. Ce que je flétris, ce ne sont par les conservateurs honnêtes, mais bien cette presse malhonnête qui cherche à soulever toutes sortes de préjugés contre nous. Au nom du parti libéral, je répudie l'accusation que l'on porte contre nous d'avoir les mêmes principes que les rouges d'Europe. (Appl.)

Je ne veux pas qu'on aille chercher en France les vieux haillons du parti rouge pour venir nous en revêtir. Non! le parti libéral n'a rien à faire avec les socialistes et les communistes. Je dirai même qu'il a beaucoup plus de respect pour la propriété que beaucoup de conservateurs.

On nous impute bien des écrits, bien des paroles. Eh bien! je répudie, en ma qualité de chef de parti, ces écrits et ces paroles qui ont pu porter atteinte à des choses que j'aime et que je respecte. En faisant une pareille répudiation, je ne fais que suivre l'exemple de M. de Boucherville qui répudie MM. Ouimet et autres.

Quant à moi, je ne veux pas être responsable de ce qu'ont dit certains journaux. Lorsque j'aurai l'avantage d'avoir un organe officiel, alors on pourra me tenir responsable de tout ce que cette feuille dira.

Depuis quand le parti conservateur parle-t-il tant de religion? C'est depuis l'affaire du Pacifique et des Tanneries. Ce sentiment est naturel, la repentance doit suivre le crime! On comprend qu'après deux pareilles affaires un parti sente le besoin d'avoir recours à la religion, comme tous les pécheurs repentants. Les conservateurs veulent remonter au ciel . . . des banquettes ministérielles! Ils étaient invincibles s'ils ne se fussent pas battus eux-mêmes.

(Ici M. Joly explique l'affaire du Pacifique et conclut en disant qu'il est admis que Sir Hugh Allan avait soucrit $300,000 pour les élections de 1872.)

Voici deux gouvernements consécutifs qui sont obligés de résigner sous accusation de corruption. Ce sont ces mêmes gouvernements que l'on vient défendre au nom des bons principes!

Maintenant, un mot de moi-même. Vous connaissez tous l'affaire du serment banal à propos de laquelle la presse honnête, la presse conservatrice a fait tant de bruit. M. Chapleau a alors déclaré M. Tremblay parjure! Je lui ai demandé de vouloir répéter en sa qualité d'avocat, cette accusation, lorsqu'il savait que M. Tremblay n'avait fait que signer une formule banale d'affidavit. En parlant comme je l'ai fait je n'ai pas voulu déprécier la valeur et la solennité du serment. Non certes, et voilà pourquoi j'ai tant déploré les accusations que l'on a portées non seulement contre moi mais encore contre tout mon parti. J'ai dit que M. Tremblay n'était pas parjure et que deux respectables prêtres MM. Auclair et Gagné avaient signé la même formule que M. Tremblay. Je dis que M. Tremblay, pas plus que ces deux respectables prêtres n'a commis un parjure. Je me crois aussi honnête que le commun de mes adversaires.

M. Amyot a dit que j'avais été censuré pour avoir défendu M. Tremblay. Si je n'avais pas agi ainsi, j'aurais été indigne de guider le parti auquel j'appartiens. Si le comté de Lotbinière trouve que j'ai mal agi depuis quatorze ans que je le sers, qu'il me renvoie dans la vie privée, mais de grâce qu'il n'accuse pas sans raison mon parti.

M. de Boucherville n'est pas le véritable chef des conservateurs. En vérité, il n'a pas parlé au nom de ce parti; vous avez vu qu'il n'a pas fait retentir le clairon conservateur. Que M. de Boucherville nous attaque donc comme étant le parti des mauvais principes. Il ne l'a pas fait, il n'est donc pas le véritable chef des conservateurs militants.

On me reproche d'avoir fait une opposition factieuse au gouvernement. Est-ce parce que je suis venu au secours du gouvernement sur le bill des élections et sur l'affaire du scrutin? Mais alors que doit-on penser, chez les conservateurs, de M. Ouimet qui s'est opposé au scrutin secret? Pourquoi n'avons-nous pas cherché sur cette question à renverser le gouvernement lorsque les conservateurs étaient divisés? C'est que c'était une bonne mesure; et, cette mesure c'est ce misérable M. Tremblay dont on dit tant de mal qui l'a présentée à Ottawa! Comment se fait-il que les conservateurs qui éprouvent tant d'horreur pour M. Tremblay aient copié une mesure dont il est l'auteur?

Qui a signalé le premier les dangers de l'émigration? C'est mon excellent ami M. Marchand. Il a plaidé cette noble cause dans son journal comme en Chambre.

Le parti conservateur s'appelle maintenant conservateur-libéral. C'est pour se donner un peu de crédit et dire implicitement qu'il est disposé à s'emparer des mesures de mon parti. Pourquoi renverserions-nous un gouvernement qui met à exécution le programme des libéraux?

On trouvera peut-être que je parle un peu longtemps, mais comme d'après M. Amyot le parti conservateur remonte à Jacques Cartier, vous concevrez sans peine qu'il faille un peu de temps pour faire l' histoire de ce parti.

Entendons-nous donc sur un point. Ne disons donc pas qu'un parti est flétri plus que l'autre; bornons-nous à dire que les deux partis peuvent avoir des idées différentes en fait d'administration, mais que ces deux partis s'accordent à respecter et à admirer la religion et la nationalité. La lutte ne doit pas se faire sur un pareil terrain, car nous sommes tous unanimes sur ce point, c'est-à-dire à respecter la religion et la nationalité. (Appl. prolongés)

On dit que c'est un malheur pour ce pays que nos amis soient au pouvoir à Ottawa. A qui la faute? N'est-ce pas aux méfaits des conservateurs? On fait beaucoup de bruit au sujet de l'amnistie et des écoles du N.B. Cependant, M. de Boucherville n'en a pas dit un mot. Pourquoi? parce qu'il ne porte pas le drapeau du parti conservateur.

Ici M. Joly résume brièvement les affaires fédérales et démontre que le parti conservateur est responsable de l'amnistie, de l'affaire des Ecoles, de l'achat du Nord Ouest.

Le gouvernement conservateur n'a jamais accordé l'amnistie à Riel bien qu'il l'eût promis et après être resté au pouvoir pendant trois ans. Qui a le mérite d'avoir fait commuer la mort de Riel et de Lépine en un bannissement de cinq ans? Ce sont MM. Fournier, Letellier et Geoffrion. Que faisaient les conservateurs eux? Sir John disait dans un discours qu'il pendrait Riel lui-même s'il pouvait mettre la main dessus. Cependant, il avait dans le même temps la duplicité de donner $1,000 pour faciliter sa fuite. Qui a voté et demandé l'expulsion de Riel de la Chambre? C'est M. Bowell, l'ami de M. Masson, le chef des conservateurs à Ottawa.

Les conservateurs ont bien crié autrefois contre M. Brown. Cependant, six mois après, Sir George Cartier l'embrassait sur les deux joues. Nous étions alors vingt-deux bas-canadiens libéraux qui nous opposions à cette coalition.

Voilà la conduite que le parti conservateur a toujours tenue. Vous avez aujourd'hui à décider lequel des deux partis mérite davantage la confiance du pays.

L'orateur expose l'inauguration de la Confédération et explique la question des écoles séparées du Nouveau-Brunswick. Il réfute l'accusation fausse lancée contre le parti tendu à la promulgation de l'idée de séparer la question d'éducation d'avec la question de religion.

On cherchera à trouver dans notre parti des scandales comme il en existe dans le parti conservateur. On vous dira que nos amis ont été empêchés de voler! C'est là, la grande différence avec les conservateurs que nous n'avons pas pu empêcher de voler. Je n'admets pas que mes amis soient coupables; mais dans tous les cas, il n'y aurait que des hommes qui auraient péché et non pas un parti.

Merci de votre attention, je vous demande d'écouter mes amis avec la même bienveillance. (Appl. prolongés)

DISCOURS DE M. LAURIER

Il paraît qu'à Québec, lorsqu'il y a une mauvaise cause, on en charge M. Amyot; c'est probablement pour la même raison qu'on l'a chargé de défendre la cause des conservateurs.

M. Amyot vous a représenté les hommes d'esprit comme très dangereux; il a voulu, je suppose, s'appliquer la sentence qui dit: Bien heureux les pauvres d'esprit.

Vous avez à décider entre le parti libéral et le parti conservateur. J'ai été bien désappointé de l'exposition des principes faits par M. de Boucherville. Son programme consiste à ne trouver aucun mal dans la transaction des Tanneries et à favoriser la fabrication du sucre de betteraves.

D'un autre côté, j'ai éprouvé un sentiment de fierté en entendant M. Joly vous exposer les principes du parti dont il est le chef.

Les deux partis ont fait leur preuve et il y a assez longtemps qu'ils sont en face pour qu'on puisse les juger par leurs actes. Comme l'a dit M. Amyot—et c'est la seule chose vraie qu'il ait dite—on reconnaît l'arbre à ses fruits. Eh bien! nous connaissons les actes du parti conservateur, ces actes qui l'ont précipité du pouvoir et lui ont mérité l'indignation populaire.

Je dis que le parti conservateur est politiquement malhonnête. Lorsque nous l'avons accusé, nous lui avons donné nos preuves, et nous ne nous sommes pas bornés à des accusations en l'air comme le font nos adversaires.

On nous a toujours reproché, à nous libéraux, d'avoir des principes dangereux. Cependant, il y a deux ans que le parti libéral est au pouvoir et la religion subsiste encore. M. de Boucherville peut pratiquer toutes les vertus dont il est le parfait modèle! Si nous avions été des apostats, des renégats, n'aurions-nous pas pu mettre à exécution les principes que l'on nous impute?

Mais nous n'avons pas seulement des actes passifs à notre crédit, nous avons des oeuvres qui nous méritent la confiance de notre pays. En effet, en 1861 nous avons fait passer une loi pour mettre les catholiques sur le même pied que les protestants dans le Haut-Canada. A la dernière session encore, M. Mackenzie a fait passer une loi accordant des écoles séparées à la nouvelle province créée dans le Nord-Ouest. Et puis, le gouvernement vient de nommer comme Lieutenant-Gouverneur d'Ontario un catholique.

Voilà des actes qui démontrent que nous ne sommes pas des renégats et que nous respectons la religion tout autant que M. Amyot et ses amis.

J'ai dit que les conservateurs avaient pratiqué la corruption. En effet, en 1862, il n'est tombé qu'en voulant faire passer le bill de milice qui était destiné à devenir un puissant engin de corruption. On connaît aussi les sommes accordées au Grand-Tronc pour aider à la corruption. Pour les conservateurs la caisse publique est tout, et l'honneur national n'est rien.

Eh bien, les deux ont été odieusement violés dans les transactions du Pacifique et des Tanneries.

Pourtant, vous venez d'entendre M. de Boucherville vous dire que l'affaire des Tanneries n'était rien de bien extraordinaire. Avant longtemps, on dira que c'est une affaire louable. Le parti qui se conduit ainsi peut-il décemment parler de religion?

Tenez, ne blâmons pas trop ce parti de ses méfaits! S'il administre si mal les affaires de la province, c'est qu'il a trop souvent les yeux tournés au ciel! (rires). En vérité, c'est M. Amyot qui m'a suggéré cette idée et je vous avoue que je le crois trop bon pour la terre. Au lieu de l'élire, le comté de Lotbinière ferait mieux de faire un pétition à Rome pour le faire canoniser de son vivant! (rires).

Dans l'acte de la confédération, il est dit que la question des écoles séparées sera du ressort d'une autorité au-dessus du parlement. Comment se fait-il que le parti conservateur, qui parle tant de religion, ait oublié les catholiques du N.-B.? Pourquoi n'a-t-il pas invoqué la clause de la constitution destinée à protéger les minorités? C'est que les conservateurs ont bien plus de religion dans la bouche que dans le coeur.

On s'est dans le temps adressé à M. Cartier pour obtenir justice, parce qu'il en avait constitutionnellement le pouvoir. Naturellement on pouvait s'attendre que Sir Georges, le chef du parti religieux, défendrait les catholiques du N.-B., mais non, il ne l'a pas fait, et cela quand il pouvait faire désavouer la loi. Est-ce là un grand acte de religion?

Nous n'avons pas toujours les mots de religion à la bouche et pourtant nous prétendons être plus honnêtes que les conservateurs et aussi bons chrétiens qu'eux. Lorsque le parti conservateur s'affuble du manteau de la religion, ce n'est qu'un masque.

Je reconnais qu'il y a en Europe des hommes dangereux qui se donnent comme libéraux, bien qu'ils n'aient de libéral que le nom. Ce n'est pas là le libéralisme de mon parti.

Non, nous sommes libéraux comme on est libéral en Angleterre; nous sommes libéraux comme O'Connell! C'est là un de nos chefs, lui qui a si vaillamment défendu la religion dans le parlement anglais; c'est là que nous puisons nos doctrines, et non pas chez ces prétendus libéraux qui cherchent à faire triompher leurs idées par la violence et l'effusion du sang.

J'arrive maintenant à la question de l'amnistie. Personne ne peut nier qu'une grande injustice avait été faite aux métis, que les promesses qui leur avaient été faites avaient été honteusement violées. Alors cette population s'est émue et a revendiqué ses droits. La mort d'un homme en a été la suite. Sans doute cet acte est excessivement regrettable, mais enfin, qu'on me cite une révolution où il se soit versé aussi peu de sang. Les choses se sont compliquées, l'amnistie avait été promise à ceux qui avaient présidé au soulèvement du Nord-Ouest. Jamais, pourtant les conservateurs l'ont accordée; il était destiné au parti conservateur d'accomplir ce grand acte de modération et de justice. Aussi, M. Bowell, l'ami de M. Masson, a été obligé pour pacifier ses amis et ceux des conservateurs, de dire que l'amnistie n'était accordée que pour faire plaisir aux députés bas-canadiens.

Un mot maintenant de la question des écoles du N.-B. Vous connaissez quels sont les faits à ce sujet. Il n'y avait qu'un moyen de remédier au mal, c'était d'amender la constitution. Or, on ne doit en venir à une pareille extrémité que dans des circonstances bien rares; c'est toujours avec crainte que l'on doit mettre la main sur l'arche sacrée de la constitution!

Si les conservateurs avaient usé des droits qu'ils avaient, la question des écoles aurait été réglée, et jamais on n'aurait été obligé de songer à amender la constitution. Pourquoi le parti conservateur n'a-t-il pas rendu justice aux catholiques du N.-B.? C'est par faiblesse et par lâcheté.

M. Amyot nous fait un grand reproche d'avoir imposer des taxes sur le thé, le vin, et l'eau de Cologne. Il vaut mieux, je crois, imposer des taxes sur ces objets que d'en imposer sur la farine, comme l'ont fait les conservateurs. (Appl.)

Mais pourquoi avons-nous imposé des taxes? C'était pour remplir le déficit créé par les conservateurs.

M. Amyot a oublié une chose; c'est de vous dire que le gouvernement Mackenzie a fait un emprunt de $20,000,000. Il est venu à cette pénible nécessité pour faire face aux extravagances des conservateurs. Le gouvernement Cartier avait entrepris pour se donner 6 voix de construire en 10 ans le chemin du Pacifique dont le coût est porté par M. Flemming à $150,000,000. Le parti libéral est obligé sans doute de faire exécuter ce chemin, mais il a prolongé les délais afin de rendre la chose moins onéreuse pour le pays. Eh bien! je vous demande si la politique du gouvernement libéral n'est pas plus avantageuse que celle de l'ex-gouvernement. (Appl.)

On a fait beaucoup de bruit à propos des affaires du Canal Welland et Burpee. Cependant le gouvernement est sorti victorieux de toutes ces accusations. Je ne prétends pas que tous nos amis soient sans tache. Non, mais s'il s'est trouvé des gens peu scrupuleux au Nouveau-Brunswick, Dieu merci, nous avons à la tête des affaires un homme qui a horreur des spéculations véreuses; cet homme, c'est M. Mackenzie! Lorsqu'il a appris qu'une propriété située à Frédéricton, et qu'il avait vendue $6,000, en valait beaucoup plus, il a immédiatement annulé la vente. M. Ouimet a-t-il tenu une pareille conduite lorsqu'il a appris la transaction des Tanneries? Non, il a envoyé M. Chapleau, le plus éloquent de ses membres, pour défendre l'affaire.

Un mot de l'affaire du Canal. Il était dans le programme du gouvernement fédéral d'élargir le Canal Lachine. M.M. Jetté, Laflamme et autres, dans le but de faire une spéculation ont acheté des lots dans le voisinage du Canal. Lorsque les propriétés ont été vendues, il y avait des puffers pour faire monter la vente. Du reste s'il y a crime, c'est un crime privé, et non un crime politique. Et après tout ce ne sont pas les conservateurs qui peuvent nous jeter la première pierre.

Voilà l'histoire abrégée des deux partis politiques qui se disputent le pouvoir. Les libéraux n'ont pas toujours le mot de la religion à la bouche, mais ils respectent et aiment la religion autant que n'importe qui. Elisez donc, M. Joly et vous aurez la satisfaction d'avoir pour député un homme intègre, en même temps que vous aurez donné à la Province un défenseur éclairé et sincère de nos plus chers intérêts. (Appl. prolongés)

La Minerve, Montréal—13 septembre 1875

LA CONSCIENCE ET LA LOI

Adrien Thério écrivait, il y a quelques mois à peine, que l'Affaire Guibord avait donné lieu au procès le plus retentissant du XIXe siècle. On pourrait ajouter que ce fut aussi l'occasion d'un ultime affrontement entre l'épiscopat et l'Institut canadien qui avait été fondé en 1844. Le grand organe des "rouges", L'Avenir, *avait dû fermer ses portes en 1857, mais celles de l'Institut étaient demeurées largement ouvertes. En 1869, alors qu'un mandement du Saint-Office venait de frapper d'interdit tous les membres de l'Institut, Joseph Guibord s'éteignit. Le curé de Notre-Dame ayant refusé de recevoir les restes du défunt, l'Affaire éclata. Elle allait durer six ans. C'est d'ailleurs le Conseil privé, de Londres, qui en dernier ressort devait en décider et, du même coup, obliger Mgr Bourget, l'évêque de Montréal, à enterrer Guibord dans le cimetière catholique.*

La Minerve, *d'obédience conservatrice et catholique, voulut jusqu'au dernier moment soutenir le point de vue de l'épiscopat. Mais non sans rappeler aux manifestants qui appuyaient trop bruyamment Mgr Bourget, qu'ils devaient se conformer à la décision du Conseil privé de Sa Majesté.*

In 1869 a mandate from the Vatican laid all the members of the anti-clerical Institut canadien *under an interdict. Shortly afterwards Joseph Guibord, a devout Roman Catholic who belonged to the* Institut, *passed away, and the parish priest of Notre Dame refused to receive his remains. A controversy erupted at once. It was to last six years, and it was only an appeal to the Privy Council in London that compelled Monseigneur Bourget, Bishop of Montreal, to bury Guibord in the Catholic cemetery.*

La Minerve, *obediently conservative and Catholic, was ready to back up the Episcopate to the last. They did this, however, not without a reminder to the street demonstrators (who were giving too boisterous support to Monseigneur Bourget) that they must comply with the decision of Her Majesty's Privy Council.*

L'affaire Guibord a mis bien des imaginations en verve et bien des encriers en réquisition. Halifax, Toronto et New-York semblent s'en occuper aussi activement que Montréal même, si l'on en croit leurs journaux. Il n'y a cependant pas de quoi, car si nos frères séparés y regardaient à deux fois ils comprendraient que cela n'est guère de leurs affaires.

Au fond la question se réduit à ceci. En Canada les religions ne sont-elles pas libres de régler comme elles l'entendent les questions de discipline intérieure, et de répudier des gens qui ne veulent pas se soumettre à leurs enseignements? Guibord de son vivant a, de sang froid et en toute connaissance de cause, choisi entre l'alternative laissée par son évêque, d'après les ordres de Rome: ou laisser l'Institut Canadien pour demeurer dans le communion catholique, ou sortir de la communion catholique pour rester dans l'Institut Canadien.

Certes, il n'y a qu'une manière d'être catholique, c'est la manière définie par l'église catholique elle-même. On peut refuser d'accepter cette manière, mais alors on sort du giron catholique. Et si personne n'est obligé de se faire où de demeurer catholique, nous ne voyons pas que cette croyance, dont les idées et les principes sont si clairement et strictement définis, soit obligée de recevoir ceux qui ne veulent pas respecter ses lois.

Dans la dispute actuelle, que voyons-nous? D'un côté tous les catholiques, de l'autre les incrédules et les protestants qui veulent absolument que Guibord soit mort catholique? Quel intérêt les protestants ont-ils dans l'affaire?

Réclament-ils Guibord pour un des leurs? Loin de là. Ils le classent forcément dans la catégorie des catholiques. Pour eux, la religion catholique est une religion infâme, détestable, dangereuse, et cependant ils font la guerre autour d'un cadavre, un reste catholique. M. Doutre, l'apôtre de Guibord, est-il catholique? Nous serait-il permis de demander à ce monsieur, s'il croit à l'église catholique, à ses commandements et s'il se soucie de les observer. Accepte-t-il la hiérarchie catholique dans toute son autorité? Nous ne sommes pas en état de répondre pour lui, mais s'il nous répondait qu'il repousse les enseignments de l'évêque parlant ex cathedrâ, qu'il ne va ni à la messe ni à confesse, qu'il ne se soucie pas du baptême, qu'il n'accomplit aucune pratique catholique, ne pourrions-nous pas lui demander dans quel but il met tant d'acharnement à réclamer pour un cadavre les honneurs d'une religion dont il ne fait lui-même aucun cas et dont Guibord de son vivant ne se souciait guère non plus.

Mais vous répondra-t-il avec des protestants: Guibord avait un droit acquis au terrain acheté et payé par lui dans le cimetière et les tribunaux nous ont donné raison. L'Eglise ou plutôt la fabrique a reçu de Guibord le prix d'un terrain pour sa famille. La fabrique comme administratrice des biens matériels de l'Eglise, n'a pas à connaître l'état de la conscience de celui qui achète. Elle suppose que cet homme est dans l'intention de mourir dans le sein de l'Eglise catholique et qu'il prendra des mesures en conséquence; et que n'eut-il pas ces dispositions, il tiendra ce terrain pour les membres de sa famille qui les aura. S'il ne fallait pas certaines dispositions pour entrer dans le cimetière catholique, il n'y aurait aucune nécessité de faire un cimetière catholique. Un vaste cimetière commun ferait l'affaire de toutes les croyances. C'est ainsi que le cimetière protestant reçoit les mille sectes diverses qui prétendent chacune adorer Dieu d'une manière différente.

Il nous semble que c'est aux ministres catholiques seuls à constater si les défunts ont rempli les conditions morales pour entrer dans un cimetière catholique. A côté de celles-là les conditions matérielles, confiées au soin de la fabrique, sont de peu de chose. Autrement le propriétaire d'un terrain dont la famille aurait abjuré le catholicisme pourrait faire enterrer des protestants dans un cimetière catholique. Et ce que nous ne comprenons pas c'est que la loi civile vienne se mêler d'examiner les titres spirituels d'un défunt à la sépulture ecclésiastique.

C'est ici que se pose pour nous la vraie question. Les journaux ont, en général, accepté convenablement la lettre si remarquable de Sa Grandeur Mgr. de Montréal. Cette lettre a soulagé la conscience des catholiques d'un grand poids et les a remplis de joie. En face de la force légale, l'Evêque a fait savoir qu'il restait un dernier moyen d'échapper à cette violence, la déclaration du cimetière pollué. Sa Grandeur, par respect pour l'autorité constituée priait en même temps les fidèles de s'abstenir de toute démonstration. Que pourrait-on exiger de plus? Que l'Evêque allât jusqu'à approuver le décret du Conseil Privé! Qu'il cherchât à inculquer dans l'esprit de la population que cette sentence rend justice aux droits de l'Eglise catholique! Les journaux de Toronto, surtout *le Globe, le Mail* et *le Leader* sont assez acrimonieux à ce sujet. *Le Leader* va jusqu'à dire en parlant de cette lettre:

"Sur le ton d'un martyr, loyal seulement des lèvres qui prononcent des paroles de paix, cet homme d'église répète, d'une autre manière, les mêmes sentiments de rébellion que la populace exprimait à sa manière la semaine précédente. Le sens du coup de main arrivé à l'occasion de l'exécution d'un décret du Conseil Privé, était que c'est la volonté de l'Eglise de Rome, telle qu'interprétée par M. Rousselot et son évêque, et non l'autorité de la loi civile, qui doit prévaloir dans cette partie de l'empire Britannique. . . "La proposition faite par l'évêque d'envoyer une requête à la Reine, est simplement une insulte à Sa Majesté. La signature de Victoria est au bas du décret contre lequel l'évêque veut pétitionner et ce décret n'a été émané qu'après une preuve complète devant le plus haut tribunal."

Nous sommes surpris que le fanatisme pousse des journaux à autant d'insolence. Si la religion catholique n'a pas le droit d'exister en Canada: très bien. L'on pourra organiser contre nous toutes sortes de persécutions et nous n'aurons qu'à baisser la tête. Mais si dans la libre province de Québec la religion catholique a des droits garantis par les traités, traités qui portent aussi la signature des ancêtres de Sa Majesté la Reine Victoria, il nous semble qu'il est impossible de pousser l'esprit de conciliation plus loin que d'accepter un décret qui nous semble violer ces traités, puis d'élever respectueusement la voix afin de demander convenablement à Sa Majesté, pour l'avenir, un état de choses plus rationnel, laissant à l'église catholique la liberté de régler seule ses difficultés intestines et de définir les cas dans lesquels on cesse d'appartenir à cette communion.

Une population trop convaincue s'est rendue au cimetière pour empêcher l'exécution de la loi: c'est mal. La loi doit être la loi; mais n'est-il pas venu à l'idée d'aucun protestant que l'extrême sévérité du Conseil Privé, à l'encontre de sept ou huit juges canadiens, mieux informés de la situation que des juges qui n'ont jamais vu d'aussi près le fonctionnement de l'église catholique en Canada, a dû blesser au coeur toute la population catholique de cette province. Cette violation officielle d'un bien sacré a mis les sentiments du catholique violemment en face des devoirs du citoyen. Nous avons été en général assez bons catholiques pour avoir la force de demeurer bons citoyens. Notre population croit que le Conseil Privé s'est trompé; mais elle ne l'accuse pas. Elle souffre, mais elle ne médite pas de déloyauté. Elle ne fait pas comme ceux d'une autre croyance qui incendiaient des bâtisses parlementaires, parce que les législateurs ne faisaient pas à leur goût; elle n'emploie pas les grands mots de persécution, *will never submit*, prononcés avec emphase, même en 1870, à l'occasion d'un amendement à Québec, sur la loi de l'éducation; elle n'insulte pas les autres croyances comme le fait tous les jours *le Witness* et assez souvent *le Leader* à notre égard. Elle se propose tout simplement, car dans sa lettre, Sa Grandeur Mgr. de Montréal, a été l'organe de toute cette population, elle se propose de demander soit un décret soit une loi mettant la religion catholique sur le pied des autres religions pour sa règle intérieure.

Et si quelques milliers de personnes, manquant d'instruction, c'est-à-dire des lumières nécessaires pour sacrifier leur douleur au bénéfice de la paix, ont pris part à une émeute, est-il juste d'en rendre responsable l'évêque qui l'a publiquement réprouvée. L'émeute n'est pas permise, mais aurait-il dû être permis à M. Doutre de glorifier en pleine Cour, l'assassinat et la mort de nos prêtres les plus vénérés? Pense-t-on que cette fameuse diatribe en l'honneur des sauvages qui ont massacré des missionnaires que notre population vénère comme des saints, pourra facilement laisser le souvenir d'une population si cruellement outragée dans ce qu'elle a de plus cher? Avant de jeter le blâme sur tout un peuple, ne devrait-on pas examiner si la provocation n'est pas venue de M. Doutre même et si ce n'est pas sa propre glorification de la plus sanglante des illégalités qui a provoqué d'autres illégalités?

Nous espérons que les émeutiers du cimetière ont compris que ce n'était point leur devoir d'être là pour l'enterrement de Guibord, et qu'ils ne renouvelleront plus ces scènes. S'ils sont pris en flagrant délit par l'autorité, ils seront traités sans ménagement et ils ne gagneraient rien même à se faire tuer. Ce ne sera pas, du reste, la manière de nous faire rendre justice. Pardonnons à nos persécuteurs, méprisons ceux qui nous insultent et travaillons en paix et avec harmonie à obtenir la réparation du mal fait. Notre loyauté sera plus appréciée que de bruyantes démonstrations et nous prouverons à nos ennemis de l'autre côté de l'océan, à la tête desquels s'est mis M. Gladstone, que nous pouvons être à la fois bons catholiques et bons sujets anglais.

RIEL

Conservateur, faisant volontiers écho à l'opinion du milieu anglophone de Sherbrooke, Le Pionnier, *dans l'esprit de ses fondateurs, H.-C. Cabanna et L.-G. Bélanger, avait une double mission: servir ce qu'ils appelaient "la cause nationale" et celle de la colonisation. Anti-rouge, le journal, dès son premier numéro, le 13 octobre 1866, se veut au service de l'ordre.*

Cependant le fait que Riel et Lépine soient forcés de fuir les tribunaux du Manitoba où ils sont accusés d'avoir permis qu'un Canadien de langue anglaise soit exécuté, Scott, amène Le Pionnier *à prendre fait et cause pour les Métis. Les premiers événements qui se rattachent à ce qu'on a appelé la Rébellion du Nord-Ouest, se situent en 1869. Le 5 novembre 1875, Riel, proscrit, fuyant la justice, se trouve "quelque part" au Québec. Ce n'est qu'en 1885 que l'ex-président du gouvernement provisoire du Nord-Ouest montera à l'échafaud. Mais déjà le nom est légendaire et la sympathie des Canadiens de langue française est acquise aux Métis comme en témoigne l'article du* Pionnier.

As intended by its founders, H.-C. Cabanna and L.-G. Bélanger, the Conservative Le Pionnier *echoed the views of the English-speaking element of Sherbrooke. It had a double mission: to serve what was called "the national cause" and to promote colonization. Anti-rouge, the newspaper was committed from its first number on October 13, 1866, to the upholding of order.*

However, the fact that Riel and Lépine were forced to flee the Manitoba courts, where they were accused of allowing Thomas Scott to be executed, compelled Le Pionnier *to take up the cause of the Métis. On November 5, 1875, Riel, was a fugitive from justice, said to be "somewhere in Quebec." It was only in 1885 that the ex-president of the provisional government of the North-West went to the scaffold. But his name was already legendary and the Métis had won the sympathy of French-speaking Canadians, as witness this article from* Le Pionnier.

L'ex-président du gouvernement provisoire du Nord-Ouest, Louis Riel, cet homme d'un si grand patriotisme que les fanatiques d'Ontario, et après eux les rouges de Québec, ont cherché à représenter comme un bourreau. Louis Riel voulut revoir, il n'y a pas longtemps, les belles campagnes qu'il aimait tant à parcourir aux temps, plus heureux de jadis. Se rendant à l'invitation d'un ami qui l'avait prié de venir passer quelques jours de la belle saison à sa résidence, il put pendant ce court espace de temps, en dépit des menaces et des poursuites dirigées contre lui, oublier tous les troubles et les épreuves auxquels il est en proie depuis 1869, troubles et épreuves entrevus autrefois dans une inspiration poétique. Lors de sa visite il ne prit nulle précaution de ne pas tomber entre les mains de la police et il passa même, en plein jour, par la principale rue d'une ville de cette Province. Il disait qu'il n'aurait pas été fâché d'être arrêté dans la Province de Québec et d'y subir son procès, parce qu'il a plus de confiance en la justice de nos tribunaux qu'en celle des tribunaux du Manitoba.

M. Louis Riel est un gentilhomme dans la force du mot, et n'a, lui du moins, rien de cette espèce de sauvagerie que les ennemis des Métis se plaisent à leur attribuer. Comme nous le disions tout à l'heure, c'est aussi un patriote comme rarement on en rencontre d'aussi sincère. Il est deux êtres que Riel semble honorer d'un culte tout particulier: sa patrie . . . et sa mère. Sa patrie, il a offert sa vie pour elle, et c'est à cause de son dévouement pour elle qu'aujourd'hui il est banni de son foyer et privé de ses droits de citoyens. Sa mère, M. Riel n'en parle pas sans émotion, et des larmes même perlaient à sa paupière lorsqu'il redisait les chagrins et les angoisses de cette femme qui, depuis six ans, a presque toujours été séparée d'un fils qu'elle aime, et pour la vie duquel elle tremble chaque jour.

En parlant des troubles du Nord-Ouest, on demandait au noble patriote s'il n'eût pas été mieux de laisser la vie à Scott. M. Riel répondit qu'en laissant vivre Scott, c'eût été vouer à une mort certaine peut être des centaines de personnes. Si Scott eût vécu, le sang aurait coulé dans tout le Nord-Ouest. Au reste, dit-il, ma conscience est parfaitement tranquille sous ce rapport, et je crois n'avoir jamais à me reprocher ce qui a été fait en cette circonstance difficile. Si ce ne sont pas là les paroles même de M. Riel, c'en est du moins le sens.

M. Riel semble n'avoir pas d'expressions assez fortes pour dire combien il est reconnaissant de l'intérêt que la grande majorité des habitants de la Province de Québec ont porté à la cause des Métis, ainsi qu'à lui-même et à son malheureux ami Lépine. Il a confiance que la sentence prononcée contre Lépine et contre lui-même sera bientôt révoquée, et qu'il leur sera alors donné, à tous deux, de travailler encore pour l'avantage et le bonheur des Métis.

Avant de finir, un détail édifiant de la vie privée de cet homme qu'on veut faire passer pour barbare et sanguinaire. Si M. Riel lit jamais ces lignes, il ne nous en voudra pas sans doute d'avoir commis tant d'indiscrétion sur son compte.—L'ancien chef des Métis ne passe pas un seul jour sans recevoir la sainte communion, lorsqu'il n'y a pas d'impossibilité qu'il le fasse. Et l'on voit que chez cet homme, il n'y a pas d'hypocrisie, mais qu'une profonde conviction religieuse est le mobile de ses actions. On le croit sans peine quand il dit qu'il tâche d'être toujours prêt à paraître devant son Créateur, et qu'il n'éprouve pas trop d'effroi à la pensée qu'à chaque instant la mort peut se présenter à lui, qu'il peut tomber sous la balle ou le poignard d'un assassin. Comme Garcia Moreno, M. Riel répèterait sans doute, lui aussi, en expirant: "Dieu ne meurt pas".

The Science of Cheek

Riel (loq.): "Five Toussand dollars! By gar, I shall arrest ze scoundrel myself!"

La science du toupet

Riel—Cinq mille piastres! Tonnerre de Dieu! Je vais arrêter moi-même cette canaille!

Le Pionnier, Sherbrooke—20 septembre 1878

VICTOIRE! VICTOIRE!

Depuis le début de la Confédération et jusqu'à sa mort, sir John A. Macdonald devait dominer la scène politique canadienne. Après lui, d'ailleurs, les gouvernements conservateurs se succèderont encore cinq ans, soit jusqu'à la victoire de Laurier en 1896. Une seule parenthèse: le gouvernement libéral de Mackenzie, porté au pouvoir en 1873. Au Québec, la situation est la même: élu en 1878, le gouvernement libéral de Joly de Lotbinière tombera l'année suivante.

En septembre 1878, les libéraux sont culbutés; seul le Nouveau-Brunswick échappe à l'avalanche. A l'époque, la passion politique est vive et tout journal qui se respecte est nécessairement un journal engagé. C'est l'âge d'or des journaux de parti, et le lecteur ne s'en plaint pas. Le Pionnier, *ce matin-là, crie victoire: les "rouges" sont battus et un gouvernement protectionniste, ennemi déclaré du libre-échange, vient de reprendre en mains le contrôle des affaires publiques.*

From the beginning of Confederation and right up to his death, Sir John A. Macdonald played the leading role on the political stage in Canada. After his death Conservative governments continued in power for another five years, until Laurier's victory in 1896. There was a single digression: Mackenzie's Liberal government, brought to power in 1873. In Quebec the situation was similar: elected in 1878, the Liberal government of Joly de Lotbinière fell the next year.

In September 1878, the federal Liberals were overthrown; New Brunswick alone escaped the avalanche. Political passions ran high at the time and every self-respecting newspaper was of necessity committed to one side or the other. It was the golden age of party newspapers, and the reader had no complaints. Le Pionnier, *that morning, crowed in triumph:* les rouges *were beaten and a protectionist government, declared enemy of free trade, had recovered control of public affairs.*

Le terrible, l'épouvantable, cauchemar que le gouvernement Mackenzie faisait peser sur le pays, pour sa ruine et sa désolation politique, morale et financière, vient de prendre fin. C'est avec un sentiment de joie impossible à dire que le résultat des élections nous en a appris la nouvelle, et c'est avec le même sentiment que nous la communiquons à nos lecteurs.

Honneur au peuple canadien! Il a bravement fait son devoir le jour du 17; il a mis proprement à la porte le petit tyran et il ne pouvait mieux faire.

C'est que la mesure était comble d'iniquités, de tripotages et d'insanités de toute nature, et qu'il fallait la renverser. Elle l'est maintenant, et plût à Dieu que ce soit pour longtemps.

Mais ceux qui doivent faire de longues mines en présence de ce verdict du peuple, ne sont pas seulement les détrônés d'Ottawa; mais leurs hommes de la succursale de Québec. Ah! les braves coeurs, ils ne l'ont pas volé la raclée qui leur a été donnée!

Ils avaient pourtant contracté de sérieux engagements. C'était comme le père qui marchait de l'avant, suivi de son fils qui emboîtait le pas. Ca promettait de poursuivre une carrière exemplaire, quand, O douleur! le peuple est venu signifier à ses prétendus meilleurs amis d'avoir à décamper.

Cependant, quand on se trouve dans une atmosphère aussi agréable que celle du pouvoir, il en coûte de faire ses bagages; la besogne est triste, mais il n'y a pas à dire, il faut déguerpir.

Par le résultat des élections d'aujourd'hui, le parti conservateur remonte au pouvoir avec la force et la puissance des ses plus beaux jours. C'est à lui maintenant à commander et à mettre en pratique le grand principe de son programme auquel il doit la victoire: la protection.

La sagesse de cette mesure ramènera la prospérité parmi nous. La démoralisation de l'ouvrier par le manque de travail et les dures étreintes de la misère, a fait son temps. Encore quelques jours d'épreuves, le temps qu'il faut au pays pour sa réorganisation politique, et la prospérité reviendra.

Toutefois, ce n'est pas sans une organisation soigneusement et habilement dirigée que le vieil esprit conservateur s'est réveillé parmi nos populations. On avait à combattre, dans notre province principalement, la double influence de deux gouvernements peu scrupuleux dans le choix de leurs moyens d'action. Mais on s'est mis bravement à l'oeuvre, parce que c'était de toute nécessité.

En profitant des leçons de l'expérience et c'est ce qu'ils ne manqueront pas de faire, les conservateurs sont assurés d'un règne de longue durée. On se rappellera longtemps des jours néfastes engendrés par les malpropretés politiques des libéraux. Jamais gouvernement ne s'est moqué d'une manière aussi cynique des intérêts d'une nation que celui de Mackenzie. Aussi sa condamnation n'est que justement méritée.

Le souffle de vie que le gouvernement de Québec puisait à Ottawa est éteint. La comédie radicale est jouée et la dégringolade fédérale sera suivie de près par la dégringolade provinciale.

Quoique nous n'ayons jamais douté, avant les élections, de la victoire du parti conservateur, nous devons cependant avouer que le triomphe est plus complet, plus décisif qu'on l'espérait. A l'exception du Nouveau-Brunswick, le gouvernement a été défait dans toutes les provinces au point que la majorité en Chambre sera de 35 à 40 voix.

Les conservateurs ont lieu de se féliciter de ce beau résultat qui vient de couronner leurs efforts pour le rétablissement d'un bon gouvernement. Tout Canadien véritablement ami de son pays, saluera avec joie la nouvelle de notre importante victoire qui nécessitera un changement de gouvernement et ramènera la vie et l'activité dans nos diverses industries nationales.

The Advertiser, London—May 26, 1881

MISERE!

LONDON'S DAY OF DOOM

Here is a real-life version of "The Sinking of the Mariposa Belle." Although the disaster is similar to the one in Leacock's story, the consequences here were considerably more tragic.

Voici une version réaliste du "Coulage du Mariposa Belle." *Même si cette catastrophe fait penser à celle de l'histoire de Leacock, les conséquences en furent beaucoup plus tragiques.*

The 24th of May, 1881, will long be remembered as a day of mourning in London. Never before did an accident, bringing in its train such widespread desolation to a single community, occur in the Dominion of Canada, and, writing from recollection, the only circumstance we can recall to equal the horror was the Princess Alice disaster in the river bearing the same name as that which on Tuesday gave such a shock to this city and spread misery to as many households. Never before did a day open up so auspiciously for the pleasure seekers and never did a day close with greater gloom. Hundreds of households are plunged in grief at the loss of friends and acquaintances, and the merry makers who struggled for place as the boats left the dock at the foot of Dundas street were next seen as corpses stretched side by side on the green bank they had no doubt admired as they sailed down.

The catastrophe is one that can scarce be appreciated in all its magnitude but if the roofs of all the houses in London could be raised to-day the scenes of woe would make the strongest man weep. The city is in sackcloth and ashes. Few but have lost relatives and connections and none but have been bereft of friends. The sights and scenes of this dread disaster will long be remembered and it will be many a day before the Queen's Birthday will again be looked upon as a day of merrymaking in London. Hereafter it will be a day of sad remembrance and the anniversary of sorrow to man.

It was about 5 o'clock in the afternoon when the ill-fated Victoria reached Springbank on her last trip. Both the upper and lower decks were crowded and a large number of the pleasure seekers remained on board to return on the same boat. As is usually the case at this hour, an immense crowd was waiting at the wharf for the arrival of the steamer. Everyone was anxious to secure a place and in a few moments every portion of standing or sitting room was fully occupied. The number on board is variously estimated at from 600 to 800, probably nearer the latter—a number altogether out of proportion to the capacity of the boat. Three hundred would have made a good load, and at the outside more than four hundred should not have been allowed on. The boat was too frail for any such ridiculously large burden. But

NO SPECIAL EFFORT WAS MADE

to prevent any one or as many as liked from getting aboard. The Victoria started for the city. All the light-heartedness and jollity incident to holiday excursions was apparent and who dreamed of the fearful occurrence so soon to transpire? Among those on board was a reporter from the ADVERTISER Office, the only reporter, it may be mentioned, who was present from the commencement of the disaster. Slowly the doomed boat crept along the channel of the Thames towards the city, while the happy throng moved constantly about from one place to another, laughing and talking as they mingled together, young men and young women, parents and children, friends and acquaintances.

For a few moments, our reporter remained with the throng on the upper deck but because of the heat and crush he went below where circumstances were but little better. Every few moments little waves ebbed in on the floor of the deck near the centre but nothing more than a laugh was excited when the water touched some person's feet.

The passing rowboats and steamers attracted constant attention; the crowd swayed first north and then south; at each moment the water came in deeper on either side of the lower deck, and finally, at times, reached the depth of six and eight inches. Several times the officers in charge urged the people to remain quiet. It proved of no avail, and when one side dipped to an alarming extent, orders were given to move across. The anchor and heavy articles were piled in the middle of the decks. Still the oscillating motion continued. No one seemed to foresee danger. Our reporter took his stand on a stool near the centre of the lower deck, south side, and, though several times asked to move to another place, did not do so, feeling rather tired with the walk about Springbank. A dozen or more others were sitting on the railing near by when suddenly the water rushed to the depth of more than three feet. At this juncture a point had been reached in the river at the bend about a quarter of a mile west of the Cove Bridge where the stream is wide and deep. The route of the steamer lay a little more than quarter the distance over the river. Just as the heavy influx of water alluded to above took place, the excursionists with a few exceptions, one being our reporter, surged to the north and the boat slowly heaved over. For a couple of seconds there was a deathly stillness, only to be followed by a suppressed wail of terror as the dreadful truth flashed on their minds. The deck floor became elevated to an angle not far from the perpendicular when all at once the supports of the upper deck gave way with a terrible crash on account of the unnatural position and the great weight imposed. Over the railings the people tumbled in hundreds headlong into the deep water and to make terror more terrible the whole of the upper decks and supports went crashing down upon the wretched victims, tearing and bruising the struggling mass of humanity, which thus became fastened in a

DREADFUL WATERY TOMB.

Our reporter, fearing an explosion of the boiler and being well able to swim, sprung into the river, setting out for the southern shore, but after going nearly one third of the distance returned, all dangers of explosion seeming to be subsided. With the aid of a rope he clambered upon the bulk of the now ruined Victoria. The scene belies all description. Here and there the water was dotted with people battling with the element that slowly but surely became their grave. Some struggled terribly for a moment or so, then sank, while their hats or other light goods floated away with the bubbles that told of the last gasp. Between the hulk and the shore a most appalling scene met the gaze of every spectator, where beneath the roof and broken timbers, the

DEATH AGONIES

of between one and two hundred souls were undergone. First all were stunned, and then excited and terrified beyond measure. Next came the

WORK OF RESCUE

in which scores of eager hands worked for life and death with herculean efforts.

As soon as the news of the dread disaster reached the city, corps of Advertiser reporters made for the spot. The scene was one that will never fade from memory.

LE GIBET

Lorsque Riel monte à l'échafaud le 16 novembre 1885, La Presse, *dont la fondation remonte au 20 octobre de l'année précédente, avait jusqu'à ce moment appuyé dans l'ensemble la politique du gouvernement conservateur. D'un seul coup, Blumhart, le propriétaire, et Provencher, le rédacteur en chef, vont renverser la vapeur et proclamer qu'il n'y a plus de liens qui tiennent.*

La pendaison de Riel devait, au Québec, changer profondément la règle du jeu. Jusque là, les conservateurs l'avaient facilement emporté sur les "rouges". Mais au soir du 16 novembre 1885, à l'assemblée du Champ de Mars, il apparaît déjà que c'est le commencement de la fin: l'ère du "bloc solide québecois" débute pour les libéraux.

En 1886, donc deux ans après sa fondation, La Presse *passera aux mains du notaire Clément Dansereau, le frère d'Arthur Dansereau. Des difficultés financières devaient permettre à Trefflé Berthiaume d'en faire l'acquisition le 15 novembre 1889.*

Until Riel went to the scaffold on November 16, 1885, La Presse, *founded on October 20 of the preceding year, had on the whole supported the policies of the Conservative government. But at one stroke the proprietor, Blumhart, and the editor, Provencher, reversed their position and proclaimed that all links were broken.*

The hanging of Riel was to change everything in Quebec. Until that time the Conservatives had won out easily over les rouges. *But on the evening of November 16, 1885, at the meeting held on the Champ de Mars, it was already apparent that it was the beginning of the end; the era of the "solid Quebec block" was commencing for the Liberals.*

In 1886, two years after it was founded, La Presse *passed into the hands of Clément Dansereau, a lawyer and brother of Arthur Dansereau. Financial difficulties were to make it possible for Trefflé Berthiaume to purchase it on November 15, 1889.*

Riel vient d'expier sur l'échafaud le crime d'avoir réclamé les droits de ses compatriotes.

Il est pendu, mais on a été obligé de reconnaître que les réclamations étaient fondées et d'y faire droit.

Un patriote vient de monter au gibet, pour un de ces crimes purement politiques, auxquels les nations civilisées n'appliquent pas la peine de mort.

Un pauvre fou vient d'être livré en holocauste à des haines sauvages, sans que même on ait daigné prendre le soin de s'assurer de son état mental.

Le général Middleton avait demandé à Riel de se rendre. On ne pend pas un homme qu'on n'a pas pu prendre.

On avait promis un procès loyal. On l'a livré à Richardson et à ses six jurés anglais.

Un anglais, Jackson, n'était ni plus ni moins fou que Riel. L'avocat de la Couronne s'est constitué son défenseur. Jackson a été acquitté et Riel est mis à mort.

On avait promis qu'après le rejet du pouvoir, il serait nommé une commission médicale, mensonge! Il n'a jamais été nommé de commission médicale.

Riel n'expie pas seulement le crime d'avoir réclamé les droits des ses compatriotes: il expie surtout et avant tout le crime d'appartenir à notre race.

L'échafaud de Riel brise tous les liens de partis qui avaient pu se former dans le passé.

Désormais il n'y a plus ni conservateurs, ni libéraux, ni castors.

Il n'y a que DES PATRIOTES ET DES TRAITRES: LE PARTI NATIONAL ET LE PARTI DE LA CORDE.

EDWARD FARRER **RIEL**

When Louis Riel was captured after the second of the "rebellions" named after him, his mind was full of fantastic dreams of a new religious organization that he was going to found. His actions were not approved by Church authorities, but he had become a great folk-hero to French-Canadians; lawyers were sent from Quebec to conduct his defence. Nevertheless he defeated their efforts to win an acquittal on grounds of insanity by reiterating that he was quite responsible for his conduct. When the Macdonald government refused to commute his death sentence, there was an outburst of racial feeling in Quebec and counter-racial feeling in Ontario (where Riel was still regarded as the murderer of Scott) such as had never been experienced before in Canadian history.

The most vigorous and passionate prosecutor of the case against Riel was the Toronto Mail, *most of whose editorials were written by Edward Farrer, one of the great forgotten figures of Canadian journalism. Some of Farrer's editorials went to the extreme of talking about smashing Confederation or fighting over again the Battle of the Plains of Abraham. The editorial from* The Mail *reprinted here is somewhat more moderate.*

Riel fut fait prisonnier après l'échec de la rébellion du Nord-Ouest de 1885. Il avait l'esprit rempli de rêves fantastiques au sujet d'une nouvelle organisation religieuse qu'il allait fonder. Ses initiatives n'étaient pas approuvées par les autorités ecclésiastiques. Mais il était devenu héros légendaire des Canadiens français. Des avocats du Québec furent envoyés dans l'Ouest pour prendre sa défense. Il les empêcha d'obtenir son acquittement réclamé pour des motifs d'aliénation mentale, en répétant qu'il était tout à fait responsable de sa propre conduite. Quand le gouvernement Macdonald eut refusé de commuer sa sentence de mort, il y eut un débordement de ressentiment racial au Québec et une réaction du même ordre en Ontario (où Riel était encore considéré comme le meurtrier de Scott). On n'avait jamais constaté rien de pareil dans l'histoire du Canada.

Un des journaux les plus passionnément acharnés à la poursuite entamée contre Riel devant les tribunaux était le Mail *de Toronto, dont la plupart des éditoriaux étaient rédigés par Edward Farrer, une des grandes figures oubliées du journalisme canadien. Un des éditoriaux de Farrer exagérait au point de parler d'écraser la Confédération ou de livrer de nouveau la bataille de 1759 entre les Français et les Anglais. L'éditorial du* Mail *reproduit ici est un peu plus modéré.*

Riel is to be executed at Regina at eight o'clock this morning. There has never been a doubt of his guilt; in fact, he confessed it by pleading insanity. He had a fair trial, the Crown paying the expenses of the alienist and other witnesses called in his behalf; and his counsel have been permitted, hoping against hope, to exhaust all the forms and technicalities of the law and the constitution in their efforts to save him from the consequences of his own deliberate acts. The crime of which he was convicted is the most heinous known to our code, and no extenuating circumstances were discoverable. Lastly, it was the felon's second offence, the death penalty passed upon him on a previous occasion having been commuted to five years' banishment. Under such circumstances, no one can successfully challenge either the justice of the sentence or the necessity for inflicting it. Unfortunately an uproar has been stirred up in Lower Canada by certain politicians who are prepared to sacrifice the interests of law, order, and stable government in the Dominion provided they can embarrass the Federal Administration. The dishonesty of these persons is fairly established by the fact that whilst they are striving to make a martyr out of Riel in the eyes of the French-Canadians, their political allies in Ontario have been the loudest in calling for his blood. But without dwelling further upon the despicable motive at the bottom of the Rouge agitation, let us examine the grounds upon which they ask for judgment against the Executive and its advisers.

They allege, in the first place, that Riel was insane. But why did they not establish this at the trial? It is probably quite true that he was a "crank" (the word came into the language during Guiteau's trial), but there is no provision under our law or in the criminal jurisprudence of any other country for determining with absolute nicety the degree of insanity which shall serve to qualify a crank for acquittal. Our system merely provides, in a rough and ready way, that if the accused knew the difference between right and wrong at the time he committed the offence, then he was responsible for his act and must take the consequences of it, if he be in a condition to understand the nature of his punishment and the reason why it is being inflicted. Judged by this test, Riel was perfectly sane within the meaning of the law, despite the fact that on some subjects he appears to have had delusions arising out of a morbid love for notoriety. It is worthy of note also that his friends never dreamt of impugning his standing as a rational being until he stood indicted for a capital offence, although he had been exhibiting for over twenty years the precise symptoms upon which they relied to establish his sanity at Regina. It was in 1864, whilst at school in Montreal, that he began to call himself a Jew, to separate himself from his Church, to spend much time in incoherent prayer, and to boast that heaven had destined him for a great work. The school authorities dismissed him from the institution, and he returned to his home on the Red River with the reputation of being possessed of a flighty disposition. Nevertheless his relatives and acquaintances were so little impressed by his peculiarities that, during the rising of 1869, they did not hesitate to commit their lives and fortunes to his keeping. Again in 1873, the rebellion having meanwhile afforded them ampler opportunities for gauging the moral and intellectual weakness of the man as well as his strength, the Metis and French-Canadians of St. Boniface and the surrounding district, forming the electoral division of Provencher, returned him to Parliament. Is it to be supposed that they would have paid him this compliment had they as much as suspected his sanity? Or is it likely that Dr. Fiset and other Rouges would have run the risk of smuggling the outlaw into the House of Commons had they then believed what they now aver, namely, that he was always an irresponsible creature? It is true that later on Riel was consigned to an asylum, but it is equally true that he was discharged as cured. That he was in full possession of his senses—sane, that is, within the meaning of the law—when he came back to Canadian soil from Montana in 1884, is a proposition that can be controverted only by assuming that Dumont, Dumais, and Isbister, who fetched him across, and all the Metis who attended his meetings during the fall of that year, who subscribed for his maintenance and support, and who finally risked their lives and homes by taking up arms at his request, were so hopelessly dull of apprehension that they were unable to detect his insanity. And if the Rouges knew he was insane at this time, pray why did they encourage him to persevere in his desperate agitation instead of urging the Government to clap him under restraint? The jury declined to accept the insanity plea simply because they found it impossible to believe in the existence among Riel's adherents and sympathisers of so prodigious and incredible a degree of ignorance and criminality; and we say without hesitation that they could not have done otherwise and been true to their oath.

The principal ground, however, upon which the execution of this man has been opposed is the allegation that his was a political offence, and that nowadays political offences are not visited with the death penalty among civilized nations. This view, strange to say, is entertained by some American journals. The dynamitard claims that his crime is a political one. When reminded that in the pursuit of his work of destruction he sometimes takes the life of innocent persons, his reply is that this is only an unavoidable incident of his warfare. Yet society refuses to treat the dynamitard as a political offender, simply because the weapon he employs and his method of employing it are regarded as inhuman, as being akin to assassination, to the poisoning of wells, to the distribution of infected clothing, and to other acts outside the pale of the laws of civilization. And we say that, no less than the use of these unlawful agencies, the chief burden of Riel's offence, namely, the instigation of the savages to rapine and bloodshed, was altogether incompatible with the safety of society as a means of attaining a political end. Would the Americans suffer one who had successfully incited an Indian war to go unhung on the plea that he was simply trying to extort his own or their rights from the President, or that his aim was to establish an independent republic in the Indian country? But leaving out of consideration Riel's special guilt in bringing about the Indian massacres, is it to be held that every person who chooses to conjure up an insurrectionary government, however shadowy its form, and to rob and murder in its name, becomes through that subterfuge entitled to greater consideration than the ordinary brigand or highwayman? Riel demanded of the Federal authorities the sum of $100,000, pledging himself to return across the lines for that figure. When Rev. Father Andre derided this bold attempt at blackmail Riel came down to $30,000. "But what about the Metis?" asked the good priest, shocked at his heartless offer to sell out and leave his dupes in the lurch. "I am the Metis," was Riel's reply, "give me enough for the rest of my days and there shall be no trouble." It may be argued with some show of reason that the insurrection of 1869-70 was a political movement, in which the people were standing out for a guarantee of their liberties. But to pretend that in this conspiracy, launched only when Riel's attempt to extort money from the Government had failed, and still further stained by the employment of such atrocious means as an Indian war involves, there was sufficient of the political element to lift it to the height and dignity of a treason like that for which Smith O'Brien and Arbi Pasha were indicted, is simply absurd.

Riel had forfeited his life, and as it valued law and order in the North-West and the maintenance throughout the Dominion of an equal scale of justice for French and English alike, the Administration was bound to make an example of him. It was no case for the exercise of mercy. He showed none to his own prisoner in old Fort Garry. He deserved none for having provoked his Indian kinsmen to turn upon the innocent priest and settler. He had no sort of claim upon the consideration of the Government, for from first to last, as the Catholic missionaries and his half-breed victims testified, his conduct was that of a selfish, cowardly, and unscrupulous adventurer, always ready to sacrifice the lives of others for the accomplishment of his own wild designs. The removal of such an enemy of society leaves the world no poorer, whilst it bears witness to all men that neither political influences nor the prejudices of race are sufficiently strong in Canada to shield the evil-doer from the penalty of the violated law.

NICHOLAS FLOOD DAVIN

INTERVIEW WITH RIEL

His Parting Message to Mankind

This remarkable interview with Louis Riel on the eve of his execution is the work of Nicholas Flood Davin, one of the most brilliant and erratic figures of Canadian journalism. Davin was an Irishman who was called to the English bar in 1868 but became a journalist and covered the Franco-Prussian War. He then came to Canada, and after working for the Toronto Globe *and later* The Mail, *founded* The Regina Leader *in 1883 when there were no other newspapers in the District of Assiniboia. Davin sat as a Conservative in the House of Commons from 1887 to 1900 and the following year committed suicide. This Riel story must have been the biggest of his career.*

Cette entrevue remarquable avec Louis Riel, obtenue la veille de son exécution, et le reportage suivant qui raconte son exécution, sont l'oeuvre de Nicholas Flood Davin, une des figures les plus brillantes et les plus originales du journalisme canadien.

Davin était un Irlandais qui fut appelé au barreau anglais en 1868 mais qui devint journaliste et couvrit la guerre franco-prussienne. Il vint ensuite au Canada. Après avoir travaillé pour le Globe *de Toronto et plus tard le* Mail, *il fonda le* Leader *de Regina en 1883 alors qu'il n'y avait pas d'autres journaux dans le district d'Assiniboia. Davin siéga aux Communes comme député conservateur de 1887 à 1900. L'année suivante, il se suicida. Cet article sur Riel doit avoir été un des plus grands reportages de sa carrière.*

The reporter of the Leader having received the orders of its proprietor to see Riel before his death and have an interview with him, waited on Captain Deane who was suffering from a severe accident, and who said he would be most happy to oblige the Leader, but he doubted if he could do so were he in charge, but his superior officer was here and he had no authority to act without his orders.

"Who is he?" asked the reporter.

"Col. Irvine."

Reporter: "I fear Col. Irvine is not friendly to the Leader, which, in the public interest has felt bound to criticize him. However I must not enlarge on that head with you. My marching orders were to 'See Riel,' who it was understood desired to see the reporter of the Leader with whom during his trial he frequently communicated." Believing it to be useless to wait on the gallant Col. I repaired to the Queen City of the plains and went to my lodgings where I had the 'Materials' with which I had long been armed in preparation for this crisis. When first the officer in command of the Leader said 'An interview must be had with Riel if you have to outwit the whole police force of the North-West,' I revolved various schemes. I reflected what great things had been done by means of the fair sex, and I thought, suppose I enlist on my side the fair 'Saphronica' and get her to put the 'Com hither' on Irvine's susceptible fancy, and let her represent the Leader. Saphronica was willing. A young lady of undoubted charms and resolute will, she essayed the officer in command, and, strange to say, his sense of duty or his fears of the Government, were stronger than his gallantry and Saphronica utterly failed. To corrupt the guard? But on this the Editor in chief frowned. At last I hit on a plan of my own. Accordingly on the evening of my refusal by Deane, I repaired to my lodgings, put on a *soutane,* armed my chin with a beard, put on a broad brimmed wide-awake, and stood M. Bienveillée, the *ancien confesseur* of the doomed Riel. I hung at my bosom an enormous silver crucifix and now, speaking French, presented myself at the Barracks.

The guard made no difficulty, and I believe they took me for Père André. Entered his cell, I looked round and saw that the policeman had moved away from the grill. I bent down, told Riel I was a Leader reporter in the guise of a *prêtre*, and had come to give his last message to the world. He held out his left hand and touching it with his right said: "Tick! Tick! Tick! I hear the telegraph, *ah, ça finira*." "Quick," I said, "have you anything to say? I have brought pencil and paper—Speak."

Riel: "When I first saw you on the trial I loved you.

"I wish to send messages to all. To Lemieux, Fitzpatrick, Greenshields. I do not forget them. They are entitled to my *reconnaissance*. Ah!" he cried, apostrophizing them, "You were right to plead insanity, for assuredly all those days in which I have badly observed the Commandments of God were passed in insanity (*passé dans la folie*). Every day in which I have neglected to prepare myself to die, was a day of mental alienation. I who believe in the power of the Catholic priests to forgive sins, I have much need to confess myself according as Jesus Christ has said, 'Whose sins you remit they are remitted.'"

Here he stopped and looked in his peculiar way and said:

"Death comes right to meet one. He does not conceal himself. I have only to look straight before me in order to see him clearly. I march to the end of my days. Formerly I saw him afar. (Or rather "her" for he spoke in French). It seems to me, however, that he walks no more slowly. He runs. He regards me. Alas! he precipitates himself upon me. My God!" he cried, "will he arrive before I am ready to present myself before you. O my God! Arrest it! By the grace, the influence, the power, the mercy divine of Jesus Christ. Conduct him in another direction in virtue of the prayers ineffable of Marie Immaculate. Separate me from death by the force the intercession of St. Joseph has the privilege to exercise upon your heart, O my God! Exempt me lovingly by Jesus, Marie and Joseph, from the violent and ignominious death of the gallows, to which I am condemned.

"Honorables Langevins, Caron, Chapleau, I want to send them a message, let them not be offended if a man condemned to death dares to address them. Whatever affairs hang on you don't forget, 'What shall it profit a man to gain the whole world and to lose his soul?'

"Honorable Messrs. Blake and Mackenzie, I want to send them a message. For fifteen years you have often named me, and you have made resound the echoes of your glorious province, in striking on my name as one strikes on a tocsin. I thank you for having contributed to give me some celebrity. Nobly take from me an advice nobody else will dare to give you. Prepare yourself each day to appear before your God.

"The Vice-Regal throne is surrounded with magnificence. He who occupies it is brilliant, and my eyes cannot fix on him without being blinded. Illustrious personages the qualities with which you are endowed are excellent. For that reason men say 'Your Excellency.' If the voice of a man condemned to death will not appear impertinent to you; it vibrates at the bottom of the cells of Regina to say to you: Excellencies! you also, do not fail to hold yourself in readiness for death, to make a good death, prepare yourself for death!

"Sir John Macdonald! I send you a message. I have not the honour to know you personally. Permit me nevertheless to address you a useful word. Having to prepare myself for death I give myself to meditation and prayer. Excuse me Sir John. Do not leave yourself be completely carried away by the glories of power. In the midst of your great and noble occupations take every day a few moments at least, for devotion and prayer and prepare yourself for death.

"Honorable and noble friends! Laurier, Laflamme, Lachlaelle, Desjardins, Taillon, Beaubien, Trudel, Prud'homme, I bid you adieu. I demand of God to send you the visit of Death only when you shall have long time desired it, and that you may join those who have transformed death into joy, into deliverance and triumph.

"Honorable Joseph Dubuc, Alphonse, C. Lariviere, Marc. A. Girard, Joseph Royal, Hon. John Norquay, Gov. Edgar Dewdney, Col. Irvine, Captain Deane, I would invite them to think how they would feel if they had only a week to live. Life here below is only the preparation for another. You are good Christians, think of eternity. Do not omit to prepare yourself for death.

"O my God! how is it death has become my sweetheart with the horror I feel towards her? And how can she seek me with an attention proportioned to the repugnance she inspires. O Death! the Son of God has triumphed over your terrors! O Death I would make of thee a good death!

"Elezear de la Grinodière! Roger Goulet, and you whom I regard as a relative, Irené Kérouak, prepare yourself for death. I pray God to prolong your days. Louis Schmidt, I ask of the good God to enable you to come to a happy old age. Meanwhile prepare yourself for death. Listen to the disinterested advice of one condemned. We have been placed in this world of pain only for the purpose of probation.

"And you whom I admire and respect, glorious Major General Middleton, you were kind to me, you treated me nobly. Pray see in my words the desire to be as little disagreeable as possible. Life has been smiling and fortunate for you, but alas! it will also finish for you. General, if there is one thing I have appreciated more than being your prisoner of war it is that you chose as my guard Captain Young, one of the most brave and polite officers of your army. Captain Young! Be not surprised that I send you a message through the Leader newspaper which I understand with *reconnaissance* has not called out against me, prepare yourself all your days. Death also disquiets himself about you. Do not sleep on watch. Be ever well on your guard.

"And you whom death spares and does not dare to approach and you whom I cannot forget, Ancien Preacher of Temperance, Chinuiquy, your hairs are white. God who has made them white slowly, wishes to make your heart white right away (*tout d'un coup*). O be not angry at the disinterested voice of a man who has never spoken to you, to whom you have never given pain, unless it be in having abandoned regrettably the amiable religion of your fathers. The grace of Marie waits for you. Please come."

The prisoner paused, and in the pause one heard the skirr of the spurred heel of the Mounted Policeman and the neighing of one of the horses in the stables hard by, and I said:—"Is this all? Have you no more to say?"

"No more," replied Riel, "Father André has been here. He has told me there is no hope, that he has a letter from my good friend Bishop Grandin. I have made my confession. I have taken the Sacraments. I am prepared. But yet the Spirit tells me, told me last night I should yet rule a vast country, the North-West, with power derived direct from heaven, look!" and he pointed to the vein in his left arm, "there the spirit speaks, 'Riel will not die until he has accomplished his mission' and—"

He was about to make a speech and I left him with some sympathy and no little sadness. I felt that I had been in the presence of a man of genius *manqué*, of a man who, had he been gifted with judgment might have accomplished much; of one who, had he been destitute of cruelty might even command esteem, and as I rode over the bridge and looked down on the frosty creek, and cast my eye towards the Government House where happy people were perhaps at dinner at that hour, I said to myself, "Why did he murder Scott? Why did he seek to wake the bloody and nameless horrors of an Indian massacre? Why did he seek the blood of McKay and his fellow peacemakers? Unhappy man, there is nothing for it. You must die on Monday."

Here as I passed near the trail going north-west the well-known voice of a home-returning farmer saying "Good night" woke me from my reverie. In twenty minutes I was seated at dinner. I joined in the laugh and the joke, so passing are our most solemn impressions, so light the effect of actual tragedy. Our emotions are the penumbras of rapid transitions of circumstances and vanishing associations and like clouds we take the hue of the moment, and are shaped by the breeze that bloweth where it listeth.

NICHOLAS FLOOD DAVIN

RIEL EXECUTED

A Sane and Beautiful Death

We may assume that most or all of this Regina Leader *story on Riel's execution was written by Nicholas Flood Davin. The* Leader *was one of the very few English-Canadian newspapers to exhibit any sympathy for Riel. Davin may have been the only English-Canadian editor possessed of sufficient imagination to be attracted by the Metis leader, although it is doubtful that many of his readers shared his attitude.*

Il y a lieu de supposer que la majeure partie, sinon la totalité, de cet article du Leader *de Regina qui traite de l'exécution de Riel est l'oeuvre de Nicholas Flood Davin. Le* Leader *fut l'un des très rares journaux anglo-canadiens qui eussent manifesté de la sympathie pour Riel. Davin était peut-être le seul rédacteur anglo-canadien doué d'assez d'imagination pour être attiré par le chef métis, même si l'on doute que beaucoup de ses lecteurs aient partagé son attitude.*

Regina, Nov. 16—As fair a morning as ever dawned shone on the closing act—the last event—in the not uneventful life of Louis Riel. The sun glittered out in pitiless beauty and the prairie slightly silvered with hoar frost shone like a vast plain sown with diamonds. We drove Mr. Sherwood, Chief of Dominion Police, who had arrived on Sunday evening with the warrant. As we neared Government House two armed Mounted Police drew up their horses across our path and demanded our pass which read as follows:

To Mr. Gibson. "Admit representatives of the Leader."
(Signed) Sheriff Chapleau.

When we neared the bridge there was a force commanded by an inspector. Two traps were at a standstill. One of the troopers shook hands with Mr. Percy Sherwood, an old friend. We had a pleasant word with Mr. F. J. Hunter and Mr. W. C. Hamilton. Our pass was again vised and on we drove. Arrived at the prison we met outside the representatives of the press, Dr. Dodd, Mr. Pugsley, Mr. Marsh, Messrs. Gillespie, Dawson, Bole and several citizens. The beauty of the morning was the chief theme of conversation. Towards eight o'clock we crushed our way thro' troopers, Col. Irvine very courteously doing all in his power for us; ascended the stair case; walked the length of the prison and there, at the doorway of the ghastly place of execution, knelt Riel, his profile showing clear against the light, Father André, a surplice over his soutane, kneeling, his back to us, and Father McWilliams, with a stole thrown over his travelling coat, kneeling, his face to us, and holding a wax candle lighted. In Riel's hand was an ivory crucifix silver mounted, which he frequently kissed. Father McWilliams and Père André ever and again sprinkled holy water on the condemned man. Riel was pale—deadly pale—and his face looked most intellectual.

Father André: (in French) Do you pardon all your enemies from the bottom of your heart?

Riel: I do *mon père*—I pardon all my enemies for the love of the good God.

Father André: Have you any sentiment of malice, any feeling of malice against anyone?

Riel: No, my father, I forgive all.

Father André: Do you offer your life as a sacrifice to God?

Riel: I do *mon père.*

Father André: My child—the flesh is weak and the spirit strong, do you repent you of all your sins of thought, word and deed?

Riel: I do my father—I have committed many sins and I ask my God's pardon for them all in the names of Jesus, Marie and Joseph.

Father André: You do not wish to speak in public? You make that a sacrifice to God?

Riel: *Oui mon père.* I make to my God as a sacrifice the speaking to the public in this my last hour.

Father André: God has been good to you my son to give you an opportunity of repenting; are you thankful for this?

Riel: I thank the good God that in his Providence he has enabled me to make my peace with him and all mankind before I go away.

The two clergymen then placed their hands on his head and pronounced the absolution.

Riel then in an affecting and childlike way prayed God to bless his mother, his wife, his brothers, his friends and his enemies. "My father bless me," he said looking up to heaven, "according to the views of your Providence which are ample and without measure." Then addressing Père André:—"Will you bless me Father?"

Father André blessed him, as did Father McWilliams. He then rose from his knees and was pinioned, he meanwhile praying and the clergy praying. When he was ready to pass out to the scaffold Père André said to him in French, "There, go to heaven." (*Bon! Allez au Ciel.*) He then kissed Père André on the lips, and Father McWilliams embraced him giving him the side of each cheek. Riel then said ere he turned to pass through the door which went into that room built of coarse lumber and which, if Père André is right, and Riel was really repentant, and Christianity is true, was for him the poor dingy portals of eternal day and unending peace and blessedness:—

"I give all my life a sacrifice to God. *Remerciez Madame Forget, et Monsieur Forget.* O my God," he cried still speaking in French as he went down the stairs, "you are my support. *Mon Soutien C'est Dieu.*"

He now stood on the drop. The cord is put on his neck. He said *"Courage mon Père."*

Père André in subdued tones:—*"Courage! Courage!"*

They shook hands with him as did Dr. Jukes, and Riel preserving to the last that politeness which was so characteristic of him and which was remarked during the trial said:

"Thank you Doctor."

Then he prayed in French: "Jesus, Mary and Joseph have mercy on me. *J'espère encore.* I believe still. I believe in God to the last moment."

Father McWilliams: "Pray to the sacred Heart of Jesus."

Riel: "Have mercy on me Sacred Heart of my Jesus! Have mercy on me. *Jésus, Marie et Joseph assistez moi dans mes derniers moments. Assistez moi Jésus, Marie et Joseph!*"

Father McWilliams held the cross to him which he kissed.

Mr. Deputy Sheriff Gibson: "Louis Riel have you anything to say why sentence of death should not be carried out on you?"

Riel, glancing where Père André stood about to ascend the staircase anxious evidently to leave the painful scene, said in French, "Shall I say something?"

Père André: "No."

Riel: (in French) "Then I should like to pray a little more."

Père André: "He asks to pray a little more."

Deputy Sheriff Gibson: (looking at his watch) "Two minutes."

Father McWilliams: "Say 'Our Father' " and addressing Mr. Gibson, "When he comes to 'deliver us from evil' tell him then—"

Mr. Gibson gave the directions to the hangman who now put on Riel's head the white cap.

Riel and Father McWilliams: "Our Father which are in heaven, hallowed be Thy name, Thy Kingdom come, Thy will be done on earth as it is in Heaven, give us this day our daily bread, and deliver us" - - - -

The hangman pulled the crank and Riel fell a drop of nine feet.

Dr's Dodd and Cotton were below. The knot in the fall had slipped round from under the poll. The body quivered and swayed slightly to and fro. Dr. Dodd felt the pulse.

Leader Reporter—"How is his pulse Doctor?"

Dr. Dodd—"It beats but slightly."

Leader Reporter, addressing Dr. Cotton—"I hope he is without pain."

Dr. Cotton—"O quite. All sensation is gone."

The body ceased to sway. It hung without a quiver. Dr. Dodd looking at his watch and feeling the pulse of what was Riel:—"He is dead. Dead in two minutes." Dr. Cotton put his ear to where that restless heart beat: "Dead." While inside that solemn and mournful tragedy was being enacted, outside the prison were many of the public, and the reporter of the Leader, whose duty it was to watch what took place outside, gives the following description.

The barrack square was suggestive of something unusual though all was so calm. At the door of Col. Irvine's house stood Lord Boyle, Col. Irvine and Col. MacLeod. Before the prison talked the citizens, most of the members of the jury. There were many who were disappointed at not being allowed in to the execution. Jokes were made. The troopers stood in groups on the verandah of the prison and their conversation was not edifying. Sometimes a pause —but no sound came from within. No sign that the tragedy was finished. At last a thud was heard and one of the police said—"The G-d d--n s-n of a b---h is gone at last."

"Yes" said another as if saying 'amen' to this noble prayer—"Yes, the s-n of a b---h is gone for certain now." And then followed some civilized laughter.

As the reporter drove away from the barracks he saw mounted patrols all on the *qui vive* and everything looked as everything has looked for days as if some attempt at rescue had been expected.

Near Government House a friend was met who asked the writer how Riel died and the answer was:

"He died like a Christian."

"How about his sanity?"

"Any man who saw him die could not doubt his sanity. A more rational, self-controlled, sequent mind could not be conceived than he displayed."

"Did he die game? Was he pale?"

"He was pale. A man would naturally be pale. He showed the highest reason on the eve of going into eternity to crush down his natural love of display and occupy himself solely with that world to which he henceforth belonged. He died with calm courage, like a man and a Christian, and seemed to me a triumph of rationality as compared with the brutes who could blurt out ribaldry over his death or the atheists who thought it a sign of insanity that in the position in which he had been placed he should have given to prayer."

Nothing in his life so became him as the leaving of it.

From The Regina Leader *of the following day*

TESTIMONY TO LEADER'S ENTERPRISE AND ACCURACY.

We yesterday received respecting the report of the Riel execution in our daily the following letter from Père André:

Monsieur le rédacteur du LEADER: I have been reading your morning report of the execution of Riel, and in comparing it with the reports published in the Free Press and Manitoban which I have seen this morning I can say your report IS THE MOST EXACT AND TRUTHFUL. *You alone have correctly reported the words I addressed to Riel and his responses in front of the scaffold.* You may make this letter public if you wish and I hope you will believe me.

Yours etc.
Père André.

Le Courrier de St-Hyacinthe—19 novembre 1885

LA TERRIBLE NOUVELLE

Le Courrier de Saint-Hyacinthe *est encore l'un des hebdomadaires les mieux cotés de la province de Québec, et depuis 1923 son rédacteur en chef est un romancier connu; Harry Bernard. Sa fondation remonte au 24 février 1853: sauf à ses débuts et à l'élection générale de 1917, il a toujours été un organe conservateur. Honoré Mercier en fut un moment le directeur, soit du 19 juillet 1862 au 23 février 1866. En 1885, lorsque Louis Riel fut pendu, le journal était dirigé par Montarville de la Bruère.*

"La Terrible Nouvelle" provoqua la colère des citoyens de Saint-Hyacinthe et Le Courrier *n'hésita pas à condamner ceux qui en avaient assumé la responsabilité. Mais le journal demeura néanmoins fidèle à la cause du parti conservateur, et ce n'est qu'au moment de la conscription, en 1917, qu'il lui fit faux bond.*

L'article du Courrier *vaut d'être reproduit pour deux raisons: en premier lieu, parce qu'il nous décrit la réaction d'une petite ville de province devant la mort de Riel; en second lieu, parce qu'on y trouve le compte rendu précis des derniers moments du chef de la Rébellion du Nord-Ouest.*

Le Courrier de Saint-Hyacinthe *is still considered one of the best weeklies in the province of Quebec. Since 1923 its editor has been a well-known novelist, Harry Bernard. It was founded as far back as February 24, 1853, and, except in its beginnings and in the general election of 1917, it has always been a Conservative organ. Honoré Mercier was editor for a brief time—July 19, 1862 to February 23, 1866. In 1885, when Louis Riel was hanged, the paper was edited by Montarville de la Bruère.*

"La Terrible Nouvelle" *provoked the anger of the people of Saint-Hyacinthe, and* Le Courrier *did not hesitate to condemn those who were responsible for it. Nevertheless the paper remained faithful to the cause of the Conservative party, and it was only during the Conscription Crisis of 1917 that it withdrew its support.*

This article from Le Courrier *is worth reproducing for two reasons: first, because it describes the reaction of a small Quebec town to the death of Riel, and, second, because it contains an exact report of the last moments of the leader of the North-West Rebellion.*

Lorsque le télégramme de la pendaison de Riel arriva en cette ville les affaires furent immédiatement suspendues. Les magasins furent fermés; et les frères donnèrent congé à leurs élèves, en leur disant de bien graver dans leurs jeunes coeurs cette date lugubre "le 16 novembre 1885", et le nom de "Louis Riel". Une assemblée d'indignation fut convoquée pour le soir au Pavillon Lacasse. Dès 6½ heures la foule se promenait dans les rues en chantant la Marseillaise, et en maudissant Sir John A. Macdonald. A 7 heures le Pavillon Lacasse était rempli. Des discours furent prononcés par MM. Bernier M.P., R.E. Fontaine, E. Mallette, O. Desmarais, avocats, Ernest Tremblay, et Maurice St-Jacques, avocat. Tous firent entendre les plus énergiques protestations, et furent applaudis à outrance.

La mort de Riel est une déclaration de guerre impie, c'est un audacieux défi lancé à la race Canadienne, et nous devons y répondre en jurant une guerre à mort aux ministres qui nous ont trahis. Si Cartier vivait, disait un conservateur, cela ne se serait pas passé ainsi. Par malheur il est disparu, et avec lui l'influence et la force françaises dans le cabinet d'Ottawa. Les ministres qui nous ont réservé la suprême humiliation de les voir pactiser avec les orangistes et tremper leurs mains dans le sang du malheureux Riel, subissent déjà le châtiment réservé aux traitres et aux renégats; leurs compatriotes les méprisent souverainement en attendant l'heure où ils les balayeront de leurs comtés. Le peuple sait attendre; il attendra dans le calme et la modération, mais il n'oubliera pas.

La Presse parlant des espérances que M. Chapleau avait fait concevoir à ses compatriotes, et qu'il a si cruellement et si lâchement trompées dit:

"Ah! c'est hier, où le peuple canadien, réveillé d'une longue torpeur, cherchait et demandait à grands cris un homme d'Etat, un représentant de l'idée nationale, c'est hier que M. Chapleau aurait eu un grand rôle à jouer sur les marches de l'hôtel de ville!

"Tout le monde le sentait. Tout le monde voyait se dresser au milieu de cette foule l'ombre de ce qu'il aurait pu être . . . s'il l'eut seulement voulu; et son nom répété de bouche en bouche était prononcé avec d'autant plus de colère qu'il avait déçu plus d'espérances!"

A 8 heures, le parti d'exécution gravit l'escalier conduisant au corridor à l'extrémité duquel on vit Riel agenouillé près de la porte conduisant à l'échafaud et récitant des prières avec le Père André et le Rev. McWilliams. Le Dr. Jukes se tenait près de lui ainsi que le shérif Chapleau.

A huit hrs, le P. André administra à Riel les derniers sacrements, Riel répondit d'une voix ferme aux prières et bien qu'un peu pâle, il était ferme. Il était vêtu d'un habit noir, de pantalons de tweed brun et de souliers sauvages.

En ce moment le bourreau parut tenant les courroies qui devaient lier Riel. Il portait un masque sur sa figure.

A 8.15 hrs. Riel se leva et fut lié par le bourreau.

Les deux prêtres se tenaient en avant; il marcha alors d'un pas ferme vers l'échafaud en répétant: "Je repose ma confiance en Dieu." Il marcha la tête haute et le pied ferme sans le moindre tressaillement. Comme il priait en articulant chaque mot un demi-sourire illuminait sa figure.

Il descendit quelques marches et il se plaça sur la trappe la figure tournée vers le nord. Le père André et le père McWilliams continuèrent à prier et il dit en anglais: "Je demande pardon à tous et je pardonne à tous mes ennemis."

Il pria ensuite quelque temps en français, l'exécution commença. Le bonnet blanc fut descendu sur sa figure pendant que chaque prêtre tenait un cierge allumé et récitait les prières des agonisants. A 8.30 hrs. précises, la trappe tomba; un frissonnement courut dans l'assistance. La corde, pendant un moment fut violemment agitée, allant de l'avant à l'arrière puis vibra.

La chute a été de 8 pieds.

En tombant, le corps resta immobile, et les genoux se contractèrent violemment deux ou trois fois.

Le corps se balança quelques instants et Riel était mort. Deux minutes après la chûte de la trappe le corps était complètement immobile.

Nanaimo Free Press—Saturday, June 19, 1886

THE FIRE IN VANCOUVER

On Sunday June 13, 1886, the young city of Vancouver, carved out of a giant rain forest, was completely levelled by fire. The fire began a little distance outside the town when logging slash fires got out of control. Hardly a building remained standing, and the death toll was never known exactly. But within six weeks a new city was built, and the Vancouver News Advertiser *resumed publishing. This colourful report of the fire was published in the* Nanaimo Free Press.

Le 13 juin 1886, la jeune ville de Vancouver, découpée dans une forêt géante et dense, fut complètement rasée par le feu.

L'incendie avait débuté un peu en dehors de la ville, alors que les flammes d'un abattis devinrent impossibles à maîtriser. Il ne restait guère un édifice debout. On ne sut jamais combien de personnes au juste avaient péri. Dans un délai de six semaines, on construisit une nouvelle ville. Le News Advertiser *de Vancouver recommença à paraître. C'est la* Free Press *de Nanaimo qui publia ce reportage coloré au sujet de l'incendie.*

Sunday morning at 7 o'clock the city of Vancouver was enveloped in smoke, it increased, and at 1 p.m. it hung over the city like a funeral pall. The majority of citizens thought a fire imminent, and some of them went out with buckets for water long before the first flash of fire was noticed. At ten minutes past two, I heard an awful cry; it was loud and uttered by 50 persons in terror. Fire! Fire! It brought everyone who could hear into the streets, and they heard a sound and saw a sight never to be forgotten. For two or three minutes they heard the roar of the approaching torrent of fire, and then they saw it rise like a wall high above the tall trees of the forest; and then it bounded down like a wild beast on the devoted city.

I saw it strike one of the churches which disappeared in half a second; the air appeared to be impregnated with gas and in two minutes the city was afire.

At 3 o'clock there were only two houses of the 400 left standing. The chickens that were out in the streets feeding on grasshoppers were roasted alive and several persons shared their fate.

The smell of burned flesh was horrible. On one of the principal streets at 5 o'clock I saw the dead body of a woman and beside it the dead body of a child. The burned arm was around the woman's neck, and the clothes on the right side of both bodies were burned to a crisp. The clothes on the other side scarcely scorched.

Hundreds went out to sea on logs and other hundreds disappeared into the woods not knowing where to go in that blinding smoke.

Monday evening, 6 o'clock—Today I crossed over the site of Vancouver city; it is a dismal black waste in the woods. The fire ate everything. I learned from the sufferers that everyone expected a fire, but that when it came no one was prepared to go. It came like a flash and swept the city off the face of the earth.

About a thousand persons lost all their property and must be maintained for some time by the hand of charity.

Le Canadien, Québec—27 septembre 1889

LANGUES OFFICIELLES

Fondé à Québec le 26 novembre 1806 par Pierre Bédard et F. Blanchet, Le Canadien, *le plus illustre peut-être des journaux de langue française, ne devait disparaître qu'en 1909 alors qu'Arthur Sauvé en était le rédacteur en chef. Mais sa publication fut suspendue à plusieurs reprises et, au moment de la Confédération, son influence n'était plus comparable à celle qu'il avait exercée de 1831 à 1842 quand il était dirigé par Etienne Parent. Dans l'ensemble,* Le Canadien *demeure remarquable par la modération de ses vues: contre Papineau, il avait opté pour Lafontaine et, en 1867, quoique sans enthousiasme, il avait accepté la Confédération.*

L'article que nous reproduisons n'est rien de plus qu'une information. Son intérêt tient au fait qu'en 1867 on avait beaucoup répété que le français serait officiel au Québec et au parlement fédéral, alors qu'aux Etats-Unis, il n'y avait qu'une seule langue: l'anglais. En 1889, la Confédération n'était plus une question disputée. Mais de façon discrète, Le Canadien *jugea qu'il était temps de dissiper le mythe de l'unilinguisme des Etats américains.*

Founded in Quebec on November 26, 1806 by Pierre Bédard and F. Blanchet, Le Canadien *is perhaps the most famous of Canada's French-language newspapers. It disappeared only in 1909, when Arthur Sauvé was editor. But publication was suspended on several occasions and, at the time of Confederation, its influence was no longer comparable to what it had been from 1831 to 1842 under Etienne Parent. On the whole* Le Canadien *was distinguished for the moderation of its opinions; it had come out against Papineau and in favour of Lafontaine, and in 1867 it had accepted Confederation, although without enthusiasm.*

The article reproduced here is nothing more than a news item. Its interest lies in the fact that in 1867 there had been a lot said about the French language being official in Quebec and in the federal parliament, while in the United States there was only a single language: English. In 1889 Confederation was no longer a question to be argued; but in a discreet way Le Canadien *thought that it was time to dissipate the myth of unilingualism in the United States of America.*

La constitution de quatre Etats, savoir: l'Illinois, le Michigan, la Californie et la Louisiane, décrète que les lois et procédures judiciaires seront rédigées et publiées en langue anglaise. Mais dans la Louisiane la constitution statue aussi que la législature pourra adopter des lois permettant la publication des lois, des avis judiciaires, etc., en français dans certains districts. Dans l'Etat de Colorado la constitution exige la publication des lois en allemand aussi bien qu'en anglais. Dans l'Etat de Missouri certains documents et avis publics peuvent être rédigés en allemand; il en est de même du Maryland et du New-Jersey.

Au Nouveau-Mexique la langue anglaise et la langue espagnole sont officielles et les deux peuvent être enseignées dans les écoles. La langue dans laquelle la loi a été rédigée est celle qui l'emporte lorsqu'il s'agit de l'interprétation judiciaire.

Dans l'Ohio et plusieurs Etats de l'Ouest, où les Allemands sont électeurs en grand nombre, on enseigne l'allemand dans les écoles publiques de pair avec l'anglais.

—Ca leur apprendra à être bilingues!

"That'll teach them to be bilingual!"

Cette caricature dessinée par Berthio de *la Presse* au cours des années 60 s'applique également bien au bilinguisme canadien ou à son absence en 1889.

This cartoon of the 1960's by Berthio of *La Presse* applies equally well to Canadian bilingualism, or the lack of it, in 1889.

Le Canadien, Québec—30 septembre 1889

BEAUSEJOUR

LA STATUE DE WOLFE

On verra par cet article du Canadien *que les malheurs de Wolfe ont commencé il y a longtemps, bien avant que les activistes du séparatisme québecois ne fassent leur apparition. Certes il s'agit ici non du monument précipité au bas de son socle il y a tout juste quelques années et qui, depuis, fut remis en état, mais de la statue qui, encore récemment, dominait en toute discrétion la côte du Palais sans d'ailleurs perdre des yeux la rue Saint-Jean.*

Qui est l'auteur de cette chronique signée Beauséjour? Il n'est pas facile de le deviner. Le Canadien, *en 1889, était dirigé par Israel Tarte qui, à cette époque, appuyait Chapleau, mais qui était à la veille de tendre la main aux libéraux. Peu préoccupé de littérature, Tarte était un authentique animal politique. C'est dans* Le Canadien *qu'il portera ses coups les plus durs à Langevin—au point de précipiter sa chute. En 1891, il transportera d'ailleurs le journal à Montréal, mais deux ans plus tard il devra mettre la clé dans la porte: les conservateurs refusant de lui pardonner sa trahison. En 1906,* Le Canadien *sera ressuscité. Mais l'effort sera vain puisque le dernier numéro sera publié en décembre 1909.*

This article from Le Canadien *will show that Wolfe's misfortunes began a long time ago, well before the appearance of the leaders of Quebec separatism. The story is concerned not with the monument that was toppled from its pedestal just a few years ago and restored afterwards, but with the statue that, quite recently, looked down unobtrusively over the Côte du Palais, within sight of the rue Saint-Jean.*

Who is the author of this chronicle, who signs himself Beauséjour? It is difficult to guess. In 1889 Le Canadien *was edited by Israel Tarte, who at that time backed Chapleau, but was about to offer his support to the Liberals. Little interested in literature, Tarte was an authentic political animal. It was in* Le Canadien *that he delivered his hardest blows at Sir Hector Langevin, Cartier's successor as French-Canadian Conservative leader, to the point of precipitating his downfall. In 1891 he took the newspaper to Montreal, but was obliged to close down two years later, the Conservatives refusing to forgive him for his betrayal. In 1906* Le Canadien *was brought back to life. But it was to be in vain: the last number was published in December 1909.*

Je rencontre l'autre jour un ami qui m'aborde sans façons et me dit:

—Eh bien! avez-vous vu le "général Wolfe"?

—Que voulez-vous dire par là?

—Oui, la statue du brave général anglais, de l'illustre rival de Montcalm, perchée depuis plus d'un siècle, dans toute sa majesté, sur les hauteurs de l'édifice qui borde l'encoignure de la rue St-Jean et du Palais.

—Ah! cette fois, répondis-je, je commence à comprendre. Eh après, que lui fait-on à cette statue?

—Ce qu'on lui fait! L'intelligent gérant de la compagnie de téléphone Bell qui a acquis la propriété que je viens de vous désigner, M. Dauphin, probablement humilié de l'état délabré dans lequel il a trouvé le "général Wolfe", le fait habiller en neuf de pied en cap. Entre nous, ce n'était pas sans besoin. Les longs hivers passés dans sa niche, les fougueux ouragans qu'il a essuyés, nous l'avaient rendu complètement méconnaissable. Et avec ça que sa toilette était diantrement chiffonnée. J'ai même remarqué qu'il avait perdu, non à la bataille, mais sous l'effort d'une avalanche de neige, l'une de ses élégantes bottes à l'écuyère. Ça n'y paraît plus aujourd'hui. Le général est chaussé en neuf et sa belle tunique rouge a repris la fraîcheur et le coloris des anciens jours.

On a même rafistolé du tout au tout sa belle ceinture blanche à laquelle se trouve pendue sa baïonnette et qui était notamment fanée . . . par l'usure et les outrages du temps.

Mon interlocuteur me laissa sur ces entrefaites, et, la curiosité aidant, j'allai à mon tour payer une visite au "général Wolfe" pour me rendre compte de la mine qu'il faisait dans ses anciens atours renouvelés.

Je n'eus pas de peine à reconnaître que la métamorphose était complète. Mon "général" était brillant, plus brillant que je ne l'avais jamais vu. Un bon faiseur, sur les ordres de M. Dauphin, lui avait rendu toute sa toilette primitive. J'en éprouvai du contentement comme en éprouveront tous ceux qui s'intéressent à la conservation des vieilles reliques d'antan, et si j'avais rencontré M. Dauphin, je l'aurais sûrement remercié d'avoir songé à restaurer cette statue.

La statue de Wolfe n'est pas ce qu'un vain peuple pense.

Il y a toute une histoire qui se rattache à son souvenir. M. J.M. Lemoine nous l'a racontée au long, jadis, dans son *Picturesque Canada*, et je me permets de la rééditer ici pour la nouvelle génération.

Cette statue est l'oeuvre de deux sculpteurs de Québec, les frères Cholette. Elle fut sculptée, paraît-il, en 1771, sur la demande de George Hipps, boucher de Québec, et fidèle et loyal sujet britannique.

Il est assez difficile de dire si cette effigie du héros des plaines d'Abraham reproduit fidèlement ses traits; en tous cas, elle paraît avoir été travaillée avec soin par les artistes qui s'en chargèrent et est conforme, du côté de la ressemblance, aux portraits de Wolfe que l'on a mis en circulation.

Il semble également bien établi que la niche où a trôné si longtemps le général Wolfe était occupée, avant lui, sous le régime français par une autre statue: celle de Saint-Jean-Baptiste.

Après la conquête, le propriétaire de la maison où s'élevait cette statue, craignant sans doute que les nouveaux conquérants ne respectassent suffisamment la statue du vénérable patron des Canadiens-français, la descendit pieusement de son piédestal et l'envoya à l'Hôpital Général.

Ici, on lui donna une place fort honorable. On la fixa dans une niche, à l'entrée principale de la communauté, et elle occupa cette position de nombreuses années.

Je ne saurais dire ce qu'elle est devenue.

Le général Wolfe prit donc, sous le régime de nos nouveaux maîtres, la place de la statue de St-Jean-Baptiste.

Pendant plus d'un quart de siècle, il ne lui arriva rien d'insolite, mais en 1838, des mauvais plaisants lui firent subir un déménagement qui ne dut pas être du goût de son propriétaire et qui indigna, paraît-il, les Québecois qui étaient sincèrement attachés à cette relique déjà ancienne.

Ces mauvais plaisants étaient tout simplement des matelots en goguette de l'une des frégates de Sa Majesté britannique, l'Inconstant, arrivée depuis peu en rade de Québec.

Ces facétieux marins qui étaient allés boire une chopine à l'ancien hôtel Albion—situé à quelques pas de la maison où se dressait la statue de Wolfe—crurent accomplir un exploit considérable, avant de se disperser, en enlevant clandestinement, à la tombée de la nuit, le général, leur compatriote.

L'histoire intime n'a jamais révélé les noms de ces "perfides" escamoteurs, mais ce que M. Lemoine assure, c'est que la statue du général fit un voyage de long cours. Elle fut promenée successivement de Québec à Halifax, d'Halifax aux Bermudes, et de là à Portsmouth, en Angleterre!

Le vieux Québec ne s'émut pas plus qu'il ne fallait, mais tout de même l'on trouva étrange cette disparition.

On cherchait encore à se l'expliquer lorsque le printemps suivant, l'un des vaisseaux de la flotte anglaise débarqua sur nos rives une longue caisse à l'adresse du maire de Québec.

La boîte fut ouverte et l'on eut la satisfaction d'y trouver, conservée dans toute son intégrité, la statue du général anglais.

Il faut supposer que les matelots de l'Inconstant, dégrisés et pris de remords, ne jugèrent pas prudent de garder plus longtemps en leur possession un dépôt aussi encombrant que celui-là et dont ils n'auraient pu d'ailleurs justifier convenablement la provenance devant les autorités de leur pays.

Quoiqu'il en soit, la statue de Wolfe nous revint après avoir traversé les mers et reprit sa place habituelle, ou plutôt on l'installa dans une fenêtre au quatrième étage de la maison, pour la mettre dorénavant à l'abri des coups de mains et des rôdeurs nocturnes.

Elle n'a pas bougé depuis cette date et ses nouveaux propriétaires ne paraissent pas vouloir la déménager de sitôt, car ils ont déjà refusé un bon nombre d'offres qui leur ont été faites de céder cette statue, moyennant une prime alléchante.

The Ottawa Citizen—Monday, June 8, 1891

MOURNED BY MANY MILLIONS

Sir John A. Macdonald's death was brought on by his exertions in his last great election campaign, the election over unrestricted reciprocity in 1891. It was then that he coined the slogans: "The old man, the old flag, the old policy!" and "A British subject I was born, a British subject I will die!" The event of his death gave an opportunity to The Ottawa Citizen *to indulge in some elegaic purple prose that may have seemed extreme even in 1891.*

Sir John A. Macdonald hâta sa mort en se surmenant au cours de sa dernière campagne électorale, qui portait sur la réciprocité sans limite, en 1891. C'est alors qu'il inventa les slogans comme "Le vieil homme, le vieux drapeau, la vieille politique," et "Né sujet britannique, je mourrai sujet britannique." Son décès fournit au Citizen *d'Ottawa l'occasion de se laisser aller à des morceaux de bravoure élégiaques qui semblaient peut-être exagérés même en 1891.*

"Sir John Macdonald died 10:15 this evening."

So read the last bulletin posted on the gate at Earnscliffe at twenty-five minutes past ten o'clock Saturday night. The end had come. The hand of the Death Angel had knocked for seven anxious days and seven sleepless nights, and the door had at last been opened and the spirit of the dauntless Chieftain winged its way into eternity.

The signal of the greatest national calamity which has come upon the country since he made it a Dominion, was sent out to the citizens of the Capital from the watch-tower of the City Hall. The great fire-bell tolled out the mournful strokes which smote upon the people's ear like the death-knell of a nation's hope. It was the long expected, dreaded summons, which called on all within its sound to mourn the departure of the Illustrious Sir John Macdonald, and to pray that such another calamity may not befall within our day at least. Eyes that had long been stranger to the dew of sympathy, shed silent tears; and ears accustomed to the din of many a sad disaster, would fain have shut out the ominous signal of that dreadful bell. But it tolled on and on, till the city seemed to shudder at the sound, and to the very hearts of all who heard it the echoes of that awful tocsin rolled. Never to be forgotten are those signals from the tower which told that death had come to him who in his lifetime loved this land so well.

But the knell had a wider range than the fair city which its sounds first startled. It reverberated through the whole Dominion, aye throughout the world. With the first stroke of the bell the watchers were aroused, and to the ends of the earth in literal truth the message went that a great nation builder had departed. Messages were wired to every city on the continent from shore to shore; the cables caught the spark and sent the words of fate beyond the seas, westward to where a new day had been born. All were prepared for the announcement by a week of weary waiting, of hoping against hope itself, yet when the death message came, it came with all the shock of sudden, awful tidings. At the historic gate at Earnscliffe there were not more than half a dozen waiting. To them the dread tidings were conveyed by the Prime Minister's Private Secretary, Mr. Joseph Pope, who had thus performed the last sad duty in his faithful service of ten years duration. He had nothing to add to the announcement of dissolution written by the doctor —Sir John had passed away.

The story of the earlier days of the fatal illness of Sir John, is familiar to every newspaper reader. At four o'clock on Friday afternoon he relapsed into an unconsciousness, from which he never woke. He could take no nourishment. His power of swallowing was gone, and to have attempted to administer it, would have been to risk strangulation. As The Citizen stated yesterday, the patient's respiration was laboured and irregular throughout the night; and from the time that announcement was made, there was neither change nor alteration in this respect. All day the patient lay unconscious, and those about him simply watched in silent sorrow for the inevitable end. But the setting sun saw not the end of the weary struggle.

Shortly after nine o'clock Dr. Powell noticed that the change had come, the last change which he knew preceded the moment of dissolution. The patient's breathing became somewhat more regular, but the respirations were feebler, and it was evident that the gallant heart would soon be stilled in death. Dr. Powell, upon remarking the change, told Lady Macdonald that the end was at hand. The members of the family and those with whom the Premier's inner life had been most intimately connected were summoned to see the Chieftain die.

Around the bedside were Mr. Hugh John Macdonald, the Premier's son, and Mrs. Macdonald, her sister, Mrs. FitzGibbon; Miss Marjorie Stewart, Hon. Edgar Dewdney and Mrs. Dewdney; Mr. Joseph Pope, the Prime Minister's Secretary; Mr. Fred White, ex-Private Secretary to Sir John, and now Comptroller of the Mounted Police; Mr. George Sparkes, a relative of Sir John; Dr. Powell, the faithful physician, and Ben Chilton, the Premier's trusted messenger for many years.

These composed the sorrow-stricken group about the dying statesman. To them was given to watch life's taper burn down low; to see the flame fade and flicker in the socket; to watch the light of life go out forever.

The Sabbath sun rose on a city of mourning. From every flagstaff floated the symbols of sorrow. The ensign on the Main Tower of the Parliament Building, which had the Premier passed away during the day was to have been the death signal to the people, was hoisted at 4 a.m. The silence of the night was not yet succeeded by sounds of life, and scarce a footstep echoed along the empty streets when the special edition of The Citizen, the first Sunday morning paper ever printed in the Capital, was sent out for distribution. Perhaps the first citizen into whose hands a copy fell, was a man well up in years, who probably in his lifetime had seen much of the sorrow allotted to all human life. Several times he assayed to read the dread announcement, but it was in vain he rubbed his spectacles; the film that blurred his vision was not upon his glasses. His eyes were dimmed with tears, and after one or two attempts to read he gave it up and, folding the morning missive tenderly away, he wept like a little child.

And this was but the outbreak of a sorrow which all hearts were doomed to feel. For by-and-by the city awoke, and gazing upon the half-mast signals floating sadly in the morning air, was made to realize in some small measure the meaning of the nation's woe. Men were prone to talk with bated breath while contemplating the calamity which had fallen upon the Dominion. All seemed to feel that one had been taken away whose place could never be filled again. A friend had passed from out their lives, and only a fond sentiment remained to fill the aching void. Higher rode the sun, and soon the streets took on more of their wonted look, but still the common grief seemed to pervade the people and no one cared to talk or think of aught but the Premier's passing away. And church-goers went upon their way full of the melancholy theme.

Visitors were early at Earnscliffe, not moved by mortal curiosity to linger near the scene of death, but drawn thither by a common impulse to take a long last look upon the grey stone walls which held the nation's dead, a spot now hallowed by memories of the greatest man in the young history of the State.

The room in which the statesman died is a large, airy chamber situated just over the main entrance, and whose front window overlooks the lawn. There in a very wide brass-framed bed of antique design the form of the Father of Confederation lay, still and cold in death. Yet the face wore a peaceful expression, more suggestive of quiet slumber after a long day of toil and trouble than of death. The room was furnished with that quiet taste and love for plain solidity which characterized the Premier all through life. The furniture, including a large cabinet, was in the plain color of natural wood, except a few chairs and a large old-fashioned sofa.

The walls are covered with paper of a subdued tint, and the centre of the polished floor is covered with large Turkish rugs. The undertaker, Mr. Maynard Rogers, arrived at Earnscliffe on Saturday night, and at once began the process of embalming. The operation took about five or six hours, and seems to have been most thoroughly done. At two o'clock yesterday afternoon the remains were transferred to the casket. The features were almost lifelike in appearance, except for the extreme pallor of the cheeks. The face showed little or no traces of the week's illness, although the body was somewhat wasted.

By five o'clock everything in the death chamber had been arranged, and Lady Macdonald went upstairs into the room. There the heroine of Earnscliffe was left alone with her dead. A plaster cast of the Premier's features was taken by Mr. Hamilton McCarthy, of Toronto, one of the most eminent artists of the continent, and the sculptor who produced the well-known statue of the late Lieut.-Col. Williams.

The Many-counselled Ulysses.

Ulysse aux conseils divers.

This was one of a series of cartoons in the *Canadian Illustrated News* by E. Jump, in which he cast leading Canadian politicians in the roles of classical heroes.

Voici une des nombreuses caricatures d'E. Jump parues dans les *Canadian Illustrated News*. Les principaux politiciens du Canada y apparaissent sous les traits des héros classiques.

ECOLES NEUTRES

Moins de dix ans après la pendaison de Louis Riel, le nom du Manitoba devait retrouver toute son importance dans la presse québecoise de langue française. Cette fois le premier ministre de cette province, M. Greenway, mettait en cause les écoles catholiques. En 1894, Wilfrid Laurier n'était pas encore au pouvoir; mais chef du parti libéral, il avait dû prendre position sur cette question disputée.

Le Courrier de Saint-Hyacinthe *ne demeura pas indifférent à l'égard de ce qu'on appelait déjà "les écoles neutres". Et c'est avec une joie évidente, on le constatera, qu'il se lance à l'attaque des "rouges". En 1877, dans une conférence provincée à Québec, Laurier s'était efforcé d'établir une distinction rigoureuse entre le libéralisme doctrinaire et le libéralisme traditionnel des peuples britanniques. Mais son explication n'avait pas passé comme une lettre à la poste, et la question des écoles du Manitoba permet justement au* Courrier *de reprendre à son compte les accusations les plus virulentes dont on abreuve à l'époque Laurier et les libéraux.*

Less than ten years after the hanging of Louis Riel, the name of Manitoba was to regain its prominence in the Quebec French-language press. This time the Premier of Manitoba, Thomas Greenway, brought up the question of Catholic schools. In 1894 Wilfrid Laurier was not yet in power but, as leader of the Liberal Party, he had to adopt a definite position with regard to the controversy.

Le Courrier de Saint-Hyacinthe *did not remain indifferent to what were already being called "neutral schools." And it was with unmistakable joy, as we can see from this article, that it sprang to attack* les rouges. *In 1877, in a lecture given in Quebec, Laurier had done his best to make a strict distinction between doctrinaire liberalism and the traditional liberalism of the British. But his explanation had been less than a success, and the Manitoba Schools Question was exactly what* Le Courrier *needed to revive the most virulent accusations that were made against Laurier and the Liberals at the time.*

Enfin, nous voyons clair dans les menées du gouvernement libéral du Manitoba.

Le Courrier disait dernièrement que, pour les catholiques, l'école neutre, c'est l'ennemi, car ne pas parler de Dieu est une façon de le nier. Les empiètements tentés sur les écoles, si inoffensifs qu'ils paraissent d'abord, conduisent insensiblement et infailliblement à l'école neutre, à l'école sans Dieu.

C'est généralement sous le couvert des doctrines libérales que l'on travaille sournoisement à atteindre le but. Elles s'y prêtent à merveille. Il suffit de réfléchir un moment pour reconnaître, qu'au fond de ces doctrines, il y a toujours une propension vers la libre pensée, vers l'indépendance. L'esprit essaye peu à peu de se soustraire à des principes que, de prime-abord, on ne voudrait pas nier. On les écorne seulement au passage, et bientôt on ne les voit qu'indistinctement dans le lointain.

Pour ceux qui, par cet éloignement, en ont perdu la notion exacte, tout ce qui en découle devient gênant. La religion exigeant l'application rigoureuse de principes éternels est un joug pour le chrétien qui a laissé le libéralisme le pénétrer peu à peu.

Il y a des libéraux en politique qui sont sincèrement et entièrement soumis aux lois de l'Eglise catholique; mais ces libéraux ne sont pas encore allés jusqu'aux limites dernières des doctrines libérales. Ils s'arrêtent en chemin, Dieu merci! Ils font une distinction absolue entre leur manière d'agir en politique et leur foi catholique. Mais il ne serait inutile à eux de veiller de ce côté, car le libéralisme en politique peut bien produire le libéralisme en religion.

Quelques paroles du grand chef libéral peuvent donner à réfléchir sur ce point.

Dans sa marche à travers le Nord-Ouest Canadien, M. Laurier qui nous taxerait sûrement de calomnie si nous lui refusions le titre de catholique, disait à Calgary, devant un auditoire anglais que ce sont les écoles publiques qui formeront les générations nouvelles à l'idée d'une seule nationalité, d'un intérêt commun.

Il est évident que le libéralisme lui fait perdre de vue les principes de la religion catholique à laquelle il appartient. Il ne distingue plus ces principes qu'au travers d'un nuage. De quelles écoles veut-il parler? Dans quel moule veut-il façonner les générations nouvelles?

Parlant à des anglais protestants il ne peut leur parler que des écoles protestantes.

Voilà déjà un triste résultat du libéralisme.

Ce n'est pas tout. L'école protestante n'est qu'un acheminement vers l'école neutre.

Nous n'oserions certes pas avancer que M. Laurier se charge de préparer les voies aux sectaires qui ont juré, dans les antres maçonniques de Charleston ou de Rome, d'anéantir la religion catholique; nous préférons voir en lui une dupe dont ils se servent pour protestantiser d'abord sa propre race au Canada en l'anglifiant, et qu'ils jetteront par dessus bord quand le terrain sera déblayé du catholicisme et qu'ils n'auront plus qu'à édifier partout leurs temples à Lucifer.

Qu'arrive-t-il au Manitoba? Les catholiques résistent. Ils ne veulent pas envoyer leurs enfants aux écoles protestantes. Comment va-t-on essayer de triompher de leur résistance? Oh! par un moyen bien simple. En leur donnant une satisfaction dont l'effet serait mille fois pire que la suppression de leurs écoles, en leur accordant l'école neutre. Les sectaires auront ainsi obtenu le double résultat d'amener dans les écoles sans Dieu les Protestants et les Catholiques.

Le *Manitoba Free Press,* organe du gouvernement Greenway, en date du 8 courant, contient un article qui, pour n'être peut être qu'un ballon d'essai, ne laisse aucun doute sur les intentions des persécuteurs.

On se plaint, dit-il en substance, que nos écoles sont en réalité protestantes. Il est manifestement injuste de conserver des exercices religieux qu'une partie des parents, à tort ou à raison, considèrent comme dommageables à leurs enfants. Le moyen de régler la difficulté, conclut le *Free Press*, serait de rendre les écoles absolument neutres, c'est-à-dire, en proscrire tout enseignement religieux.

Voilà la liberté. Voilà la doctrine libérale. Pour contenter tout le monde, on supprime Dieu; pour donner satisfaction aux catholiques on a trouvé l'école neutre.

Oh! Les belles générations que formera dans ce moule M. Laurier, le libéral.

L'école sans Dieu produit une société sans Dieu. Cette société enfante l'anarchiste.

Victoria Daily Colonist—Tuesday, June 22, 1897

THE JUBILEE HAS COME

Here is how Queen Victoria's Diamond Jubilee was celebrated out on the Pacific Coast. Compare the charming colonial simplicity of these proceedings with what Sir Wilfrid Laurier was going through at the same time in London.

Voici comment le jubilé de diamant de la reine Victoria fut célébré sur la côte du Pacifique. Comparez la charmante simplicité coloniale de ces fêtes avec celles que connaissait sir Wilfrid Laurier à Londres au même moment.

Victoria and Victoria's guests joined in the inauguration of the Jubilee carnival Sunday and yesterday with a patriotic enthusiasm that was at once inspiring and contagious. Perhaps it was because of the uniqueness of the occasion—perhaps because the love for the Queen-mother of the Empire is deeper and truer than people in these hurrying days have fathomed. Whatever the cause, or causes, certain it is that Victoria has never before entered into a patriotic festival with more readiness or sincerity, nor have the efforts of the citizens at any time in the past been better supplemented by the visiting thousands.

The latter have come from every quarter of the compass and by every avenue of communication between British Columbia's capital and the outside world, until to-day it is safe to say Victoria has within her boundaries a greater number of guests than have assembled here in many years past. The city hotels have long since given up as hopeless the task of providing accommodation for all applicants, while far out in the country districts the wayside inns are enjoying a patronage it has never before been their good luck to command. With the majority of the bonifaces it has been made a point of honor to adhere to regulation prices, but in a few of the city hotels war time rates have been made, apparently on the principle that although board and lodgings may come high people must have them—two bits for a pleasant smile and everything else in proportion summarizes the fate of the unlucky victims of necessity. All of which will unquestionably be remembered to the disadvantage of the city, although the visitors seem inclined at present to accept everything as forgiveable at holiday time.

Each and all of the boats and trains arriving Saturday, Sunday and yesterday have been crowded with excursionists, the greater number of whom will remain until the last scene has been enacted in the festival of rejoicing. Sunday evening's contingent by the Charmer received an especially cordial welcome, a crowd of many hundreds gathering at the wharf to reciprocate the kindly greetings of the new arrivals. There was no band of music but the hackman's chorus supplied the deficiency. Never had these vocalists appeared in stronger voice, and never were visitors treated to a more effective demonstration of cordiality. Similar though perhaps less extensive hospitality was observable in the welcoming of each of the many other excursions; in fact the knights of the ribbons have proved themselves a reception committee zealous in the extreme and abundant in good works.

Of Sunday's exercises it may be said that they attracted to the streets and public park the largest gathering yet seen in British Columbia, and that they proved impressive to a marked degree. The parade of the societies was a particularly happy idea well carried out in the performance. It showed not only how strong the various orders based on the principles of humanity and benevolence have become in this city and the adjacent towns, but also how Englishmen, Irishmen, Scotsmen and native-born Canadians merge their natural affection for their native lands in equally deep and equally sincere love for the united empire over which floats the flag of Britain.

Most appropriately the place of honor was accorded to the pioneers, and although their marching may not have come up to the military standard of perfection, their faltering steps and often irregular alignment, more than any harmonious advance as a body would have done, proclaimed the toilsome burden they have borne in the making of the Empire—told to the world that, although the meridian of their life is passed, marching now involves a sacrifice of waning strength, and sturdy walking-sticks have become a necessity and a dependence, the hearts of the pioneers are just as loyal as of yore.

At Beacon Hill the throng was eminently good natured even at the price of personal discomfort. The sun shone fiercely upon the countless bare heads—many of them bald and glistening—the constant crowding was something to be endured with all grace possible. And so no one complained. All united with sincerity in the impressive exercises —for deeply impressive they proved, even to the most captious critic. There was indeed a general smile when Rev. Mr. Sharp invited all present to "rise and sing." A smile was perhaps in order from the thousands who had perforce been standing for hours; but it was a smile of unqualified good nature. And when "England and England's Queen" were repeatedly referred to in assurances of loyalty and affection, the Scotsman and the Irishman breathed just as fervent an amen, knowing the mother of the Empire is just as dear to them as to their English brethren.

Everyone who had a voice or believed himself possessed of one joined heartily in the singing, and under Mr. Finn's direction the voices of choir and congregation, mingled with the music of the massed bands, rose in unanimous melody.

When the services had been concluded a large part of the immense congregation followed the military to where Vancouver's citizen soldiery are tasting the novelty of camp life, and where the band of the regiment courteously halted to give the visitors a serenade. A few minutes were taken, too, in inspection of the camp arrangements, the visitors being prompt to express their appreciation of the forethought of the Victoria companies in the selection of the sheltered site chosen for the camp, and in having everything ready for the travel-worn sons of Mars when the steamer landed them here in a dreary and depressing rain. Although it was after 2 o'clock Sunday morning before the camp was wrapped in the mantle of sleep, there was prompt response to the 6 o'clock reveille, and Sunday proved almost as busy as yesterday. There was morning prayer in the camp of course, and afterwards the majority of the men were free to employ the day as it best suited their individual inclination, attendance at the afternoon service on the Hill being the only battalion duty imposed.

Not a few of the visiting soldiers joined with the civilian crowds in inspecting the decorations of the town, which have never before been more conspicuous or more tasteful. Flags of all shapes and sizes surfeit the eye, and private enterprise and ingenuity have been exhausted in the adornment of stores and residences. That twice as much bunting and ten times as many flags have not been used is simply because the stocks of both wholesale and retail dealers in such supplies have long since been exhausted. Red and blue flannel and white cotton sheeting have even been called for in vain during the past two days, while, since Chinese lanterns have become precious and unpurchaseable, even toy balloons have in several cases been pressed into service by the decorators. Many of the specially decorated premises are notable for their beauty as well as for the labor and artistic taste expended upon them— the city hall, the fire stations, H. L. Salmon's building, Onions & Plimley's, L. Marks and perhaps half a dozen others—while several of the banners displayed are even historic.

Especially so is the Canadian flag which is the most conspicuous feature in the exterior decorations of The Westside. It is not only said to be the largest Canadian flag in the Dominion, but it was the first to be floated to the breeze in this province after the confederation of the province—having been expressly made in England and imported by the late Mr. J. P. Davies.

Not only have Victorians this year decorated their homes and places of business as they never have before—but even in their holiday attire they display their patriotism and their enthusiasm. The Siwash, in the glory of brightest blue and orange and red, is happy as the day is long; while carnival dresses in which red, white and blue are effectively combined, are seen in every passing crowd. One good lady at the Hill on Sunday was the observed of all observers in a costume of black trimmed with little Union Jacks; her husband wore a Union Jack necktie and a tricolor hatband; the baby carriage forming the leading triumphal chariot for the family procession was a sight to startle a sober world—so radiant was it in its patriotic holiday adornment.

Yesterday was as bright a day as Sunday, and even more crowded with entertainment for both citizens and visitors. The lacrosse match drew its many, many hundreds; the low-lying hills circling Macaulay Plains were black all afternoon with interested humanity; the illuminations of the evening were praised by appreciative thousands. Everywhere the people were happy and contented and enthusiastic; everywhere the fervor of loyalty was conspicuously displayed. The first days of the carnival—signally devoid of accidents—were voted an unqualified success. For to-day the programme is equally attractive, being briefly as follows:

9 a.m.—Rifle Competition at Clover Point;
1 p.m.—Regatta on Victoria Arm;
7:30 p.m.—"The Carnival of Madrid," at Caledonia Park;
8 p.m.—Band Concert and Balloon Ascension at Oak Bay;

and

General Decoration and Illumination of The City.

At the turn of the century, Henri Julien enjoyed an immense popularity as a political cartoonist and depicter of French-Canadian life. In the famous "By-Town Coons" series, he drew the Laurier cabinet as members of a blackface minstrel show. Pictured here is W.S. Fielding, later to be Mackenzie King's chief opponent for the Liberal leadership.

A l'aube du siècle, Henri Julien était immensément populaire comme caricaturiste politique et peintre de la vie au Canada. Dans la série fameuse "Moricauds de By-Town", il dépeignait les membres du cabinet Laurier sous les traits d'artistes noirs d'un concert de chants nègres. On voit ici W.S. Fielding, qui devint plus tard le principal rival de Mackenzie King dans la course à la direction du parti libéral.

Victoria Daily Colonist—July 21, 1897

KLONDYKE IS IN CANADA

When gold was discovered in 1897 in Bonanza Creek, near Dawson City, the news set off a great rush of adventurers from all over the world to the Yukon Territory. The Klondike boom, which lasted into the first years of the twentieth century, created many problems for the new Laurier government and for its Minister of the Interior, Clifford Sifton. One of these problems was the rivalry between the Canadian and American cities along the Pacific to capture the trade of the northbound miners. The Canadian case is presented forcefully in this editorial from the Victoria Colonist.

La nouvelle de la découverte de gisements d'or au ruisseau Bonanza, près de Dawson, en 1897, déclencha une grande ruée d'aventuriers qui venaient de diverses régions du monde et s'en allaient dans le territoire du Yukon. Le vif essor du Klondike dura jusqu'au début du 20e siècle. Il créait de nombreux problèmes pour le nouveau gouvernement de Laurier et pour son ministre de l'Intérieur, Clifford Sifton. Un de ces problèmes tenait à la rivalité entre les villes canadiennes et américaines en bordure du Pacifique, qui cherchaient à s'emparer du commerce avec les mineurs se rendant vers le nord. La situation du Canada est exposée avec force dans cet éditorial du Colonist *de Victoria.*

The San Francisco Call, referring to the riches of the Klondyke, calls it "a veritable boom for Alaska." There is not a line in its article to indicate that the Klondyke is in Canadian territory.

The Tacoma Ledger speaks of the Klondyke as "Alaska's Golden Sands," says there is probably more of just such ground in Alaska and claims that the State of Washington will necessarily be the source of supply for merchandize of all descriptions.

The Seattle Times and the Seattle Post-Intelligencer, while not so rash as to claim that the great discoveries are in Alaska, carefully avoid saying that they are in Canada, and claim for their city and state the paramount right to the whole of the great trade to be developed.

The Portland Oregonian treats the Klondyke as though it were in United States territory and insists that Portland can and will control its business.

The San Francisco Chronicle treats the future prospects of the Yukon and carefully avoids mentioning that the great gold fields are in Canada.

So it is with all the United States papers. They either claim the Klondyke as being in Alaska, or conceal the fact that it is in Canada. The result is the same in any case, for the impression is created that, the mines being in United States territory, the proper place to buy supplies is in United States cities and the proper way to get there is by United States steamers. It is time that this sort of thing was counteracted. The people of the East, who are bound for the Yukon, must be taught that the great gold fields are on undeveloped Canadian soil, that the best places to buy goods are in Canadian cities and that the best way to get there is by Canadian steamers.

When the Dominion government awakens sufficiently to the importance of this trade to put custom-house officers in the passes and establish a port of entry on, say, Tagish Lake, the fact that the gold fields are Canadian will be forcibly demonstrated. We believe this will be very shortly done. In the meantime, everything ought to be done that can be done to bring the Yukon business to Victoria.

Le Réveil, Montréal—? 1900

ARTHUR BUIES

LES EXEMPTIONS DE TAXES

A juste titre, La Lanterne, *fondée par Arthur Buies le 24 septembre 1868, est le plus illustre pamphlet hebdomadaire qui ait été publié au Canada français. S'inspirant de Rochefort, se situant dans la tradition radicale française,* La Lanterne *avait une tête de turc: Georges-Etienne Cartier. Buies n'en publia que 27 numéros, et* La Lanterne *s'éteignit le 18 mars 1869.*

En 1889, Aristide Filiatrault lança Canada-Revue. *A l'origine, c'est un mensuel qui traite de littérature, de musique, de beaux-arts. Mais dès le début de 1891,* Canada-Revue *devient un organe de combat. Marc Sauvalle est rédacteur en chef et la liste des collaborateurs, imposante: Louis Fréchette, Pamphile Lemay, Gabriel Marchand, Honoré Beaugrand, etc. Devenu hebdomadaire,* Canada-Revue *dénonce l'influence indue du clergé, attaque "le monopole des livres d'écoles" et défend "les rouges" accusés "d'anti-cléricalisme". Mais à son tour,* Canada-Revue *disparait en août 1894.*

Le 7 janvier 1897, Aristide Filiatrault fonde Le Réveil *qui renoue aussitôt avec la tradition de* Canada-Revue. Le Réveil *ne tire qu'à un millier d'exemplaires et doit suspendre sa publication en 1901. Mais il compte au nombre de ses collaborateurs, le vieux pamphlétaire de* La Lanterne: *Arthur Buies. Il n'a pas changé: il dénonce "les exemptions de taxes" consenties aux institutions religieuses et "l'influence indue".*

La Lanterne, *founded by Arthur Buies on September 24, 1868, is for good reason the most famous weekly ever published in French Canada. Drawing its inspiration from Rochefort and the French radical tradition,* La Lanterne *had a favourite scapegoat: Georges-Etienne Cartier. Buies published only twenty-seven numbers, and* La Lanterne *expired on March 18, 1869.*

In 1889 Aristide Filiatrault launched Canada-Revue. *This weekly denounced the undue influence of the clergy, attacked "the monopoly in school books" and came to the defence of* les rouges, *who were accused of anti-clericalism. But* Canada-Revue *disappeared in its turn in August 1894.*

On January 7, 1897, Filiatrault founded Le Réveil, *which renewed immediately the* Canada-Revue *tradition. Among its contributors was the old pamphleteer of* La Lanterne, *Arthur Buies. He had not changed; he still denounced tax exemptions granted to religious institutions and "undue influence."*

M. Laflamme est élu à Jacques-Cartier. Voilà un comté qui ne saura pas où se mettre dans la vallée de Josaphat; c'est au moins huit cents damnés de plus qu'il fournit à l'enfer. Le curé de l'Ile Bizard l'avait bien dit dans son sermon du 19 novembre, il y n'y a pas quinze jours, à ses brebis: "Tas d'ignorants que vous êtes! qu'est-ce que vous comprenez à ce que les libéraux vous débitent? C'est moi, moi seul, que vous devez écouter; je suis ici pour vous conduire, et si vous ne faites pas comme je vous le dis, vous serez damnés. Sachez que j'ai été nommé curé par l'évêque, que l'évêque est nommé par le pape, et que le pape, comme vous devez le savoir, est nommé par Dieu. Donc, si vous ne m'écoutez pas, c'est Dieu même que vous refusez d'écouter . . . Prenez garde à la mort subite; car, lorsque le jour du jugement dernier sera venu et que vous apparaîtrez devant Dieu il vous dira: "Allez, maudits, je ne vous connais pas." . . .

Il y a eu vingt votes de majorité pour le candidat syllabique dans l'île Bizard; espérons que ces vingt justes réussiront à détourner la colère du ciel et à apaiser le Seigneur des curés. C'est égal, ils sont rudement hardis les gens de l'île Bizard qui ont voté pour M. Laflamme avec la certitude de ne pas écouter le pape et la perspective de la mort subite, avec on ne sait combien de montagnes leur roulant sur la tête au jour du jugement dernier, lorsque la vallée de Josaphat sera devenue assez grande pour contenir en chair et en os tous les êtres humains qui auront existé jusqu'alors. Quant aux paroisses de Lachine et de la Pointe-Claire, elles n'auront seulement pas besoin de se montrer: leur compte est réglé d'avance: Allez maudits: Dieu n'a plus rien à y voir; les curés auront tout fait. C'est commode, en vérité. On se demande pourquoi Dieu prendrait la peine de juger les hommes: il n'y a rien de plus simple et de plus clair qu'une théorie comme celle-là, elle va droit au but: Dieu nomme le pape, le pape nomme l'évêque, l'évêque nomme le curé; dès lors, que le curé donne ou absolve, ça suffit. Il n'y a plus besoin de vallée ni de montagnes de Josaphat.

Mais revenons aux choses de ce monde.

Que M. Laflamme ait été élu malgré la guerre horrible

qu'on lui a faite, guerre sans merci qui a appelée le ban et l'arrière-ban de tous les cuistres ultramontains et conservateurs, guerre odieuse faite de mensonges, de venin et de toutes les indignités réunis, guerre féroce dans laquelle toute arme a paru bonne contre le candidat libéral, et toutes les malédictions vomies par les curés comme des choses saintes, dictées par Dieu même, c'est là un événement pour le Canada, et qui porte en lui-même un enseignement tellement manifeste qu'il serait puéril de vouloir l'indiquer. Il n'y a pas un libéral sérieux, pas un libéral intelligent qui ne comprenne aujourd'hui qu'il faut faire la lutte des principes, que nous avons tout à y gagner, que les concessions sont non seulement humiliantes, mais funestes, qu'on n'en fera jamais assez pour satisfaire les prêtres, ennemis nés de tout instinct libre, de toute indépendance d'esprit. M. Laflamme n'a pas fait de profession de foi, mais on s'est rabattu sur son passé pour le combattre, on a rappelé l'Institut-Canadien, Guibord . . . eh bien! l'Institut-Canadien et Guibord ont triomphé, et ils triompheront encore bien plus à l'avenir si les libéraux veulent ouvrir les yeux et se convaincre une bonne fois qu'ils n'ont rien à attendre du clergé en se soumettant à lui, et qu'ils ont tout à gagner en le combattant au nom de l'affranchissement intellectuel et du progrès de leur pays.

Dans le Haut-Canada, un mouvement sérieux se fait contre l'exemption de taxes accordée à certaines personnes, à certaines institutions ou à certains établissements privilégiés. Trente-cinq municipalités d'Ontario se sont entendues pour présenter à la Législature une pétition contre ce privilège injuste, nous voyons aussi qu'à Ottawa, la capitale fédérale, il se fait un mouvement dans le même sens. Le maire de la ville a proposé que la question soit discutée dans une convention de délégués municipaux qui aurait lieu à cet effet. Il paraît que ces délégués, déjà en voie de se réunir, sont tellement unanimes à protester contre l'abus des exemptions que la Législature d'Ontario ne pourra guère faire autrement que de les abolir dans toute la province.

Il n'y a pas de doute que cela suffira pour qu'on les augmente encore dans la province de Québec. Non seulement des corporations et des institutions religieuses, qui occupent de vastes terrains dans les villes, ne paient pas de taxes, parce qu'elles sont énormément riches, mais encore on se demande comment il se fait, qu'en outre de leur privilège d'exemption, elles n'aient pas la droit de taxer les citoyens spécialement pour l'avantage de les avoir. C'est là une lacune dans notre législation que le ministère de Boucherville ne peut manquer de combler avant qu'il n'ait complètement submergé la province dans l'eau bénite.

EDWARD MORRISON

A FOUR DAYS' TREK AFTER THE ENEMY

The Canadian contingents sent to the Boer War, amounting to about 7,300 men, of whom 5,200 saw action, did not involve any great sacrifices by Canada or make much difference to the conduct of the war. But the Laurier government's decision to send these troops was important, because it introduced a new issue on which French-Canadians were sharply divided from English-Canadians: the issue of Canada's obligations in a British overseas war.

The first contingent of 1,000 men left at the end of October 1899 and saw action in the decisive battle of Paardeberg in 1900. This story from The Ottawa Citizen *describes a later action in which some Canadian units participated, when the war had become largely a matter of pursuing Boer guerrillas and rounding up their families. It is written by Lieutenant Edward Morrison, who was editor-in-chief of* The Citizen. *Morrison had obtained leave from the paper to fight in the war and sent back a series of graphic dispatches.*

Our present generation, which knows more about war than did the generation of 1900, may find the light-hearted tone of some of these descriptions of the "fun" somewhat distasteful. At any rate, here is war correspondence very different from that of World War I or World War II.

Le Canada envoya quelque 7,300 hommes à la guerre des Boers. Sur ce nombre, 5,200 participèrent à des combats. L'envoi de ces contingents n'exigeait pas de grands sacrifices du Canada. Par ailleurs, il n'influait guère sur le cours de la guerre. Toutefois, la décision prise par le gouvernement Laurier d'envoyer ces troupes était grosse de conséquences, car elle faisait jaillir une nouvelle source d'âpres divisions entre Canadiens français et Canadiens anglais: la question des obligations du Canada dans une guerre anglaise outre-mer.

Cet article du Citizen *d'Ottawa, décrit un engagement ultérieur auquel participèrent des unités canadiennes, à un moment où la guerre consistait surtout à poursuivre les guerilleros boers et à rassembler leurs familles. L'auteur en était le lieutenant Edward Morrison, rédacteur en chef du* Citizen. *Morrison avait obtenu un congé de son journal pour aller se battre à la guerre.*

Notre génération d'aujourd'hui, qui en sait plus long au sujet de la guerre que la génération de 1900, trouvera peut-être un peu disgracieux le ton léger de certaines de ces descriptions "d'amusements." En tous cas, voici un style de correspondant de guerre qui diffère beaucoup du style employé lors de la première Grande Guerre ou de la seconde.

BELFAST, Nov. 21—Just after I wrote my last letter we were ordered out for a five days' trek, and it was announced that we would leave for home as soon as we returned. It must be confessed that a good many of us Canadians felt rather blue. A month ago we would have welcomed the order with joy, but on nearly every trek somebody must get hit, and it seemed rough to think that some good lads might be cut off at the last moment with "the trooper on the tide" for home. However, the men did not seem to mind it a bit (it's always the other fellow who is going to stop the bullet!) and with us it was difficult to convince enough men they were sick to furnish a camp guard. We had some court-martial prisoners and they sent in an application to be allowed to go, too (they had "carried on awful" according to the Tommy guard when the word came in that we were in a tight place the last trek), so I went to see the General about it. He is very strict in such matters, but after considering the circumstances he explained that he did not see how it could be done unless the prisoners were entirely released, such being the army regulations. After taking the matter into his serious consideration he sent over a communication to the effect that "as a mark of his appreciation of the magnificent work and gallant conduct of all ranks of the section under your command" in the recent fighting, the G.O.C. directed that the prisoners be released and their sentences commuted. Of course this pleased the section very much, and the boys were ready to go through a hotter place than the Steilpoort valley, if necessary. Besides, they all had a little account to settle with our bold friends the enemy up there, and we would not have been quite satisfied if we had gone home without wiping it off the slate.

Bright and early on Tuesday morning we marched off. The force was the same as that which went to Lilliefontein except that for infantry we had the Gordons and the Royal Irish, two of the best fighting regiments in the service. The Canadians as usual were in the advance guard with the Fifth Lancers and two pom-poms. Colonel King commanded the advance and General Smith-Dorrien the main body. We were bound for the Steilpoort valley north of here and were to come round by Witpoort and Dullstroom, half way to Lydenburg. It was in the Steilpoort valley that the Royal Canadian Dragoons (R.C.D.) and my guns used to have our little fights before Smith-Dorrien's force mobilized here. The valley is about six miles wide and twenty-five miles long. It is fertile and well watered and full of fine farms. When our little force used to go out on reconnaissance and get into the rough and rocky hills overlooking the valley, the well-fed burghers would swarm out of the farms in the valley and have a lot of fun with us. That we did not have many casualties was not their fault. It was also some of them who killed two of the Dragoons by dressing up in khaki and enticing them over to a kopje, where they shot them down in cold blood.

The advance guard had just got into the hills when our friends were out as usual with their tails up sniping from behind every rock; but when the guns and pom-poms came into action at a gallop and soused the kopjes with shells, they discovered that this was the time they were up against it. They retreated from one position to another and we followed them up all day, the advance guard on the right and the main body on the left. About four o'clock the main body debouched into the big valley and we sat on the hills and covered the transport, becoming in turn the rear guard towards night. When the column had camped we had to skate our guns down the side of a mountain about 500 feet high, drag shoes on and drag ropes out, and it was with the greatest difficulty we prevented them rolling down. Heavy clouds began to gather, and just as we reached the bottom there was a regular cloudburst. In half an hour we were soaked to the skin and the ground on which we bivouacked had been churned into deep, tenacious mire that clogged the gun wheels and stuck to the tired men's feet until you would think they had snow-shoes on. We had to wait several hours for the water to soak into the ground before we could lie down. However, it was none so bad that night. The mud made a soft bed and we were too tired to mind the wet, and, for a wonder, it was not cold. The heavy rain on our faces wakened us several times during the night, and it was a very wet, muddy, stiff and bedraggled crew that Old Sol sighted when he peeped over the hills in the morning.

When the column pulled itself out of the mud we moved on, the Canadians in advance, and had not gone two miles before the Boers opened on us. One of my guns took up a position just behind the crest of a ridge with "Gat" Howard's Colt on the left, and we soon got them moving. There were a number of very fine farm houses near by, and we saw the Boers leaving them and making off. The provost marshal came up from the main body, removed the Boer women and children, with their bedding, and proceeded to burn or blow up the houses.

From that on during the rest of the trek, which lasted four days, our progress was like the old time forays in the Highlands of Scotland two centuries ago. The country is very like Scotland, and we moved on from valley to valley "lifting" cattle and sheep, burning, looting and turning out the women and children to sit and cry beside the ruins of their once beautiful farmsteads. It was the first touch of Kitchener's iron hand. And we were the knuckles. It was a terrible thing to see, and I don't know that I want to see another trip of the sort, but we could not help approving the policy, though it rather revolted most of us to be the instruments. I am glad to say the artillery were exempt from the work. During the days that followed it was our duty to go into action on the hills and cover with our guns the troops that did the burning. We did not get anything like a fair share of the loot, but I don't think my men objected to that. We burned a track about six miles wide through these fertile valleys, and completely destroyed the village of Witpoort and the town of Dullstroom. The column left a trail of fire and smoke behind it that could be seen at Belfast. Some of the houses that were too solidly built to burn were blown up. Away off on a flank you would see a huge toadstool of dust, rocks and rafters rise solemnly into the air, and then subside in a heap of debris. Ten seconds afterwards a tremendous roar like the report of a cow gun would rend the air and the dust would blow slowly away. Many of the houses were surrounded by beautiful gardens abloom with roses, lilies and hollyhocks, and embowered with fruit trees. As we sat by the guns we would see a troop of mounted men streaming off towards a farm. With my glasses I could see the women and children bundled out, their bedding thrown through the windows after them. The soldiers would carry it out of reach of the flames and the next moment smoke would commence curling up from the windows and doors—at first a faint blue mist, then becoming denser until it rolled in clouds. The cavalry would ride rapidly away and the poor women and children, utterly confounded by the sudden visitation, would remain standing in the yard or garden watching their home disappear in the fire and smoke.

But to return to the narrative of our trip. About noon on the second day the R.C.D.'s with Howard's Colts (he had got two since the Lilliefontein fight) were advancing in extended order towards a line of kopjes with my guns in support when we came to a spruit. The cavalry went on, but I stopped to water the horses. I have always taken the precaution of unlimbering my guns and going into action whenever I unhook my horses to water, and this was the occasion that justified the practice. My horses had just gone into the spruit when a Mauser cracked on the kopje in front of us, and the next moment a crashing rifle fire ran along the crest of the kopjes for a quarter of a mile like a zig-zag feu de joie. The dragoons wheeled and came tearing down the slope, and the rifle fire crackled on the kopjes until you could not hear yourself think. We laid our guns and sent shell after shell up to cover them, and I expected every minute to see the Boers come down after them. When I had leisure to look around a mere handful of R.C.D.'s were galloping in, and the slope was covered with riderless horses careering wildly about. I thought the Boers had made a killing for sure this trip. The bullets commenced to go past us and things looked serious, when I was much relieved by seeing two troops of the Third Mounted Infantry come galloping up on either side of us, dismount and take cover in the spruit to support the guns. Neither of Howard's Colts had come back, and we thought old Gat had got it at last. Meanwhile my guns were hammering away for all they were worth. Two pom-poms came up at a gallop, then the Gordons' Maxim, a section of the Eighty-fourth Battery, and finally the General himself with the cow guns. When all this menagerie got to work the row was something awful. This kept up for some time, when all at once during a brief lull I heard the unmistakable rat-tat-tat-tat-tat! of Howard's Colt away to the front right under the kopje. I turned my glasses on that part of the slope and my heart jumped with joy. There was Gat with his men behind a little clump of rocks not 400 yards from the top of the kopje busy "nailing coffins." I went over and told the General that the Colt and some of our Dragoons were up there. He could not believe it at first. No one could think that any men who could come back would not have come back out of that fire. The General went for the infantry to attack the position, and while the Gordons were deploying the guns, kept the ridge smoking with shells. It was fine to see the Gordons go in—cautious and steady as if it was a field day. One young officer caught my eye as he strode forward at the head of his men. He had a beautiful retriever dog at his heels and his rifle tucked under his arm, and for all the excitement he showed he might have been out grouse shooting on the hills of his native shire. As the Gordons began to climb the kopje the Boers made off down the farther side and didn't wait for the bayonet. As soon as they crowned the kopje I rode forward with the ambulance to see how the Dragoons had come out. They had only one man hit. Howard's horse had been hit three times. The most of them had only galloped back a few hundred yards until they came to a spruit. They had rolled off their horses and let them go while they took cover and sat tight, ready to stop any advance if the Boers had tried to rush my guns. It was a mighty smart thing. If they had been British cavalry they would have tried to gallop out of the fire and the Boers would have got half of them on the way.

The column marched into Witpoort, a pretty little village surrounded by hills. The guns were placed on the hills and trained on the place, and the cavalry and mounted infantry rode into it and looted and burned every house and shop, except one belonging to a British subject. The flour mill was blown up. We sat on the hills and watched the scene. When the mounted troops rode back they looked like a gang of dissolute pedlars. Their saddles were hung like Christmas trees, with shawls, clocks, mandolins, tea kettles, lamps—every sort of imaginable article—besides chickens, ducks, geese, sucking pigs, vegetables, and agricultural products galore. All we gunners got was the merry ha-ha, and such unconsidered trifles as the bloated cavalry chose to donate to us.

On the third day out about 9 o'clock the guns were called up in a hurry to a position overlooking a pretty valley full of farms and cattle. On the far side in nice range a Boer convoy with a lot of wagons and cattle was making off. My guns had them for five or six minutes under fire before they could get over the ridge, and perhaps we didn't slate them! While we were busy with them other Boers were working down in the valley trying to drive herds of cattle and sheep into the ravines. When we got through with the convoy we turned our attention to them, and had more fun than a patron picnic. We didn't want to kill the cattle, of course, but to hold them until our cavalry could go down and seize them. A herd would be piking up the hill and we would drop a shell just in front and stop them. Then the Boers would drive them into a spruit out of sight, and we would drop a shell in the spruit ahead of them and stop them there. The General came up to see the fun, and the rest of the advance guard sat on the hills laughing and applauding. We never hit a cow or sheep, but in half an hour we had them all rounded up, afraid to move in any direction. Then the General sent the R.C.D.'s down and they got 150 head of cattle and 500 sheep. As cattle are worth £20 a head and sheep £4 each to the army it was calculated that our half hour's work netted about £4,000 to the British government. The cavalry were sniped at a good deal in getting in the stock, and they burned all the houses in the valley. As soon as we were through the General pushed on my guns and left the cavalry to lift the cattle. Our convoy was coming up and we had to push on with a troop of the C.M.R. (Canadian Mounted Rifles), a few Lancers and later on a handful of Gordons through the roughest sort of mountain defiles, kopjes all round in easy rifle range that had not been "made good." By Jove, I was nervous. Every turn in the road we expected to get soaked, but the Boers only sniped a bit. In a couple of hours we got out into more open country and were all right. But I don't enjoy scouting through defiles with field guns.

On the following morning the troops were up long before daylight and marched off at 4 o'clock, leaving the baggage and transport in camp under an infantry guard. We had no trouble getting up at the right hour. You could hear alarm clock bells in nearly every heap of blankets, and the veldt hummed like a telephone office. (When a soldier loots a house the first thing he grabs is the clock.) In the dim, early dawn, the column, nearly all mounted troops, moved swiftly north. We were going to sack and burn the town of Dullstroom. Nobody who was there will ever forget that day's work. About 7 in the morning our force seized the town after a little fight. The Boers went into the hills around and there was nobody in the town but women and children. It was a very pretty place, nestling in a valley. The houses had lovely flower gardens and the roses were in bloom. It was another Grand Pre, but I wasn't introduced to Evangeline if she was there. We seized a hill overlooking the main street and placed all the guns on it, while the cavalry galloped through and skirmished up the hills beyond. The Boers drove in our outposts on the flank and began sniping the guns, and we had all to turn loose, and amid the row of the cannonade and the crackle of rifle fire the sacking of the place began. First there was an ominous bluish haze over the town, and then the smoke rolled up in volumes that could be seen for fifty miles. The Boers on the hills seemed paralyzed by the sight and stopped shooting. When the lull came General Smith-Dorrien invited the artillery officers to go down into the place with him on a sort of official appearance—"just to tell them that you saw me" style of thing. The main street was full of smoke and fiery cinders, and as the flames belched out in huge sheets from one side or the other our horses shied and plunged from side to side. The place was very quiet except for the roaring and crackle of flames. On the steps of the church were huddled a group of women and children. The children didn't seem to know whether to cry or be diverted by the spectacle. The women were white, but some of them had spots of red on either cheek and their eyes blazed. Not many were crying. The troops were systematically looking the place over, and as they got through with each house they burned it. Our Canadian boys helped the women to get their furniture out, much as they would do at a fire in a village at home. If they saw anything they fancied they would take it ("muzzle not the ox that treadeth out the corn!"); but they had not the callous nerve to take the people's stuff in front of their faces. Of course in the case of shops it was different. But you should see the Royal Irish on the loot! They helped the people out with their stuff by heaving bureaus bodily through the windows and putting pickaxes through melodeons. You'd hear one yell: "Begorry, Tim, here's a noice carpet. Oi think Oi'll take it home from the woman. Lind a hand here." R-r-r-ripp! Up would come a handsome pile carpet in strips, and so the work went on, the officers standing by laughing at the fun their men were having. I went into a very pretty little cottage standing in a rose garden on a side street. The C.M.R.'s and the R.C.D.'s were looting it, but really helping the woman out with her stuff more than sacking the place. The woman was quite a good-looking, lady-like person, and the house was almost luxuriously furnished. She was breathlessly bustling about saving her valuables and superintending the salvage operations. A big dragoon would come up to her and say in a sheepish sort of way: "What you want next lady?" and she would tell them and they would carry it out. As I stood looking on she turned to me and said: "Oh, how can you be so cruel?" I sympathized with her and explained it was an order and had to be obeyed. She was a good-looking female in distress and had quite the dramatic style of an ill-used heroine. I certainly was sorry for her—we all were—until the house began to burn and caused a lot of concealed ammunition to explode and nearly killed some of our men. But all the same it was a sad sight to see the little homes burning and the rose bushes withering up in the pretty gardens and the pathetic groups of homeless women and children crying among the ruins as we rode away.

We did not know how popular we Canadians

were until the time came for us to go. Everybody seemed really sorry. Even the Boers said nice things about us. An old woman said to me: "We like you Canadians, I hope you will get home safe to your friends." The artillery offered to entrain our guns for us, the Royal Irish band played us out to the tune of Auld Lang Syne, and the Gordons lined the track, officers and men, and cheered themselves hoarse. At every camp we passed the men turned out to cheer us. The General and his staff came down to see us off, but arrived too late. He sent word after us by the C.M.R., who were on the train following, expressing regret that he had not been able to say good-bye to us personally.

Now we are on our way back to Pretoria over the same bloomin' old railway and on the same bloomin' old flat cars. The only difference to be noticed is the increased number of graves along the track, more bullet and shell holes in the railway station buildings and a general look of more permanence and strength on the part of the field earthworks. Yesterday the Boers attacked Balmoral, Wilge River and Bronkhorst spruit simultaneously. A shell had gone in at the window of our old mess room in Wilge station and cleaned it out. At Brug spruit a fight was in progress as our train pulled in, and we thought it would be necessary to detrain, but the Boers made off when our train arrived.

I forgot to tell you that among the refugees in the church at Dullstroom were a lot of the Belfast women and children who had been turned out, including Mrs. Jourdain and her "war baby" and my little friend Johanna. I used to call her Johannesburg because she did not like it. She could not speak English, but that hadn't prevented us carrying on a very active flirtation. (Johanna will be very sweet when she is sixteen.) Mrs. Jourdain had not been able to find the father of the "war baby" and was beginning to be afraid he was killed. I gave the children some chocolate, and we parted there in the burning town with mutual good wishes and expressions of regard. Such is war.

A Terrible Row! *Sir Charles has a shocking disagreement with the most eminent statesman of his acquaintance!*

Une altercation terrible! *Sir Charles se brouille de façon révoltante avec l'homme d'Etat le plus éminent de sa connaissance!*

By 1900 *Grip* had folded and Bengough had moved over to *The Globe.* Here he pillories Conservative leader Sir Charles Tupper during the election campaign of that year. In Quebec Tupper was charging that the Laurier government was supplying too much aid to Britain in the Boer War; in Ontario he claimed the opposite.

En 1900, le *Grip* ferma ses portes et Bengough passa au *Globe.* Il cloue ici au pilori le chef conservateur sir Charles Tupper durant la campagne électorale de cette année-là. Au Québec, Tupper accusait le gouvernement Laurier de fournir trop d'aide à la Grande-Bretagne durant la guerre des Boers; en Ontario, il portait l'accusation contraire.

FUNERAL OF QUEEN VICTORIA

Perhaps the most fitting introduction to The Montreal Star's *account of Queen Victoria's funeral would be a quotation from the latest biography,* Queen Victoria, Born to Succeed, *by Lady Longford:*

"Queen Victoria's funeral became part of the English Saga, for people saw in her passing the end of their own way of life. A sense of desolation was mingled with a sudden alarm, for while she lived England's power had seemed to be steadily increasing under the protective shadow of her formidable bonnet. . . . Her resolve to dissociate death from darkness . . . (led her to decree that) . . . her own funeral should be military and, like Tennyson's, white. Black hangings were banned from the London streets, and purple cashmere with white satin bows used instead. The ominous drum-roll of Handel's Funeral March was replaced, according to instructions, by Chopin, Beethoven and Highland laments. . . . No one today would argue that among her gifts was strict constitutionalism. . . . The extended view will modify but not obliterate the impression of greatness she left with the country and the world."

Pour présenter le récit que le Star *de Montréal fit des funérailles de la reine Victoria, le mieux serait peut-être de citer un extrait de la plus récente biographie que lady Longford a publiée sous le titre* Queen Victoria, Born to Succeed:

"Les funérailles de la reine Victoria devinrent un nouveau chapitre de la saga de la Grande-Bretagne, car les Anglais virent dans son décès la fin de leur style de vie. Un sentiment de désolation se mêlait soudain de craintes, car, de son vivant, la puissance de l'Angleterre avait paru s'accroître sans cesse à l'ombre protectrice de son formidable bavolet. . . . Résolue à dissocier la mort des ténèbres . . . (elle décréta que) *ses funérailles seraient militaires et arboreraient le blanc comme celles de Tennyson. Les tentures noires furent bannies des rues de Londres, et remplacées par du cachemire pourpre et des boucles de satin blanc. L'inquiétant roulement de tambour de la Marche funèbre de Handel fut remplacé, d'ordre, par des complaintes de Chopin, de Beethoven et des Highlands. . . . Aujourd'hui, personne ne soutiendrait qu'elle avait, entre autres dons, le sens strict du constitutionnalisme. . . . Le temps modifiera, sans l'oblitérer, l'impression de grandeur qu'elle a laissée à l'Angleterre et au reste du monde."*

LONDON, February 2.—London was astir early this morning. Thousands of people never slept a wink last night through inability to secure beds, and other thousands remained in the streets to see what was being done and to secure advantageous positions from which to view to-day's pageant. Workmen putting finishing touches on decorations along streets through which the cortege passed had difficulty doing their work on account of the numerous spectators. All lamp-posts were removed and laurel wreaths of uniform size hung at the sides of the thoroughfares.

After 9 o'clock this morning all traffic was stopped and the streets were filled with people, in many places packed into immovable bodies wedged as tightly into position as possible.

Fifty kings and princes, mightiest of earth's rulers, in martial pageant, greatest of modern times, are escorting Queen Victoria's body through London. The funeral party arrived at Victoria Station at 11 a.m., from Portsmouth, and is proceeding to Paddington Station from which it will depart for Windsor.

Kept back by an army of 32,000 troops, reinforced by 10,000 policemen, on a long narrow two-mile route over which the funeral cortege is passing are the greatest crowds England's capital has ever seen.

Between Victoria and Paddington stations it is estimated 3,000,000 persons are massed. The funeral procession has formed with great difficulty, and the crush to get a glimpse of the Queen's body as it rests on a khaki coloured gun carriage is intolerable. Solid, living masses of humanity were driven with irresistible force up against the lines of soldiery, which struggled ineffectually to drive them back. This caused a slight delay in starting the procession.

The streets through which the procession is passing are ablaze with purple, black and white drapings. In St. James' street there is a perfect blaze of purple of all shades. Piccadilly is gorgeous. The clubs are entirely veiled in purple cloth, relieved with white bows and rosettes.

The boom of cannon rattles the windows along the line of march, sounding a monotonous, melancholy dirge.

Minute guns are being fired by artillery stationed in Hyde Park.

Earl Roberts, commander-in-chief of the forces, who is in full charge; the Earl Marshal, the Duke of Norfolk; and Sir Edward Bradford, Commissioner of Police, mounted, and in uniforms of their office, got the procession under way, while the royalties waited in a purple draped pavilion erected for their shelter at Victoria station.

The coffin containing the Queen's body was removed from the train by an officer and twelve men of the Grenadier Guards, who carried it to the gun carriage.

The Sovereign's crown, the mace and a sceptre of gold were placed on the coffin, where all might view the emblems of Imperial power.

King Edward, Queen Alexandra, Kaiser Wilhelm, Duchess of York, the Kings of Belgium, Greece and Portugal, Crown Princes, and Princes and Princesses of every royal house in Europe, from Egypt and far away Siam, stood with bowed, uncovered heads, as this next to last step on the journey to the tomb was taken. The master of the pageant began with starting off the mounted officers of the Headquarters Staff, followed by the bands of the Household Cavalry, forming a vanguard of the funeral procession.

Then came regiment after regiment of soldiery, in all a glittering panoply of war. First came the volunteers just back from South Africa, veterans who fought with Roberts on the sun-baked Transvaal veldts; then the colonial corps; militia, and infantry, representatives of the Indian army; four famous regiments of Foot Guards, Irish, Scots, Coldstream and Grenadiers; the Royal Engineers; the Royal Artillery; cavalry, dashing Hussars and Lancers; sailors and marines of the Royal Navy; military attaches of foreign nations; field marshals of the British army, with their staffs.

The Duke of Norfolk, Earl Marshal of England, with the gold sticks and the white staves, fell into line immediately ahead of the gun-carriage. Then, surrounded by an escort of non-commissioned officers of the Grenadier Guards, came

THE QUEEN'S BODY.

Eight cream coloured steeds drew the carriage, artillerymen marching by side of each. It was draped in white satin, with streamers of royal purple. Folds of the Royal Standard hid from view the coffin beneath it. At the head of the coffin, upon a pillow of purple violets, lay a golden crown, and below it the sceptre of solid gold, and a golden jewelled mace.

Tall Grenadiers of the escort formed three sides of the hollow square about the carriage, their scarlet and gold tunics and huge bearskin busbies making them a striking feature. Outside the Grenadiers on either side in two lines, rode the Lord Chamberlain, aides-de-camp, the Queen's physician, Sir James Reid, equerries, the Lord-in-waiting and the Lord-steward to the late Queen, and following, immediately behind the gun carriage,

RODE KING EDWARD VII.

On his left, was the Duke of Connaught, youngest son of the dead Queen; at his right was Kaiser Wilhelm of Germany, grandson of the Queen.

Four carriages, each drawn by four horses, conveyed Queen Alexandra and Princesses of the Royal house.

The order of precedence observed emphasizes the great changes the death of Victoria has made among her daughters; Princess Christian, Princess Beatrice and Princess Louise now yield places to the daughters of the King.

The thousands of reverent spectators who lined the route waited anxiously from early morning until the procession came in sight, and then every head was bared as the remains of the well beloved Queen were carried past.

Along Buckingham Palace road to the entrance to St. James' Park every coign of vantage was taken possession of, but the real density of the crowd was not apparent until the parks were neared, and all the immense spaces in St. James' Park, and the Mall were found to be

SURGING WITH HUMANITY.

As the cortege passed Buckingham Palace a number of school children started a reverential dirge, which was solemnly taken up by thousands of voices, and the good Queen's body was borne past the palace which she had occupied so often to the real visible signs of a nation's mourning. The police arrangements were on the whole admirable, and even in the narrow, lane-like street which leads from the Mall to Pall Mall, past the quadrangle of St. James' Palace, the crowds were kept in control. Here in front of the ancient palace was one of the best spots from which to view the procession. The courtyard, in which the Guards daily go through the ceremony of trooping the colours, was filled with a gathering which comprised the elite of English society. Peers and peeresses, all garbed in black, occupied the galleries of the stately pile, while even the police could not prevent the small boy and the man on the street from climbing on to the wall of Marlborough House, the former residence of the Prince of Wales, and braving the bottle-covered top in order to secure a view of the historic procession.

A sharp curve took the procession through a corner of Pall Mall—the street of clubs, each decorated appropriately in purple and black—on to St. James' street, whose broad thoroughfare gave an added opportunity to the populace to witness the stately pageant in comparative comfort.

Slowly and majestically the procession made its way. Every head was bared and many of the onlookers were not ashamed to let the tears roll down their cheeks as the last remains of the monarch they had loved so long were carried past.

Stately Piccadilly—one of the finest streets in Europe—was crowded as never before. The railings of the Green Park on the south side of Piccadilly each held a group of people, while the magnificent houses on the north side of the avenue were filled with more fashionable folk, but all united in sorrow.

Apsley House and Hyde Park Corner—with the historic statue of the Duke of Wellington on horseback—were passed in turn and the procession entered Hyde Park, where hundreds of thousands of people were crowded together on well-built stands along the Park Lane side in carts and costermongers' wagons, and on whatever temporary standing room they could find. Away in the centre of the Park, the guns of the Royal Artillery were firing minute guns as the procession passed along to the Marble Arch and so on to Edgeware road and Paddington station.

The only mishap of any importance during the whole pageant was a semi-panic at the Marble Arch just after the procession had passed, when, the gates being unexpectedly closed, the crowd were thrown into confusion and several women fainted. Nobody was, however, seriously hurt.

Paddington Station was reached at 1.15, and shortly afterwards—just as soon as the body could be placed in the funeral car—the train started for Windsor—King Edward and the German Emperor occupying the carriage immediately next to that in which the royal coffin had been placed, covered with myriads of wreaths and floral tributes.

The journey to Windsor was a smart one, the 21 miles being covered by special train in just one hour. The royal borough was reached at 2.30, and then the final progress to St. George's Chapel was begun.

The procession was even more gorgeous here than it had been in London, the Household troops and the Eton schoolboys being prominent features.

To the tones of minute guns in the Long Walk in Windsor Park, and amid the tolling of the bells in all the churches, the body was carried to St. George's Chapel. Three quarters of an hour sufficed for the journey from the railway station to the Castle and into the Chapel.

There the service began, the Archbishop of Canterbury and all the great Church dignitaries of England conducting the service. The service was as nearly as possible a replica of that which had been held over the Queen's beloved husband—the Prince Consort—nearly forty years ago. By the special request of the dead monarch the same solemn music was used and the same ceremonies observed.

At the conclusion of the service the royal coffin was left in the chancel of St. George's Chapel, and will remain there under guard until Monday, when the remains of Victoria the Good will be carried without ceremony to the Mausoleum, at Frogmore, where they will repose beside those of her dead husband until the last day when all men and women will arise to answer the summons of the Lord.

Le Pionnier, Montréal—12 mai 1901

LE POLE NORD AUX CANADIENS

Depuis le 3 mai 1901, Le Pionnier *est publié à Montréal. En 1888, Chicoyne avait fait l'acquisition de cet hebdomadaire de Sherbrooke dont le tirage atteignait 18,000. Devenu "montréalais", le journal qui est dirigé par Amédée Denault, a la vie moins facile et, un an plus tard, il devra fermer ses portes.*

En mai 1901, le nom du capitaine Bernier, explorateur polaire, commence à retenir l'attention du public. Un comité d'honneur vient d'être constitué pour patronner sa première grande expédition. L'heure est à la conquête du Pôle: la Russie, les Etats-Unis, l'Italie sont dans la course. Le Canada s'inscrit à son tour, mais avec un retard considérable.

Le capitaine Bernier ne sera pas le premier à toucher le Pôle Nord. Mais son nom deviendra célèbre. A noter qu'à l'époque, on s'interroge sur l'utilité de cette expédition avec un scepticisme comparable à celui qui entoure aujourd'hui la conquête de la lune!

From May 3, 1901, Le Pionnier *was published in Montreal. Chicoyne had bought the Sherbrooke weekly in 1888, when it had reached a circulation of 18,000. But as a Montreal publication the paper, edited by Amédée Denault, found life more difficult and was obliged to close down one year later.*

In May, 1901, the name of Captain Bernier, polar explorer, was beginning to command the attention of the public. A committee had just been formed in support of his first great expedition. Conquest of the North Pole was the great challenge of the day; Russia, the United States and Italy were in the race. Canada in its turn signed up, although with considerable delay.

Captain Bernier was not to be the first to reach the North Pole, but his name became a household word. It can be seen that at the time people questioned the usefulness of this expedition, with a scepticism comparable to that surrounding the conquest of the moon today.

Depuis que notre intrépide compatriote de Québec, le capitaine J. E. Bernier, s'est mis en tête de faire cette conquête peu banale, toute une puissante organisation s'est constituée peu à peu pour le seconder en son gigantesque dessein.

Il existe aujourd'hui un comité, dont Son Excellence le comte de Minto, gouverneur général, est le Patron; lord Strathcona, le président; sir Clements Markham, premier vice-président; l'hon. R. R. Dobell, M.P.P. C.P., second vice-président et directeur; le lieutenant colonel Irwin, trésorier. Ce comité s'appelle "Comité de l'expédition polaire", et siège au N° 117 rue Bank, Ottawa.

Il vient de faire un appel à tout le peuple du Canada afin de provoquer une souscription populaire pour supplémenter l'aide accordée par les gouvernements du Canada et de la province de Québec à l'entreprise du capitaine Bernier.

On sait que la Russie a placé des crédits presqu'illimités à la disposition de l'amiral Makaroff, qui cherche à atteindre le pôle Nord, pour la gloire de l'empire moscovite. Le multimillionnaire William Zeigler, de New-York, est prêt à dépenser un million et demi, pour permettre à Evelyn B. Baldwin d'aller faire flotter le drapeau étoilé au sommet des régions hyperboréennes. Le duc des Abruztes a déjà consacré cinq cent mille piastres ($500,000) et il se dispose à dépenser encore un million pour qu'un fils de l'Italie soit le premier à gravir les hauteurs inaccessibles où le Génie du pôle Nord a enfoui ses secrets.

Or, de tous ces hardis explorateurs, Bernier est celui dont les plans d'action rencontrent le plus unanimement l'approbation des autorités compétentes, parce qu'ils sont plus conformes à la nature et plus en harmonie avec les données de l'expérience. Ils paraissent, en conséquence, les plus vraisemblablement capables d'aboutir au succès.

C'est pourquoi, sans admettre une très haute utilité pratique à cette expédition polaire, il est à souhaiter qu'elle réussisse. Nous ne pouvons nous empêcher de faire des voeux pour que l'initiative aventureuse du capitaine Bernier soit efficacement secondée par la nation canadienne, ne serait-ce que pour la fierté bien légitime de voir arriver bon premier au pôle Nord le drapeau de la Confédération canadienne.

The Evening Telegram, St. John's—Monday, December 16, 1901

MARCONI'S SUCCESS

Newfoundland has played an important role in transatlantic communications, due to her strategic position as an island outport in the western Atlantic. In 1866 the transatlantic cable was landed at Hearts Content, Newfoundland, and has functioned ever since. And to Newfoundland in 1901 came Guglielmo Marconi, at the age of twenty-seven, to complete his experiments in sending wireless signals across the ocean. On Wednesday December 11, 1901, in the newly built Cabot Tower on Signal Hill, St. John's, Marconi received the first transatlantic wireless message from a station in Poldhu, Cornwall. The world was shaken: wildly enthusiastic or openly sceptical. But after the tumult had died down, Marconi's attempt to set up a wireless station in St. John's was frustrated by the Anglo-American Telegraph Company, and he moved on to Nova Scotia.

L'île de Terre-Neuve a joué un rôle important dans les communications transatlantiques, parce qu'elle occupe une position stratégique dans l'Atlantique de l'Ouest. C'est à Hearts Content (T.-N.) qu'on a posé en 1866 le câble transatlantique. Il fonctionne depuis ce temps-là. C'est aussi à Terre-Neuve que se rendit en 1901 Guglielmo Marconi, alors âgé de 27 ans, pour compléter ses expériments dans l'envoie de signaux sans fil à travers l'océan. Le mercredi, 11 décembre 1901, dans la nouvelle tour Cabot sise sur la colline des Signaux, à Saint-Jean, Marconi captait le premier message transatlantique d'une station de Poldhu, en Cornouailles. Le monde en éprouva un choc: c'était de l'enthousiasme délirant ou un scepticisme qui s'affichait. Une fois le tumulte apaisé, Marconi essaya d'ériger une station de t.s.f. à Saint-Jean. Ses efforts étant entravés par l'Anglo-American Telegraph Company, *il déménagea ses pénates en Nouvelle-Ecosse.*

Signor Marconi is today the most celebrated man in the world and his name stands out in bold prominence above all others as the greatest genius of the age. He has achieved a success that, in the words of Paul Kruger, has staggered humanity. Wireless telegraphy at long distances is an accomplished fact, for Marconi has spoken to a man one thousand nine hundred miles away, with no other medium than that which existed on the morning that Noah came out of the ark. Nature grudgingly gave out THE GREAT SECRET; but bit by bit Marconi made the bold venture and subdued the hidden secrets of dame nature to obey his own will. The very thought of it sets one aghast. The humble genius who received the Telegram reporter at the Cochrane Hotel makes no vain-glorious boast about what he has achieved. He is as modest as a school boy, and one would not think he was the wizard who wrought this all-inspiring wonder of science, that at once realizes the tales of the Arabian nights and the stories of Jules Verne. It is no wonder that New York stood astounded and refused to believe the news when it was flashed over the wires on Saturday night. Newspapers were skeptical and before sending the report to their printers wired for CONFIRMATION OF THE NEWS. The citizens of St. John's even doubted the truth of it on Saturday night. They had cast an occasional glance up at Signal Hill the past few days while the experiments were going on. They had seen electrically charged kites whirling in the storm-tossed air over Signal Hill now and then. But they did not attach much importance to the matter. They knew that Mr. Marconi was making experiments, but up to Saturday they had failed. This was not the case, for he had succeeded in getting from the Lizard, Cornwall, the letter S (. . .) of the Morse Code distinctly at 11:30 on Wednesday, TWENTY-FIVE DIFFERENT TIMES, and the same success was expected on Thursday. In order that there would be no doubt about the genuineness of those messages, Mr. Marconi cabled to friends in charge of the transmitting apparatus at the Lizard to verify the signals and have them reported at a prearranged moment. This made assurance doubly sure, and there remained no doubt in the mind of Mr. Marconi that what he dared hope to do when he established an elaborate apparatus at Cornwall last August, was accomplished. It was the faith and confidence in himself that prevailed on the company to allow the establishment of a station at Lizard Point, on the coast of Cornwall. This was kept in the background FEARING A POSSIBLE FAILURE. The published object of Marconi's visit to our shores was to install on Signal Hill or some other favourable point the necessary machinery to communicate with the ocean liners passing the coast of Newfoundland. The Chart of the Wreck published by Mr. Murphy, superintendent of Marine and Fisheries Department, had awakened the world to the advantages that would be derived from establishing a wireless station on this coast to warn ocean-going steamers from their threatened doom of being lost on the rocks in the vicinity of Cape Race. From experiments made at NANTUCKET, NEW YORK, AND OTHER PLACES, Mr. Marconi knew that his success would be repeated here and he would be able to pick up ships two hundred and fifty or two hundred miles to the south. This is the summer route of the ocean liners. Perhaps if the atmospheric, topographical and mineralogical conditions at Signal Hill, St. John's, were favourable, Mr. Marconi would be able to reach even the winter track of steamers, four hundred and fifty miles to the south. Marconi had all this outlined in mind, but his greatest hope was centered at the Lizard, in Cornwall, nearly two thousand miles away. Whilst having great confidence in this he dared not give it out to the public through newspaper representatives, fearing a possible failure. He had installed in August last an electrical transmitting apparatus OF THIRTY HORSE POWER at Lizard, in a way so quiet that it attracted very little attention. Now it has accomplished its work and astounded the world. In telling about it to a Telegram reporter last night, Mr. Marconi said that if the distance had been ten miles greater it may be that the power would not be sufficiently strong to transmit the message, and that the thirty horse power apparatus was taxed to its full capacity in making the recorder give an intelligible sound at Signal Hill. The sound was quite distinct, but very faint, and it was only frequent and uniform repetition of the letter S (. . .) of the Morse Code that could leave no doubt. This could be easily remedied, and, as the principle had been exhibited, the triumph was in NO WISE THE LESS. Wednesday the eleventh of December, 1901 will be put down as the memorable day in the history of the world—the day on which one of the greatest achievements in science was accomplished. It will be a proud boast for the people of Newfoundland to say in the words of the poet when looking back upon it, Magna pars quorum fuimus. We heartily congratulate Signor Marconi on his success. There is a fascination in imagining him sitting at his table in the building on Signal Hill, with watch in hand, waiting for the hand to point to the moment agreed upon with his friend on the other side of the Atlantic. The hand moves slowly around, the scientist's mind is STRUNG TO A POWERFUL TENSION. Will the dreams of his life—of his soul's ambition—be realized? A quiver like an angel's breath breathes over the receiving instruments, and the delicate recorder begins to move, low as a whisper of a dying child at first, but in half a minute gaining strength. The secret of the ages was being yielded grudgingly, as it were, to the listening ear of the high priest of electrical science—Signor Marconi. The sounds were now distinct, and what ravishing music they made when the three dots of that letter S (. . .) were repeated, GROWING STRONGER EACH TIME. A new spirit was born to science with a tip of its wing on each side of the ocean. The old Atlantic cable heard the news; quivered and groaned. Telegraph cable stocks slumped on the market Saturday evening, and there was fever heat excitement among business men. As soon as Signor Marconi had made up his mind there was no doubt about the success of his experiment, he called on his excellency Governor Boyle Saturday afternoon and gave him the first information which was immediately cabled to THE BRITISH GOVERNMENT AND THE ADMIRALTY. Among foreign newspaper correspondents, Mr. T. J. Murphy was the first to get a message, one hundred and fifty words off to the New York Journal, and M. A. Devine to the Montreal Star. Both these papers cabled yesterday for five hundred additional words, and photographs of Signal Hill, etc. All the big newspapers sent for special despatches, the news being regarded as the most important that has ever fallen on the world of science. Mr. Marconi said last night "Some of the New York people refuse to believe it", well, that's not to be wondered at. No doubt they will believe by and by.

BOB EDWARDS

LAFFERTY APPOINTED

Robert Chambers Edwards started his famous paper, The Eye Opener, *in High River, Alberta, in 1902 and moved it to Calgary in 1904. From then until Edwards' death in 1922 it continued as a somewhat irregular weekly, appearing whenever Edwards felt like it or when the Post Office insisted he publish to retain his mailing privileges.* The Eye Opener *became widely known outside the Calgary area for its witty, irreverent attacks on leading public figures and for its lusty enjoyment of the lighter side of politics.*

The "news" story reprinted here was written by Edwards five months before *Alberta became a province. A prolonged dispute had been held over whether the capital should be located in Edmonton or Calgary, and the decision for a temporary site had gone to Edmonton. This story was in rebuttal to Edmonton's claims that the permanent capital would be in that city. Dr. J. D. Lafferty was a prominent Calgarian and, while his normal activities did not in any way resemble the characterization given him by Edwards, he did have a keen sense of humour. The article, which appeared in* The Eye Opener *on March 18, 1905, was supposed to have been reprinted from the Edmonton* Bulletin *of July 2.*

Robert Chambers Edwards a lancé son fameux journal, The Eye Opener, *à High River (Alb.), en 1902, et le transporta à Calgary en 1904. A partir de ce moment-là jusqu'à la mort d'Edwards en 1922, la feuille continua de paraître plutôt irrégulièrement comme hebdomadaire. Elle paraissait chaque fois qu'Edwards en avait envie ou quand le ministère des Postes en exigeait la publication pour lui conserver ses privilèges postaux. L'*Eye Opener *se tailla une grande réputation en dehors de la région de Calgary par ses attaques spirituelles et irrévérencieuses contre des vedettes de la vie publique et par son exploitation hardie du côté divertissant de la politique.*

*Le reportage reproduit ici a été écrit par Edwards cinq mois avant que l'Alberta ne devienne une province. Une dispute s'était prolongée au sujet de savoir si la capitale devrait être située à Edmonton ou à Calgary. On choisit Edmonton comme emplacement temporaire. Le reportage en cause répond aux gens d'Edmonton qui prétendaient que la capitale permanente serait dans cette ville. J. D. Lafferty était un notable de Calgary. Même si son champ normal d'activité ne répondait nullement à la description qu'en donne Edwards, il avait un sens très vif de l'humour. L'article publié dans l'*Eye Opener *du 18 mars 1905 était censé avoir été reproduit du* Bulletin *d'Edmonton, numéro du 2 juillet.*

Dr. Lafferty yesterday became the first lieutenant-governor of the new province of Alberta. Edmonton was en fête. It was her first gala day since the hanging of King at the fort.

Lafferty was in great form. Every eye was bent on that weird figure as he was driven amid wild huzzahs to the scene of his inauguration, escorted by a body guard of influential real estate sharks. The tepees and shacks on either side of Main street were tastefully decorated with bunting and streamers, appropriate mottoes—"God bless Lafferty," "How would you like to be the Iceman," and so forth—catching the eye on every hand, while the goats on the roofs of the Irish quarter shook their shaggy beards in sympathy with the occasion.

The new lieutenant-governor ever and anon stood up in his carriage and raised his hat, smiling fatuously and wagging his head, at which hundreds and hundreds of partially Seagramized citizens raised their voices in enthusiastic acclaim. Nellie Brown and Lil Whatshername, of the Old Timers' committee, strewed roses in front of the carriage, performing the while a complicated variation of the once-famous koutchee-koutchee dance, to the intense delight of the populace. The scene was oriental. Behind the gubernatorial equipage came the town band, discoursing martial music for all it was worth. The sound of cannons issued from every billiard hall, and the screams from the neighboring asylum gave the scene a characteristic local tone.

At the Grand Central hotel a stop was made for a drink, the occupants of all the carriages descending and lining up in front of an affable young man who wore a spotless white vest and an interrogative smile. The lieutenant-governor did the honors and made a rather witty speech from the top of the bar, whither he had been hoisted, announcing that the treat was on him. By common impulse, as if some electric communication had passed through the crowd, the whole mass moved forward. It was fully fifteen minutes before the procession was ready to proceed.

A similar stop was made at every hotel on Jasper Avenue, and by the time the lieutenant-governor and his suite arrived at the Fair Grounds, where he was to be sworn in, the crowd was feeling all right, thank you. When his honor mounted the judges' stand, which had been transformed into a throne, a roar of applause rent the air. The grand stand, as well as the race track from the turn into the home-stretch, was one seething mass of humanity. The spectacle was one of exceeding splendor. From beginning to end the ceremonies that followed were as dignified, impressive and picturesque as such ceremonies could possibly be.

The enthusiasm may, in a measure, be explained. His honor having duly set 'em up at eight different hotels en route to the grounds, it was felt that the affairs of a great free and enlightened people were in just the proper hands, especially if he kept up the good work.

As the sublime Dr. Lafferty, gorgeously attired in his new Windsor uniform and with a four-point Hudson's Bay blanket carelessly thrown over his shoulders to keep out any drafts that might be drawn on him, reached the throne, he bowed graciously right and left. With bared head he repeated after the Chief Justice the simple and impressive oath of office, after which he solemnly stroked his whiskers and kissed the open pages of the Bible held out before him.

A wave of emotion passed over the surging mass of human beings and press reporters. Women sobbed with uncontrollable emotion, while strong men wept. The half-breed quartette relieved the strain by striking up "Alouette, gentille alouette," in the chorus of which the people joined, those on the grounds catching up the refrain and making the welkin ring with this most convivial of ditties.

At this juncture Bishop Legal, representing the Pope, stepped forward to place the cocked hat on Lafferty's head and crown him Lord of all, but the new ruler of this glorious province seized the cocked hat and with his own hands placed it on his massive koko, thus following in the footsteps of his great prototype, Napoleon. This episode will no doubt become equally historic, especially if John A. Macdougall gets out another book.

The new lieutenant-governor had risen to the occasion. It was universally remarked, in Edmonton colloquialism, that there were no flies on him. He was self-possession itself. Lighting a cigar of Edmonton manufacture, he calmly eyed the cheering multitude with impassive face. Patiently he waited until the crowd settled itself and perfect order obtained, and, having smoked down to the cabbage in his cigar, he dropped it on the head of a spectator and proceeded to deliver the Speech from the Throne.

"Ladies and Gentlemen,

"As a personal representative of the British monarch, I have the honor to inform you that it affords King Edward and myself unalloyed pleasure to greet you on this the red letter day of the new province of Alberta. My appointment meets with our joint approval. I know of no act of the Liberal party which has given His Majesty and myself such sincere gratification. (Cheers). A cablegram reached me this morning from Buckingham Palace, which I am sure you would all like to hear,—'Buckingham Palace, Old Kent Road, London. His Majesty desires me to state that he is all tickled up the back. Ponsonby, secretary.' (Prolonged cheering and cries of 'Wot's the matter with Lafferty? Lafferty's all right.')

"I am sorry my old friend, James Reilly, is not here today to participate in your acclamations. Doubtless, like many of my appendicitis patients, he feels considerably cut up, but there is still room for him in the senate as a retired sage should he care to hire a slab in our national Mausoleum. ('Good boy, Lafferty!' 'Stay with it!'). Those who feel moved to write panegyrics about myself are requested to send copies to my friend Reilly, to alleviate his pain. ('You bet!' 'Keep a-goin!' 'Soop her up!').

"It grieves me, however, to inform you, ladies and gentlemen—but it is my duty to do so—that there is but little probability of Edmonton becoming the permanent capital. ('Wow, wow, wow!' 'Wot's that?'). As a Calgarian of many years standing—('Lynch him!' 'Eat 'em up!' 'Tear down the throne!')—I must say that we have your northern burg faded—('Soak him!')—to a standstill. ('Duck him in the river!') No, gentlemen, you won't duck me in the river. In an official sense I am Edward the Seventh, King of Great Britain and Ireland. If you duck me in the river you will be ducking the King, and that will be lese majestie. ('Knock off his cocked hat!') Do you know what lese majestie means? ('Go to hell!') No, it does not mean that either .It means that you will all be jugged. ('Oh, come off the perch!' 'Soak your head!' 'Chuck a brace!') Gentlemen, if you carry on in this style, what am I to say in reply to His Gracious Majesty's message from across the sea? Am I to tell His Majesty that you are all bug-house? ('Certainly!' 'Tell him the truth!' 'Go on!' 'Shut up!') Gentlemen, I almost wish my friend Reilly had received this appointment. ('Yawp!') Indeed I do. Were it not that Mr. Reilly has just joined a sect which is waiting for the world to come to an end, I should be tempted to turn over my cocked hat to him. I would, so help me, Johnnie Rodgers. But I fear I bore you. ('You do!' 'Dry up!' 'Not at all!' 'Shut up!') As Lady Godiva said when returning from her ride, 'I am now drawing near my clothes.' (Roars of laughter.) By way of propitiating the furies, I beg to invite you all to accompany me up town and we shall again visit all the hotels at my expense. (Wild burst of applause and frantic shouts of 'Lafferty's all right!' 'Good boy, Lafferty!' 'Long live Lafferty!' 'Three cheers for Lafferty!' 'Laf-laf-laf-ferty-ferty-ferty! Lafferty—hoopla!') Pray, gentlemen, contain yourselves while the chaplain pronounces a benediction on these impressive exercises." ('All right, hurry up!' 'Get a move on!' 'Cut it short!' 'Shut up!')

The procession was quickly reformed and the lieutenant-governor returned to the city with the whole male population trailing along close behind his carriage. The much-heralded inauguration ball in the evening turned out a fizzle. Only ladies were present and there was consequently no dancing. The men were all busily engaged with His Honor, doing up the town. Their yells were distinctly heard in the ball room, and many of the ladies returned home early in disgust. It seems a pity that our citizens cannot comport themselves decently on an occasion of this kind.

It is needless to say that Dr. Lafferty has endeared himself to the residents of this burg. A leading bartender was heard to remark that he was 'quite a sport,' while another gave it out officially as his opinion that the worthy doctor would need three or four Collinses tomorrow morning before he could get on his cocked hat. This stamps him as an acclimated Edmontonian and the Bulletin extends a hearty welcome. We bespeak for the genial doctor a reign of unexampled popularity.

La Presse, Montréal—27 avril 1907

L'IMPRUDENCE DES JINGOES

La Presse *était devenue libérale peu après l'arrivée de Laurier au pouvoir en 1896. Mais le 11 octobre 1904, Berthiaume avait vendu le journal à Mann et Mackenzie dont David Russell, dans cette transaction, n'était que le fondé de pouvoirs. Au tournant du siècle,* La Presse *avait installé ses bureaux et ses ateliers dans le nouvel immeuble de la rue Saint-Jacques. Son tirage était considérable, et Berthiaume avait retiré de cette vente $750,000. Mais il avait très tôt regretté son geste irréfléchi et grâce à l'intervention de Laurier, il avait pu reprendre* La Presse *en mains le 2 novembre 1906.*

Au printemps de 1907, on parlait beaucoup de "la marine à Laurier" qui devait être "canadienne en temps de paix et impériale en temps de guerre". Les nationalistes québecois et les tories combattaient le projet avec vigueur quoique pour des raisons différentes. A Londres, Stephen Leacock, professeur à McGill, qui allait devenir le premier et le plus illustre des humoristes canadiens, avait réclamé la formation d'un Conseil impérial. La Presse *décida d'intervenir et, dans un article qui faisait largement état de nos différents avec les Etats-Unis et du comportement de la Grande-Bretagne, dénonça, dans la personne de Leacock, l'imprudence des "jingoes" ou des impérialistes.*

La Presse *became Liberal shortly after Laurier came to power in 1896. But on October 11, 1904, Berthiaume sold the paper to Mann and Mackenzie, with David Russell acting as agent in the transaction. Its circulation was considerable and Berthiaume had made a profit of $750,000 from the sale. But very soon he regretted his hasty action and, thanks to Laurier's intervention, was able to regain control of the paper on November 2, 1906.*

In the Spring of 1907 there was a lot of talk about "the Laurier Navy," which was to be "Canadian in time of peace and Imperial in time of war." Quebec nationalists and Tories fought the project vigorously, although for different reasons. In London Stephen Leacock, a McGill professor who would become the first and most famous of Canadian humorists, had called for the formation of an Imperial Council. La Presse *decided to intervene and, in an article that took into account our differences with the United States and the behaviour of Great Britain, denounced, in the person of Leacock, the "imprudence" of the "jingoists" or Imperialists.*

Le *Witness* est d'une extrême mauvaise foi lorsqu'il accuse *La Presse* de refuser à un citoyen (le professeur Leacock) le droit d'exprimer son opinion sur les affaires du jour. Nous avons formellement dit le contraire, et il est heureux que le *Witness* même ait reproduit nos propres paroles à ce sujet mardi dernier. Il les à très exactement traduites dans la citation suivante de nos remarques:

There is nothing extraordinarily dangerous that a man should expound his own views abroad, but it becomes a different thing if McGill University is supposed to speak through him.

Ce serait folie de notre part de refuser à M. Leacock une liberté de parole que nous réclamons pour nous-mêmes. Mais, un gradué du McGill a le droit de savoir si son "Alma Mater" est disposée à enseigner la destruction de tout l'édifice fédéral dans les paroles suivantes prononcées par M. Leacock:

"Voici maintenant, pour la grandeur et la richesse de notre pays. Puissent l'âme et l'esprit de son peuple égaler sa grandeur! Jusqu'ici il y a eu défaut. Notre politique, notre vie publique et notre pensée ne s'élèvent pas à la hauteur de nos destinées. Les POLITICIENS ECLABOUSSEURS DU COMMERCE, LES HOMMES DE PARTI ET LES GERANTS DE PARTI nous donnent, au lieu d'une politique patriotique, un trafic SORDIDE et un AGIOTAGE toléré. Pour du pain, c'est une pierre. Aigre est le cri des DINDONNEAUX D'OTTAWA, qui bataillent tout en faisant leurs nids de branches et de boue sur les falaises de la rivière. Bruyants sont aussi les chants des PETITS HOMMES DE LA PROVINCE, prônant, leur évangile favori: les DROITS PROVINCIAUX accaparant les faveurs du pouvoir jusqu'à ce que son cri se répande et que toutes les villes se HAISSENT mutuellement et que chaque hameau des campagnes réclame à grands cris SA PART DE BUTIN ET DE PILLAGE. C'est bien là le bilan de notre politique, transmettant en sourdine la voix du SECTAIRE EN ROBE NOIRE, à la figure émaciée, aux yeux fuyants EXPLOITANT LE FANATISME DES ANCIENS JOURS. C'est de cet esprit que nous devons nous DEBARRASSER. C'est le

DEMON que nous devons exorciser, la maladie, le ver rongeur de la corruption, grandi dans l'indolente sécurité de la paix, que nous devons brûler en nous dans le feu pur d'un patriotisme impérial qui n'est pas une théorie, mais une passion. C'est notre besoin, notre suprême besoin de l'Empire—non pour ses vaisseaux, ses canons, mais pour sa grandeur, son âme, et sa continuelle sécurité.

"Pas d'indépendance alors, pas d'annexion, pas de stagnation: non plus cette doctrine d'un petit Canada que quelques-uns préconisent, moitié partie de l'Empire, moitié en dehors, avec une MOQUERIE DE MARINE qui lui est propre; une jolie marine celle-là—pauvre affaire de DEUX SOUS, folâtrant sur sa PETITE ROUTE strictement circonscrite par le Golfe Saint-Laurent, SOT accessoire de la marine de l'Empire, à demi-séparée, la plus facile à broyer à volonté. Tout comme la marine de la province ou de la paroisse, faite à la maison pour servir à la maison, BONNE A METTRE en calesèche, tous les samedis, dans le lac Nipigon!"

Si tel est l'enseignement moderne du McGill, il n'y a plus, selon elle, de confédération canadienne sur la moitié du continent Nord-Américain. Si c'est être ridicule que d'invoquer l'autonomie des provinces, à nous concédée par le Parlement de la Grande Bretagne; si tous nos hommes publics ne sont que des spéculateurs et des vendus; si notre grande voie du Golfe n'est plus qu'une petite route offerte à la moquerie, alors ouvrons ce profond tombeau de l'impérialisme pour y ensevelir nos ambitions et nos fiertés nationales. Nous ignorons qui pourra venir récolter l'herbe poussant sur ces débris.

Le *Witness* est-il incapable de comprendre que les prévisions conçues par *La Presse* de violents conflits attachés à un Conseil Impérial viennent d'un esprit entièrement britannique? Il n'a qu'à entrer en lui-même, dans sa bonne conscience de citoyen intelligent, pour juger comme nous, qui n'avons aucune arrière-pensée. Si l'on nous met sur le pied d'associés, nous aurons autant de griefs que nous éprouvons de refus ou d'humiliations. Or, et sur ce point, nous en appelons à toute la science de tous les savants de Montréal et ailleurs, la Grande Bretagne ne nous a jamais protégés une seule fois contre les empiètements américains, parce qu'elle ne pouvait pas le faire.

Même, dans le jugement concernant les réclamations de l' "Alabama", où elle paya $15,500,000 pour les dommages imaginaires, elle refusa de soutenir en compensation les réclamations de sujets canadiens vivants dans le Sud et notamment en Louisiane, que les armées américaines avaient ruinés sans raison.

La Grande Bretagne força le Canada à rembourser $60,000 aux Banques de St. Albans, parce que l'incursion des Sudistes avait été préparée à l'insu de tous sur le territoire canadien; mais, elle ne voulut pas exiger des Etats-Unis une indemnité de $1,300,000 au Canada pour les excursions féniennes organisées ouvertement contre nous sur le sol américain.

Et, de fait, pourquoi arguer sur les mots? Pourquoi nous jeter dans les chimères de l'Impérialisme, quand la Grande Bretagne elle-même nous dit qu'elle n'est pas responsable de notre proximité avec les Etats-Unis. C'est ici que nous attirons toute la science du professeur Leacock, excellent au sarcasme, mais peu outillé pour la science politique. Quand Sir Georges Cartier et l'hon. M. William McDougall, représentant à Londres en avril 1869, le gouvernement canadien, demandèrent au gouvernement anglais d'exiger des Etats-Unis une réparation pour l'invasion fénienne, Lord Granville, ministre des colonies, leur répondit très gravement:

"Downing Street, 14 avril 1869.

Cette organisation (de Féniens) fondée sur des sentiments entretenus par beaucoup d'Irlandais des Etats-Unis contre l'Angleterre, prend son importance du fait que des armées considérables ont été récemment licenciées et n'ont pas encore été absorbées par des occupations paisibles. Un tel état de choses est toujours dangereux pour un pays voisin: ET SI LES CANADIENS EN ONT SOUFFERT, CE N'EST PAS PAR LEUR CONNEXION AVEC L'ANGLETERRE, MAIS PAR L'ACCIDENT PASSAGER DE LEUR POSITION GEOGRAPHIQUE.

GRANVILLE.

Donc, dans ce cas particulier qui affectait si intimement le Canada, pas de DRAPEAU ANGLAIS. Tant pis pour nous, si nous sommes mal situés. Mais, alors, pourquoi l'Angleterre est-elle venue nous prendre, si elle ne veut plus défendre sa propriété?

Par le traité de Washington, n'avons-nous pas été obligés de livrer nos pêcheries à la participation américaine?

Ne sommes-nous pas forcés de livrer nos canaux aux Américains, quand ceux-ci nous refusent des avantages réciproques sur le canal Erie?

En 1783, les Américains ne demandaient que le droit de navigation dans la Rivière Saint-Jean. Mais, quand il fut question d'interpréter le traité de 1814, les Américains brisèrent l'entente adoptée et finirent par obtenir du Czar de Russie, nommé arbitre, 8,000,000 d'acres enlevés au Nouveau-Brunswick et à la Province de Québec. Quand on découvrit en 1824 que l'interprétation du traité de 1783 avait été

This Toronto *Telegram* cartoon, opposed in sentiment to the story below, represents the Imperialist viewpoint: Laurier is pictured as preoccupied with words rather than actions when it came to strengthening Canada's ties with the Empire.

Cette caricature du *Telegram* de Toronto, qui s'inspire d'un sentiment contraire à celui de l'article reproduit ci-dessous, représente le point de vue impérialiste: on montre un Laurier plus enclin à parler qu'à agir pour resserrer les liens du Canada avec l'Empire.

faite à la légère et que l'on dut recourir à un second arbitrage, les Etats-Unis refusèrent d'accepter la sentence du roi des Pays-Bas. L'Angleterre abandonna tous nos droits en 1842 par ce malheureux plénipotentiaire, Lord Ashburton.

En outre, par le même traité de 1783, la Grande Bretagne a cédé aux Etats-Unis deux cent soixante millions d'acres de terre dans le Nord-Ouest. Elle a même consenti à changer trois fois la ligne de Pembina. Par le traité de 1814, les Etats-Unis prirent sur eux de vendre, en 1824, la Colombie Anglaise. Il fallut en venir au traité de 1842, en vertu duquel les Américains réclamèrent de nouveau et nous forcèrent à leur laisser l'Ile San Juan, qui ferme à la flotte anglaise l'entrée du détroit de Fuga et qui leur concède la co-propriété de ce détroit.

On connaît les pénibles et récentes concessions de l'Alaska.

On connaît les confiscations de navires et les emprisonnements de navigateurs canadiens dans quelques républiques de l'Amérique du Sud.

On connaît les misères de Terreneuve.

Nous pourrions bien ajouter, plutôt sous forme de plaisanterie, que la Grande-Bretagne réclama du Canada quatre mille dollars pour dommages faits aux carabines qu'elle nous avait prêtées durant cette résistance à l'invasion fénienne, dirigée exclusivement contre elle.

C'est ainsi, du reste, que la Nouvelle-Zélande dut débourser $20,000,000 pour une guerre déclarée par la Grande-Bretagne sans sa participation.

Eh bien! Cette longue énumération de griefs bien connus, nous ne la faisons que pour l'histoire; car, il n'en reste pas une trace d'ulcération dans les coeurs canadiens. Nous avons su comprendre que la Grande-Bretagne, ayant d'immenses intérêts impériaux à protéger dans toutes les parties du monde, était obligée de négliger les intérêts du Canada. Si, aujourd'hui, nous faisons ce factum, apparemment désagréable, ce n'est nullement pour nous plaindre et pour sembler manquer de confiance en la Mère-Patrie. C'est pour répondre, tout simplement, aux imprudentes provocations des jingoes comme le professeur Leacock, qui veulent nous forcer, au nom de la protection britannique, à renoncer à notre autonomie pour ne faire qu'un tout avec l'Empire.

Les hommes sensés, par tout le Canada, savent que l'Angleterre serait incapable de protéger nos 3,000 milles de frontières contre une population américaine de 85,000,000, qui a autant d'argent et plus de soldats que la Grande-Bretagne. Aussi, ne nous lui en faisons pas un reproche. Nous voulons, au contraire, l'aider de toutes manières en ne heurtant jamais nos voisins.

Si nous venons en conflit avec les Etats-Unis, ce sera simplement pour des raisons impériales, comme dans l'affaire du Trent, par exemple, ou comme ce qui a failli être celle du Venezuela sous Cleveland.

C'est pourquoi nous n'avons pas besoin d'un Conseil Impérial dans lequel nous ne compterions jamais. Nous en avons pris, très volontiers, notre parti, et, en restant simple colonie, nous épargnons bien des déceptions, bien des colères inutiles.

La Presse l'a dit encore ces jours-ci: Sir Wilfrid Laurier sauvera l'Empire contre les vues outrées des impérialistes sans tête et sans jugement.

BOURASSA L'EMPORTE

Organisée par la Ligue nationaliste, l'assemblée de St-Roch du 5 août 1907 est demeurée mémorable: Armand Lavergne présidait et Bourassa était l'orateur invité. Alexandre Taschereau lui-même était présent — mais dans la foule! L'assemblée fut particulièrement orageuse. A combien estimer la foule qui s'était massée sur la place Jacques-Cartier? "Il y avait bien de quinze à vingt mille personnes", écrit L'Evénement. *"10,000 personnes présentes", titre* Le Soleil.

Louis-Philippe Pelletier était alors rédacteur en chef de L'Evénement. *Ses principaux collaborateurs Philippe Landry, Thomas Chapais, Thomas-Chase Casgrain, F.-X. Drouin. C'est l'ère des "castors". Les nationalistes et les conservateurs du Québec ont uni leurs forces. Au fait, en 1911, la coalition viendra à bout de Wilfrid Laurier. Mais en 1907, dans le comté de Québec-Est tout particulièrement, les libéraux sont les plus forts et l'assemblée de St-Roch en témoigne.*

Le Soleil *qui a pris la suite de* L'Electeur *le 26 décembre 1898, après que le journal de Pacaud eut été frappé d'interdit par l'Ordinaire de Québec, est l'organe officiel du parti libéral. Respectivement premier ministre du Canada et premier ministre du Québec, Wilfrid Laurier et Lomer Gouin en assument la direction comme ils en assurent le financement. D'Hellencourt en est le rédacteur en chef.*

L'Evénement *est un quotidien du matin;* Le Soleil, *un journal du soir. Chacun a sa clientèle, mais la règle du jeu est la même pour les deux: l'adversaire ne peut ni ne doit avoir raison.*

Organized by the Ligue nationaliste, *the St. Roch meeting of August 5, 1907 has remained memorable; Armand Lavergne presided and Bourassa was the invited speaker. Alexandre Taschereau himself was present — but as a member of the audience. The meeting was particularly stormy. It is hard to say just how many people were in the throng in Jacques Cartier Square. "There were from fifteen to twenty thousand," wrote* L'Evénement. Le Soleil *reported "ten thousand people present."*

This was the golden age of les castors, *which saw the union of the Nationalists and the Quebec Conservatives. In 1911 this coalition was to be the means of breaking Wilfrid Laurier. But in 1907, and in the County of Quebec East in particular, the Liberals were strongest, as witness the St. Roch meeting.*

L'assemblée nationaliste a eu lieu.

Environ une centaine de voyous, stimulés par la boisson, poussés par des chefs qui seraient bien indignés si on les qualifiait de voyous—ce qu'ils sont pourtant—ont fait l'impossible pour empêcher les orateurs de parler.

Mais M. Bourassa et ses amis ont parlé quand même et le discours du député de Labelle a produit beaucoup d'impression sur la foule.

Or, il y avait bien quinze à vingt mille personnes, lorsque le député de Labelle et ses amis sont arrivés sur la place Jacques-Cartier, vers les 8 heures.

En sa qualité de président de la "Ligue Nationaliste," M. Armand Lavergne présidait l'assemblée.

Prenant la parole, le député de Montmagny expliqua en peu de mots le but de la Ligue qui se compose de libéraux et de conservateurs, animés du désir d'étudier et de discuter les questions politiques.

Lorsqu'il y a huit ans, il entra dans la carrière politique, en prenant part à une assemblée dans la même division électorale, la liberté de discussion était reconnue. Il a fait ce qu'il a pu dans l'intérêt de son parti, et il n'a jamais agi par intérêt pécuniaire. (Applaudissements). Aujourd'hui il demande au public d'aider la cause nationaliste.

—Quelle est votre politique, demande une voix.

M. LAVERGNE—Je vous le dirai dans un instant. Je veux d'abord vous dire pourquoi nous sommes venus à St-Roch, ce qui paraît aigrir quelques faiseurs. Nous sommes venus ici parce que nous croyons vivre dans un pays libre où la liberté de parole est respectée. C'est à Québec-Est que les grands mouvements libéraux ont été inaugurés et bien qu'on ait récolté ailleurs, c'est à Québec-Est que l'on a jeté la bonne semence. (Applaudissements).

Il paraît qu'on s'étonne de nous entendre discuter la politique provinciale. Nous avons un devoir à remplir comme canadien-français, et c'est dans la province de Québec qu'il faut le remplir. C'est ici qu'il nous faut défendre nos droits.

Ici, un groupe de gueulards posté à droite de la tribune

interrompt violemment l'orateur.

Se tournant vers eux, M. Lavergne s'écrie: voilà notre politique, mais vous ne voulez pas l'entendre. (Applaudissements).

Le député de Montmagny attaque alors la question de colonisation, mais il est impossible de suivre son argumentation. La bande de gueulards vocifère: Ferme ta gueule, t'as menti, couche-toi. Pas de Lavergne, c'est Laurier qu'il nous faut.

Le spectacle de cette meute avérée est dégoûtant.

Une bouteille vide de Painkiller arrive par la tête d'un journaliste.

M. Lavergne continuant, dit: Si Sir Wilfrid Laurier était ici, il n'y aurait pas tant de voyous.

Il reprend son argumentation sur la question de colonisation et lorsqu'il fait allusion à la Caisse Electorale, une pluie de cailloux arrive sur l'estrade.

Où en est rendue notre législature, demande M. Lavergne. Est-elle ce qu'elle était au temps de Chapleau et Mercier? Non. Nous sommes sous le règne des voyous à gages.

UNE GROSSE PIERRE

abat la lumière électrique suspendue au-dessus de la tribune et il est évident que le but de la bande de gueulards est de faire l'obscurité afin de mettre fin à l'assemblée.

Dans cette province où il n'y a ni chef, ni politique, nous vous offrons une politique et un chef, celui-ci le fils du grand Papineau. Ici les pierres commencent à pleuvoir de nouveau et M. Lavergne termine son discours au milieu du brouhaha.

M. Phydime Simard, du Conseil Central des Métiers et du Travail, essaie de rétablir la paix, mais sans succès. Les pierres pleuvent encore et la police invitée par l'échevin Fiset à se montrer, sort du poste où la gardait le sous-chef Walsh, intervient enfin. Sa présence a pour effet d'arrêter les pierres pendant quelque temps.

Dans l'intervalle

M. BOURASSA PREND LA PAROLE.

Une grande partie de l'assemblée l'acclame avec enthousiasme, pendant que trois ou quatre petits groupes continuent à gueuler des inepties que leur a suggérées le capitaine Champenois du *"Soleil"* et de gros messieurs voyous rouges qu'on remarque ici et là jouissant du résultat de l'enseignement qu'ils donnent à la foule.

Le député de Labelle a été magnifique. Il avait à peine commencé son discours que les pierres commençaient de nouveau à pleuvoir. Sans s'émouvoir et tout en évitant les projectiles avec une habileté étonnante, M. Bourassa continua à parler.

Le député de Labelle a d'abord déclaré qu'il était venu à Québec pour discuter la politique à la demande de citoyens de Québec, et il est venu à Québec-Est parce qu'il a toujours considéré Québec-Est comme un endroit où la liberté de discussion est respectée. Sir Wilfrid Laurier lui-même regretterait les scènes dont on est témoin ce soir. Il rend cette justice à Sir Wilfrid qu'il permet toujours à un adversaire d'exprimer ses opinions.

Une bande de voyous ivres a été engagée pour nous empêcher de parler, continue M. Bourassa. Je ne suis pas habitué à ce genre de discussion. Durant la guerre Anglo-Boer, j'ai combattu les idées des impérialistes avec toute la vigueur dont j'étais capable et les clubs impérialistes ont passé des résolutions protestant contre mes opinions. Jamais aucun d'entre eux n'a engagé de gueulards pour m'empêcher de parler. Au contraire, ils m'ont reçu avec courtoisie lorsque j'ai été les combattre sur leurs propres terrains. Des scènes de ce soir, je ne tiens ni les libéraux, ni les conservateurs responsables, elles sont l'oeuvre d'une bande de voyous qui ne sont pas eux-mêmes beaucoup responsables de ce qu'ils font.

Cette comparaison qui mettait dans une lumière si odieuse la conduite des voyous de l'assemblée d'hier soir, exaspéra les organisateurs de la bande qui ordonnèrent une nouvelle décharge de cailloux et de briques. La rage de ces bandits dut cependant se lasser devant l'attitude souriante de M. Bourassa, qui ne recula pas d'une semelle, se contentant d'incliner la tête de côté et d'autre suivant la direction que prenaient les pierres.

On eut alors une idée de ce qu'était la voyoucratie organisée. Dans une assemblée de quinze à vingt mille personnes généralement avides d'entendre ce qui se disait, il n'y avait pas plus de trois à quatre cents gueulards et, cependant cela suffisait pour interrompre le discours, quand il eut suffit de cinq minutes d'efforts de la part de la foule pour réduire cette dégoûtante troupe de forcénés au silence le plus complet.

Le calme s'étant quelque peu rétabli, M. Bourassa en profita pour aborder la politique provinciale et la question de colonisation.

La disparition de la forêt fait place à la famille qui augmente la population et nécessite l'augmentation de la représentation en Chambre. Mes idées là-dessus ne sont pas nouvelles. Je les ai déjà exposées à Québec avec l'approbation de Sir Wilfrid Laurier et de Sir Charles Fitzpatrick.

Une voix—Ce sont de grands hommes.

M. BOURASSA—Je le crois comme vous, mais bien que j'aie déjà différé d'opinion avec eux, je puis dire qu'ils auraient honte de la conduite d'un certain nombre d'entre vous, ici ce soir.

LES DROITS DU COLON ET DU MARCHAND DE BOIS

doivent être également protégés' et au besoin, défendus, dit M. Bourassa. Le marchand de bois doit avoir un délai suffisant pour prendre le bois sur ses limites, mais le colon doit avoir pleine liberté d'ouvrir sa terre à l'agriculture. Malheureusement aujourd'hui, le colon de bonne foi, fait place au spéculateur.

Quelques oeufs pourris, lancés vers l'orateur, ayant manqué leur but: le député de Labelle remarque au milieu des applaudissements, que ce sont probablement des oeufs couvés par *Le Soleil.*

Au lieu d'ouvrir des chemins dans toutes les directions, continue le député de Labelle, nous ne devrions en ouvrir que dans les centres de colonisation seulement, afin que les colons, travaillant côte à côte réussissent à fonder plus vite des paroisses et des municipalités, deux organisations essentielles pour les attacher au sol.

J'EN AI VU DE PIRE

s'écrie M. Bourassa, au moment où une pierre l'atteint au bras.

Le gouvernement, poursuit-il, devrait agir comme un homme d'affaires. Il n'a pas le droit de vendre des limites avant de les faire explorer, et il ne devrait pas en disposer comme il le fait maintenant. Il devrait s'assurer avant de la valeur exacte du territoire qu'il offre en vente et donner des avis suffisants et ensuite n'adjuger qu'au plus haut enchérisseur et non pas à un ami du gouvernement.

Cette apostrophe provoque une nouvelle grêle de pierres, dont l'une fend au front un nommé Bergeron, de la Beauce, taillant une profonde blessure.

—Que pensez-vous, riposte Bourassa, de cailloux, comme arguments. Tant que j'aurai un souffle de vie dans le corps, s'écrie le député de Labelle, serais-je blessé que je ne garderai pas le silence devant les pierres et que je ne cesserai pas de remuer la conscience publique. (Applaudissements prolongés).

La police se porta alors vers l'endroit d'où partaient les pierres. En même temps, MM. Robitaille et Lavergne, qui étaient descendus dans la foule informaient M. Bourassa que M. L. A. Taschereau intervenait dans l'action de la police.

Je ne puis le croire, dit M. Bourassa, mais l'on m'informe que M. Alexandre Taschereau, un membre de la législature et un échevin de cette ville empêche la police de faire son devoir.

M. TASCHEREAU—Ce n'est pas le cas.

La foule et la police entourèrent M. Taschereau et pendant quelques minutes l'attitude de la foule semblait menaçante.

Pas de violence, s'écrie M. Bourassa, laissez ça à la bande organisée par nos adversaires.

Alors, quelques amis de M. Taschereau pensant qu'il allait être arrêté, l'entourent, le hissent sur les épaules et l'applaudissent, pendant que le gros de la foule, hue le député de Montmorency.

Le vacarme devient bientôt général, pendant que M. Bourassa traitait la question des pouvoirs d'eau.

M. Bourassa n'en continua pas moins son discours au milieu des pierres dont l'une atteignit notre confrère, le Dr. Dorion de St-Roch, représentant de *La Libre Parole* qui était assis sur la plateforme. Le projectile a fait une blessure assez douloureuse qui n'aura heureusement pas de suites graves.

Venez donc discuter comme un gentilhomme, s'écrie M. Bourassa, s'adressant à M. Alexandre Taschereau.

Cette invitation exaspère les voyous.

M. Lavergne répète l'invitation.

Dans chaque cirque, il faut un clown, reprend M. Bourassa, mais je n'aurais jamais cru qu'un représentant du peuple, un substitut du procureur-général et un homme portant un nom aussi respecté que celui de Taschereau jouerait un tel rôle. Je suis heureux de constater que les responsabilités pèseront sur les épaules de qui de droit.

A ce moment, les amis de M. Taschereau lui font une petite démonstration.

La pluie de pierres et de briques prit alors de telles proportions que M. Bourassa dut abréger son discours.

M. Bourassa et ses amis regagnèrent leur hôtel suivis par une foule sympathique jusqu'à la rue du Pont.

Et la foule se dispersa écoeurée de la façon dont s'étaient conduits les voyous inspirés par certains meneurs du parti libéral.

Quelque temps après l'assemblée, M. d'Hellencourt, directeur du *Soleil* et son ami Girard, directeur du *Journal d'Agriculture* et commissaire de M. Prévost, se rencontrèrent avec M. Lavergne et son associé, M. Alleyn Taschereau. La conversation tomba, naturellement, sur l'assemblée.

Se montant sur ses ergots, le Champenois riposta qu'il avait servi pendant 14 ans sa patrie avec le même dévouement qu'il servait le Canada.

—Oui, riposta M. Alleyn Taschereau, on sait comment!

Sur quoi le Champenois dirigea son poing vers la figure de M. Taschereau qui para le coup pour en porter un droit à la figure du directeur du *Soleil.*

On s'élança immédiatement sur les deux combattants pendant que plusieurs spectateurs demandaient les uns de les calmer, les autres, de les laisser faire.

Finalement, le calme se rétablit.

Le Soleil, Québec—6 août 1907

ASSEMBLEE D'HIER A SAINT-ROCH

La fameuse assemblée Bourassa, annoncée depuis une quinzaine, a eu lieu hier soir. Une foule d'environ 10,000 personnes s'était rendue sur la place Jacques-Cartier.

L'assemblée se composait d'éléments assez disparates, un grand nombre de conservateurs, tout ce que Québec peut en compter, beaucoup de libéraux venus en curieux, pour voir ce qui se passerait. Il y avait plusieurs étrangers. Malgré toutes les précautions prises, l'assemblée a été tumultueuse. La grande masse des spectateurs était indifférente, et n'a pas cru devoir protester. Il n'y a que deux orateurs qui ont put un peu se faire entendre, MM. Lavergne et Bourassa. Le bruit a commencé par des chants. Quelques partisans de M. Bourassa ont cru spirituel d'arroser la foule avec des "hoses". Ca été le signal de cris divers, d'interruptions et ce qu'il y a de plus regrettable c'est qu'on ait été assez criminel pour lancer des cailloux; les cailloux sont plus durs que l'eau.

Vers 8 heures, M. Armand Lavergne, accompagné de MM. Bourassa, Omer Héroux, J. Phydime Simard, L. Robitaille, M.P., Frs. Xavier Dufour, avocat à Saint-Joseph de Beauce, Alleyn Taschereau, Dr. F. X. J. Dorion, L. Onésime Beaubien, de Québec, et les autres, des jeunes avocats de Montréal et des représentants de quelques journaux, montèrent sur l'estrade érigée spécialement pour la circonstance.

M. Armand Lavergne ouvrit l'assemblée. Il s'en constitua président à titre de président du district de la Ligue Nationaliste.

Il débuta par quelques paroles doucereuses, et fut assez bien écouté, jusqu'au moment où il s'en prit à la politique du gouvernement provincial, dont il voulut faire, non pas une critique loyale, car alors on eut continué à l'écouter, mais une critique de démagogue; il employa l'expression: "banqueroute de la politique de l'hon. M. Gouin." C'était de toute évidence, de la démagogie, et la foule s'est elle-même, spontanément, fait justice. "Pas de blagues", s'est-on écrié de toutes parts.

Le tout jeune orateur évoqua ses souvenirs politiques, et ses débuts. On se contenta de sourire. Les souvenirs politiques d'Arinande!

Cependant, comme le jeune Armand fut élu, accidentellement, député pour le fédéral et non pour le provincial, et que la manière dont il voulut parler de la politique provinciale prouvait qu'il n'en connaissait pas le premier mot, n'ayant que des accusations sans preuve à porter, ou des insinuations déloyales à faire, la foule lui répondit: "Pas de ça, bel Armand."

Pour préparer les voies à "celui qui marche sur les flots," les hoses ayant répandu sur l'assemblée la rosée que les amis de M. Bourassa croyaient devoir être bienfaisante,—elle ne l'est pas toujours, et ne le fut pas, cette fois—.

M. Bourassa succéda à M. Lavergne une demi-heure après, pour laisser à la rosée le temps de produire son effet. L'expérience a prouvé que les douches d'eau froide sur une assemblée sont une mauvaise préparation.

M. Bourassa a eu beau enfiler des généralités, des banalités, des lieux communs, la provocation de sa voix et de ses gestes n'a pas du tout plu à ceux qu'on venait d'arroser.

Nous sommes assurés d'une chose. L'assemblée était disposée à entendre patiemment M. Bourassa. Tous ceux qui étaient là l'auraient écouté jusqu'au bout. Les conversations que nous avons entendues de toutes parts le prouvent. Il n'y a eu aucune organisation de tapage. C'est absolument faux de dire que des personnes ont organisé le tapage pour empêcher M. Bourassa de parler. Les interruptions ont été individuelles, spontanées, tout autant qu'universelles, provenant toutes du ton de provocation et de défi adopté par l'orateur, et de ses accusations personnelles contre nos amis, entre autres M. Alexandre Taschereau, et contre l'hon. M. Gouin.

M. Bourassa a commis une gaucherie. Il en a été aussitôt puni, et si l'assemblée n'a pas voulu supporter plus longtemps ses fanfaronnades, si elle a cru devoir se faire justice à elle-même, sur-le-champ, c'est la faute de M. Bourassa, sa faute seule.

Au reste, M. Bourassa a récolté un peu ce qu'il méritait.

Il a organisé, dans le comté de Québec, le tapage et le désordre, pour faire manquer les assemblées de nos amis. Il a manqué à la parole d'honneur, en empêchant le Dr. Béland de parler, dans une assemblée, où il était formellement entendu que les deux orateurs parleraient. Ses partisans ont été jusqu'à briser des voitures. Le vent a été semé par M. Bourassa dans le comté de Québec; la tempête a été récolté par lui à Saint-Roch.

M. Bourassa a accusé le *Soleil* d'avoir organisé le désordre à l'assemblée de Saint-Roch. C'est archi-faux. Nous n'avons rien de mieux à faire qu'à prier M. Bourassa de relire notre journal. S'il n'est pas un misérable, il avouera qu'il s'est trompé.

M. Bourassa a accusé M. Alexandre Taschereau de vouloir empêcher la police de faire son devoir. C'est encore plus faux. M. Taschereau est venu en spectateur. Loin d'avoir voulu empêcher la police de faire son devoir, il lui a recommandé de faire son devoir. M. Bourassa comme cela lui arrive assez souvent, a dit tout le contraire de la vérité.

Nous ignorons, cependant, de quel droit le Dr. Fiset voulait faire assommer par la police ceux qui criaient: "Vive Laurier".

M. Bourassa a prétendu avoir de "grands vices radicaux" à dénoncer. C'est son dada favori.

Il n'oublie pas de parler de lui. A l'âge de vingt ans, il faisait des miracles.

Il veut une réforme ici, une réforme là, des réformes partout.

A dix heures et demie, M. Bourassa et ses amis se dirigèrent ensemble vers le Château Frontenac, se refaisant les uns aux autres les discours qu'ils avaient dû rentrer, sur la place Jacques-Cartier.

M. Armand Lavergne nous a annoncé deux nouvelles:

1° Il est le président local de la Ligue Nationaliste.

2° Après avoir été à Ottawa remettre sir Wilfrid dans le droit chemin de nos institutions, de notre langue et nos lois (comme disait l'ancien *Courrier du Canada*), LUI et son ami M. Bourassa avaient le devoir de faire le même travail de régénération à Québec.

Cette hérésie a causé la première panique, la foule ahurie cherchant partout refuge contre cette pluie de vantardises enfantines.

M. Lavergne s'est cru l'orateur de la soirée. Sans égard pour son hôte, M. Bourassa, il a péroré sur la politique provinciale avec une mélancolique ignorance.

La foule était venue pour entendre M. Bourassa, et les longueurs du jeune Armand ont ennuyé ses meilleurs amis.

M. Bourassa a dit avec son jeune ami que sir Wilfrid était un grand homme. Dont acte.

Item. Que sir Wilfrid avait maintenu haut et ferme les droits et les prérogatives des provinces.

La foule était de la meilleure humeur du monde et serait restée dans les meilleures dispositions si Phidyme Simard ne s'était pas joint à A. Lavergne pour essayer de l'abrutir.

On demande où M. Laflamme était hier soir. Il était pourtant annoncé comme un des orateurs.

Les gens ont appris avec surprise que tous les sportsmen sont des braconniers. C'est M. Bourassa qui l'a dit.

Les marchands de bois sauront aussi que leur premier devoir est de lancer des invitations à tous ceux qui ont le désir de faire du bois dans leurs limites.

M. Bourassa a réglé en un tour de main la question des colons et des marchands de bois, selon le remède qu'il a proposé au Drill Shed, en 1903.

En somme, sur la colonisation, il a répété, presque mot pour mot, ce même discours.

Le député de Labelle a dû dormir d'un sommeil profond s'il ignore que sous l'honorable M. Turgeon, les pouvoirs d'eau se LOUENT et ne se vendent pas. Il a rêvé qu'il y avait eu cette année une vente de limites à bois.

"La province est en banqueroute," s'écriait Armand Lavergne. Or depuis M. Marchand, M. Parent et M. Gouin, les surplus sont toujours allés en augmentant. Le surplus de cette année est de $500,000.

Cette affirmation de M. Lavergne a causé un éclat de rire qu'on aurait entendu jusqu'à Beauport, patrie de Lorenzo Robitaille, sergent de couleurs dans la compagnie nationaliste.

Le susdit Lorenzo n'a pas été invité à parler. Les amis ont eu peur de la pluie.

M. Bourassa a déclaré que ni les libéraux, ni les conservateurs ne devaient être tenus responsables des interruptions.

Mais alors ce sont les nationalistes qui ont fait le vacarme.

Le député de Labelle se plaint des lois minières de la province de Québec. Est-ce qu'il ignore que dans l'Ontario comme dans la Colombie Anglaise, on ne paie PAS UN CENTIN pour les permis de recherches.

Le sympathique Olivar Asselin brillait par son absence. L'assemblée a été désappointée de ne pas voir cette figure qui paraissait avec tant d'avantage aux dernières assises criminelles.

Nous prions M. Bourassa de croire que *Le Soleil* ne pond pas d'oeufs pourris, ni d'oeufs clairs comme les siens.

Des cailloux ont été lancés. Nous regrettons et nous condamnons de toutes nos forces ces actes. Les cailloux, comme les calomnies, sont l'arme des peureux.

A ce propos, M. Bourassa a commis une jolie gaffe, quand il s'est adressé directement à M. Alexandre Taschereau qui était, comme nous, spectateur paisible. M. Taschereau lui revaudra sa couardise en temps et lieu.

Chose curieuse, l'attaque absurde de M. Bourassa a eu un effet qu'il n'attendait point. La foule a hissé M. Taschereau sur ses épaules, malgré toutes ses résistances, et M. George Parent a eu le même triomphe.

Un bon habitant de Beauport disait en voyant ce vacarme: "C'est bon pour Bourassa. A Beauport, quand le docteur Béland l'a invité à parler, il a parlé le premier tant qu'il a voulu, et quand le tour du docteur est arrivé, il l'a empêché de parler au moyen des voyous de Montréal et d'ailleurs. La tricherie revient à son maître."

A dix heures trente, tout était fini. L'estrade était aussi vide que les orateurs.

Des malins disent que c'est Lorenzo Robitaille qui tenait la "rose" nationaliste.

Les orateurs en voulant injurier *Le Soleil*, nous ont fait une réclame gratuite. Malgré la méchanceté de l'intention, qu'ils acceptent nos remerciements.

C'est égal, nous ne pensions pas M. Bourassa capable de ces petitesses.

A juger par le sentiment général, toute l'assemblée était non pas hostile à M. Bourassa, mais absolument opposée à la Ligue Nationaliste et à ses idées.

Enfin, si les journaux adversaires croient que l'assemblée d'hier est une victoire, nous savons par les opinions exprimées dans la foule que c'est une victoire à la Pyrrhus. Encore une comme celle-là et le parti nationaliste est mort.

Entendu à la fin: Qu'est-ce que tu ferais, à la place de Bourassa?

—Je m'en irais.

—En bien moi, je ne serais pas venu.

Après l'assemblée, un brave homme est monté sur l'estrade et a peint en deux mots la situation: "Avant sir Wilfrid Laurier, je charroyais du charbon à 25 cents la tonne et je devais de l'argent. A cette heure, voyez comme je suis bien habillé, j'ai un beau surtout, j'ai une maison et je dois pas un sou à personne. Hourra pour Laurier."

Ce fut un hourra formidable.

Il y a eu des arrestations. La première est celle d'un homme de police de Montréal, dont M. Bourassa s'était fait accompagné à Québec. Ce "policeman" voulait battre tout le monde. M. Bourassa devait cautionner pour lui, et lui rembourser son amende.

GRAND DESASTRE NATIONAL

Le fait divers est le sang des journaux à fort tirage — surtout quand la tragédie qu'on raconte prend la taille d'un désastre national. Lorsque s'écroula le Pont de Québec, La Presse *mobilisa toutes les ressources humaines et matérielles dont elle disposait pour informer ses 100,000 lecteurs des moindres détails d'une catastrophe qui venait de coûter la vie à 90 ouvriers dont plus d'une trentaine d'Indiens de la réserve de Caughnawaga, spécialistes du "high steel".*

"La couverture" fut complète: le journal n'ayant rien négliger pour colliger tous les faits pertinents, les noms des morts, des blessés et des disparus, pour fournir enfin à ses lecteurs une description quasi photographique des scènes les plus dramatiques auxquelles le désastre avait donné lieu. Notons les noms des rédacteurs de "première ligne", ceux qui, de Québec, alimentèrent La Presse*: Fernand Dansereau, Cinq-Mars, J.-D. Charest et Philippe Roy. Au total, il s'agit d'un récit de 15,000 mots — soit deux pages de l'édition courante du journal — dont les 3,000 que nous reproduisons ici.*

The news story is the life-blood of newspapers with large circulations, especially when it takes the form of a national disaster. When the Quebec Bridge collapsed, La Presse *mobilized all the human and material resources at its disposal to inform its 100,000 readers of the slightest details of the catastrophe. Ninety workmen had lost their lives, more than thirty of them "high steel" specialists from the Caughnawaga Indian Reserve.*

There was complete coverage, the newspaper having neglected nothing in assembling all the pertinent facts, the names of the dead, wounded and missing, in order to furnish its readers with an almost photographic description of the most dramatic scences from the disaster. Note the names of the star reporters who fed La Presse *from Quebec: Fernand Dansereau, Cinq-Mars, J.-D. Charest and Philippe Roy. Taken as a whole the story adds up to 15,000 words—two pages, let us say, of the current edition of the paper—of which 3,000 are reproduced here.*

Au moment où la population de Québec se réjouissait de la prospérité générale de Québec, et des brillantes perspectives qui sont à l'horizon, pour Québec en particulier; au moment où les spéculateurs faisaient des placements sur les propriétés foncières à Québec, avec la quasi certitude de réaliser de superbes bénéfices, un simple accident vient de faire crouler maints rêves.

Au moment où toute la population du Canada jetait un regard d'envie sur Québec, en face de toutes les riches perspectives qui appartiennent à la vieille capitale, un vulgaire mais terrible accident est venu semer la terreur et le désespoir dans les esprits. Une partie, soit la maîtresse partie des travaux de construction du pont de Québec, a été détruite en une seconde. La catastrophe a été aussi rapide que l'éclair. Cent braves ouvriers, peut-être davantage, étaient occupés à ces travaux au moment de l'accident. Cette armée d'ouvriers a été lancée dans l'éternité en moins de temps qu'il n'en faut pour l'écrire. C'est une calamité sans précédent dans l'histoire de la vieille capitale.

Le monument qui devait être un nouvel élément de vigueur commerciale pour Québec, est au fond du St-Laurent. Cette nouvelle s'est répandue avec la rapidité d'une traînée de poudre par toute la ville, ainsi qu'à l'étranger. L'accident s'est produit un peu après cinq heures et demie. La structure en acier, du côté sud du fleuve s'est écroulée avec fracas, au moment où une locomotive en charge de MM. Davis, ingénieur, et McNaught, chauffeur, s'avançait sur la partie surplombant le pilier du large, désigné comme pilier à l'eau profonde.

Les immenses piliers en pierre n'ont pas bougé d'un pouce. Un des piliers de terre, a été quelque peu endommagé par la chute de cette masse d'acier. Le pilier de terre est situé à quelque trois cents pieds du rivage et le pilier d'ancrage est érigé trois cents pieds au large du premier. La structure en acier reposait solidement entre les deux piliers, et le tablier qui doit couvrir le milieu du fleuve entre les deux piliers à eau profonde, s'étendait à plus de cent pieds au large du pilier sud. Au-dessus de chacun des deux piliers, s'élevait une tour en acier à laquelle étaient attachés des câbles qui étaient retenus au rivage par de forts pieux. Ce sont ces derniers qui ont cédé, causant la destruction des travaux évalués à plus de deux millions de piastres.

Le tablier en acier qui s'étendait au large du pilier central s'effondra au fond du fleuve, ne laissant aucune trace de l'accident. Le tablier qui avait été couché entre les deux piliers se brisa en deux, au milieu, les deux bouts tombant dans le fleuve et reposant sur les bouts de l'acier brisé et tordu, formant un V. L'autre partie du tablier, entre le pilier de terre et les assises en pierre adossées au rocher, fut également brisée et mise en pièces sur le rivage.

Au-dessus des deux piliers, des tours en acier avaient été érigées temporairement pour maintenir le tablier, c'est-à-dire, le pont lui-même jusqu'au milieu. Le côté nord du pont est construit sur le même principe que sur le côté sud, mais les travaux sont de beaucoup moins avancés du côté du cap Rouge.

Les ouvriers qui étaient sur la partie du pont qui s'est effondrée, étaient pour la plupart des experts venus des Etats-Unis. Tous étaient à l'emploi de la Cie "Phoenix Bridge", de Phoenix, Etat de Pensylvanie.

Les contremaîtres déclarent que le nombre des victimes se chiffre dans les quatre-vingt, car c'est le nombre qui n'a pas répondu à l'appel, hier soir, à six heures, lorsque les chronométreurs ont préparé leur rapport.

Lorsque la nouvelle de l'accident se répandit de par la ville,

UN CRI D'EFFROI

s'échappa de toutes les poitrines, car plusieurs centaines de Québecois sont employés aux travaux du pont, et comme on était à l'heure du retour de chacun du travail, beaucoup de femmes et d'enfants attendaient en sanglotant, sur le seuil de la porte, la rentrée du chef de la famille. La plupart des ouvriers de Québec étaient hier employés du côté nord du pont, et ils ont été les témoins muets de la triste fin de leurs camarades. Toutefois, ils se sont attardés sur les lieux, et durant toute la soirée, des sanglots de désespoir ont retenti dans les quartiers ouvriers de la ville. Partout c'était un deuil complet. Les hommes d'affaires discutaient avec amertume le malencontreux contre-temps qui retardera le développement de Québec, tandis que la population ouvrière se lamentait sur la triste fatalité.

L'assemblée politique de M. Borden, chef du parti conservateur, fixée pour hier soir, eut lieu quand même, sur le square du marché Montcalm. Le programme fut écourté, tant à cause de la catastrophe, qu'à cause de l'absence inopinée de MM. T. Chase Casgrain et Maréchal, de Montréal. M. Sévigny, un jeune avocat originaire de Valleyfield, établi depuis peu de temps à Québec, fut le seul orateur qui monta à la tribune avec MM. Borden et Bergeron. M. Sévigny annonça

LA TRISTE NOUVELLE

mais au grand désappointement de la plupart de ses auditeurs il y mêla de la politique de mauvais aloi.

Ainsi, il a dit qu'il voit dans cet accident le doigt de la Providence qui a voulu être sévère pour punir les crimes du gouvernement Laurier. Laurier, s'écria-t-il, s'est évanoui au fond du Saint-Laurent, et la destruction du pont de Québec sera le tombeau du parti libéral.

M. BORDEN

qui suivit le jeune Sévigny à la tribune, fit les remarques suivantes au sujet de la catastrophe: "Je profite de l'occasion pour vous exprimer mes regrets bien sincères et vivement sentis de la grande calamité qui vient de se produire. J'envisage cette catastrophe non pas au point de vue de parti. C'est un véritable désastre national. Quel que soit le parti au pouvoir, cette entreprise gigantesque et nationale devra être reprise dans le plus court délai possible. Je partage le deuil des familles profondément affligées ce soir, à cette heure même où elles pleurent des êtres chers disparus."

M. BERGERON

n'a pas dit un seul mot du terrible accident d'hier. Il s'est contenté de discuter froidement les affaires de la politique fédérale.

J'ai rencontré

M. M. P. DAVIS

le constructeur des assises en pierre du pont de Québec, et ce monsieur qui déplore autant que tout autre ce malheureux accident, ne craint pas de déclarer que la Cie "Phoenix Bridge" laquelle est responsable, dans son opinion, reprendra les travaux incessamment. A part les nombreuses pertes de vie qui sont irréparables, il ne s'agit que d'un délai de deux ou trois ans pour l'inauguration du pont que l'on espérait pour l'an 1909, en même temps que les fêtes du tricentenaire de Québec, lesquelles avaient été retardées d'un an expressément pour faire coincider les deux fêtes.

UN MONSTRUEUX AMAS

d'acier tordu, brisé, enchevêtré, est tout ce qui reste, sur la rive Sud du fleuve, de ce qui fut l'orgueil et la joie de Québec, de ce que ses citoyens montraient aux étrangers comme la réalisation de ce désir qu'avait formé la vieille capitale d'avoir le plus magnifique pont du monde, unissant les deux rives par un lien qui signifiait, pour Québec, un essor merveilleux vers la prospérité commerciale et industrielle. Aujourd'hui, à la place de cette merveille, il ne reste plus que des ruines indescriptibles où la charpente d'acier s'écrabouille en un amas informe.

Il était 5 h 37 précises, soit à peu près dix minutes avant que les ouvriers quittent le travail quand les hauts piliers du pont commencèrent à s'ébranler, puis avec un craquement horrible, ressemblant au bruit d'un tremblement de terre s'effondrèrent, entraînant avec eux quatre-vingt-dix ouvriers et peut-être plus.

L'eau jaillit et tourbillonna, quand la masse d'acier s'abîma dans le fleuve. La scène était terrible. Le bruit de l'effondrement se fit entendre à Sillery comme une terrible

DECHARGE D'ARTILLERIE

et les ouvriers qui travaillaient au pont du côté de la rive Nord, virent leurs malheureux compagnons, pris dans les débris croulants, s'abîmer avec eux dans le fleuve. De toute part, les bonnes volontés surgirent dans le voisinage, des sauveteurs s'improvisèrent et l'on tâcha de secourir le plus grand nombre possible de blessés.

Des cris d'angoisse et de douleur perçairent ça et là, à travers les débris. Mais dans beaucoup de cas, le sauvetage était impossible. Des hommes retenus par les pièces, comme par d'énormes clous, écrasés horriblement, perdant leurs entrailles, gisaient hors de la portée de tout secours, l'enchevêtrement des débris écroulés rendant impossible l'accès de la scène. Plusieurs avaient été précipités dans le fleuve et on ne les revit plus.

La liste des morts est désespérément longue. A une heure avancée, hier soir, soixante-dix hommes, dit-on, manquaient à l'appel, dix cadavres avaient été recouvrés, dix autres victimes dont plusieurs mourront, avaient été sauvées, souffrant des blessures terribles.

On demanda à la hâte des médecins et un grand nombre de médecins de Québec partirent pour la scène du désastre et prodiguèrent leurs soins aux malheureux qu'il était possible de sauver.

L'ingénieur en chef Birns, de la "Phoenix Bridge Company", le contremaître général Gazen, les contremaîtres J. Whaley et Idaho sont parmi les morts. Presque toutes les victimes venaient des Etats-Unis, mais on en compte aussi qui venaient de New-Liverpool et des environs. Parmi ceux qui ont perdu la vie on compte aussi

QUATRE MEMBRES

de la famille Hardu, MM. Cook, Joncas, Wilson, Beaudry, Weary, Garand, deux membres de la famille Proulx. Le père de ces deux derniers a été sauvé; il est blessé, ses deux fils ont disparu.

Jusqu'à une heure avancée, hier soir, on n'avait encore pu se procurer une liste exacte des disparus, aucun appel n'ayant encore été fait.

Il y a eu des sauvetages remarquables. Un homme dont on n'a pu se procurer le nom se tenait sur un des piliers lorsqu'il s'écroula. Il plongea dans le fleuve et nagea vers la rive, sans blessures.

Le mécanicien d'une locomotive, nommé Jess, était à l'extrémité du treillis, avec son chauffeur. Tous les deux glissèrent dans le fleuve avec leur locomotive; mais Jess parvint à sortir de son habitacle et se sauva. Le chauffeur, nommé Davis fut entraîné avec la machine et n'a pas été revu. Jess, qui était blessé aux côtes et à un bras ne prit pas le temps de se faire panser, mais alla bravement porter son aide aux sauveteurs et travailla héroïquement à sauver les autres victimes.

A un représentant de *La Presse*, M. Jess dit que la locomotive avançait sur le pont, quand tout à coup il ressentit un choc. Il ferma immédiatement la vapeur, mais l'engin continua à avancer et tomba à l'eau. Il resta à son poste, comme paralysé, dit-il, et plongea au fond du fleuve où il parvint enfin à se dégager et on le sauva à environ 300 verges plus bas.

A une heure avancée hier soir, on avait retrouvé dix cadavres. Plusieurs étaient presque méconnaissables. Ce sont ceux de Victor Hardy, New-Liverpool; Wilfrid Proulx, New-Liverpool; Nap. Labache, Caughnawaga; Louis Albaey, Caughnawaga; Angus Diebo, Caughnawaga; Angus Leaf, Caughnawaga; Zéphirin Lafrance, Saint-Roch.

Saint-Romuald—A cinq heures vingt-deux minutes une commotion semblable à celle que produit une secousse sismique est venue ébranler le sol et l'air. La population terrifiée fut aussitôt sur pied, s'attendant à quelque catastrophe épouvantable.

Cette commotion, formidable dans son intensité, ne dura que l'espace d'une minute, puis bientôt la nature reprit son calme habituel.

Cependant un effroyable malheur venait de se produire, plongeant au delà de cent familles dans le deuil. Le pont de Québec, la future huitième merveille du monde, venait de crouler tout d'une masse avec un bruit de montagne qui s'effondre, dans les eaux du Saint-Laurent, qu'il dominait de ses formidables dentelures. Le pont de Québec s'engouffrait dans quelque 180 pieds d'eau avec

UNE GRAPPE HUMAINE

de 100 ouvriers de Saint-Romuald, de Québec, de Montréal, de New-Liverpool, de Sillery, ainsi qu'avec d'autres experts à l'emploi de la Phoenix Bridge Co.

La nouvelle terrifiante se répandit à Lévis et à Québec comme une traînée de poudre, et bientôt après l'accident, des centaines de personnes se dirigèrent vers le lieu de la catastrophe. Ce fut, en peu d'instants, de Lévis au point, une longue et douloureuse procession composée des parents des victimes, d'amis sympathiques et de curieux. Tous les moyens de transport furent utilisés. D'autres firent à pied le trajet de Québec au pont, une distance de trois milles.

Le spectacle qui s'offrit aux yeux attristés est l'un

DES PLUS DESOLANTS

qui se puissent voir.

De la merveilleuse structure qui mirait, cet après-midi encore, ses dentelles titanesques dans les eaux calmes du fleuve, il ne reste plus qu'un amas de pièces d'acier tordues comme de minces broches dans un fouillis inextricable, formant un chaos sans nom que le soir qui tombe enveloppe d'un mystère épouvantable et d'où s'élèvent des cris de désespoir, des appels déchirants, des râles d'agonie. Une émotion intense paralyse toutes les énergies, affole tout le monde. L'angoisse la plus terrible étreint tous les coeurs. Dans ces cris, dans ces appels, dans ces râles, une épouse, une mère, un enfant, croit entendre la plainte d'un époux aimé, d'un fils, d'un père ou d'un frère.

On se précipite; mais comment tirer de sous cette masse inextricable d'acier, pesant plusieurs milliers de tonnes, ces corps d'agonisants. Ca et là ce sont des

LOQUES SANGLANTES

qui pendent lamentablement au bout des pièces d'acier tordues. On fait des efforts pour tirer un malheureux penché, inerte, sur une poutrelle, on ne retire que la partie supérieure du corps, la pièce d'acier l'a coupé en deux parties. Plus loin, un bras est crispé sur l'acier ensanglanté; il reste dans la main du sauveteur horrifié, il a été détaché du tronc. Les ténèbres planent maintenant sur toutes ces horreurs sans nom.

Les appels continuent, mais ce sont ceux des sauveteurs maintenant qui, munis de fanaux courent à la recherche des blessés que la douleur a vaincus. On retrouvera demain peut-être leurs cadavres en

BOUILLIE SANGLANTE.

A l'heure où je vous adresse cette dépêche les recherches se continuent, mais il est bien difficile d'établir le bilan des blessés et des morts.

Le Nationaliste, Montréal—26 juillet 1908

JULES FOURNIER

LETTRE OUVERTE

A Son Altesse Royale
le Prince de Galles,
aux fêtes de Québec,

A l'été de 1908, le prince de Galles avait été invité à participer aux fêtes du troisième centenaire de la fondation de Québec. Les nationalistes n'avaient pas aimé le comportement des pouvoirs officiels qui, disaient-ils, avaient utilisé ces manifestations au bénéfice de l'Empire alors qu'il aurait dû s'agir d'une "fête de famille".

Au moment où le prince de Galles mettait le cap sur le Royaume-Uni, Jules Fournier qui venait d'assumer la direction du Nationaliste, *décida de lui adresser une lettre ouverte. Fondé par Olivar Asselin, le président-fondateur de la Ligue nationaliste, le 6 mars 1904, cet hebdomadaire réunissait la plupart des signatures qu'on devait, par la suite, retrouver au* Devoir: *Henri Bourassa, Omer Héroux, Louvigny de Montigny, etc. D'ailleurs à compter de 1910,* Le Nationaliste *fut combiné avec l'édition du samedi du* Devoir*—et ceci jusqu'au 24 septembre 1922.*

Il est utile de préciser que le nationalisme d'Asselin, de Bourassa et de Fournier était canadien, et qu'en cela il s'opposait au nationalisme "québecois" préconisé par Tardivel dont le journal, La Vérité, *était publié à Québec.*

In the summer of 1908 the Prince of Wales was invited to take part in the celebration of the Tercentenary of the founding of Quebec. The Nationalists disliked the actions of the authorities, who, they said, were turning the event into an Imperial occasion when it ought to have been a "family party."

At the very time the Prince of Wales was on his way to the United Kingdom, Jules Fournier, who had just assumed the editorship of Le Nationaliste, *decided to address an open letter to him. Founded on March 6, 1904 by Olivar Asselin, president and founder of the* Ligue nationaliste, *this weekly brought together on its pages most of the names that were to be found later in* Le Devoir: *Henri Bourassa, Omer Héroux, Louvigny de Montigny, etc. From 1910* Le Nationaliste *was combined with the Saturday edition of* Le Devoir: *an arrangement that was to last until September 24, 1922.*

It is worth pointing out that the nationalism of Bourassa, Asselin and Fournier was Canadian, in contrast to the Quebec nationalism advocated by Tardivel, whose paper, La Verité, *was published in Quebec City.*

Altesse,

Quand vous quitterez notre pays pour retourner en Angleterre, on vous aura présenté plus d'une adresse et vous aurez écouté plus d'un discours. Vous aurez assisté aux parades de nos soldats, vous aurez entendu des bruits de fanfares et des clameurs de fête, vous aurez reçu les acclamations de vos fidèles sujets. Vous aurez aussi conversé avec notre gouverneur et nos ministres, vous aurez lu nos journaux, et vous croirez connaître le Canada.

Il vous manquera encore d'avoir pu pénétrer les sentiments de deux millions de citoyens de ce pays, qui tiennent pourtant dans notre situation politique une place trop importante pour qu'on les puisse ignorer. Ceux-là ne figuraient point dans les processions de ces jours derniers, ils n'ont fait aucun bruit et nul n'a entendu leur voix s'élever ni pour applaudir ni pour protester. Ils sont restés silencieux. Mais au moment où vous allez rendre compte au Roi de votre mission, il ne sera peut-être pas sans intérêt pour vous de connaître leur pensée.

Les Canadiens français, Altesse, regretteront profondément que vous ayez cru devoir participer aux fêtes actuelles. Ces fêtes, telles que vous les avez vues, sont un outrage à leur adresse. Ils voulaient célébrer cette année le troiscentième anniversaire de la fondation de Québec par Samuel de Champlain, leur ancêtre. C'était pour eux une fête de famille, à laquelle ils auraient été heureux de convier leurs concitoyens d'origine anglaise, mais à condition de lui conserver son caractère essentiel, qui était la glorification de Champlain. Notre gouverneur, en s'ingérant brutalement dans cette entreprise pour nous y enlever toute direction, et en transformant cette fête de famille en une démonstration impérialiste, en a, par le fait, exclu le tiers de la nation.

Nous sommes de fidèles sujets du Trône, nous n'avons aucun sentiment d'hostilité à l'égard de nos concitoyens anglais, et nous serons heureux, lorsque le moment en sera venu, de nous associer à eux pour fêter le souvenir de Wolfe.

Seulement ce n'est pas cette année l'anniversaire de Wolfe, et en reléguant à l'arrière-plan la figure de Champlain pour faire des fêtes de 1908 l'apothéose du conquérant de la Nouvelle-France, notre gouverneur aura commis une lourde erreur. Il aura pu par là créer au loin l'impression que l'idée impérialiste a gagné du terrain chez nous, mais au fond il n'aura réussi qu'à blesser dans leurs sentiments les plus chers tous les Canadiens de langue française.

Les sentiments de race en eux-mêmes peuvent prêter à discussion; ils reposent souvent sur des préjugés. Mais, quels qu'ils soient, ils constituent des faits qu'il est toujours périlleux de méconnaître. C'est pour n'avoir pas tenu compte des sentiments de race dans l'Egypte et dans l'Inde que l'Angleterre se voit aujourd'hui menacée de perdre ces deux colonies. On ne dira pas que l'incident de Denshawi, en 1905, eut une grande importance en soi: il a suffi cependant pour déchaîner en Egypte le plus vaste mouvement anglophobe qu'on y eût encore vu. Pareillement, la division du Bengale en deux provinces, pour les fins administratives, pourrait sembler justifiable à un étranger: aux Bengalis, accoutumés pourtant de longue date à des vexations en apparence bien plus graves, cela a paru plus inique que tout le reste. On les avait vus, lorsque la famine les fauchait par centaines de mille, sacrifier sans se révolter jusqu'à leur dernier morceau de pain pour payer l'impôt, pour entretenir à des sinécures les fils de famille dégénérés ou ruinés à qui la vie n'est plus tenable dans la métropole. Mais la division du Bengale—pour eux le Royaume sacré—est à leurs yeux pire que tout cela: c'est un sacrilège sans nom, tellement monstrueux que tout le monde a pris le deuil et qu'une agitation terrible couve aujourd'hui contre l'Angleterre dans toute cette contrée. La jour où cette agitation aura chassé les Anglais de l'Inde, les impérialistes pourront se féliciter de leur oeuvre. Ce sont eux en effet qui depuis longtemps dictent dans une trop large mesure la politique anglaise en Orient. En Egypte comme aux Indes, c'est l'arrogance impérialiste qui a porté les gouvernants anglais à fouler aux pieds les sentiments des races indigènes. Cette politique est inhumaine, mais surtout elle est maladroite: elle est à la source de toutes les difficultés survenues dans le passé entre les colonies et la métropole, et si l'Angleterre voit aujourd'hui les trois-quarts de son domaine asiatique lui échapper, elle ne peut s'en prendre encore qu'aux champions de l'impérialisme.

Ce sont les gens de cette école qui ont donné aux fêtes de Québec la tournure qu'elles ont prise. Ce sont eux qui nous ont enlevé toute part de direction dans cette entreprise qu'on disait destinée à honorer l'un des nôtres. Ce sont eux qui ont trouvé moyen de faire de cette fête en l'honneur du fondateur de Québec une manifestation en l'honneur du conquérant de la Nouvelle-France. Nous retrouvons ici tous leurs procédés. Sous la différence de formes, imposée par la différence de moeurs et de circonstances, c'est le même sans-gêne, la même arrogance, le même parti pris brutal d'ignorer les sentiments d'une autre race.

Ce sont ces gens-là encore qui vous ont décidé à venir au Canada pour prendre part aux fêtes de Québec. Ils ont voulu se servir de vous, de votre nom, de votre prestige, pour donner plus d'éclat à cette célébration, et étouffer d'avance les protestations qu'elle aurait pu soulever.

Ils sont allés vous trouver et ils vous ont dit que tous les Canadiens n'avaient qu'un coeur et qu'une âme en vue des prochaines fêtes et que tous en parlaient avec un égal enthousiasme.

Altesse, on vous a trompée sur la situation. Croyant venir participer à une fête qui réunissait tous les Canadiens, vous êtes en réalité venue donner votre concours à une coterie qui ne représente les idées que d'une infime partie de la nation.

Les Canadiens de langue française voulaient glorifier le fondateur de Québec. Notre gouverneur les en a empêchés sous prétexte de les y aider.

Il a fait comme un étranger qui, dans une réunion de famille où l'on célèbre la mémoire d'un défunt cher, irait sans y être invité se mêler à la fête, s'asseoir à la table, boire et chanter, sous prétexte qu'il est propriétaire de la maison et que l'on ne peut l'en chasser. . . .

Voilà, Altesse, si vous voulez la connaître, la pensée des Canadiens français sur ces fêtes.

De la voir exprimer de la sorte, cela vous surprendra probablement, car ce n'est sûrement pas ce que vous avez entendu dire depuis votre arrivée parmi nous. Ceux de nos hommes publics que vous avez rencontrés—je parle de ceux de notre race—vous ont sans aucun doute tenu un langage tout opposé. De plus, ce que vous savez, le rôle que nous avons joué depuis un certain nombre d'années, vous autorisait à croire que nous accepterions avec une certaine joie cette nouvelle humiliation.

Vous étiez donc doublement excusable de venir à ces fêtes qui font le bonheur de nos propres chefs et qui à en juger par l'histoire de ces derniers temps devaient plaire à tous les Canadiens français.

Mais il y a une chose que vous ne pouvez pas savoir: c'est que ces Canadiens français avec qui vous avez causé, et que vous avez décorés, ne reflètent à aucun degré les sentiments ni le caractère de leurs concitoyens de même origine. Quand vous les aurez vus, il ne vous faudrait pas croire que vous nous connaissez.

Dieu merci! nous valons mieux que ces gens-là. Ce n'est pas eux, la race.

La race, c'est l'ouvrier penché sur son outil, c'est l'industriel à son usine, c'est le marchand à son comptoir, c'est l'habitant courbé sur son sillon, c'est le colon ouvrant à la civilisation des terres neuves, tous faisant pousser de belles familles, tous gardant en réserve des trésors d'intelligence et d'énergie aujourd'hui perdus par le crime de nos gouvernants.

Eux, nous les connaissons aussi. Hommes de tous les partis, il y a quarante ans qu'ils nous trahissent et qu'ils nous vendent. Sans autre souci que le luxe ou la gloriole, ils n'ont jamais perdu une occasion de nous sacrifier au profit de leur intérêt personnel, en détruisant graduellement le résultat de deux siècles et demi de combats et d'efforts. Nos pères, les découvreurs et les premiers colons de ce pays, avaient conquis à notre race, dans toutes les provinces du Canada, des droits égaux à ceux de la population anglaise: eux les ont fait supprimer par des lois et l'on a vu au Parlement du Canada le spectacle de députés et de ministres canadiens-français réclamant l'abolition de la langue française dans deux provinces (1). Durant le siècle qui suivit la Conquête, notre population s'était élevée de soixante mille âmes à un million et demi, et avait pu maintenir ainsi un certain équilibre entre elle et l'élément anglais: eux, nos hommes publics, sont aujourd'hui les premiers à favoriser une politique d'immigration contraire à tous les intérêts du pays, et qui d'ici à vingt ans, si elle se continue, aura eu pour résultat d'assurer l'irrémédiable déchéance de notre nationalité. Dans la province de Québec, nous avions notre domaine public. Nous qui depuis un siècle et demi n'avons eu aucunes relations avec la France, nous qui n'avons, pas, et qui n'avons jamais eu, comme nos concitoyens d'autre origine, les capitaux des vieux pays pour nous aider, nous avions nos forêts. Qu'ont fait nos gouvernants de cet héritage merveilleux? Au lieu d'en faire bénéficier le peuple, au lieu de s'en servir pour faciliter aux nôtres l'accès de la richesse, ils l'ont partagé entre une poignée de spéculateurs. Nous aurions pu rivaliser fraternellement avec nos concitoyens anglais dans la course du progrès; nous aurions pu prendre notre part du développement du pays. Ces gens-là nous en ont empêchés. Egalement absorbés par la chasse aux pots-de-vin et par la chasse aux décorations, ils n'ont pas trouvé un seul moment à nous donner.

Voilà, Altesse, les hommes que vous avez rencontrés et qui vous ont renseignés sur nos sentiments.

Dieu merci! nous valons mieux qu'eux. Si tous les Canadiens français leur ressemblaient, vous auriez eu raison de croire que nous avions assez peu de dignité pour nous contenter de la mascarade impérialiste de lord Grey, et en réalité ceux-là n'auraient pas tort qui prévoient la disparition prochaine de notre nationalité. Nous serions mûrs pour la tombe, et les fêtes du IIIe centenaire pourraient tout aussi bien être nos funérailles.

Mais ces gens-là ne sont pas les Canadiens français. Ils incarnent une époque de défaillance qui tire à sa fin. Ils représentent la génération qui s'en va, et la génération qui se lève les méprise.

Ce n'est pas aux hommes de cette nouvelle génération que lord Grey aurait osé soumettre son projet de manifestation impérialiste, car ceux-ci ont conscience de leur dignité et de leur devoir. Ce sont eux qui nous tireront de l'ornière où leurs prédécesseurs nous ont tenus pendant quarante ans.

Quoique l'heure soit sombre, et en dépit de toutes les apparences, ce peuple, bientôt perdu au milieu de cent cinquante millions d'hommes d'autre origine, étonnera une fois de plus ceux qui l'auront cru mort. Après l'avoir vu écrire, de 1608 à 1867, les plus belles pages peut-être de l'histoire de ce continent, on aura pu croire pendant quelques années qu'il allait faire banqueroute à sa mission. Mais il saura se ressaisir et reprendre la tradition momentanément interrompue. Il ne sera pas dit que tant d'efforts auront été dépensés en vain, et que tant de travaux et de combats, de sueurs et de sang, n'auront servi qu'à préparer la gloire des derniers décorés.

L'humiliation qu'on nous a imposée, en fouettant notre fierté nationale, n'aura servi en définitive qu'à hâter l'heure de notre réveil. Et tel est le message que vous pourrez rapporter au Roi. . . .

[1]Ontario et Manitoba.

M. GRATTAN O'LEARY

TITANIC'S OFFICERS SHOT COWARDS

The disastrous sinking of the White Star liner Titanic *on her maiden voyage rang around the world. Some 1,500 lives were lost. There were many notable persons among the passengers, making the catastrophe all the more stunning, and much of the loss of life was due to the fact that the ship was not equipped with sufficient lifeboats.*

This reconstruction of the tragedy, written for The Ottawa Journal *by M. Grattan O'Leary, is considered by many to be the best newspaper story ever published on the* Titanic. *Mr. O'Leary was in his first year in the Parliamentary Press Gallery when his office called and told him to leave immediately for New York. When the* Carpathia *docked there with the* Titanic *survivors, he was standing at the foot of the ramp in pouring rain to talk to them. He began writing the story at midnight and finished it at 5 a.m. He remained with the* Journal, *eventually becoming its president, and in 1960 was appointed to head the Royal Commission on Publications.*

Le naufrage désastreux du paquebot Titanic *de la ligne White Star, survenu lors de son premier voyage, éveilla des échos à travers le monde. Quelque 1,500 personnes y périrent. Au nombre des passagers se trouvaient beaucoup de notables, ce qui rendait la catastrophe d'autant plus frappante. Dans une large mesure, les pertes de vie étaient imputables au fait que le navire n'était pas muni suffisamment d'embarcations de sauvetage.*

Le récit suivant qui reconstitue la tragédie a été écrit pour le Journal *d'Ottawa par Grattan O'Leary. Aux yeux de bien du monde, c'est le meilleur reportage jamais publié sur le* Titanic. *M. O'Leary en était encore à sa première année au Parlement comme courriériste, quand son bureau l'appela pour lui dire de partir tout de suite pour New York. Quand le* Carpathia *y accosta avec les survivants du* Titanic, *M. O'Leary se tenait au pied de la passerelle sous une pluie battante pour leur parler. Il commença à écrire son reportage à minuit et le finit à 5h. du matin.*

M. O'Leary est resté au Journal. *Il finit par en devenir le président. En 1960, il était nommé président de la Commission royale d'enquête sur les publications.*

NEW YORK, April 19—With her band playing "Nearer My God to Thee", with gallant Capt. Smith like a true Briton standing on the bridge sublimely heroic, calm and masterful to the last, with hundreds of men and women kneeling in prayer and crying out "My God we're lost" amidst the splintering of steel, the rending of plates and shattering of girders, the proud Titanic, giantess of the sea, went to her ocean fate off the banks of Newfoundland.

This was the story of disaster and death brought to a despairing grief-stricken continent at nine o'clock last night by the woe-freighted Cunarder Carpathia.

The story she brought home was one to crush the human heart with its pathos.

It is the story of a ship of death and yet it is relieved of its gloom, as a rainbow spans a landscape, by the noble action of scores of men who freely laid down their lives that mothers, wives, and sisters might live, brightened too by the fortitude of women in the face of the most awful peril and inevitable death.

Through the courtesy and kindness of the Associated Press office here The Journal representative was enabled to secure a pass through the walls of policemen who beat back a frantic mob of almost twenty-five thousand men and women as the Carpathia, freighted with her argosy of woe, reached the dock, and from the mouths of sunken-eyed wan-faced survivors he heard the true story of how the Titanic went to her doom.

Told in disjointed, almost hysterical fashion it was an awful word picture of the calamity, full of horror, panic and confusion. As brought to this port last night, the toll of death must be placed at 1,601, and the total number of those saved at 745, the ill-fated ship having had on board 2,346 souls.

Chas. M. Hays went down with the mass of wreckage. Almost his last words were spoken to Col. Archibald Gracie, U.S.A. He seemed to have had some strange premonition of impending danger.

"The White Star, the Cunard and the Hamburg-American," said the Grand Trunk President, "are devoting their ingenuity and sole attention in vieing one with the other to attain the supremacy in luxurious ships and in making speed records. The time will soon come when this will be checked by some appalling disaster."

A few hours later the disaster came and Mr. Hays was dead.

According to the evidence of the survivors, the Titanic was steaming at about eighteen knots an hour when she crashed into the iceberg that sent her to the ocean bottom two thousand fathoms deep.

She slid upon a ledge of the icy mountain, her bow crushed and shattered into a mass of crumbled steel, hung there for a few brief moments and fell back into the water.

The awful suddenness and force of the shock exploded three of her boilers and quickly she began to go under.

It was shortly before the mystic hour of twelve.

Lights gleamed from a thousand port holes, as the sea giantess swept through the light swell. A light south-west gale was blowing. The weather was comparatively clear, the air cold and raw. It being Sunday night, most of the cabin passengers were in their staterooms and many had gone to bed, feeling secure in this last supreme effort of man to overcome the elements.

The air was still and only the steady vibration of the great mechanism in the steel pens below and the rhythmic beat of propellers out of the foaming wake behind were heard.

A few miles ahead like a white, ghost-like mountain of death and destruction, a jealous iceberg of the northern sea was silently, but quickly approaching. A minute or two later this massive body of ice which had been shrouded from the view of men in the "Crow's Nest" by a mist, seems to have suddenly risen up in the ship's pathway.

"Stop! Full speed astern!"

These were the signals immediately telegraphed the engineers.

But it was too late.

The blow of fate had fallen.

The Titanic was hurled with the force of forty-five express engines against a glacial mountain afloat.

The terrific impact racked every frame, strained every vaunted barrier of steel, crumpled the bow into a shapeless mass of broken plate and instantly without the warning of a single moment, crushed the life out of nearly two hundred of the crew who were sleeping in the forecastle, well up to the bow.

The momentum of the steamship developed from its 46,000 tons carried her well upon a hidden ledge of ice. A moment or two and she lifted on her port side, slipped from the ice, ripping and tearing her bottom plates and settling back into the sea.

And yet there was no such terrific shock from the impact felt in the cabins, as might be expected, according to the stories of the survivors. But in the engine room and stokeholds havoc was wrought. Valves were wrenched loose, steam joints broken and the huge boilers themselves trembled from the shock. Scalding steam filled every corner and the men were unable to see and were scalded to death in their steel-walled pens.

The bulkhead doors were instantly closed by a hydraulic device, but the whole structure was so weakened that this was of little avail. Rivets had been cut from plates, and water rushed in through a hundred yawning seams.

The longitudinal girders, driven back by the hammer-like blow of the collision, had loosened and started bulkheads, weakening them for the irresistible thrust of the water yet to come. Plates at the bottom were broken and bent while cross-beams were snapped as if of glass.

The great engines were wrecked and wrenched at their fastenings, and live coals were hurled from the huge furnaces burning the firemen and sending them terror-stricken for safety.

So far as the mechanism of the ship was concerned she was doomed from the first blow. Man's great engineering feat was humbled, and the might which had been Titanic was only human. Man was left to fight his battle for life practically unaided by the powers of the fabric which he had called into being.

A minute after the impact the shrieks of passengers echoed through cabins and steerage alike. Decks which had been almost deserted now teemed with human beings. The instinct of natural self-preservation drove them from every hidden recess of the hulk of steel. Women with jewels worth millions gleaming on the fingers, men of international fame, immigrants who had scarcely more than the pittance required for their entrance into a new land, all were levelled into one class in scarcely the twinkling of an eye. A reign of terror was let loose.

But the blood of the Anglo-Saxon runs cold and often coldest in the time of peril and discipline soon asserted itself among the crew.

Officers quickly reassured many of the women, themselves not yet realizing the extent of the calamity to the ship. Then an explosion of one of the boilers created a new and wilder panic, and the rush for boats threatened to become a stampede. But the tradition and unwritten law of the sea must assert itself and the cry "Women and children first" was relayed from man to man.

Some of the men steerage passengers, driven to desperation through the realization of inevitable death, tried to force themselves in among the women and children, and the officers shot them down without mercy. Standing on the bridge, Captain Smith shouted directions through a megaphone.

Into the last lifeboat that was launched from the side of the ship the grim old sea dog himself lifted an infant into a seat beside its mother. As the gallant officer performed this final act of humanity, several who were already in the boat tried to force him to join them, but he turned away resolutely towards the bridge, where what he believed to be his duty called.

It was the spirit of Rodney, the spirit of Drake.

Lying over on her port side, the task of lowering boats from the davits on the starboard was a dangerous and difficult task, and yet throughout all these awful moments of anguish deeds of heroism were performed. Women threw their arms about the necks of husbands and begged that they should not be taken aboard the boats. They would prefer to remain and go down with the wreck by their husbands' sides.

But they were urged into the boats, after a last kiss and embrace, lowered down the 90 feet which separated them from the water, and quickly rowed away in the night, never again to look upon the faces of the loved ones whom they had left behind.

Many of them had been placed in the boats while in a state of prostration. Soon all the available boats would be launched and over a thousand souls remained to be saved.

The brave wireless operator had been sending forth into the uncharted regions of the air his call for aid, and this was the one surviving hope. And there were many women yet who had not, or could not be saved, for want of room in the boats available.

As the last two of these craft were being lowered over the side the lights of the saloon and cabins were suddenly extinguished.

No more could the now awe-stricken passengers depend upon electricity as their ally, and the operator was slowly and feebly calling his final "S.O.S." with what power was left in his storage batteries.

A black night of despair fell upon all. Above the din of hissing steam and babel of voices and shouts rose a woman's shriek, "O Christ, save us if Thou will."

An awful report drowned everything and shook the fast sinking ship from stern to stern as another explosion came from the boiler room. Again the remaining women shrieked in despair, and it seemed as if hell had outclimaxed itself at last.

The last, the final, boat was crowded to its utmost capacity and rowed away in the night, and some 1,600 souls were left behind. With powerful strokes the small boats were rowed away from the scene of the disaster. It was feared that they might be carried down with the suction that surely must be caused by the sinking of the wreck.

Suddenly all were thrilled when the strains of "Nearer My God to Thee" were heard and members of the ship's bands were noticed through the twilight gathered together on the after deck. The dim outline of Captain Smith was seen hanging to the bridge. He had done all mortal could do for the safety of the 2,000 lives entrusted to his care and was prepared for the end.

It was stated by some of the survivors that the veteran captain had blown out his brains just as the ship was sinking. This, however, was very vigorously denied by a score of others. All agreed that Captain Smith showed sublime courage throughout the hours of terror and that almost equal bravery and calm judgment was displayed by the officers and crew.

Only a few of those in the boats saw the Titanic go to her ocean grave. Most of the boats were long since out of seeing distance when the once mighty liner broke in two and was swallowed up by the yawning waters while frantic men clung desperately to wreckage of every kind, now all that was left of the farthest cry in the linking of two continents.

Neptune had taken the empress of the sea captive to his hidden realm, but the night of horror had not ended for those who had escaped in the boats. The women were only half clothed in many instances and suffered terrible hardship. The awful dread that perhaps after all the shadowy call of brave wireless operators had not been heard was borne upon them as hour succeeded hour, and no steamer hove in sight. There was nothing to eat, nothing to drink and half perished, semi-hysterical with grief and fear, two of the women perished after being finally taken on board the Carpathia. Some of the boats were partially filled with water in which women stood up to their knees.

Of the two collapsible canvas boats, only one could be accounted for, although it is believed that both put out to sea. Had it not been for the lack of boats, it is doubtful if the loss of life would have been half so great. Only sixteen boats were picked up.

Some of the men tried to make rafts by tieing

chairs together and clinging to them but only a few were saved by this means.

Many of the survivors say that the cries for help of those left on the sinking ship were heartrending and never-to-be-forgotten. There are many rumors that in some respects the Titanic was not completed.

It is alleged that workmen were rushed to have the ship ready for the day upon which she was booked to sail and that consequently several little things were left undone. Life boats were not supplied with food and other necessities and several survivors say that had not the Carpathia received the wireless message just when she did they would have been left to drift the seas in hunger and might all have perished by starvation.

If a desperate naval battle had been fought in New York waters and the city awaited the coming of the dead and wounded from the scene of action, this city could hardly have presented a more realistic picture of war heroes than that of which the Red Cross officers were the centre and a frenzied mob of twenty thousand persons was the setting.

The uniforms of two hundred nurses and Red Cross attachés mingled in the picture with the trim garbs of the ambulance surgeons and the chaste costumes of sad-faced sisters of charity. Ten score city policemen guarded the roped cordon lighted up at intervals with green lanterns, whereby the guardians of the city's peace kept back at a distance of seventy-five feet the throng that kept pressing over-eagerly toward the pier where the Carpathia was docked.

Within the shelter of the pier sheds were huddled nearly a thousand of the friends and relatives of the rescued and the lost. To them had been issued special passes. Many of them were weeping and sobbing without restraint. Outside in the murk and drizzle of the forbidding night, stood ominous lines of ambulances to which nearly all the hospitals in the city had contributed their quota. There were black funeral vehicles from the shops of the undertakers, too, conveying their own grim message, and the city coroners were there ready to do their work.

While the long lines of wounded were being tenderly borne ashore at the pier where the Carpathia was berthed, the adjoining pier had been converted into an improvised hospital ward to which the injured were taken for treatment. There were installed all the suggestive paraphernalia of cots, stretchers, operating tables and surgical appliances, while skilled nurses with deft fingers were preparing bandages for ready use.

Through the entire section of which the new Chelsea piers are the focus, ordinary street traffic was wholly suspended and held rigidly in check by lines of police reserves who stood like sentinels guarding the reservation selected for some great field hospital.

HENRI BOURASSA

LE NATIONALISME ET LES PARTIS

A l'élection générale de 1911 qui vit la chute de Laurier, Bourassa et les nationalistes avaient appuyé dans plusieurs comtés le candidat du parti conservateur. Le directeur du Devoir *dont le premier numéro avait paru le 10 janvier 1910, avait fait porter sa campagne politique contre la marine de guerre proposée par Laurier et le traité de réciprocité avec les Etats-Unis. Il arriva cependant que des candidats élus dans le Québec, tous ou presque, à l'exception de Paul-Emile Lamarche, firent faux bond à Henri Bourassa et, par leur vote, donnèrent à M. Borden, le premier ministre, le moyen de demeurer au pouvoir.*

Les libéraux, après leur défaite, avaient accusé "les castors" d'avoir trompé sciemment le corps électoral. Dans un article publié à "la une" du Devoir, *Henri Bourassa décida de s'expliquer à ce sujet et d'établir à quelles conditions les nationalistes avaient accepté l'aide des conservateurs et qu'ils leur avaient, en échange, fournit la leur. Détail qui a son importance, à l'élection générale de 1917, lorsque Laurier fit campagne contre la conscription, Bourassa devait apporter son appui à Laurier. Mais en vain.*

In the general election of 1911 that resulted in Laurier's defeat, Bourassa and the Nationalists supported the Conservative candidate in several counties. The editor of Le Devoir, *the first number of which had appeared on January 10, 1910, campaigned against Laurier's proposal of a Canadian navy and the Reciprocity Treaty with the United States. It turned out, however, that of the candidates elected in Quebec all, or nearly all, with the exception of Paul-Emile Lamarche, let Bourassa down and gave their votes in Parliament to Robert Borden, thus allowing him to stay in power.*

After their defeat, the Liberals accused les castors *of having knowingly deceived the country. In an article published in* Le Devoir, *Henri Bourassa decided to explain himself and make it clear on what conditions the Nationalists had accepted Conservative help. One detail of some importance is that when Laurier campaigned against conscription, Bourassa was to support him. But in vain.*

C'est peut-être dans les Cantons de l'Est qu'il faut rechercher la preuve la plus patente que le parti conservateur avait baissé pavillon devant la force du sentiment nationaliste.

Dans cette région, je l'ai déjà indiqué, ni les nationalistes ni les "autonomistes" n'avaient posé de candidatures et ne s'occupaient de la direction de la campagne, sauf dans Drummond-Arthabaska. Mais les comités locaux et les électeurs se chargèrent eux-mêmes de faire affirmer nos idées. Le nationalisme avait fait une telle trouée dans l'opinion publique, que les candidats conservateurs, anglais ou français, lui firent, de force ou spontanément, des concessions fort substantielles.

M. James Davidson, candidat conservateur dans le comté de Shefford, publie un manifeste qui renfermait les paragraphes suivants:

> "Electeurs, vous êtes appelés à vous prononcer sur deux grandes questions: la Réciprocité et la Marine de Guerre.

Dans le premier paragraphe, il se posait en adversaire déclaré de la convention douanière; puis il ajoutait:

> "2° Je déclare que si je suis élu le 21 septembre prochain, je travaillerai et je voterai contre tout premier ministre, de quelque parti qu'il soit, qui voudra continuer la politique actuelle sur la marine, telle que votée en 1910, sans avoir au préalable fourni au peuple canadien l'occasion de se prononcer sur cette question par voie d'un plébiscite ou referendum spécial."
>
> "3° Si je suis élu, je travaillerai encore à ce que les droits et prérogatives des minorités canadiennes-françaises et catholiques soient reconnus et respectés à l'égard des droits de la minorité anglaise et protestante de la province de Québec. Ecoles séparées, reconnaissance de la langue française, etc., etc."
>
> . . . .
>
> "Ma devise est: LE CANADA POUR LES CANADIENS ET LES CANADIENS POUR LE CANADA!"

M. Davidson me demanda mon appui personnel. A regret, je l'avoue, il me fut impossible de me rendre à son désir. M. Pickle, candidat conservateur à Missisquoi, fit des déclarations analogues. Tous les autres emboîtèrent le pas.

* * *

Dans la région de Sherbrooke, les candidats conservateurs, ou leurs représentants, avaient demandé au délégué du comité conservateur de Montréal de m'inviter à aller parler en leur faveur dans une grande assemblée régionale. Le délégué s'efforça de les détourner de ce dessein pervers; il leur représenta que je combattais le parti conservateur presque autant que le ministère libéral, que M. Borden viendrait en personne leur donner l'appui de sa parole et de son autorité, qu'il ne pouvait décemment appuyer les mêmes candidats que les nationalistes, que la présence successive du leader conservateur et du chef nationaliste dans la même région, appuyant les mêmes candidats, ferait un très mauvais effet dans les provinces anglaises. "L'embarras", dit l'un d'eux, "c'est que nous n'avons pas besoin de Borden pour nous faire élire et que nous avons besoin de Bourassa." Déconcerté, l'envoyé du sanhédrin leur fit observer que M. Bourassa n'appuyait que les candidats qui s'engageaient formellement et publiquement à voter contre tout ministère qui ne soumettrait pas la question navale à un plébiscite. "Mais", répliqua l'autre, "c'est que pour nous faire élire, il nous faut faire cette promesse tout de même."

De guerre lasse, le délégué leur dit que j'avais pris autant d'engagements qu'il m'était physiquement possible d'en tenir—ce que était vrai, du reste,—et qu'ils devaient abandonner leur mauvais dessein. Ils ne le tinrent pas quitte pour cela. Ils exigèrent qu'on fit circuler *Le Devoir* abondamment dans leur circonscription respective.

* * *

A quelques jours de là, l'un des chefs les plus importants du Comité conservateur, armé des listes électorales de tous les comtés de l'Est, abonnait au *Devoir*, pour toute la durée de la campagne, quelques milliers de braves électeurs. Du reste, nous fûmes bons princes. Loin de profiter de la situation pour mettre le couteau sur la gorge de ces messieurs, l'administration du journal leur fit des conditions généreuses: nous n'exigeâmes que le prix de l'abonnement régulier, moins la commission que nous payions aux solliciteurs ordinaires. Nous restions ainsi libres de tout ce qui aurait pu avoir couleur de souscription politique, et nous avions l'indicible satisfaction de faire servir le mammon de l'iniquité tory-impérialiste à répandre à pleines colonnes la bonne doctrine nationaliste.

Je pourrais ajouter que vers la fin de la campagne, trois délégués du comité conservateur de Sherbrooke, deux Anglais et un Canadien-français, vinrent me supplier d'aller tirer mes dernières cartouches en faveur de leurs candidats, "all pledged", me dirent-ils, "to a referendum on the navy question, whatever party is in power".

Je dus leur refuser, ayant promis mes seuls instants libres aux candidats conservateurs de Nipissing et d'Algoma Est. Encore un épisode significatif de la campagne.

* * *

A la fameuse assemblée de Saint-Hyacinthe, le 13 août, j'avais rencontré quelques nationalistes et conservateurs marquants de l'Ontario Nord. Ils étaient venus tout spécialement pour me demander d'aller prononcer deux ou trois discours dans cette intéressante région. Je ne crois pas faire erreur en disant qu'ils avaient une lettre de M. Cochrane, aujourd'hui ministre des chemins de fer. En tout cas, c'est en son nom qu'ils m'invitaient. Je leur répondis qu'il ne me semblait guère possible de me rendre à leur désir, et qu'à tout événement je n'irais appuyer que des candidats s'engageant à réclamer un plébiscite sur la question navale.

A quelque temps de là, je recevais de la même région une nouvelle réquisition, accompagnée des deux dépêches que voici:—

Mattawa, Ont., 8th Sept. 1911

Chas. McCrea,
Sudbury.

I certainly am opposed to reciprocity pact and the navy policy of the government, and will support a request for repeal of naval policy. AND A REFERENDUM TO THE PEOPLE, NO MATTER WHO IS PREMIER.

GEO. GORDON.

Providence Bay, Ont., September 8, 1911

Chas. McCrea, Sudbury, Ont.

I am opposed to reciprocity pact. I am opposed to naval policy of Liberal government. I will support request for repeal of name, AND REFERENDUM TO THE PEOPLE IN NAVAL QUESTION, NO MATTER WHO IS PREMIER.

W. R. SMYTH

M. Gordon était le député sortant de Nipissing, M. Smyth, d'Algoma Est. Tous deux étaient de nouveaux candidats dans les mêmes circonscriptions.

Armés de ces engagements explicites, j'acceptai d'aller appuyer leur candidature de deux discours, l'un en français, l'autre en anglais. Je parlai à Sudbury, le 18 septembre.

Ce discours fut le plus nettement nationaliste,

le plus carrément anti-impérialiste de tous ceux que je prononçai durant la campagne. Depuis, l'honorable M. Cochrane, qui ne passe pas pour gaspiller ses éloges et ses paroles, m'a fait l'honneur de me dire que mes arguments avaient produit une impression marquée sur les électeurs de langue anglaise, plus encore que sur les Canadiens-français.

MM. Gordon et Smyth furent réélus. A quelques semaines de là, M. Gordon acceptait un fauteuil au Sénat et cédait sa succession électorale à M. Cochrane, appelé par M. Borden à faire partie du cabinet, comme ministre des chemins de fer. M. Cochrane n'a pas, que je sache, accepté cette succession "sous bénéfice d'inventaire" comme dirait M. Gouin. Il n'a jamais répudié les engagements que M. Gordon avait pris à sa connaissance et avec son autorisation. Il doit donc être compté au nombre des ministres et des députés conservateurs qui ont manqué doublement à leurs engagements, d'abord en refusant de faire abroger la Loi navale, et deuxièmement en ne joignant pas ses efforts à ceux de M. Monk pour faire soumettre la question navale à un plébiscite.

* * *

De tous les faits que j'ai relatés et dont je garantis l'authenticité, que résulte-t-il?

Dans tous les comtés où la question navale a été discutée, au cours de la campagne électorale de 1911—et ces comtés représentent plus d'un quart des circonscriptions électorales du pays—les candidats d'opposition nationalistes, "autonomistes" ou conservateurs, ont dénoncé la loi navale et promis d'appuyer une demande de plébiscite sur la question navale. Tous les candidats nationalistes et "autonomistes" ont condamné également la politique libérale,—marine soi-disant canadienne et la politique conservatrice,—contribution d'urgence. Le parti conservateur a aidé de ses fonds électoraux et de son appui indirect tous les candidats opposés aux deux politiques. En dehors de ces comtés, la lutte ne s'est faite que sur la réciprocité.

N'étais-je pas rigoureusement dans le vrai lorsque j'écrivais, l'autre jour, à propos du "mandat populaire" inventé par M. Borden à Toronto:

"Le seul mandat explicite que le gouvernement et la majorité ministérielle puissent invoquer, c'est l'obligation d'abroger la Loi navale. Ils en ont un autre, indirect et partiel, celui de soumettre au peuple, au moyen d'un plébiscite, toute mesure de contribution aux armements impériaux."[1]

N'avais-je pas également raison de dire que lorsque les libéraux parlent de la contribution d'urgence comme du "produit hybride de l'alliance tory-nationaliste", ils mentent sans rémission?

La contribution, sans plébiscite, est un produit purement tory: M. Foster disait vrai sur ce point. Elle n'a pu être votée que grâce à la trahison d'une vingtaine de ministres et de députés. Et l'engagement que ces ministres et ces députés ont violé, ils l'avaient souscrit à la pleine connaissance des chefs du parti tory, qui en profite pour arriver au pouvoir.

[1]*Le Devoir* du 23 mai: "M. Borden et le Sénat".

PART II / DEUXIEME PARTIE

1914-1938

Le Soleil, Québec—29 mai 1914

LE CAPITAINE BERNIER PREPARE UNE EXPEDITION

Au printemps de 1914, bien qu'on fut à la veille de la guerre, partout dans le monde on continuait de s'intéresser à la conquête du Pôle Nord. Une fois de plus, à Québec, le capitaine Bernier était sur le point de reprendre la mer, en direction de l'Arctique. L'expédition devait durer trente mois. Mais cette fois, ce n'était pas le gouvernement canadien mais lui-même qui allait en assumer les frais. L'explorateur venait d'ailleurs d'acheter en Grande-Bretagne une coquille de noix de 156 tonnes, le "Guide"—son 67e bateau, disait-il.

L'intérêt de cette interview donnée par le capitaine Bernier à un reporter non-identifié du Soleil *réside dans le fait que cela se passait il n'y a qu'une cinquantaine d'années.*

In the spring of 1914, although the world was on the verge of war, people everywhere continued to be interested in the conquest of the North Pole. In Quebec, Captain Bernier was about to set off once more for the Arctic. The expedition was to last thirty months. This time it was not the Canadian government but he himself who was responsible for expenses. In Great Britain he had just bought a cockle-shell of a craft of 156 tons, the Guide, *which according to him was his sixty-seventh ship.*

The amazing thing about this interview, granted by Captain Bernier to an unidentified reporter from Le Soleil, *is that it took place only some fifty years ago.*

Le capitaine Bernier, l'explorateur arctique qui a fait, dans les solitudes du nord, plusieurs croisières au compte du gouvernement canadien, est à organiser une nouvelle expédition au nord glacé, celle-ci à son compte, sur un navire qu'il a acheté lui-même, le *Guide*, qu'il dirigera dans son voyage.

C'est la seconde expédition que fera, à son propre compte, le capitaine Bernier, la première s'étant terminée, il y a plus d'un an, par son retour heureux à Québec, après une saison de chasse très fructueuse.

Pour sa prochaine expédition dans le nord, le capitaine Bernier a acheté le vapeur *Guide*, construit d'acier en 1891, par le gouvernement d'Angleterre. Il est à l'approvisionner pour une croisière d'au moins 30 mois.

Rencontré par un reporter du *Soleil*, le capitaine Bernier, qui ne semble pas s'apercevoir que les ans s'accumulent sur sa tête et qui reste toujours jeune et alerte, a parlé en termes enthousiastes de son prochain voyage dans les mers du nord.

"Je compte partir vers le mois de juillet", dit le navigateur, mais la date n'est pas encore définitivement arrêtée.

"Je n'ai pas encore terminé tous mes arrangements relativement à l'engagement de mon équipe, mais cela est un détail. J'aurai probablement avec moi, dans mon prochain voyage quelques-uns des navigateurs et officiers qui ont déjà voyagé avec moi, précédemment, mais rien n'est décidé.

"Quant à mon navire, j'en suis plus que satisfait. Il a été construit avec le plus grand soin en 1891, par le gouvernement anglais qui l'a fait travailler ferme dans bien des circonstances difficiles.

"Il est vrai que le *Guide* n'a pas été construit pour des expéditions arctiques, mais il est si fort, si solide et sûr, que je me sentirai parfaitement à l'aise à son bord.

"Il est tout construit d'acier fort et possède sept (7) compartiments étanches dans toutes ses parties, de sorte que quand bien même les glaces avarieraient quelque partie de sa coque, ses cloisons étanches lui éviteront un sort funeste.

"Le *Guide* n'est pas pourvu d'engins pour la rapidité, mais il est très fort. Il mesure 120 pieds en longueur, 23 pieds en largeur, et sa hauteur est de treize pieds. Il jauge 156 tonnes et ses engins l'ont déjà poussé à une allure de 13 noeuds à l'heure, mais il y a quelques années de cela, et jusqu'ici, ce que j'ai fait de plus vite avec lui, a été 9 noeuds à l'heure."

Le capitaine Bernier, quoiqu'il ne soit pas très avancé en âge, a déjà une histoire dans la navigation. Il a été plusieurs années dans la marine marchande, puis est entré au service du Département de la Marine Canadienne faisant pour le compte de ce département, plusieurs expéditions lointaines.

Le *Guide* est le 67ème vaisseau que commandera le capitaine Bernier et, s'il n'a pas plus d'accidents avec lui qu'il n'en a eu avec les navires précédents, on peut prédire l'heureux retour du *Guide* à Québec au petit printemps 1916.

M. J. Foster Stackhouse termine ses préparatifs pour une expédition dans les régions antarctiques. Il a acheté le navire qui servit au capitaine Scott, le *Discovery*, lequel sera commandé par le lieutenant A. E. Harbord qui faisait partie de l'équipage du *Shackleton* qui fit l'expédition de 1907-09.

L'expédition de M. Stackhouse n'a qu'un but scientifique et s'efforcera d'explorer la côte, peu connue, entre la terre de Graham et la terre du roi Edouard VII.

Comme chef géomètre, M. Stackhouse s'est assuré les services du baron Congleton, cousin de M. Charles Stewart Parnell.

Entre la terre de Graham et celle du roi Edouard VII il y a une vaste étendue, le but de l'expédition sera donc de reconnaître si cet espace est de la terre ferme ou si la mer sépare ces deux points.

On vient de trouver les vestiges de ce que l'on croit être ce qui reste du ballon qui servit au professeur Andre pour aller à la découverte du pôle nord. On dit qu'Andre partit, en ballon de l'île des Danois, près du Spitzberg et que depuis on n'entendit plus jamais parler de lui. Ces débris que l'on croît être ceux de son ballon, furent retrouvés dans une forêt de la Sibérie orientale. Bien que l'on ait à plusieurs reprises prétendu avoir retrouvé les traces du célèbre explorateur, bien qu'on ait dit même avoir découvert son corps sur les rivages du Labrador, rien de certain n'a pu être établi à son sujet.

La Presse, Montréal—22 avril 1915

C'EST UNE DISTINCTION QUE DE FAIRE PARTIE DE LA RESERVE DU 22ème

"Un détachment d'élite". C'est ainsi qu'en avril 1915, La Presse *présente à ses lecteurs les hommes du "22". Les journaux québecois n'ont pas été lents à saisir ce que représente pour l'avenir la décision de recruter un bataillon de langue française. C'est à Saint-Jean, à l'endroit même où s'élève aujourd'hui le Collège militaire royal (CMR) que les hommes du 22 ont reçu leur entraînement. Au nombre des jeunes lieutenants dont beaucoup d'ailleurs ne reviendront pas, on remarque Georges Vanier qui un jour sera gouverneur général du Canada.*

C'est au lendemain de la première guerre mondiale que le 22ème Régiment devait établir ses quartiers à la Citadelle de Québec où depuis il est en garnison. Mais, contrairement à ce que l'on croit souvent, c'est à Montréal que le premier bataillon fut recruté. Le 22 (prononcé à l'anglaise: le Vandoos) allait connaître un rare destin: en même temps qu'il sera "la maison" d'où sortiront la plupart des officiers supérieurs de langue française, il deviendra le plus illustre des régiments canadiens.

"A detachment of crack troops." That was how, in the month of April 1915, La Presse *introduced its readers to the men of "le 22." Quebec newspapers had not been slow to grasp the future significance of this decision to recruit a French-speaking battalion. It was at Saint-Jean, on the very spot where the Royal Military College (CMR) stands today, that the men of "le 22" received their training. Among the young officers, many of whom would not come back, was Georges Vanier, who one day would be Governor General of Canada.*

After World War I the 22nd Regiment established its headquarters in the Quebec Citadel, where it has been garrisoned ever since. But, contrary to what has frequently been thought, it was in Montreal that the first battalion was recruited. "Le 22" (English version: The Vandoos) was to have a special destiny. As well as being "the establishment" from which the majority of French-speaking superior officers would come, it was to be the most famous of all Canadian regiments.

Le détachement de la réserve du 22ème bataillon canadien-français, qui a été recruté à Montréal, est arrivé à Amherst, après un excellent voyage, et les volontaires sont enchantés de la façon dont ils ont été traités durant le trajet et à leur arrivée dans les casernes. Au nom de leurs camarades, un groupe de volontaires ont écrit à *La Presse* pour exprimer toute leur reconnaissance au sergent Gaston Weiss, qui commandait le détachement, pour la cordialité et la grande bienveillance dont il a fait preuve envers ses hommes.

Dans quelques jours, le dernier détachement du corps de réserve, que l'on est en train de recruter à l'arsenal du 65ème bataillon, ira rejoindre le reste du bataillon.

Le lieutenant Maurice Bauset, qui est chargé de l'enrôlement, est satisfait de la façon dont les choses marchent. Déjà une quantité de jeunes gens se sont présentés à l'arsenal du 65ème, mais comme il ne faut que 50 hommes de plus, et que le corps de réserve ne doit être composé que d'une élite, on est fort difficile sur le choix, et ceux qui ont été acceptés jusqu'à présent sont de superbes spécimens de la race canadienne-française. Il est certain que faire partie du corps de réserve du 22ème bataillon constituera une marque de distinction dont on aura le droit d'être fier. Cette considération est de nature à encourager un grand nombre de nos vaillants et robustes jeunes gens à s'enrôler sans retard.

WOUNDED TELL OF SURROUNDING OF DIVISION

The first great battle of World War I in which Canadian troops were engaged was the Second Battle of Ypres, which began with the German gas attack on the northeast front of the Ypres Salient on April 22, 1915. The First Canadian Division was in the line with French African troops on its left and British on its right when the attack began. The main concentration of the German gas fell upon the French, who were compelled to abandon their trenches, leaving the Canadian left flank exposed. The Canadians, by holding firm at the decisive point in the line, saved the whole situation and won a reputation which they were to confirm in all their later engagements.

La première grande bataille de la première Grande Guerre à laquelle les troupes canadiennes aient participé fut la seconde bataille d'Ypres. Elle débuta par l'attaque allemande au gaz sur le front nord-est du saillant d'Ypres le 22 avril 1915. La première division canadienne était à la ligne de feu avec les troupes de l'Afrique française à sa gauche et de l'Angleterre à sa droite, au début de l'attaque. Les gaz allemands s'abattirent surtout sur les Français qui furent contraints d'abandonner leurs tranchées, ce qui laissait exposé le flanc gauche des Canadiens. En tenant bon au point décisif de la ligne, les Canadiens sauvèrent la situation et acquirent une réputation qu'ils devaient confirmer dans tous leurs engagements ultérieurs.

LONDON, April 27—A member of the Canadian Scottish who had just been received in hospital with a bullet wound in his arm, gave a graphic description of the famous charge of the Canadians which led to recapturing the four lost guns.

"For nearly an hour last Thursday," he said, "for three quarters of an hour or more we had been digging when we received orders to march through Ypres to St. Julien. We had no packs, no food, no water, and no overcoats. We had in our Web equipment 150 rounds of cartridges and we were served out with bandoliers containing in addition 200 rounds.

"Those of us who had not eaten had no time to go back and feed. After we marched to St. Julien we met the 10th Canadian. There we laid down in a field with orders to extend in half companies. There were about twenty lines of us. Before us, about 500 yards away, were German trenches behind which was a little wood, sort of thickly wooded spinney it was. Our business was to take these trenches and clear that wood. The 10th had orders to make the advance supported by us. At the order we charged. No German soldiers were visible in trenches or wood.

"We charged against an unseen enemy. We did not know what we would find in the trenches or in the wood which lay behind. As we went on we were met by heavy machine gun and rifle fire. Men were mown down line after line, but those who remained standing never faltered. Between us and the trenches there stood a hedge. Through the hedge our men went at trenches. It was bullets and bayonets. We turned the Germans out by some quick work and pushed on through the trenches into the wood, and 500 yards behind the trenches there were little sandbag forts everywhere defended by little bands of Germans with machine guns and rifles.

"The attack had evidently taken the enemy by surprise for we found their horses still tied up in that wood and in the trenches were 7000 Germans, but our 2000 cleared them out. There was a little fire to support us, but it was bullets and bayonets throughout.

"In the wood we found some French howitzers which the Germans had captured. The breech locks had been taken out. These the Canadian engineers blew up. Within the wood there was hand-to-hand fighting, but we had done what we were ordered to do. We had taken the trench and recaptured the guns.

"The next day the trenches which we had captured and held were heavily shelled, but throughout that day reinforcements of our men came in.

"I must tell you in conclusion," said the Canadian hero, "of the two men who did scout duty during the charge. In our corps there is a parson—a little man physically, but all pluck. He had emptied his pistol, and with the empty pistol he captured a huge German. There was also our paymaster, who, although over sixty and had never been in action before, went into the fight with his revolver and his walking stick and did great work with both. He came out with a slight wound, but refused to go back to the dressing station."

Another wounded Canadian attached to the front brigade says: "Our officers gallantly led the way but at the end few of them were left. My regiment reached the German trenches and we gave them the cold steel. We not only drove them from the trenches but right through it. They were simply smashed.

"The bullets seemed to come from all directions but we went on and recaptured not only our own guns but some French heavy guns.

"The slaughter was appalling. Many of our own wounded, as well as wounded Germans, lay in front of us. We could do nothing for them. When darkness came the German searchlights lit up the ground strewn with dead and dying.

"Of course it was impossible to obtain anything to eat and many of us went without food or even water for twenty-four hours. But nothing mattered so long as we held the Germans back and we were in the highest spirits. At length Saturday morning broke and other troops, British, Indian and French, came to our relief. It was just towards the close that I was hit in the arm.

"When we learned that the German advance had been completely stopped and that we had saved the situation there was not a happier lot of men in the world and all we want now is to have another go at them."

CANADA: *"Don't be scared: I'm here."*

CANADA—*N'aie pas peur, je suis là.*

This cartoon appeared in the *Welland Telegraph* in 1914 over the name of C. Duff.

Cette caricature a paru en 1914 dans le *Telegraph* de Welland, sous la signature de C. Duff.

SIR MAX AITKEN

THRILLING STORY OF CANADIAN HEROISM

The official version of the Second Battle of Ypres was written for Canadian newspapers by the government's Eye Witness, Sir Max Aitken, later Lord Beaverbrook. The dispatch, although it gives a somewhat confused impression of what was a very confused situation, was the most complete account of the battle that Canadians could hope to read at the time.

In 1915 Sir Max Aitken was simultaneously a Unionist member of the British parliament, general representative of the Canadian government at the western front, and officer in charge of Canadian war records. Two years later he became Lord Beaverbrook and bought the London Daily Express, *his first step in building a newspaper empire that eventually attained a circulation of over 8,000,000.*

La version officielle de la seconde bataille d'Ypres a été rédigée pour les journaux canadiens par le témoin oculaire du gouvernement, sir Max Aitken, qui devint plus tard lord Beaverbrook. Même si ce récit donne une impression plutôt confuse d'un état de choses très confus, il s'agit du compte rendu de la bataille le plus complet que les Canadiens pussent espérer lire à l'époque.

En 1915, sir Max Aitken était à la fois député unioniste au Parlement britannique, représentant général du gouvernement canadien sur le front de l'ouest, officier responsable des dossiers canadiens de la guerre. Deux ans plus tard, il devenait lord Beaverbrook et achetait le Daily Express *de Londres, franchissant ainsi le premier pas dans l'édification d'un empire journalistique dont le tirage global a fini par atteindre huit millions.*

Canadian Divisional Headquarters in Flanders, April 30—via London, April 30—The day was a peaceful one, warm and sunny, and except that the previous day had witnessed a further bombardment of the stricken town of Ypres, everything seemed quiet in front of the Canadian line.

At five o'clock in the afternoon, a plan carefully prepared was put into execution against our French allies on the left. Asphyxiating gas of great intensity was projected into their trenches, probably by means of force pumps and pipes laid out under the parapets.

The fumes, aided by a favorable wind, floated backwards, poisoning and disabling over an extended area those who fell under their effect. The result was that the French were compelled to give ground for a considerable distance. The glory which the French army has won in this war would make it impertinent to labor on the compelling nature of the poisonous discharges under which the trenches were lost.

The French did, as everyone knew they would do, all that stout soldiers could do, and the Canadian Division, officers and men, look forward to many occasions in the future in which they will stand side by side with the brave armies of France.

The immediate consequences of this enforced withdrawal were, of course, extremely grave. The 3rd Brigade of the Canadian Division was without any left, or, in other words, its left was in the air.

It became imperatively necessary greatly to extend the Canadian lines to the left rear. It was not, of course, practicable to move the 1st Brigade from reserve at a moment's notice, and the line, extended from 5,000 to 9,000 yards, was not naturally the line that had been held by the Allies at 5 o'clock, and a gap still existed on its left. The new line, of which our recent point of contact with the French formed the apex, ran quite roughly to the south and west.

It became necessary for Brigadier-General Turner, commanding the 3rd Brigade, to throw back his left flank southward to protect his rear, and in the course of the confusion which followed upon the readjustment of position, the enemy, who had advanced rapidly after his initial successes, took four British 4.7 guns in a small wood to the west of the village of St. Julien, two miles in the rear of the original French trenches.

The story of the second battle of Ypres is the story of how the Canadian Division, enormously outnumbered, for they had in front of them at least four divisions supported by immensely heavy artillery, with a gap still existing, though reduced, in their lines, and with dispositions made hurriedly under the stimulus of critical danger, fought through the day and through the night, and then through another day and night: fought under their officers, until, as happened to so many, these perished gloriously, and then fought from the impulsion of sheer valor because they came from fighting stock.

The enemy, of course, was aware, whether fully or not may perhaps be doubted, of the advantage his breach in the line had given him, and immediately began to push a formidable series of attacks upon the whole of the newly formed Canadian salient.

If it is possible to distinguish when the attack was everywhere so fierce, it developed with particular intensity at this moment upon the apex of the newly formed line, running in the direction of St. Julien.

It has already been stated that four British guns were taken in a wood comparatively early in the evening of the 22nd.

In the course of that night, and under the heaviest machine gun fire, this wood was assaulted by the Canadian Scottish, 16th Battalion of the 3rd Brigade, and the 10th Battalion of the 2nd Brigade, which was intercepted for this purpose on its way to a reserve trench. The battalions were respectively commanded by Lt.-Colonel Leckie and Lt.-Colonel Boyle, and after a most fierce struggle in the light of a misty moon, they took the position at the point of the bayonet.

At midnight, the 2nd Battalion, under Lt.-Colonel Watson, and the Toronto Regiment Queen's Own (3rd Battalion), under Lt.-Colonel Rennie, both of the 1st Brigade, brought up much needed reinforcement, and though not actually engaged in the assault, were in reserve.

All through the following days and nights these battalions shared the fortunes and misfortunes of the 3rd Brigade. An officer who took part in the attack describes how the men about him fell under the fire of the machine guns, which, in his phrase, played upon them "like a watering pot." He added quite simply, "I wrote my own life off."

But the line never wavered. When one man fell another took his place, and with a final shout the survivors of the two battalions flung themselves into the wood. The German garrison was completely demoralized, and the impetuous advance of the Canadians did not cease until they reached the far side of the wood, and entrenched themselves there in the position so dearly gained.

They had, however, the disappointment of finding that the guns had been blown up by the enemy, and later on in the same night, a most formidable concentration of artillery fire, sweeping the wood as a tropical storm sweeps the leaves from a forest, made it impossible for them to hold the position for which they had sacrificed so much.

The fighting continued without intermission all through the night, and to those who observed the indications that the attack was being pushed with ever growing strength, it hardly seemed possible that the Canadians, fighting in positions so difficult to defend, and so little the subject of deliberate choice, could maintain their resistance for any long period.

At 6 a.m., on Friday, it became apparent that the left was becoming more and more involved and a powerful German attempt to outflank it developed rapidly. The consequences if it had been broken or outflanked, need not be insisted upon. They were not merely local.

It was therefore decided, formidable as the attempt undoubtedly was, to try to give relief by a counter attack upon the first line of German trenches, now far, far advanced from those originally occupied by the French. This was carried out by the Ontario 1st and 4th Battalions of the 1st Brigade, under Brigadier-General Mercer, acting in combination with a British brigade. It is safe to say that the youngest private in the rank, as he set his teeth for the advance, knew the task in front of him, and the youngest subaltern knew all that rested upon its success.

It did not seem that any human being could live in the shower of shots and shells, which began to play upon the advancing troops. They suffered terrible casualties. For a short time every other man seemed to fall, but the attack was pressed even closer and closer. The 4th Canadian Battalion at one moment came under a particularly withering fire. For a moment, not more, it wavered. Its most gallant commanding officer, Lt.-Col. Birchall, carrying after an old fashion, a light cane, coolly and cheerfully rallied his men, and at the very moment when his example had infected, fell dead at the head of his battalion.

With a hoarse cry of anger they sprang forward

(for indeed they loved him) as if to avenge his death. The astonishing attack which followed, pushed home in the face of direct frontal fire made in broad daylight, by battalions whose names should live forever in the memories of soldiers, was carried to the first line of German trenches. After a hand to hand struggle, the last German who resisted was bayoneted, and the trench was won.

The measure of this success may be taken, when it is pointed out that this trench represented in the German advance the apex in the breach which the enemy had made in the original line of the allies, and that it was two and a half miles south of that line.

This charge, made by men who looked death indifferently in the face, for no man who took part in it could think that he was likely to live, saved, and that was much, the Canadian left. But it did more; up to the point where the assailants conquered or died, it secured and maintained during the most critical moment of all, the integrity of the Allied line.

For the trench was not only taken, it was thereafter held against all comers, and in the teeth of every conceivable projectile, until the night of Sunday, the 25th, when all that remained of the war-broken but victorious battalions was relieved by fresh troops.

It is necessary now to return to the fortunes of the 3rd Brigade, commanded by Brigadier-General Turner, which, as we have seen, at 5 o'clock on Thursday was holding the Canadian left, and after the first attack, assumed the defence of the now Canadian salient, at the same time sparing all the men it could to form an extemporized line between the wood and St. Julien.

This brigade also was, at the first moment of the German offensive, made the object of an attack by the discharge of poisonous gas. The discharge was followed by two enemy assaults. Although the fumes were extremely poisonous, they were not, perhaps, having regard to the wind, so disabling as on the French lines (which ran almost east to west) and the brigade, though affected by the fumes, stoutly beat back the two German assaults.

Encouraged by this success it rose to the supreme effort required by the assault on the wood, which has already been described.

At 4 o'clock on the morning of Friday, the 23rd, a fresh emission of gas was made both upon the 2nd Brigade, which held the line running northeast, and upon the 3rd Brigade, which, as has been fully explained, had continued the line up to the pivotal point, as defined above, and had then spread down in a southeasterly direction. It is, perhaps, worth mentioning that two privates of the 48th Highlanders who found their way into the trenches commanded by Col. Lipsett, 90th Winnipeg Rifles 8th Battalion, perished of the fumes and it was noticed that their faces became blue immediately after dissolution.

The Royal Highlanders of Montreal, 13th Battalion, and the 48th Highlanders, 15th Battalion, were more especially affected by the discharge. The Royal Highlanders, though considerably shaken, remained immovable upon their ground.

The 48th Highlanders, which no doubt received a more poisonous discharge, were for the moment dismayed and indeed their trench, according to the testimony of very hardened soldiers, became intolerable. The battalion retired from the trench but for a very short distance and for an equally short time. In a few moments they were again their own. They advanced upon and occupied the trenches which they had momentarily abandoned.

In the course of the same night the 3rd Brigade, which had already displayed a resource, gallantry and tenacity, for which no eulogy could be excessive, was exposed, (and with it the whole Allied cause), to a peril more formidable.

It has been explained, and indeed the fundamental situation made the peril clear, that several German divisions were attempting to crush, or drive back this devoted brigade, and in any event to use their enormous numerical superiority to sweep around and overwhelm our left wing at a point in the line which cannot be precisely determined.

The last attempt partially succeeded, and in the course of this critical struggle, German troops in considerable, though not in overwhelming numbers, swung past the unsupported left of the brigade, and, slipping in between the wood and St. Julien, added to the torturing anxieties of the long drawn struggle, by the appearance, and indeed for the moment the reality, of isolation from the brigade base.

In the exertions made by the 3rd Brigade during this supreme crisis, it is almost impossible to single out one battalion without injustice to others, but though the efforts of the Royal Highlanders of Montreal, 13th Battalion, were only equal to those of the other battalions who did such heroic service, it so happened by chance that the fate of some of its officers attracted special attention.

Major Norsworthy, already almost disabled by a bullet wound, was bayonetted and killed, while he was rallying his men with easy cheerfulness. The case of Captain McCuaig of the same battalion was not less glorious, although his death can claim no witness. This most gallant officer was seriously wounded in a hurriedly constructed trench, at a moment when it would have been possible to remove him to safety. He absolutely refused to move, and continued in the discharge of his duty.

But the situation grew instantly worse, and peremptory orders were received for an immediate withdrawal. Those who were compelled to obey them were most insistent to carry with them, at whatever risk to their own mobility and safety, an officer to whom they were devotedly attached.

But he, knowing, it may be, better than they the exertions which still lay in front of them and unwilling to inflict upon them the disabilities of a maimed man, very resolutely refused, and asked of them one thing only, that there should be given to him as he lay alone in the trench, two loaded Colt revolvers to add to his own, which lay in his right hand as he made his last request. And so, with three revolvers ready to his hand for use, a very brave officer waited to sell his life, wounded and racked with pain, in an abandoned trench.

On Friday afternoon the left of the Canadian line was strengthened by important reinforcements of British troops, amounting to seven battalions. From this time forward the Canadians also continued to receive further assistance on the left, from a series of French counter-attacks, pushed in a north easterly direction from the canal bank.

But the artillery fire of the enemy continually grew in intensity, and it became more and more evident that the Canadian salient could no longer be maintained against the overwhelming superiority of numbers by which it was assailed. Slowly, stubbornly, and contesting every yard, the defenders gave ground until the salient gradually receded from the apex near the point where it had originally aligned with the French, and fell back upon St. Julien.

Soon it became evident that even St. Julien, exposed to fire from right and left, was no longer tenable, in the face of overwhelming numerical superiority. The 3rd Brigade was therefore ordered to retreat further south, selling every yard of ground as dearly as it had done since five o'clock on Thursday.

But it was found impossible, without hazarding far larger forces, to disentangle the detachment of the Royal Highlanders of Montreal, 13th Battalion, and of the Royal Montreal Regiment, 14th Battalion. The brigade was ordered, and not a moment too soon, to move back. It left these units with hearts as heavy as those with which his comrades said farewell to Captain McCuaig.

The German line rolled indeed over the deserted village, but for several hours after the enemy had become master of the village the sullen and persistent rifle fire which survived, showed that they were not yet master of the Canadian rear guard.

If they died they died worthy of Canada. The enforced retirement of the 3rd Brigade (and to have stayed longer would have been madness), reproduced for the 2nd Brigade, commanded by Brigadier-General Currie, in a singularly exact fashion the position of the 3rd Brigade itself at the moment of the withdrawal of the French.

The 2nd Brigade, it must be remembered, had retained the whole line of trenches, roughly 500 yards, which it was holding at 5 o'clock on Thursday afternoon, supported by the incomparable exertions of the 3rd Brigade, and by the highly hazardous deployment in which necessity had involved that brigade, the Second Brigade had maintained its lines.

It now devolved upon General Currie, commanding this brigade, to reproduce the tactical maneuvers by which earlier in the fight the 3rd Brigade had adapted itself to the flank movement of overwhelming numerical superiority. He flung his left flank round south and his record is that in the very crisis of this immense struggle, he held his line of trenches from Thursday at 5 o'clock till Sunday afternoon.

And on Sunday afternoon he had not abandoned his trenches. There were none left. They had been obliterated by artillery. He withdrew his undefeated troops from the fragments of his field fortifications, and the hearts of his men were as completely unbroken as the parapets of his trenches were completely broken.

The 2nd and the 3rd Brigades, and the considerable reinforcements which by this time filled the gap between the two, were gradually driven fighting every yard upon a line running roughly from Fortuin, south of St. Julien, in a north easterly direction towards Passchendaele.

Here the two brigades were relieved by two British brigades, after exertions as glorious, as fruitful, and alas, as costly as soldiers have ever been called upon to make.

Monday morning broke bright and clear and found the Canadians behind the firing line. This day too, was to bring its anxieties. The attack was still pressed, and it became necessary to ask Brigadier-General Currie whether he could once more call upon his shrunken brigade.

"The men are tired," this indomitable soldier replied, "but they are ready and glad to go again to the trenches," and so once more, a hero leading heroes, the general marched back the men of the Second Brigade, reduced to a quarter of its original strength, to the apex of the line as it existed at that moment.

This position he held all day Monday; on Tuesday he was still occupying reserve trenches, and on Wednesday he was relieved and retired to billets in the rear.

Such, in the most general outline, is the story of a great and glorious feat of arms. A story told so soon after the event, while rendering bare justice to units whose doings fell under the eyes of particular observers, must do less than justice to others who played their part and all did as gloriously as those whose special activities it is possible, even at this stage, to describe. But the friends of men who fought in other battalions, may be content in the knowledge that they too shall learn, when time allows the complete correlation of diaries, the exact part which each unit played in these unforgettable days.

"Arise O Israel," the Empire is engaged in a struggle without quarter, and without compromise, against an enemy still superbly organized, still immensely powerful, still confident that its strength is the mate of its necessities. "To arms then, and still to arms." In Great Britain, in Canada, in Australia, there is need, and there is need now, of a community organized alike in military and industrial co-operation. That our countrymen in Canada, even while their hearts are still bleeding, will answer every call which is made upon them, we well know. The graveyard of Canada in Flanders is large. It is very large.

Those who lie there have left their mortal remains on alien soil. To Canada they have bequeathed their memories and their glory.

> "On fame's eternal camping ground
> "Their silent tents are spread.
> "And glory guards in solemn round,
> "The bivouac of the dead."

RUDYARD KIPLING

THE MEMORIAL TO CANADIANS FALLEN IN WAR

Rudyard Kipling entered journalism as a young man in India, and even after he had become a celebrated novelist he was covering the Boer War for an English newspaper. During World War I he lectured and wrote in support of the Allied cause. In addition to several books on the war, he produced newspaper articles such as the following on a memorial service for the Canadian dead, which was carried by The Ottawa Citizen. *Kipling's only son was killed during the war.*

Rudyard Kipling était encore un jeune homme quand il est devenu journaliste, en Inde. Il était déjà un romancier célèbre quand il a couvert la guerre des Boers pour un journal anglais. Au cours de la première Grande Guerre, il a fait des conférences et rédigé des articles pour appuyer la cause des Alliés. En plus de composer plusieurs livres sur la guerre, il a publié des articles de journaux comme celui qu'on va lire ici. Il s'agit d'un reportage sur un service funèbre chanté à la mémoire des Canadiens morts au champ d'honneur. L'article a également paru dans le Citizen *d'Ottawa. Le fils unique de Kipling fut tué à la guerre.*

Rudyard Kipling's graphic account of the Canadian soldiers' memorial service in London this week has been cabled to the government. The text of it is as follows:—

They pass, O God and all
Our grief, our tears,
Achieve not their recall
Nor reach their ears.
Our lamentations leave
But one thing sure,
They perish and we grieve,
And we endure.

Yesterday evening the Dominion of Canada came for an hour to St. Paul's Cathedral to mourn over and to rejoice in her dead; and the English whose kin have fallen in the same fields came reverently and proudly with her. The soul-searching simplicity of the gathering was beyond any words. There was no parade nor preparation, except the Union and Dominion flags hung above the altar. The doors were set open in the bright light of a May evening and the people entered as members of one family grieving together. Some few had waited in their seats since the close of the afternoon service a couple of hours before. The great Cathedral settling into shadow at the day's end took no count of them nor of the quiet footed thousands that followed.

At first the crowd lined the streets outside and watched the officers and men in khaki and the women in black arriving in the cabs and busses, then they themselves entered, in little knots and detachments—soldiers of all arms and civilians of all trades—as though they had been held back till then by the natural desire to give precedence to the nearer mourners.

The Canadian officers and men were gathered in the choir, a blur of khaki facing the red and gold of the band. With them were their women in black, many meeting for the first time since their childhood; and wounded men in blue hospital dress, and behind and around all these from end to end and side to side of the vast space were the multitude of the people of London.

A woman asked, timidly, if a ticket were required. "No, why should it be," was the answer, and she and her child in black, went forward with the rest—the nameless folk concerned in the war. She had her tale to tell her acquaintance of the moment. It concerned a nephew in a regiment and the child, staring towards the flags, was his child, you see.

Another woman had a son also at the front and "Doing well so far," and wished for a closer view of the Canadians on the ground that her boy had fought alongside them.

"You can't. They are still sitting up in the choir," someone said, half reprovingly.

"Of course. I know that," the mother replied. "I only wanted to see 'em all together. They say they look splendid all together."

The confidences were exchanged along the benches between the further pillars or up and down the aisles as the people quietly, always quietly, looked for a place. Now and then a nurse in charge of wounded who have great gifts for getting lost, made a little stir as she shepherded her flock, or a knot of soldiers moved aside, as drilled men know how to move, that some women might have a better view.

But the people in the nave spoke, for the most part, of Canada; of their own relatives there in remote townships and what sort of folk these Canadians were who had endured so much, beginning with the Salisbury bumps. The words were as simple and neighborly as ever one would hear at a village funeral—with little descriptive touches of Canadians who had made purchases in their shops or whom they had met in trains, how they spoke and how they looked at the time. So do people recall the lost words and gestures of their own dead suddenly taken from life. The daylight faded.

There was one startling interlude when the great west door was opened wide against the last of the evening glow and a vista of silver-gray buildings, and the Lord Mayor's procession came up the nave in a river of scarlet and gold. The black and khaki swallowed him and all his gorgeous attendants and the memorial service began with a hymn that all knew and none had realized till that hour, one could hear the feeling thrill through the voices and the music at the words and—

And now we watch and struggle
And now we live in hope,
Zion in her anguish
With Babylon must cope.

Then the psalms with every known and unconsidered word alive and blood red; the anthem called for a moment a peace that has to be won; the lesson; and "The Saints of God." It was dark by then and a great space near the west door behind the last of the benches had filled with men, close pressed standing together in silence. They kneeled on the stones at the prayers, and shoulder badges glimmered, for many of them were soldiers on evening passes; they too, knew the hymns well enough to sing without the help of the leaflets.

The army of the living God,
To his command we bow,
Part of the host have crossed the flood,
And part are crossing now.

At how many individual gravesides have these words been sung, by every creed and denomination throughout all our lands? While the hymn lasted each soul there could mourn its own losses in the days when a single death was great grief and we were used to talk ignorantly of overwhelming woe.

Then the Bishop of London spoke to Canada, as a man who had seen the business of war and knew the souls of men. The voice came very clearly from the area under the dome where the light was full on the set of faces of the uniformed men, and the women and girls in black. They sat stonily, for of what avail are tears today? Occasionally some man back from the front nodded his head or bit his lip as the preacher named some comrade or commander dead; and once or twice a nurse put out a steadying hand towards a wounded man. The obscure mass in the nave and the standing crowd behind them scarcely moved.

We knelt for the last hymn, "Now the laborer's task is o'er," and it was then that the cathedral of our race which is so old in grief came to its own and possessed us. All the years that had gone before had prepared it for this—that it should see a new people baptized by blood into the strict fellowship of the civilized nations now at war with heathendom, that it should witness the burial of a world irrecoverably discarded and the birth of a new. The still air and the silence preluded the change, and when the Dead March in Saul wailed against death and triumphed over the grave, the mystery and the wonder of the change accomplished itself as simply as the greatest things must.

A woman leaned towards her companion and whispered: "Things can never be the same again." It is the phrase we often use as we turn away from the open grave, and presently our little affairs reclaim us. But in this case it held the new significance equally for her and the others who had come in to think and pray over their own losses; for the stray soldiers of the British regiments all about her; and for the Canadians themselves, where they sat in the full light, and endured all that "Last Post" means when one hears it out of its hour. People moved out slowly after the National Anthems had been sung, for every one was among friends; and there were wounded to be sorted out also, very white and exhausted and trying to deny it.

And when the tawny lines of the Dominion broke up and filed outward there were many greetings and questions between those who had not met since Valcartier or some hospital in France or England. Sometimes a word or message could be given to a woman that would fill her heart with a glory that showed in her wet eyes even as the blow was dealt. The men having paid their tribute had already begun to put their grief behind them, and to discuss new preparations. Before she realized the grossness of this evil that threatens the world, Canada had sent a division against it. Her answer to the shattering of that division was the despatch of an army corps. How could she do less, they implied, if she wished to live with mankind, or what is more important, with herself? It was as simple as life or death, or the pride that sits rightly on the men and nations that are acquitting themselves honorably at Armageddon.—(Sgd.) KIPLING.

L'Action, Montréal—11 septembre 1915

OLIVAR ASSELIN

"L'ACTION CATHOLIQUE", LES EVEQUES, ET LA GUERRE

Bien que nationalistes, jamais Olivar Asselin et Jules Fournier ne s'étaient sentis intellectuellement confortables au Devoir, *non plus qu'au* Nationaliste, *depuis que celui-là avait avalé celui-ci. Question, peut-être, de tempérament. Le 15 avril 1911, Fournier fonde* L'Action. *Aussitôt Asselin lui apporte sa collaboration. Cet hebdomadaire de grande qualité et d'excellente tenue devait disparaître cinq ans plus tard, en 1916.*

En septembre 1915, l'abbé d'Amours, directeur de L'Action catholique, *de Québec, s'était engagé dans une longue polémique contre les nationalistes en les accusant de compromettre, par leur attitude, la victoire nécessaire de la France et l'avenir du catholicisme menacé par l'Allemagne et l'empire ottoman. Olivar Asselin ne fut pas lent à relever le gant. L'article que nous reproduisons, publié à la une de* L'Action, *est typique de la manière d'Asselin et nous éclaire sur la décision qu'il prendra aux heures les plus sombres de la guerre en choisissant de joindre les forces armées. Il devait d'ailleurs s'en expliquer dans une conférence publique:* Pourquoi je m'enrôle. *D'autres nationalistes devaient adopter le même point de vue dont M. Victor Barbeau qui était alors rédacteur au* Devoir.

Although they were Nationalists, Olivar Asselin and Jules Fournier never felt intellectually comfortable with Le Devoir, *any more than with* Le Nationaliste *after it had been absorbed by the former. On April 15, 1911, Fournier founded* L'Action, *and Asselin immediately became a contributor. But this weekly of high quality and excellent taste was to disappear five years later, in 1916.*

In September 1915, Abbé d'Amours, editor of L'Action catholique *of Quebec, entered into a long controversy with the Nationalists, accusing them of compromising the necessary victory of France and the future of Catholicism, which was being threatened by Germany and the Ottoman Empire. Olivar Asselin was not slow to reply. The article reproduced here, published on the front page of* L'Action, *is typical of Asselin's style and throws light on the decision that he was to take in the darkest hours of the war, when he chose to join the armed forces. Then he explained his position in a public lecture:* Why I am enlisting. *Other Nationalists were to adopt the same point of view, among them Victor Barbeau, who was on the editorial staff of* Le Devoir *at the time.*

"L'organe du Cardinal-Archevêque de Québec", "le journal de son Eminence"—comme *La Patrie* appelle *L'Action Catholique* avec un luxe de majuscules qui devrait valoir à Ma Tante Louis-Joseph beaucoup d'indulgences—est inquiet. Il croit voir une divergence entre l'attitude des feuilles nationalistes et le sentiment des Canadiens-français. Il craint que les nationalistes, "après avoir accru contre nous l'animosité d'une partie de nos compatriotes d'origine anglaise", ne nous aliènent maintenant "les sentiments d'affection et d'admiration que nous gardaient nos frères de France, et que la noble conduite de nos soldats allait encore considérablement augmenter". Et il part de là pour ajouter ceci, que notre troisième mère-Patrie, probablement payée, cette fois encore, au pouce carré, reproduit comme "une admirable analyse des liens qui nous attachent à la France":

Dans le présent conflit mondial, le Canada entier, et les Canadiens-français en particulier, ont-ils intérêt à ce que la France ne soit pas amoindrie, à ce qu'elle ne soit pas vaincue, mais victorieuse?

La question paraîtra impertinente et ridicule à la plupart des lecteurs, mais il est malheureusement nécessaire de la poser, pour aider à la réflexion sinon les quelques snobs décadents et vaniteux, qui croient poser en beau en accusant l'Angleterre, la France et la Russie, pour excuser implicitement et même explicitement l'Allemagne, du moins des hommes capable de réflexion, qui devraient voir que leurs qualités de catholiques et de Canadiens leur font un devoir et un honneur de ne pas trahir la cause à laquelle la Providence les a attachés, pour une autre qu'ils ne sauraient embrasser sans trahir leur légitime souverain, leur propre patrie, leurs plus chers et plus réels intérêts (ouf!).

Encore qu'on en ait ri dédaigneusement, en certains quartiers, au nom de l'égoïsme national, il reste vrai et bien vrai que les Canadiens peuvent et doivent encore, pour longtemps, parler de l'Angleterre et de la France comme de leurs deux mères-patries, les deux patries dont le Canada a reçu, avec ses deux races et ses deux langues principales, ses traditions, sa civilisation, sa foi chrétienne et catholique. Même indépendamment des liens politiques qui nous unissent indissolublement à l'Angleterre pour un temps indéfini, une partie des Canadiens reste attachée à l'Angleterre par les liens du sang, de la langue, de la religion, de mille relations et intérêts, et une autre partie reste attachée à la France par les mêmes liens qui font que la disparition du prestige de la France nous causerait à nous Canadiens d'origine et de culture française, un tort mortel.

Actuellement, l'empire britannique a un intérêt immédiat à la résistance et au triomphe de la France, et le Canada également, puisqu'il fait partie de cet empire sur lequel le roi d'Angleterre règne légitimement. Si la France était vaincue, tout l'empire britannique serait directement atteint et non pas seulement menacé et nous le serions nous-mêmes, comme partie intégrante de cet empire.

Et dans le Canada, ceux qui seraient le plus directement et le plus gravement atteints par la victoire de l'Allemagne sur la France et sur l'Angleterre, seraient les Canadiens-français et les catholiques.

"Le journal de Son Eminence" ne serait pas à la hauteur de ses fonctions s'il n'envisageait la guerre comme toute autre chose au point de vue des intérêts catholiques. Voyez comme sur ce terrain il arrange M. Bourassa:

Quoi qu'en puisse dire ceux qui ont la prudence de ne pas exprimer trop clairement leur avis et la sagesse de n'en pas trop faire connaître les motifs, tout en prétendant mieux défendre les intérêts catholiques que les évêques en union avec le Pape, nous croyons que la défaite de la France et des Alliés serait humainement plus fatale à la religion catholique que celle de l'Allemagne et de ses alliés. Même sans compter que la liberté des catholiques est beaucoup mieux respectée sous l'égide de George V que sous l'égide de Guillaume II, il est difficile de ne pas voir que la France, la Belgique et l'Italie font oeuvre plus utile pour l'Eglise, chez elles et dans le monde, que la seule Autriche, qui fait assez peu en dehors de chez elle. . . .

Nous n'aimons pas, pour notre part, devancer le Pape et les évêques dans la défense des intérêts catholiques, et il serait bien à souhaiter, croyons-nous, que ceux qui nous accusent de méconnaître ces intérêts catholiques parce que nous défendons la cause de l'Angleterre et de la France, au nom des devoirs et des intérêts qui nous lient à ces deux pays aujourd'hui unis, eussent la discrétion de ne pas devancer ni d'admonester ceux dont ils devraient prendre les avis, les conseils et les ordres, au lieu de leur en adresser plus généreusement que sagement, du haut de leur seule prétention. . . .

Nos intérêts et nos devoirs de sujets britanniques sont d'être avec l'Angleterre. Nos intérêts et nos devoirs de catholiques ne contredisent en aucune façon nos devoirs et nos intérêts de sujets britanniques et de Canadiens-français, et il serait aussi contraire à la vérité qu'à la prudence de vouloir établir cette contradiction.

Il est assez naturel que l'article de Barrès ait réjoui les adversaires de la thèse nationaliste canadienne, et qu'il s'en fassent une arme. Ce nébuleux et infécond écrivain, espèce de magister allemand égaré dans la politique et les lettres françaises, et qui, dans un pays en pleine révolution sociale, s'est fait une originalité de pacotille auprès des vieilles marquises en présentant comme une découverte de son génie les antiques formules du conservatisme, en réduisant à quelques aphorismes mélancoliques et maigres comme sa personne la doctrine des de Maistre, des Bonald, des Du Bonnet et des d'Aurevilly, est bien la machine qu'il fallait mobiliser contre *Le Devoir*, où l'on a porté la reconnaissance pour ses quelques beaux gestes jusqu'à tout vanter de lui, même de lourdes niaiseries comme *La Colline Inspirée.* Héroux est richement payé! Mais à part cette valeur de circonstance, bien fûté qui en trouverait une quelconque, de valeur, à ce qu'il vient d'écrire sur les devoirs du Canada envers l'Angleterre. Il y a peut-être en France trois ou quatre hommes qui ont étudié le régime colonial britannique d'assez près pour en parler en connaissance de cause, et ceux-là, avant de se porter juges entre nationalistes et impérialistes canadiens, voudront entendre autre chose que la cloche fêlée de *L'Action Catholique.* Inutile de le dire, Barrès n'est pas, ne sera jamais du nombre. Nous doutons même que cet écrivain, que l'admiration désordonnée des conservateurs de France a érigé en prototype de l'idée française, comprenne jamais tout à fait que des sujets anglais puissent prétendre à faire du français une de leurs langues officielles. Nous du Canada français, nous avons cent autres raisons d'aimer la France et de souhaiter son triomphe; mais, de grâce, ne nous faisons pas illusion sur le degré d'intérêt qu'en dehors de milieux très restreints, comme la Canadienne, les intellectuels français nous portent. Pendant mon séjour en France, il y a trois ans, j'ai eu l'honneur d'assister à une réception chez un des membres les plus illustres de l'Institut, j'ai pris part à un dîner de Parisiens normands et bretons, des amis du Canada m'ont aimablement invité à leur table en même temps que des publicistes et des hommes politiques français censés connaître et aimer notre pays de façon particulière: à part MM. Bardoux et André Siegfried, je ne crois pas avoir rencontré, parmi tant d'hommes distingués, personne qui dans la discussion de nos relations avec l'Angleterre ne partît de ce principe, que la métropole peut tout exiger de ses colonies, tout imposer à ses colonies, et dans la discussion de nos questions scolaires, du principe qu'en pays anglais, l'anglais seul peut avoir des droits. Essayer de les convaincre eût été superflu: nous ne parlions pas la même langue. Le directeur de *L'Action Catholique* a passé plusieurs années en Europe. Il connaît comme nous cette impuissance de l'esprit français à comprendre un empire organisé autrement que celui de Napoléon—qui s'appelle aujourd'hui la République française. Il sait parfaitement que Barrès parle du Canada comme il ferait du Thibet, avec cette malheureuse différence qu'à l'heure actuelle le Canada lui fournit plus de plats pour y mettre ses longues pattes d'échassier égoïste et bien lissé, posant au philosophe pendant que, d'un oeil froid, il guette au fond de la mare un naïf goujon. Mais avec la malhonnêteté qui finit par être le trait caractéristique de tout casuiste, il n'hésite pas à s'appuyer sur Barrès, certain que le défenseur des clochers de France en imposera toujours au coeur reconnaissant de nos curés, même en des matières où il est encore plus insensible à la lumière qu'il ne le fut, Germain barbare, à l'harmonieuse clarté du Parthénon.

Le directeur de *L'Action Catholique* sait également qu'il n'a pas le droit d'excuser la politique francophobe du gouvernement d'Ontario par la timide résistance qu'y ont opposée des populations naturellement respectueuses des lois. Il n'aurait qu'à remonter quelques mois en arrière pour trouver, dans *L'Action Catholique* même tout ce que M. Bourassa, M. Héroux, M. le sénateur Landry, M. Belcourt, ou les RR. PP. Oblats d'Ottawa, ont jamais dit ou écrit sur la question scolaire ontarienne. Mais pour des raisons que nous soupçonnons sans les connaître—et sur lesquelles il faudra revenir,—"le journal de son Eminence" veut mettre l'épiscopat canadien-français bien en cour à Londres et à Rideau-Hall: tant pis pour les Canadiens-français d'Ontario s'ils sont vraiment des frères trop compromettants; ils seront exécutés d'un mot perfide, par un de ces petits abbés jésuites et italiens, comme il s'en faisait il y a quatre siècles et comme il ne s'en fait, hélas! presque plus; qui manient avec une égale habileté les "canons" de l'Eglise et le stylet, et pour qui nulle besogne ne fut jamais ni trop ardue, ni trop scélérate, ni trop vile.

Je le confesserai à plat ventre s'il le faut, je n'ai pas qualité pour discuter avec "l'organe du Cardinal-Archevêque de Québec", non plus d'ailleurs qu'avec le journal qui a servi tout à tour de feuille de joie à tant d'Anglo-Protestants distingués, si le catholicisme gagnerait plus à la victoire des Alliés qu'à celle des empires germaniques. Je laisse à ceux qui croient pouvoir mener de front la propagande religieuse et la propagande politique cette tâche glorieuse. Ce qu'il me paraît plus important de relever, dans "l'admirable analyse" de la feuille à Son Eminence, ce sont les insinuations qui en font la substance et qui, comme presque toutes les insinuations des casuistes, sont mensongères.

Personne en notre pays, que nous sachions, n'a "ri dédaigneusement" de ceux qui appellent l'Angleterre et la France les deux mères-patries du Canada: ou seulement envoyé faire lanlaire les fumistes qui, ayant jusque-là emprunté leurs opinions sur la France tantôt à M. Graham, tantôt à M. Shaughnessy, tantôt à M. Wainwright, tantôt à M. Peter Lyall, tantôt à M. McGibbon, tantôt à M. "Bob" Rogers, s'étaient mis tout à coup à exalter la France hystériquement sur des harpes de tôle, pour mieux "entôler" les Canayens au profit de . . . l'Angleterre.

Personne, que nous sachions, n'a accusé *L'Action Catholique* de "méconnaître les intérêts catholiques parce qu'elle défend la cause de l'Angleterre et de la France": on a seulement prétendu, et très justement, qu'elle compromet les intérêts catholiques en faisant intervenir la religion dans une question où Son Eminence le Cardinal Bégin et S. G. Mgr. Bruchési ont exactement la même autorité que notre ami Phidime Phidimous, de Terrebonne,—et même un peu moins, puisque de par leur état ils sont moins libres d'exprimer toute leur pensée.

Personne que nous sachions n'a prétendu que "nos intérêts et nos devoirs de sujets britanniques" ne sont pas "d'être avec l'Angleterre", que "nos intérêts et nos devoirs de Canadiens-français" ne sont pas "d'être avec la France en autant (*sic*) que le permettent nos devoirs envers l'Angleterre", ou que "nos intérêts et nos devoirs de catholiques" contredisent de quelque façon "nos devoirs et nos intérêts de sujets britanniques et de Canadiens-français". On prétend seulement que le Canada serait plus fidèle à ses intérêts, sans manquer à son devoir envers l'Angleterre ni envers la France, en limitant son effort militaire à son immense territoire—quitte à faire en sorte qu'un Carruthers ne soit pas décoré pour avoir réalisé d'un seul coup, par l'accaparement des blés canadiens destinés aux Alliés, des profits qui suffiraient pour lever en Angleterre une armée de cent mille hommes. Tout le reste est inventé par *L'Action Catholique*, apparemment dans l'unique but d'inciter l'autorité religieuse à quelque abus d'autorité où le d'Amours, sinon d'autres, trouverait son compte.

Personne que nous sachions n'a mis en doute que "la disparition du prestige de la France nous causerait, à nous Canadiens d'origine et de culture française, un tort mortel": on a seulement crié: Ta gueule! aux faquins ensoutanés[1] comme le d'Amours de *L'Action Catholique* (né Damours à Trois-Pistoles), qui avec Mgr. Roy et Adjutor Rivard donnèrent au premier Congrès de langue française une tournure presque antifrançaise, qui en 1913 firent une campagne de presse pour opposer, au nom de prétendus intérêts catholiques, la pensée canadienne-française (*sic*) à la pensée française, qui en août et septembre 1914, alors que la France semblait avoir plus besoin de l'Angleterre que celle-ci de la France, écrivaient sans broncher que si jamais les Canadiens-français étaient appelés à servir la France, Nos Seigneurs les Evêques "sauraient leur indiquer leur devoir, tout leur devoir", qui ont cadenassé et verrouillé le Canada français contre les idées françaises de peur de voir un peuple improbe et veule, mais dévôt, contaminé par un peuple probe, héroïque, mais peu dévôt, et qui feignent de s'alarmer pour l'avenir de la culture française maintenant que, de leur propre aveu, c'est l'Angleterre qui a besoin de la France! Il y a touchant le devoir du Canada français envers la France dans la guerre actuelle, un article à faire et que je ferai un jour ou l'autre si Dieu m'en laisse le loisir. Dans cet article je montrerai que si chacun de nous doit à la France une reconnaissance proportionnée à ce que la culture chrétienne et française a fait pour lui, cette dette ne s'étend pas nécessairement à l'Etat dont il fait partie; que l'Etat ne peut pas assumer tous les devoirs qui incombent à chacun de ses sujets en particulier, car autrement la France, qui a un devoir de solidarité à remplir envers les groupes français du monde entier, serait tenue d'intervenir officiellement auprès de l'Angleterre en faveur des Canadiens-français d'Ontario—chose qu'elle ne fera point, que nous savons qu'elle ne peut point faire;—et ainsi de suite. En attendant, je crois pouvoir, quoique nationaliste, me dire aussi bon ami de la France que les fausses barbes de patriotes dont le venin antifrançais, propagé avec une habileté digne d'une meilleure cause, s'est distillé au début de la guerre du haut de vingt chaires de vérité.

Ce qui nous intéresse encore davantage dans "l'admirable analyse", c'est la menace non déguisée de la fin, qui a causé tant de joie à *La Patrie.*

S'il devait jamais—dit *L'Action Catholique*—y avoir conflit entre ces devoirs et ces intérêts divers (religieux et patriotiques), nous avons des chefs pour nous guider avec sagesse et autorité. QUE PERSONNE N'OSE les devancer ni leur susciter d'embarras.

La menace aurait sa raison d'être si quelqu'un avait osé "devancer l'épiscopat" ou lui "créer des embarras" dans les choses de son ressort. Etant donné les circonstances, force nous est d'y voir une tentative de réduire au silence, par l'intimidation, ceux qui se permettent de rappeler à nos évêques, si respectueusement que ce soit, le pas de petits clercs qu'ils ont fait en se prononçant d'autorité pour une politique contestable où ils se garderont bien de faire la deuxième gaffe de prétendre officiellement que la religion est intéressée. *L'Action Catholique* y est revenue dans un autre article que *La Patrie* a également reproduit. Nous y répondrons la semaine prochaine, par des arguments sur lesquels l'Escobar québecois pourra, s'il le veut, casser sa plume, ou que nos évêques pourront réfuter plus sommairement et plus sûrement par une interdiction, s'il est vrai—ce que nous ne croyons pas—qu'ils s'apprêtent à instaurer dans le Canada français, pour le compte des politiciens impérialistes, le régime que les Allemands ont établi à Varsovie.

[1]NOTE POUR LES MANES DU JUGE CIMON: "Faquin" doit ici s'entendre au sens journalistique.

La Presse, Montréal—4 février 1916

UN EPOUVANTABLE INCENDIE DETRUIT LA NUIT DERNIERE LE PARLEMENT D'OTTAWA

Il est curieux de relire, cinquante ans après l'incendie qui en février 1916 rasa en partie ce qu'on appelait alors le "Palais législatif d'Ottawa", que l'alarme fût donnée aux parlementaires par une figure pittoresque de l'époque, Médéric Martin, maire de Montréal et député aux Communes. Le sinistre provoqua de lourds dégats. Quelques personnes y perdirent la vie. Mais très tôt il fallut écarter la rumeur à l'effet que l'incendie aurait été l'oeuvre de saboteurs d'origine allemande ou autrichienne. Le "Palais législatif" avait tout simplement connu le même sort que beaucoup d'immeubles canadiens construits à une époque où ceux-ci n'étaient pas "à l'épreuve du feu".

Depuis que Trefflé Berthiaume avait récupéré la propriété du journal, La Presse *soignait de plus en plus les grands faits divers, et son tirage atteignait maintenant plus de 125,000. Ce jour-là, la nouvelle était de taille et, comme d'ailleurs la chose s'imposait, le récit de l'incendie du parlement fédéral ne laissa de côté aucun détail susceptible d'intéresser le lecteur.*

Fifty years after the fire that partly razed what was then called le Palais législatif d'Ottawa, *it is interesting to read that the alarm was given by a picturesque figure of the period, Médéric Martin, Mayor of Montreal and a member of the House of Commons. The calamity caused heavy damage and a few people lost their lives. It became necessary to scotch the rumour that the fire was the work of German- or Austrian-born saboteurs. The* Palais législatif *had simply met the fate of many Canadian buildings of the time that were not "fire-proof."*

Since Trefflé Berthiaume had recovered ownership of La Presse, *the paper had been paying more and more attention to big news stories, and its circulation now was more than 125,000. The news that day was big indeed, and the account of the burning of the Parliament Buildings omitted no detail that might have been of interest to the reader.*

La nouvelle qu'un mystérieux incendie avait éclaté au Palais Législatif d'Ottawa, détruisant la partie centrale de l'édifice et causant plusieurs pertes de vie, a jeté la consternation dans le pays tout entier.

Alors que nos législateurs venaient à peine de se mettre à l'oeuvre et que tout marchait dans l'ordre le plus parfait, un cri d'alarme retentit et apporte la confusion au sein de cette assemblée. Une épaisse fumée remplit en quelques secondes les corridors et gagne bientôt la salle des délibérations, ce qui rend plus difficile le travail de sauvetage. Dans le tumulte qui s'ensuit, deux femmes appartenant à la société de Québec, hôtes de Mme Albert Sévigny, femme de l'Orateur de la Chambre, qui assistaient à la réunion, périssent dans les flammes. Trois parlementaires, un ministre et deux députés, l'hon. M. Burrell, M. Michael Clarke et M. E. L. Cash, sont cruellement brûlés aux mains et à la figure, ainsi que nombre d'autres qui combattaient l'incendie. Et ce n'est que grâce au sang-froid montré par tous ceux qui se trouvaient dans l'édifice, au moment où les flammes firent leur apparition, si l'on n'a pas à déplorer de plus grands malheurs encore.

La brigade des pompiers se met promptement au travail et lance bientôt plusieurs jets d'eau sur cet immense brasier; mais, peine inutile, l'incendie accomplit son oeuvre et une heure après, toute la partie centrale du parlement n'est plus qu'un amas de ruines fumantes.

Des rumeurs persistantes disent que l'incendie aurait été allumé par une main criminelle allemande ou autrichienne et que le coup aurait été préparé de longue date. La rapidité avec laquelle l'élément destructeur s'est propagé depuis la salle de lecture où il a été découvert, à travers les différentes pièces de l'édifice, jusqu'à la salle des séances, forçant ceux qui s'y trouvaient à fuir en toute hâte, donne un air de vérité à cette assertion. On parle d'une explosion qui aurait été entendue distinctement par les personnes qui étaient près du cabinet de lecture. D'aucuns vont jusqu'à dire que le département de la justice avait été averti trois semaines à l'avance par un journal des Etats-Unis, que les ennemis de l'empire projetaient des attaques sur les principaux édifices de la capitale canadienne.

Quoi qu'il en soit, une enquête sérieuse s'impose afin de savoir si véritablement l'on est en présence d'un attentat criminel ou si l'incendie est seulement dû à une cause accidentelle. La population canadienne sera heureuse d'avoir des éclaircissements sur ce point.

C'est vers 9 heures, hier soir, que le feu s'est déclaré dans les édifices parlementaires. Les députés aux Communes étaient alors en session et étaient à discuter une proposition de M. Clarence Jamieson, de Digby, qui demandait une enquête sur les prix payés aux pêcheurs pour leur poisson.

La cause du désastre est restée mystérieuse. Tout ce que l'on sait, c'est que le feu s'est déclaré dans la salle de lecture des Communes, dans des piles de journaux. De là, il s'est propagé avec une excessive rapidité dans les corridors, dans les galeries et, en moins de trois minutes, toute l'aile était remplie d'une épaisse fumée.

Toute la partie centrale est pratiquement un monceau de ruines, à l'exception de la partie occupée par le Sénat et du bâtiment occupé par la bibliothèque.

Le major-général Sir Sam Hughes, ministre de la Milice, était à un dîner, quand il apprit la nouvelle du sinistre. Il se rendit aussitôt sur les lieux, et voyant la gravité de la situation, il fit venir de suite le 77ème bataillon, sous le commandement du colonel Street, et le corps des ingénieurs, et fit établir un cordon autour des édifices en flammes, afin d'en éloigner la foule. Toute la nuit le ministre de la Milice resta sur les lieux, donnant des ordres aux miliciens.

Plusieurs personnes ont perdu la vie au cours de l'incendie. On cite entre autres, Mme Bray, femme du docteur Bray de Québec, et Mme Morin, femme du docteur Morin, aussi de cette ville. Toutes deux étaient les hôtesses de Mme Sévigny, femme du président de la chambre, et se virent couper le chemin par les flammes. Les autres personnes connues qui ont péri sont Robert Fanning, un garçon de table, Alphonse Desjardins, un homme de la police fédérale, A. Desjardins un plombier. On est aussi certain qu'un autre homme, dont le nom est encore inconnu, est enseveli sous les ruines.

Au moment où fut donnée l'alarme de nombreux députés se trouvaient dans la chambre des Communes et les édifices étaient remplis de visiteurs, sans compter le nombreux personnel. Tous parvinrent à fuir malgré la rapidité foudroyante avec laquelle les flammes se répandirent. Sir Robert Borden dut se sauver en toute hâte. Sir Wilfrid Laurier n'était pas au parlement à ce moment.

Vers 1 h ce matin, tout l'édifice central n'était plus qu'un vaste brasier. Tout à coup, avec un fracas épouvantable, le toit des ailes d'ouest et une partie de celles de l'est s'écroulèrent, faisant monter d'immenses gerbes d'étincelles et de brandons enflammés à une grande hauteur. La chambre et les bureaux du sénat brûlaient et une pluie de tisons tombaient sur les édifices de l'est, où se trouvaient les bureaux du conseil privé, la chambre du conseil, le ministère de la justice, le ministère des finances, les bureaux du gouverneur-général, et la trésorerie.

Enfin, un peu avant 3 heures, on put se rendre compte que l'incendie était sous contrôle et qu'il était possible d'empêcher les flammes de se propager dans les parties encore intactes.

Mais il était encore impossible de pouvoir se mettre à la recherche des corps des victimes dans cet amas de débris brûlants.

Les premiers efforts pour éteindre les flammes furent d'abord faits par les employés présents dans les bâtisses du parlement et par les membres de la police fédérale. En même temps, les pompiers d'Ottawa étaient appelés, et quelques instants plus tard, des tonnes d'eau tombaient sur le brasier et sur les édifices environnants. Mais le feu s'était répandu trop rapidement pour pouvoir l'arrêter à son début.

Comme nous le disons plus haut, la cause du désastre est restée mystérieuse, et peut-être ne la connaîtrons-nous jamais. Tout ce que l'on sait, c'est que le feu s'est déclaré dans la chambre de lecture des journaux. Des rumeurs ont circulé que c'était l'oeuvre d'incendiaires et probablement d'Allemands. Des députés n'ont pas hésité à déclarer que la fumée est devenue si intense en quelques instants et que les flammes ont pris rapidement une telle intensité qu'il faut absolument voir là un crime. Un des plus éminents a rapporté que, dans ces derniers temps, des personnes s'étaient plaintes du fait que quatre Allemands, d'après elles, travaillaient à des réparations dans les édifices du parlement.

D'un autre côté, la chose semble difficile. Car un constable se tient toujours aux deux portes de la salle de lecture, où le feu a éclaté, et ils auraient certainement découvert les incendiaires. Peut-être est-ce simplement la cendre mal éteinte d'un cigare qui aura été la cause du désastre, bien que cela soit difficile, puisqu'il est défendu de fumer dans cette salle.

Nombreux sont les députés, les employés surpris dans leurs bureaux et les visiteurs qui ne doivent d'avoir échappé à la mort que grâce au dévouement des pompiers ou des soldats. Dans les galeries de la Chambre des Communes, nombre de personnes faillirent être asphyxiées et eurent de grandes difficultés à descendre par les escaliers étroits. Des soldats vinrent à leur aide et leur firent mettre sur la bouche des linges préalablement trempés dans de l'eau.

Le docteur Cash, député de Yorkton, fut sorti à travers une fenêtre par un de ses collègues, M. Thomas McNutt, député de Saltcoats.

Sir Robert Borden, dont les bureaux se trouvaient dans l'angle nord-ouest, dut s'enfuir, sans paletot et sans chapeau, dans le corridor de l'étage au-dessous, et de là dans ses autres bureaux de l'aile de l'Est.

Le docteur Michael Clarke, de Red Deer, parvint à s'échapper à moitié asphyxié. Quand il revint à lui, il déclara que quelques-uns de ses collègues se trouvaient encore dans la chambre des députés, mais, heureusement, il fut découvert qu'il était dans l'erreur.

Mme Sévigny, femme du président de la chambre, se voyait la retraite coupée par les flammes et la fumée et désespérait de pouvoir s'échapper, quand on vint à son secours. Elle fut descendue dans un filet de sauvetage.

L'honorable Martin Burrell, ministre de l'agriculture, était dans le bureau attenant à la salle de lecture. Tout à coup, il vit devant lui un rideau de feu et de fumée asphyxiante. Il ne perdit pas un instant, mais se précipita à travers les flammes. Il s'en réchappa avec de cruelles brûlures à la tête et aux mains. Il fut transporté au rez-de-chaussée, où le docteur Dugald Stewart, député de Lunenburg, lui donna les premiers soins. M. E.-W. Nesbitt, eut les mains douloureusement coupées par des éclats de vitre. Mme Verville, femme du député de Maisonneuve, se trouvait elle aussi dans la salle de lecture, quand elle se trouva en sûreté, elle ne se rappelait plus rien de ce qui lui était arrivé.

Au moment où l'incendie a été découvert, Leurs Altesses Royales, le Duc et la Duchesse de Connaught, en compagnie de Lord Shaughnessy, de Montréal, et de Miss Shaughnessy, assistaient à un concert, au théâtre Russell, donné par Mme Edvina. Comme on ne croyait pas se trouver en face d'une aussi grave affaire, on n'annonça pas la chose de suite à Leurs Altesses. Ce n'est qu'à la fin du concert qu'elles apprirent le désastre. Le gouverneur-général se rendit aussitôt sur les lieux avec Lord Shaughnessy. Son Altesse Royale fut douloureusement impressionnée par le spectacle.

Le cabinet s'est réuni, à 11 hrs, hier soir, au Château-Laurier, sous la présidence de Sir Robert Borden, pour discuter des premières mesures à prendre. Cette réunion est sans précédent dans notre histoire et restera historique. Elle eut lieu dans les appartements du ministre des travaux publics. Il fut décidé que les travaux du parlement se continueraient tout comme s'il n'était rien arrivé, car la guerre est pressante et l'on ne peut attendre. Le premier ministre était calme, mais il était évident qu'il ressentait vivement la perte des édifices parlementaires.

Il a été résolu qu'une nouvelle réunion du cabinet aurait lieu à 1 h, aujourd'hui, et que l'endroit où se réuniront les Chambres sera fixé à cette réunion. En attendant, la première réunion des Communes aura lieu cet après-midi, à 3 hrs., soit au théâtre Russell, soit aux bureaux des Commissaires des Chemins de Fer.

Telle est la déclaration du premier ministre. Il a ajouté que les députés peuvent obtenir des renseignements quant à l'endroit de la réunion, au bureau du Conseil Privé, en tout temps après 11 hrs., ce matin.

Dans la chambre des Communes et dans les appartements du président de la Chambre, se trouvaient des peintures d'une valeur considérable pour le pays. Elles ont été détruites par l'incendie. Le vieux théâtre historique n'est plus aussi qu'un monceau de ruines. Mais les archives du Conseil Privé ont été placées en sûreté.

Toute la nuit une foule immense de citoyens s'est tenue sur les lieux et a regardé la lugubre scène. Il a fallu prendre les plus grandes précautions pour empêcher les gens de s'approcher de trop près et pour prévenir des accidents.

M. W. R. Bradbury, courtier, de la rue Elgin, rapporte des incidents intéressants au sujet de l'incendie. Il se trouvait dans le principal corridor de la chambre des Communes, près du bureau de poste, quand il entendit une explosion. Il se précipita vers la principale entrée de la chambre. "Tout semble se produire en un instant", rapporte-t-il, "j'étais près du bureau de poste, quand j'entendis l'explosion. En me retournant, je vis plusieurs policiers et plusieurs messagers s'élancer vers la chambre de lecture. J'entrai alors dans la chambre 16, dans laquelle se trouvaient plusieurs députés conservateurs, et je criai: au feu! Une seconde explosion dont j'ignorai la nature se produisit avant mon arrivée à la chambre 16 et me renversa presque sur le sol.

"Les députés sortirent en courant de la chambre 16, puis de la chambre des communes. Ceux qui sortaient de la chambre des communes, aidèrent M. David Henderson à sortir. Il n'était cependant aucunement blessé. En quelques minutes, toute la partie de l'édifice attenant à la chambre de lecture n'était plus qu'une masse enflammée. Un des messagers me dit que tous les députés avaient pu sortir de la chambre."

Le major Gérald White, député, confirme la déclaration de M. Bradbury en ce qui concerne les deux explosions distinctes. Il se trouvait dans la chambre 16 quand l'alarme sonna et il sortit un des derniers, aidant quelques députés plus âgés à fuir.

La plupart des députés laissèrent leurs paletots et leurs chapeaux et fuirent en abandonnant tout. Plusieurs employés se trouvaient dans le restaurant, à ce moment. Les corridors se remplirent si promptement de fumée qu'ils ne purent descendre par les escaliers. Ils se dirigèrent cependant vers l'angle sud ouest de l'édifice et apparurent aux fenêtres de la façade.

Des centaines de bouches s'échappa immédiatement le cri: "Ne sautez pas, les échelles arrivent." En effet, le chef Graham, aidé par les soldats du 77ème et par les policiers de la ville et ceux du corps de police fédéral, arrivait avec les échelles. On craignit pendant quelques instants de ne pouvoir opérer le sauvetage, car les flammes léchaient la façade. Elles menacèrent bientôt aussi la pièce dans laquelle se trouvaient emprisonnés les malheureux employés.

Les employés gardèrent cependant leur sang-froid. En quinze minutes, les échelles furent dressées et ils purent descendre. Quelques pompiers qui demeurèrent dans la pièce longtemps après que les employés en furent sortis, souffrirent de la fumée. Une couple d'explosions nouvelles se produisirent et ébranlèrent l'edifice, comme les toils s'écroulaient. Mais l'angle de l'édifice ne broncha pas. Les hommes du chef Graham firent un superbe travail à cet endroit; ils durent se relayer. Le manque d'échelles de sauvetage dans l'édifice leur nuisit beaucoup. Les abords du Parlement étaient couverts de glace et une couple de pompiers perdirent pied et furent assommés en tentant d'accoupler les boyaux.

Des centaines de personnes coururent vers les édifices du Parlement quand on sonna la seconde alarme. Ils arrivèrent à temps pour voir sortir les députés. Quelques-uns de ces derniers s'étaient couvert la tête d'un mouchoir; d'autres avaient remonté les collets de leurs paletots, pour remplacer les chapeaux absents. Plusieurs avaient été légèrement contusionnés; la plupart demandaient des nouvelles de leurs amis, qu'ils avaient perdu de vue dans l'excitation du moment.

Les rotondes des divers hôtels furent bientôt remplies de députés accompagnés de leurs amis, qui s'informaient de ceux qu'ils n'avaient pas revus depuis la sortie précipitée de la Chambre des Communes, du Sénat et des différents bureaux du Parlement.

L'honorable Robert Rogers a perdu son paletot et nombre d'autres se trouvent dans le même cas.

Le docteur McNutt, député de Saltcoats, dans la Saskatchewan, et le docteur E. L. Cash, député de Yorkton, dans la Saskatchewan, coururent un grand danger et se sauvèrent d'une manière périlleuse. Ils se trouvaient dans la chambre de toilette quand éclata l'incendie et tous deux ignoraient que tout l'édifice était en flammes. "Je me trouvais dans la chambre de toilette", raconte le docteur McNutt; "je n'avais pas été là trois minutes quand j'ouvris la porte. J'aperçus, à l'extrémité du corridor, une masse de flammes et de fumée. Le docteur Cash survint au même moment. Nous ne pouvions passer au travers de ces flammes et de la fumée. Nous cherchâmes donc un moyen de sortir de là. Nous avisâmes la fenêtre. Sans nous occuper de ce qu'il y avait en-dessous, nous prîmes les serviettes et nous en fîmes une corde que nous attachâmes à une fenêtre, en nous servant pour cela d'un bâton destiné à ouvrir la fenêtre.

"Le docteur Cash passa le premier par la fenêtre. Il doit avoir fait une chute de vingt pieds. A ce moment, les concierges, qui étaient des Canadiens-français, se joignirent à nous. Un d'entre eux avait apporté une échelle, que nous descendîmes et dont nous appuyâmes le pied sur un puits en dehors. Je passai le premier et atteignis l'échelle avec mes pieds. Après m'être assuré de sa solidité, j'appelai le concierge. Il passa par la fenêtre et je l'aidai à atteindre l'échelle. C'est ainsi que nous nous échappâmes. Je n'ai jamais rien vu de pareil. Il y avait six pouces d'eau dans la cour."

Sir Thomas White, ministre des finances, se trouvait dans les bureaux de l'honorable docteur Reid, ministre des douanes, à côté de la chambre de lecture où on croit que l'incendie a originé. "J'entendis les cris", raconte-t-il, "et je sortis pour me rendre dans mon bureau, où se trouvaient mon chapeau et mon paletot. Comme je cherchais à sortir de la chambre de lecture par la porte donnant sur le corridor de la chambre, une masse de fumée me barra le passage; on voyait des flammes au travers. L'honorable Martin Burrell tenta de fuir par la même porte et se brûla. J'échappai par le sénat, en compagnie du docteur Reid; mais je perdis mon chapeau et mon paletot, car je ne pus me rendre à mon bureau. A ma sortie de l'édifice, j'aperçus plusieurs députés, parmi lesquels le docteur Michael Clarke. Je craignis, pendant un certain temps que plusieurs personnes n'eussent perdu la vie.

L'honorable Robert Rogers, ministre des travaux publics, se trouvait à la chambre des communes, avec l'honorable J. D. Hazen, quand les cris d'alarme retentirent au travers des corridors. Interviewé, hier soir, l'honorable M. Rogers a dit ce qui suit: "J'avais abandonné le parquet de la chambre des communes pour me rendre à la chambre 16, quand les députés accoururent en criant: au feu! Je courus de la chambre 16 vers mon armoire dans laquelle se trouvaient mon chapeau et mon paletot, près des appartements du président de la chambre. Mais une fumée épaisse et noire m'arrêta. Je fis ensuite mon possible pour sortir et j'y réussis. La fumée était si épaisse qu'on pouvait à peine voir ses propres mains."

M. E. M. MacDonald, député de Pictou, se trouvait dans la galerie des visiteurs, parlant à un ami, quand l'alarme fut donnée. "J'étais assis dans la galerie", dit-il, "quand M. Médéric Martin, de Montréal, et M. Frank Glass, de Middlesex-Est, arrivèrent en courant dans la chambre, en criant: au feu! Je descendis de la galerie en deux minutes, mais je ne pus trouver mon chapeau et mon paletot et je courus vers la façade de l'édifice. La rapidité avec laquelle les flammes se sont propagées est remarquable. Je ne puis comprendre comment une aussi considérable quantité d'une fumée aussi épaisse a pu se produire en aussi peu de temps et je ne peux pas non plus comprendre comment les flammes ont tout envahi si vite."

Sir Robert Borden a déclaré qu'il était dans son bureau, quand son sous-secrétaire entre soudain et lui apprit que l'édifice était en flammes. Le premier ministre voulut aller chercher son chapeau et son paletot, mais on lui représenta que cela était trop dangereux. Sir Robert Borden dit qu'il est satisfait d'avoir suivi ce conseil; car même sans s'attarder, il a eu beaucoup de misère à sortir de l'édifice. M. John Stanfield, le whip conservateur, a été surpris dans sa chambre et a dû s'échapper en descendant dans une échelle qui fut dressée par les pompiers, avec l'aide de quelques journalistes.

Mme Henri Bray, de Québec, et Mme Louis Morin, toutes deux les invitées de Mme Sévigny, la femme du président de la Chambre, ont été victimes de l'incendie. On les a trouvées asphyxiées. Mme Morin devait retourner chez elle il y a deux jours. Elle avait remis son départ de jour en jour; elle avait finalement décidé de partir ce matin. Elle avait été malade, pendant son séjour à Ottawa, et elle avait dû se faire soigner à l'hôpital de la rue Water. Elle était encore en mauvaise santé. Elle et Mme Bray semblent avoir pris une mauvaise direction dans le corridor en laissant leur chambre. Elles furent faites prisonnières par les flammes et la fumée, à une des extrémités du corridor. Elles avaient toutes deux succombé à l'asphyxie, quand on découvrit leurs corps inertes.

Autant qu'on a pu se renseigner hier soir, Mme Sévigny parvint à fuir par les corridors de l'édifice.

Mme Henri Dussault, de Québec, aussi une invitée de Mme Sévigny, a sauté du second étage, sans se blesser. Les deux jeunes enfants de Mme Sévigny ont été sauvés par les pompiers, qui les ont fait sauter dans un filet; ils n'ont pas été blessés et ils ont seulement eu une grande frayeur.

Mme Bray, qui a perdu la vie dans l'incendie qui a détruit les édifices du Parlement, à Ottawa, était la femme de M. H. A. Bray, de Lac Saint-Jean, Québec, et la fille de feu M. Georges Tanguay, ancien député et ancien maire de Québec. Son mari est le gérant-général de la "Factories Insurance Company", de Québec; il est fixé à Québec depuis plusieurs années; il habitait autrefois à Montréal. Elle était aussi la soeur de M. Edouard Tanguay, de la maison "Georges Tanguay, Limitée," de Québec.

Mme Morin était la femme de M. Louis Morin, avocat de Saint-Joseph de Beauce. Elles étaient les invitées de Mme Sévigny, en compagnie de Mme Dussault, femme du docteur Dussault, échevin de Québec. Les trois maris sont partis pour Ottawa par le train de onze heures et demie, hier soir. On ne sait si M. Bray connaissait toute l'étendue du malheur quand il est parti; mais il appréhendait évidemment une catastrophe. On croit que monseigneur Mathieu a appris la triste nouvelle à la mère de Mme Bray, Mme Tanguay.

L'édifice détruit était considéré comme un des plus beaux monuments architecturaux en Amérique. La pierre angulaire, qui se trouvait à l'intérieur de l'aile du sénat, avait été posée par feu le roi Edouard VII lorsqu'il vint au Canada comme prince de Galles, le 1er septembre 1860. L'édifice fut d'abord occupé par le parlement de la Province du Canada, puis, en 1867, par le premier parlement de la confédération canadienne. L'extérieur était plutôt attrayant qu'imposant. La pierre employée dans sa construction provenait de carrières du pays. L'intérieur était fini d'une manière plutôt inférieure, à l'exception de l'aile nouvelle construite il y a cinq ans et qui était tout à fait moderne.

On avait employé beaucoup de bois. La tour centrale avait un escalier en bois où il était impossible d'empêcher les flammes de se propager une fois un incendie déclaré. La chambre de lecture, où a commencé l'incendie, était tapissée tout le tour de casiers en bois. Il y avait aussi sur le plancher d'innombrables cases en bois pour les journaux. Elle n'était séparée par aucune porte incombustible de la chambre des communes et du sénat, ni non plus de la librairie. On trouvait beaucoup de boiseries dans les corridors; il n'y avait pas d'appareils suffisants pour étouffer les flammes, dans un cas de commencement d'incendie.

Les édifices détruits consistaient en quatre corps de bâtiments distincts; mais ils étaient réunis par des corridors qui en faisaient un tout complet. Le coût de ces édifices, en y comprenant les édifices adjacents servant au département était de six millions. La valeur des édifices détruits était probablement la moitié de ce total, soit trois millions de dollars. On trouvait dans les deux chambres, dans les corridors, dans la salle de lecture et dans le restaurant, des portraits de la reine Victoria, du roi Edouard et d'autres personnages distingués. Plusieurs de ces portraits étaient des oeuvres d'art qu'il sera impossible de remplacer et dont la perte est irréparable.

C'est en 1859, sous l'administration Cartier-Macdonald et pendant le terme d'office du gouverneur sir Edmund Head, sous le règne de la reine Victoria, que furent commencés les plans de l'édifice détruit, après que la reine Victoria eût décidé de faire transporter à Ottawa le siège du gouvernement du Canada. Les architects furent MM. Fuller et Jones et l'entrepreneur fut M. Thomas McGreevy. Le coût original devait être de $348,000, mais il fut ensuite augmenté. Le travail commença le 20 décembre 1859 et la pierre angulaire fut posée l'année qui suivit. Les travaux devaient être terminés en 1862 mais ne le furent qu'en 1866. La première session y fut tenue le 8 juin 1866. On y célébra l'inauguration de la confédération le 1er juillet 1867. La façade avait une longueur de 472 pieds. L'édifice avait trois étages et la tour centrale s'élevait à une hauteur de 160 pieds.

Quoique la salle de lecture, où a commencé l'incendie, fût voisine de la bibliothèque, celle-ci a échappé, car les flammes se sont propagées dans une direction opposée. Cependant, des livres placés au-dessus de la chambre de lecture ont été détruits. La bibliothèque qui a ainsi échappé aux flammes est une des plus considérables et des plus importantes du continent.

The Canadian Press—April 9, 1917

STEWART LYON

CANADIANS CARRY STRONGEST ENEMY DEFENCE IN WEST

The great battles of the Canadian Corps in 1917 were Vimy Ridge in April, Hill 70 in August, and Passchendaele in October-November.

Vimy was one of the outstanding Canadian successes, and is enshrined in our memories as such by the great memorial surrounded by Canadian graves on Hill 145. The Canadian attack on Easter Monday, April 9, was part of a general Allied assault on the German front. Vimy Ridge was strategically important because it was a vantage point from which the Germans could observe a large section of Allied territory. It had been the object of previous attacks, all failures. But this assault was marked by a new thoroughness of preparation. After a tremendous artillery bombardment of the ridge, all four Canadian divisions advanced together and were spectacularly successful. As in so many other battles of the war, however, losses were heavy: 10,602 Canadian casualties of all ranks, of which 3,598 were fatal.

1917 was the first year of operation of The Canadian Press, which had been formed, at least in part, to provide Canada's newspapers with a fuller coverage of the war. The following dispatch on Vimy Ridge is by CP correspondent Stewart Lyon.

Les grandes batailles du Corps canadien en 1917 se déroulèrent à la crête de Vimy en avril, sur la colline 70 en août, à Passchendaele en octobre et novembre.

Vimy, où les Canadiens remportèrent un de leurs plus grands succès est enchâssé dans nos mémoires par le grand monument qu'entourent les tombes canadiennes sur la colline 145. Le 9 avril, lundi de Pâques, les Canadiens attaquèrent dans le cadre d'un assaut général des Alliés sur le front allemand. L'importance stratégique de Vimy venait de ce que cet endroit constituait un poste d'observation d'où les Allemands pouvaient surveiller un grand secteur du territoire allié. Il avait déjà fait l'objet d'attaques, qui s'étaient soldées par des échecs. Mais l'assaut en cause fut préparé avec une nouvelle minutie. Après un gigantesque bombardement d'artillerie de la crête, toutes les quatre divisions canadiennes avancèrent de concert et remportèrent un succès spectaculaire.

C'est en 1917 que la Presse canadienne a commencé à fonctionner. L'agence avait été formée, dans le dessein, au moins, de fournir aux journaux du Canada des comptes rendus plus complets au sujet de la guerre.

THE CANADIAN HEADQUARTERS IN FRANCE, via London, April 9.—The crest of the Vimy ridge has been carried. The strongest defensive position of the enemy on the western front has been captured by the army of Sir Douglas Haig, and the Canadian corps was given the place of honor in the great event, being strongly supported by some of the most famous of the British formations.

The attack was preceded by a bombardment which continued for several days and in which guns of the heaviest caliber, formerly used on only the biggest battleships, took part. The results, as revealed by aerial observation, were a repetition of the battle of the Somme. Airplanes flying low, could find only shapeless masses of churned up earth where the enemy first line had been.

By Saturday afternoon Thelus, the chief village held by the enemy on the ridge, and lying due east of Neuville St. Vaast, was pounded out of all recognition, only two houses remaining. Prisoners taken told of heavy enemy losses. Even in the deep dugouts, where the Germans had hoped to be reasonably safe in that rain of death, no safety was to be found anywhere. In a desperate attempt to blind the eyes of the attacking army, the Germans on Saturday endeavoured to destroy our observation balloons.

Saturday night our guns continued the work of devastation under conditions which made a spectacle that was majestic and awe-inspiring. A full moon in the east lit up the countryside with mellow beams on the horizon, while the flash of the guns made a continuous play like that of the Northern Lights in the Dominion, or distant sheet lightning. This was sharply broken now and again by a column of reddish-yellow flame where on the ridge high explosives were bursting.

The gunners, with tireless energy, continued the cannonade, through Easter Sunday. On Monday morning came the supreme moment, that in which our infantry was called upon to go out and reap the fruit of months of preparation. They had endured, unwaveringly, the answering fire of the enemy, which, however, was not comparable to ours.

Some, impatient to be at the foe, had gone out on small wars of their own, and it is recorded that in one of the individual encounters in "No Man's Land" a Canadian, meeting a German, pursued him after emptying his revolver ineffectively at him. The Canadian cast about for some other weapon. The only one within reach was his steel helmet, and with the sharp edge of that he killed the armed German.

Such was the spirit of the infantry, who in the grey preceding the dawn, sprang from their shelters when the appointed time came. It was a great occasion, and greatly they rose to it.

Up the ridge and amid the shattered Hun trenches our men swarmed in successive waves. On the northern end, where a few trees along the sky line marked where the wood of La Folie had been, our troops advanced as through the remains of an orchard.

Within half an hour after the first German "S.O.S." rocket had been sent up, indicating a surprise attack, our objective was attained with slight loss. The tanks which accompanied our advancing infantry had little to do, but were seen in action later, near the crest of the ridge, on the extreme north of the line at a point east of Souchez, where much fierce fighting took place in 1915, when thousands of men fell.

The enemy put up a stiff fight. Hill 145 had been provided skilfully with concealed machine gun positions, and long after they had been driven from the surrounding ground with machine guns on the hill, they continued to sweep points of approach to the hill with their fire.

Encouraged by this show of resistance on what otherwise was a stricken field, the enemy began to send up reserves in trains from Lens, Douai and perhaps a greater distance, with the intention of launching a counter-attack. That attack was never made. As reports came in from the front and from the aviators of this massing of the enemy beyond Vimy, and the trenches in the vicinity, a tremendous barrage was turned on by our heavy guns, the range being too great for field artillery.

Probably for the first time in the war twelve inch weapons were used for this purpose at very long range. The splendid co-operation of the artillery arm in preventing this counter-attack did much to lessen our casualties on a difficult part of the front. On the southern end of the Canadian front, the Germans yielded ground more readily than in the north. Many prisoners were taken, and as for Thelus, which had been strongly held before, our guns hammered it to pieces. It did not long hold out. By 12.30 o'clock, seven hours after the battle

MOTHERS, WIVES, SISTERS, LOVERS! *A loyal government has placed a weapon in your hand to defend yourselves against the murdering burglar who would treat you as he treated your Belgian sisters. Make good use of it by supporting that government.*

MERES, EPOUSES, SOEURS, FEMMES QUI AVEZ UN ETRE CHER! *Un gouvernement loyal vous remet une arme pour vous défendre contre le cambrioleur assassin qui voudrait vous traiter comme il a traité vos soeurs belges. Utilisez bien cette arme en appuyant votre gouvernement.*

This cartoon by A.G. Racey in support of Borden's Union government appeared during the election campaign of 1917 in *The Montreal Star*.

Cette caricature d'A.G. Racey, à l'appui du gouvernement d'Union de Borden, a paru dans le *Star* de Montréal durant la campagne électorale de 1917.

began, no organized body of the enemy remained on Vimy ridge, save the nest of concealed machine gun sections on Hill 145.

Of the casualties, it can only be said this moment, that they are surprisingly light, especially in view of the importance of the ground won. The prisoners taken on the Canadian part of the front, probably total close to two thousand. The British troops on the adjacent part of the front captured over three thousand. Our men were splendid and proud that they have been counted worthy to furnish a striking force in so important an operation as the recapture of Vimy Ridge.

Le Devoir, Montréal—29 mai 1917

HENRI BOURASSA

L'EFFORT MILITAIRE DU CANADA

Orateur redoutable, homme politique aux idées arrêtées, Henri Bourassa était aussi, à sa façon, un dangereux polémiste. Il avait le culte de la démonstration ordonnée, reposant sur une masse de chiffres présentés avec clarté—donc de la démonstration susceptible de convaincre. L'article que nous reproduisons est typique du directeur-fondateur du Devoir, *et vaut en outre parce qu'il invoque contre l'effort militaire du Canada, certains arguments qui ne sont pas monnaie courante dans les milieux nationalistes d'alors.*

Henri Bourassa qui a l'habitude du peuple puisqu'il est député à la Chambre des Communes, procède par comparaison, sachant tous les avantages qu'on peut retirer du procédé: le Canada, écrit-il, fait plus que l'Angleterre, plus que la France, plus que les Etats-Unis, alors qu'il est moins riche. Une élection générale aura lieu quelques mois plus tard, en octobre, et Bourassa fera campagne contre Borden et "les unionistes". Mais Laurier et les libéraux qui combattent le gouvernement de coalition ne pourront toutefois détourner le cours des choses.

A formidable orator and a politician with strong opinions, Henri Bourassa was also, in his own way, a skilful controversialist. He was a believer in orderly arguments, which depend for their persuasiveness on a mass of statistics logically deployed. The article reproduced here is typical of the founder and editor of Le Devoir, *and is of interest because it sets forth certain arguments against Canada's war effort that were not standard in Nationalistic circles at the time. Canada, Bourassa writes, is contributing proportionately more than England, France or the United States, even though it is a poorer country. A general election took place two months later, and Bourassa campaigned against Borden and the Unionists. But Laurier and the Liberals who remained loyal to him, even with Bourassa's support, were unable to alter the course of events.*

"Nous en avons fait assez."

Si le recrutement des troupes était la seule ou la principale considération du moment, le gouvernement serait, ou plutôt, aurait été justifiable de faire voter la conscription. Du jour où l'on a dépassé le chiffre normal des enrôlements volontaires, réellement volontaires, on aurait dû rendre le service obligatoire. A plusieurs reprises, j'ai exprimé l'avis que la conscription eût mieux valu que le pernicieux système d'enrôlement, si faussement appelé "volontaire", pratiqué par l'Etat et par les agents recruteurs de tout acabit[1]. Je n'ai pas changé d'opinion. Je dirai davantage. Si le gouvernement et le parlement étaient sincères lorsqu'ils proclamaient à l'envi leur détermination de consacrer toutes les ressources du pays, en hommes et en argent, au salut de l'Empire, de la France, de la "civilisation supérieure" et de la "démocratie", ils auraient dû, comme le Congrès américain, adopter dès le début une loi de conscription sélective. C'était la seule méthode rationnelle d'assurer l'effort maximum du pays, dans l'ordre militaire et dans l'ordre économique, de recruter une nombreuse armée sans désorganiser l'agriculture et les industries essentielles. Faute d'une réelle intelligence de la situation, ou du courage pour y faire face, le gouvernement a organisé son armée par les méthodes que l'on sait; et il a désorganisé, ou laissé désorganiser tout le reste. Chaque jour, chaque semaine, chaque mois, le mal a été en s'aggravant.

"Mais alors", objecteront peut-être les partisans de la conscription, "la mesure proposée par le ministère, pour tardive qu'elle soit, n'en constitue pas moins, de votre propre aveu, une amélioration, un remède au mal". Non; il est trop tard: le remède serait, aujourd'hui, pire que le mal.

Dans l'ordre purement militaire, le temps de la conscription est passé. Ce qui presse, ce n'est pas d'envoyer plus de soldats, c'est de n'en plus envoyer.

A l'assemblée de Lachine—qui restera, je pense, le modèle des manifestations anticonscriptionnistes— un Anglo-Canadien intelligent et courtois, M. Guy Morey, partisan

[1]On retrouvera la trace de cette opinion dans un article paru dans *le Devoir* du 26 juillet 1915.

de la conscription, a prononcé ces paroles très sensées: "Si vous êtes logiques, vous êtes contre tout enrôlement futur."

C'est l'exacte vérité. Tous les Canadiens qui veulent combattre la conscription avec une logique efficacité doivent avoir le courage de dire et de répéter partout: "Pas de conscription! pas d'enrôlement! Le Canada en a fait assez."

Plus que l'Angleterre et la France

Comparons l'effort militaire du Canada à celui des nations dont le rapprochent davantage sa situation, ses intérêts, ses sympathies et les principaux éléments de sa population: l'Angleterre, la France et les Etats-Unis.

Nous avons actuellement, en Europe ou dans les camps d'entraînement au Canada, 420,000 hommes de troupe et des services auxiliaires. Si l'on estime la population du Canada, au début de la guerre, à 7,000,000—et, défalcation faite des nombreux étrangers qui ont quitté le pays en 1914, c'est le gros chiffre—nous avons donc enrôlé, pour la guerre européenne 6% de la population.

C'est l'équivalent d'une armée de 2,400,000 pour la France et de 2,700,000 pour le Royaume-Uni. Or, en dépit de ses cadres sur papier, l'Angleterre n'a pas encore envoyé en France, en deux ans et dix mois de guerre, ce nombre d'hommes. On admettra, je suppose, que l'Angleterre a un intérêt pour le moins égal à celui du Canada à empêcher l'armée allemande d'arriver à Calais.

Une autre question s'impose à l'équité de nos principaux alliés: *Combien de soldats la France et même l'Angleterre, enverraient-elles en Amérique, si le Canada était attaqué par les Etats-Unis?*

Si l'on mesure l'effort militaire en tenant compte à la fois de la population, du chiffre des effectifs et du coût des armées, la comparaison est encore plus frappante. Prenons pour acquis que le Canada dépense, pour son armée, trois fois plus que l'Angleterre par tête de soldat, et quatre fois plus que la France. (Si l'on tient compte de la différence de la solde, des pensions, des transports, etc., ces chiffres sont très modérés.) Il faut donc multiplier par quatre le chiffre comparatif attribué à la France et par trois celui de l'Angleterre. Conclusion: l'Armée actuelle du Canada lui coûte ce que coûterait à l'Angleterre une armée de 8,100,000 hommes, à la France une armée de 9,600,000 hommes. *C'est plus que nos deux "mères patries" ne mettront sur pied, durant toute la guerre, dût-elle durer cinq ans!* Or la France et l'Angleterre sont, après les Etats-Unis aujourd'hui, *les deux nations les plus riches* du globe, et le Canada l'une des plus pauvres.

La comparaison avec les Etats-Unis est, à certains égards, plus probante encore. La situation des deux pays est identique; le danger fort lointain, d'une agression allemande est le même pour les deux pays. La nation américaine est *quatorze* fois plus populeuse que nous et *soixante quatorze* fois plus riche. Pour égaler l'effort *actuel* du Canada, les Etats-Unis devraient mettre sur pied et expédier en Europe une armée de *six millions* d'hommes et s'engager dans une dépense certaine d'au moins *cent milliards.* Or les plus extravagants des jingos américains, ceux qui laissent bien loin en arrière le bouillant colonel Roosevelt, ont parlé d'une armée possible de trois millions, après deux années de préparation. Ce serait l'exacte moitié de ce que le Canada a fait jusqu'ici. Les Américains qui représentent le plus exactement l'opinion officielle, celle qui prévaudra, en toute probabilité, estiment à un million le nombre de soldats américains qui prendront part à la guerre, en Europe. En ce cas, l'effort militaire du Canada serait *six fois* plus élevé que celui des Etats-Unis, et il aurait duré trois ans de plus.

Calculée en piastres et en sous, la disparité est encore plus grande. Les Etats-Unis paient $1 par jour à leurs soldats; le Canada, $1.10. En prenant pour base l'armée actuelle de 420,000 hommes, pour le Canada, et une armée possible de 2,000,000, pour les Etats-Unis (moyenne entre le chiffre généralement accepté et le calcul le plus extrême), chaque contribuable canadien (homme, femme et enfant) paie $24 par année pour son armée, tandis que l'Américain ne paiera que $7. Si la guerre finit l'an prochain, le Canadien aura payé ou devra payer $96, l'Américain, $7; si la guerre se prolonge jusqu'en 1919, les Canadiens écoperont à raison de $120 par tête tandis que l'Américain en sera quitte pour $14. Notez que ce calcul ne porte que sur la solde des simples soldats. En faisant le compte de tout—traitement des officiers, indemnités, pensions, transports, armes, etc.,—on arriverait à une différence beaucoup plus considérable.

On peut affirmer, sans la moindre hésitation, que l'effort militaire des Etats-Unis, à quelque degré d'intensité qu'il s'élève, va coûter *dix fois moins cher* à chaque Américain que l'effort du Canada à chaque Canadien, *en supposant que le Canada n'enrôle pas un homme de plus* qu'il n'en a actuellement sous les armes.

Comment, en vérité, peut-il se trouver un seul Canadien pour ne pas dire hautement: Nous avons fait notre part, et plus que notre part!

STEWART LYON

BITTEREST BATTLE EVER FOUGHT IN WEST IS GLORIOUS VICTORY FOR CANADIANS

Hill 70 was an elevation north of Lens in an important mining area. It commanded the city of Lens and its capture was necessary as a preliminary to the capture of Lens itself. The fighting took place in a confusion of buildings, mines and underground galleries, and was marked by repeated German counter-attacks. From August 15 to 28 Canadian casualities amounted to 9,198. At Vimy the commander of the corps had been an Englishman, General Sir Julian Byng, later a Governor General of Canada, but by the time of Hill 70 he had been succeeded by a Canadian, General Arthur Currie, who continued in distinguished command of the Canadians until the end of the war.

La colline 70 formait une élévation au nord de Lens dans une importante région minière. Elle dominait la ville de Lens. Il fallait s'en emparer avant de capturer Lens. Les combats se déroulèrent dans une confusion d'édifices, de mines et de galeries souterraines. Ils furent marqués de nombreuses contre-attaques allemandes. Du 15 au 28 août, les pertes canadiennes s'élevèrent à 9,198. A Vimy, le commandant du Corps était un Anglais, le général sir Julian Byng, plus tard gouverneur général du Canada, mais, lors des combats de la colline 70, il avait eu pour successeur un Canadien, le général Arthur Currie, qui continua de commander les Canadiens avec distinction jusqu'à la fin de la guerre.

CANADIAN HEADQUARTERS IN FRANCE, via London, Aug. 21.—By a dashing attack this (Tuesday) morning around Lens, from the northwest to the south, our troops have penetrated the German defences at almost every point of contact. At the time of filing this despatch the situation is not clear, but the Germans in Lens are ringed about by eager foes, who are with difficulty restrained to the limits of their objectives, and prevented from following the retiring Germans into the labyrinth of ruined houses with their mazes of concrete cellars and passages, where the enemy is at home and would have a very distinct advantage in the savage man-to-man fighting that has been going on all morning.

The wounded men who are coming out of the inferno where men struggle for mastery with bayonet and bomb, while the shells from the guns of all calibres explode around them, and the bullets of the machine gun barrage hum past like bees swarming, say that never before has the enemy fought with more stubborn ferocity. The prisoners state that the enemy had begun to attack on the part of the front chosen for our own assault. The objective of our storming waves on the northern end was heavily manned with Germans, and some had actually gone over and were advancing across No Man's Land to our front line when the barrage came down upon them.

There was a dense morning mist over all the countryside, and only the roofs of the houses in Lens could be seen piercing it here and there. In the ghostly grey light produced by this combination of smoke and cloud, the Canadians and Germans met out in No Man's Land. The onset of our men had the greater impetus, and fighting like wild cats, the enemy were borne back. The men of a Winnipeg battalion say that their opponents were Prussian Guards of a division brought in since the final smashing of the Fourth Guard division on Saturday. They gave way very slowly and on the parapet of the trench made a final stand for over fifteen minutes. It was close quarters work with bomb and bayonet, for rifle bullets at point blank range are as likely to kill a friend as an enemy. Finally the Prussians broke and ran to cover in the houses of Lens, whence they directed heavy machine gun and trench mortar fire on our men as they worked hurriedly to put the trench in a condition to resist a counter-attack.

On the southern front the struggle was even more intense than in the north. There burning oil was projected into enemy positions before our infantry went over, but the enemy took shelter in his deep dugouts and emerged to meet our men. For a time the trench mortar and machine gun fire was too much for the Alberta men, who attacked here. Some of the wounded said that the storm of all sorts of projectiles through which they passed was the greatest in their experience.

After very stiff fighting, in which the enemy contested every foot of the ground, a breach was ultimately made in the German front, and our troops advanced, bombing their way through the ruins of the houses.

Telegraphing later in the day, Mr. Lyon says:

The battle of today has followed the course of that of last week. Except on a small front our attacks achieved their purpose steadily, despite the desperate resistance of the enemy. Then began a period of confused fighting all over the area, with frequent organized enemy counter-attacks, pressed to the utmost limit of the foe's endurance. The first of these which had success was directed against an important trench junction. After a hard fight a company of Germans secured lodgement there, and, despite the concentration of heavy guns upon it, remained for several hours. The trench was subjected to bombing from our positions, and gradually the enemy were driven back. A short distance to the south, in the region between St. Laurent and Lens, the enemy next tried to relieve the stranglehold of his assailants by a well organized counter-attack, set afoot about two o'clock. This had not even a temporary success. Our vigilant and tireless artillery turned many guns upon the Germans, and their assault never reached our positions.

Due south of Lens, almost two miles around a semi-circular front from the scene of the fighting just described, a series of small engagements was fought which for hard hitting on both sides has seldom been equalled during the struggle for Lens. The cellars in this region had been crammed full of machine guns and trench mortars in anticipation that the Canadian attack would consist entirely of a frontal assault. The enemy troops were also numerous, and they swarmed up from the cellars whenever the artillery fire was suspended to permit of our infantry going forward. They fought and died without any "kammerading."

In one small bit in the fight of great intensity the bodies of over a hundred German dead were left on the ground. Few prisoners were taken and most of the enemy wounded crawled back into the cellars from which they had emerged to make their counter-attack. It was from one of these cellars that a young lieutenant of a Quebec battalion, missing since the big fight a week ago, emerged, in company with a private of the same battalion, who had been captured with him. They had been held for six days in a cellar immediately behind the German front line, probably because of the difficulty of getting them out of Lens.

All day the enemy have been bringing up fresh bodies of troops from billets well to the east. A new guard division, the presence of which was referred to in an earlier despatch, has now been identified as the First Guards Reserve. Three battalions of this elite body of troops were thrown into battle this afternoon, and suffered almost as greatly as the Fourth Guards division last week. Another fresh formation was identified as the Thirty-Sixth division. Since the artillery duel prior to the battle reached its height four enemy divisions, the Seventh, Eighth, Eleventh and Twenty-Second, have been withdrawn in an exhausted condition, and of the four enemy divisions now confronting the Canadian corps one fourth of the guards is "all in."

Our casualties mount up, but are not to be compared to those of the Germans, whose dead lie thickly all along the front, and at some points are piled one upon another as in the worst phases of the battle of the Somme. Lens has been a name of tragic meaning to the enemy, but he clings on the husk of the city at fearful cost rather than confess defeat. The sun went down tonight upon the smoking ruins wherein men who had been battling for twenty hours still fought on, oblivious of the passage of time. No summary of prisoners and spoils is yet available. The prisoners are known to be a few score only.

Le Soleil, Québec—29 septembre 1917

LA PROHIBITION TOTALE

En 1913, Henri Gagnon—ex-reporter à La Presse *et qui est directeur général de* La Tribune, *de Sherbrooke, depuis la fondation de ce journal, le 21 février 1910—assume la gérance du* Soleil. *L'ancien premier ministre, S.-N. Parent, forcé de céder les rênes du pouvoir à Lomer Gouin, a cependant conservé la majorité des actions du* Soleil *et préside le conseil d'administration. Le parti libéral est au pouvoir depuis 1897. Il restera en selle jusqu'à la victoire de l'Union nationale en août 1936.* Le Soleil *est déjà un organe* ministériel. *Son "libéralisme" n'a plus les accents d'hier. C'est dans cette perspective qu'il faut lire l'éditorial du 29 septembre 1917:* La prohibition totale.

Sous l'influence des Etats-Unis, la plupart des provinces anglophones ont opté pour la prohibition. Le Soleil *s'y oppose, mais en faisant principalement état de la tradition catholique. La question ne sera tranchée de façon définitive qu'au moment où le gouvernement Taschereau, mettant fin au marché libre des alcools et des vins, créera "la Commission des liqueurs", réservant ainsi à l'Etat le commerce des spiritueux.*

In 1913 Henri Gagnon, ex-reporter at La Presse *and editor of* La Tribune *of Sherbrooke since its founding (February 21, 1910), took over management of* Le Soleil. *Although the former Premier, S.-N. Parent, had handed the reins of power to Lomer Gouin, he was still the major shareholder in* Le Soleil *and chairman of the board of directors. The Liberal Party had been in power since 1897. It was to stay in the saddle until the Union Nationale victory of August 1936.* Le Soleil *was already a government organ: its "liberalism" was not what it once had been. It is in this perspective that one must read the editorial of September 29, 1917 on "Total Prohibition."*

Under the influence of the United States, the majority of the English-speaking provinces had decided in favour of Prohibition. Le Soleil, *in the Catholic tradition, was opposed to it. The question was not settled finally until the Taschereau government, putting an end to the free buying and selling of wine and spirits, created the Liquor Commission and reserved for the State the trade in alcoholic drinks.*

Nous avons jusqu'ici, depuis qu'est commencée la lutte active sur la question de prohibition totale à Québec, la lutte de presse et de place publique préparant le vote que les électeurs de Québec seront invités à donner le 4 octobre, nous avons de parti pris gardé le silence, nous contentant d'ouvrir nos colonnes aux partisans dans les deux camps d'opinion.

Nos lecteurs cependant réclament, et avec raison, une expression de nos vues sur cette question: c'est leur droit et nous ne pouvons nous récuser.

Nous sommes opposés à la Prohibition totale telle que le comporterait l'application de la loi Scott, dont on voudrait persuader aux citoyens de Québec de faire l'essai.

Nous avons d'ailleurs, à plusieurs reprises, en ces derniers mois, exprimé nos principales objections contre la Prohibition; aucun des arguments versés jusqu'ici au débat n'a pu entamer notre conviction.

Notre manière de voir, de comprendre cette question est exposée de la façon la plus claire, la plus complète dans l'article même de la *Semaine Religieuse* de Québec, publié en août—le samedi 27—1898 et qui résumait l'opinion de l'autorité diocésaine de Québec à cette époque.

Nous reproduisons cet article, en cette même page, et nous conseillons à nos lecteurs de lire cet excellent et très judicieux exposé d'une question aussi grave.

Pour nous, nous adhérons simplement aux vues qu'elle renferme; nous préciserons par quelques citations les points qui nous paraissent capitaux.

—"Bien que la prohibition totale soit une utopie, une exagération indiscutable, il faut admettre que. . . .

—"Bien que la prohibition totale soit une violation de la liberté individuelle, si nous n'étions pas convaincus que la panacée des prohibitionnistes ne fera qu'aggraver le mal nous la recommanderions peut-être.

—"Il ne suffit pas de faire des lois, il faut de plus les faire observer. Or sous le régime de la prohibition totale comme il faudrait multiplier les poursuites judiciaires au-delà de toute mesure, on n'en intente presque pas et la vente des liqueurs alcoolisées se trouve en quelque sorte affranchie de toute taxe.

—"Non, le remède n'est pas dans la prohibition absolue, mais dans les sociétés de tempérance, dans une loi règlementant d'une manière plus sévère le commerce des boissons alcooliques. . . ."

Ces vues qui étaient alors celles de l'autorité diocésaine sont encore aujourd'hui les nôtres, et nous croyons aussi pouvoir l'affirmer, celles d'un grand nombre de membres du clergé.

Nous avons d'ailleurs, pour nous réclamer de ce document, une autre raison et des plus judicieuses.

On constatera en lisant cet article de la *Semaine Religieuse* de Québec, que l'autorité diocésaine ne se contentait pas de prendre position et très péremptoire contre la Prohibition absolue; très logiquement, avec infiniment de sagesse aussi, elle énonçait tout un programme d'ensemble des mesures qui, suivant elle, devaient produire les meilleurs effets pour arriver à combattre le fléau de l'alcoolisme.

Or si, l'on veut bien considérer et peser ce programme en détail, on constatera qu'il coïncide, et fort exactement, avec le programme suivi en ces dernières années par le gouvernement provincial, d'ailleurs sur les instances mêmes et les recommandations comme avec l'approbation des apôtres de la tempérance; nous avons même raison de le croire, à la pleine satisfaction des autorités religieuses, au moins pour le plus grand nombre.

Nous considérons par conséquent que notre société est dans la bonne voie; la lutte contre l'alcoolisme se poursuit efficacement, judicieusement, suivant le programme même que traçait alors la *Semaine Religieuse.*

D'année en année la législation se fait plus stricte, plus sévère, la suppression des débits de boissons alcooliques se continue.

Pourquoi alors, sans vouloir attendre que le plan de campagne mis à l'exécution et jadis énoncé comme le seul sage, puisse normalement donner tous ses résultats, vouloir tout à coup recourir à des mesures radicales extrêmes, dont la nature répugne avec raison à notre tempérament et dont on peut dire en toute sincérité, et en toute vérité, que les résultats sont, pour le moins, discutables là où l'essai s'en est fait?

Le seul argument plausible est celui énoncé par Son Eminence le cardinal Bégin, recommandant l'opportunité de cette mesure comme justifiée par les circonstances critiques que nous traversons et qui réclament de tous la plus grande économie, par suite, la privation de certaines de nos satisfactions.

Mais, en fait, cet argument infiniment respectable est discutable car, dans la pratique, ce ne sont point les ivrognes, les intempérants qui trop sûrement songeront à employer ces économies forcées pour les fins publiques, qui les placeront à la disposition du gouvernement fédéral!

Ce sont les tempérants, les gens par conséquent dont la conduite ne saurait justifier l'adoption de la prohibition, qui seuls pourraient, écoutant ce patriotique conseil, songer à placer ces économies forcées, les employant à répondre aux appels faits par tant d'oeuvres méritoires.

Et ceux-là, avec ou sans prohibition, s'empresseront à la demande de leur pasteur, de s'imposer ces économies en sacrifiant quelques-unes de leurs satisfactions, des plus légitimes en temps normal.

Il ne semble pas d'ailleurs que cet argument ait rencontré grande faveur parmi les avocats de la Prohibition, au cours de la présente campagne, car ils ne se soucient guère de l'employer.

C'est que, en effet, ils réclament la Prohibition totale non pas comme une mesure d'exception, mais bien comme une panacée d'application normale et générale. Ils y voient, non pas une mesure transitoire, mais une mesure permanente. Ce qu'ils veulent et prétendent, c'est supprimer à TOUT JAMAIS pour tous les temps l'usage de toute boisson alcoolique.

Et ceci nous amène à ce qui constitue en définitive à nos yeux le pôle même de la question.

La Prohibition n'est en fin de compte qu'une manifestation d'un état d'esprit entraînant un état de choses que nous considérons comme dangereux, intolérable.

C'est tout bonnement la négation du principe qui a été enseigné à l'humanité par l'église catholique; c'est le retour, ni plus ni moins, aux méthodes primitives, despotiques, dangereuses qui prévalaient avant l'avènement du Christ.

C'est simplement rétrogresser de plusieurs milliers d'années en arrière; adopter le point de vue qui, dans les temps barbares, faisait réduire en esclavage les peuples considérés comme inférieurs.

C'est traiter l'homme comme un animal irresponsable, qu'il faut encarcaner dans des lois de fer pour l'empêcher de céder à ses mauvais instincts.

Cela sans doute est assez conforme aux sectes parentes du puritanisme, qui en perdant par leur séparation de Rome l'autorité morale de persuasion, ont dû avoir recours aux sanctions matérielles et au despotisme pour se faire obéir.

Toute l'histoire de l'humanité est là pour nous apprendre qu'avec ces méthodes on ne réussit qu'à faire des ilotes ou des hyprocrites.

Il n'y a de réforme viable et durable que celle obtenue par le consentement individuel, et c'est essentiellement la loi directrice du catholicisme que de travailler à obtenir la conversion du pécheur non par la crainte du bâton, mais par l'appel de la conscience.

Le problème que nous avons à considérer est celui de la réforme que comporte notre société amenée peu à peu, inconsciemment pourrait-on dire, à tomber dans l'abus des boissons alcooliques.

Nous avons à combattre des habitudes prises à la suite de changements insensibles dans nos conditions économiques et sociales.

Il ne s'agit point d'une population comme les Peaux Rouges par exemple ou les nègres, que diable!

Il s'agit d'une population de braves gens, d'honnêtes gens qui ont pu, sans doute, tomber, trop généralement dans certains excès, sans même bien se rendre compte du mal qu'ils commettaient.

Il s'agit d'une population profondément religieuse et catholique, par conséquent foncièrement susceptible à l'influence moralisatrice et éducatrice de la religion qu'elle professe et du clergé qu'elle respecte.

Alors pourquoi lui vouloir infliger cet opprobre immérité, de la vouloir traiter comme on traite les races inférieures jugées incapables de se conduire et de s'améliorer?

Voilà bien la vraie et la très légitime raison de la résistance considérable que rencontre parmi notre population la Prohibition.

La population de Québec ne mérite pas cette indignité.

D'autant, comme nous l'avons déjà noté, et comme il faut le répéter, que déjà, et sans contestation possible, les mesures sages prises et poursuivies depuis quelques années en vue de combattre le mal, ont déjà produit des effets appréciables.

Alors pourquoi abandonner l'oeuvre de persuasion, d'éducation, de législation, l'oeuvre destinée à produire des effets durables, définitifs, l'oeuvre de réforme sociale?

Oui, sans doute, il y a, il y aura toujours des impatients qui voudraient obtenir des réalisations immédiates, supprimer le facteur durée; qui veulent trop souvent pouvoir dire: Voilà mon oeuvre.

Mais ceux-là sont les pires ennemis des réformes saines et durables: ce sont des extrémistes.

C'est Pascal, croyons-nous, qui a dit:

"L'homme n'est ni ange ni bête, et qui veut faire l'ange fait la bête".

Il ne faut donc pas traiter les hommes ni comme des anges, ni comme des bêtes.

Voilà vingt siècles et plus que l'homme fait usage ici-bas de boissons alcooliques; les farouches partisans de la Prohibition seront morts depuis longtemps que l'humanité continuera à en faire usage.

L'humanité a abusé de l'alcool et des boissons alcooliques plus que de raison en ce dernier siècle. C'est vrai. C'est, non pas parce que l'homme est inférieur à ses ancêtres, mais parce que le développement industriel, comme le notait si judicieusement Guglielmo Ferrero, dans l'un de ses derniers essais, a poussé partout à la consommation et multiplié les incitations.

Les excès de boisson marchent de pair avec les excès de la table, avec les excès de luxe et pour les mêmes raisons.

Le remède serait donc de revenir par une sage législation, à une réglementation de la production, celle des alcools comme celle de tant d'autres denrées ou produits.

Mais quant à prétendre empêcher l'homme de faire usage même modéré des boissons, c'est une utopie.

The Editor-politician

In an emerging society the functions of newspaper editor and politician are often combined in one man. Not only George Brown (left), the founder of The Globe, but Joseph Howe, D'Arcy McGee, Wilfrid Laurier and Henri Bourassa were journalists as well as statesmen.

Le journaliste-politicien: Dans les jeunes sociétés, il arrive souvent que le même homme cumule les fonctions de rédacteur de journal et de politicien. Non seulement George Brown (à gauche), fondateur du Globe, mais Joseph Howe, D'Arcy McGee, Wilfrid Laurier et Henri Bourassa furent en même temps journalistes et en politiques.

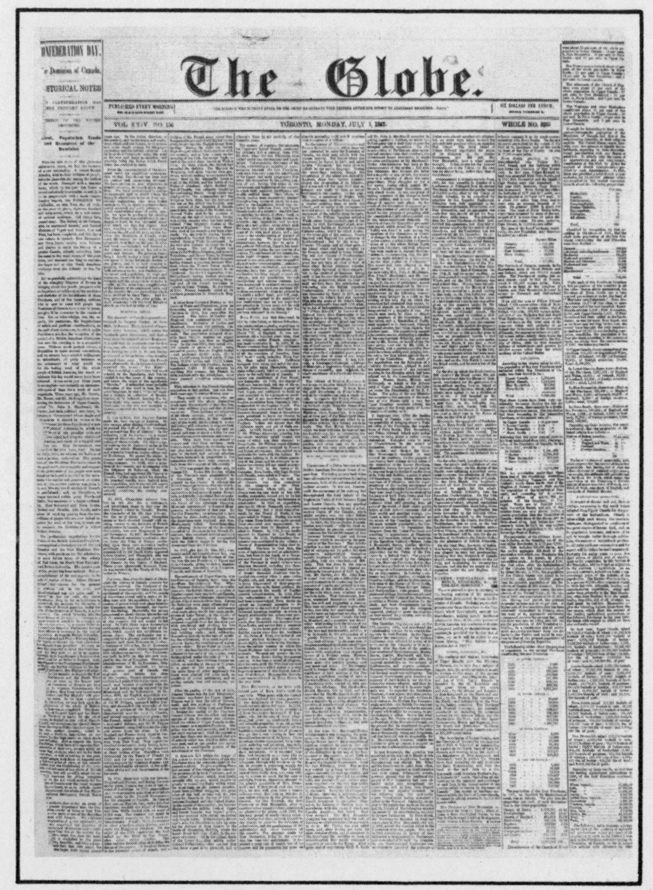

ONFEDERATION DAY.

STORICAL NOTES

The Globe.

PUBLISHED EVERY MORNING

TORONTO, MONDAY, JULY 1,

WHOLE NO.

CANADIAN
Illustrated New

Vol. IX.—No. 5. MONTREAL, SATURDAY, JANUARY 31, 1874.

THE EL"CTION MONSTER.

Opinion makers: Ceux qui ont fait l'opinion

Henri Bourassa (far left) founded Le Devoir. Jean-Charles Harvey (near left) drawn by Normand Hudon. John W. Dafoe (above), great editor of the Winnipeg Free Press. Matthew Halton (right), foreign correspondent.

"The Election Monster" (left) appeared on the front page of the Canadian Illustrated News on January 31, 1874, during the election campaign of that year.

(Top left) From the front page of The Saturday Globe, November 3, 1900.

Henri Bourassa (à l'extrême gauche), fondateur du Devoir. Jean-Charles Harvey (au centre gauche), dessiné par Normand Hudon. John W. Dafoe (ci-dessus), le grand rédacteur de la Free Press de Winnipeg. Matthew Halton (à droite), correspondant étranger.

"The Election Monster" (à gauche) figurait en première page du Canadian Illustrated News du 21 janvier 1874, alors que la campagne électorale battait son plein.

(Ci-dessus, à gauche) La première page du Saturday Globe, livraison du 3 novembre 1900.

Nicholas Flood Davin founded the Regina Leader and interviewed Riel.

Nicholas Flood Davin, fondateur du Leader de Regina.

The Montreal Daily Star.

VOL. XXXIII, No. 28. MONTREAL, SATURDAY, FEBRUARY 2, 1901. PRICE ONE CENT.

FUNERAL
OF
QUEEN VICTORIA

THE ROYAL YACHT ALBERTA.

ANOTHER ACCOUNT,

AN IMPRESSIVE SCENE

"The bayonet charge

Before the advent of newspaper photography, it was largely the job of weekly pictorials to offer visual impressions, real or imaginary, of the great events of the day. "The Bayonet Charge at Batoche," from the Canadian Pictorial and Illustrated War News, claims to illustrate the last battle of the North-West Rebellion.

The Montreal Star's account of Queen Victoria's funeral (left) was edged in black.

Avant l'avènement de la photographie, c'était surtout les hebdomadaires illustrés qui se chargeaient d'exprimer visuellement les grands événements du jour, d'après nature ou selon l'imagination du dessinateur. "The Bayonet Charge at Batoche", emprunté au Canadian Pictorial and Illustrated War News, prétend illustrer la dernière bataille de la Rébellion du Nord-Ouest.

Dans le Star de Montréal le compte rendu des obsèques de la Reine Victoria (à gauche) était encadré de noir.

atoche"

JOURNAL A NOUVELLES

LA PRESSE

CIRCULATIO[illegible] 635,[illegible]13

23me ANNEE—No 254 MONTREAL, VENDREDI 30 AOUT 1907 16 PAGES—UN C[illegible]

GRAND DESASTRE NATIONAL

Le Pont de Québec, qui devait être une des merveilles du monde, s'écroule au milieu d'un fracas épouvantable, et 90 ouvriers trouvent la mort au milieu de cette catastrophe.

La commotion produite par cet écroulement formidable se fait sentir jusqu'à Québec et Lévis, et fait croire un instant à un tremblement de terre.—Les gens sortent affolés des résidences pour apprendre la nature et l'étendue du désastre qui venait de se produire.—Les pertes sont estimées à $4,000,000.

De quatre-vingt-douze ingénieurs, contre maîtres et ouvriers, huit seulement échappent à la mort. Les cris des mourants et des blessés provoquent des scènes indicibles de même que les lamentations des veuves et des orphelins.—Cette catastrophe produit une émotion intense dans tout le pays.

LE PONT DE QUEBEC. — Vue de l'entrée du pont.

M. BERGERON

UN MONSTRUEUX AMAS

LE PONT DE QUEBEC — Vue générale des travaux sur les deux rives, au moment de la catastrophe. A gauche la structure du côté nord et qui est restée intacte. A droite la partie du pont qui s'est effondrée.

UN CRI D'EFFROI

LA TRISTE NOUVELLE

M. BORDEN

LE PONT DE QUEBEC. — Groupe des ouvriers travaillant au pont.

Le fait divers est le sang des journaux à fort tirage — surtout quand la tragédie qu'on raconte prend la taille d'un désastre national.

Louis Francoeur et Olivar Asselin (à gauche), par Robert LaPalme.

The news story is the lifeblood of newspapers with large circulations, especially when it takes the form of a national disaster.

Louis Francoeur and Olivar Asselin (left), by Robert LaPalme.

In 1956 an RCAF CF-100 fighter crashed into a convent of the Grey Nuns at Orleans, Ontario. Fifteen persons were killed, eleven of them nuns. An Ottawa Journal-Dominion Wide photo.

En 1956, un avion de combat CF-100 de l'ARC s'écrasa sur un couvent des Soeurs Grises à Orléans (Ontario). Quinze personnes furent tuées, dont onze religieuses.

The Toronto Star picture above illustrates some of the havoc caused by Hurricane Hazel, one of the big Toronto stories, in October 1954.

Cette photo emprunté au Star de Toronto donne une idée des bouleversements causés par l'ouragan Hazel, sujet qui fit sensation dans les journaux en octobre 1954.

Nelson Quarrington of the Toronto Telegram took the well-known shot at right of a man escaping down a fireman's ladder while the Noronic burns in Toronto harbour, September 1949.

C'est Nelson Quarrington, du Telegram de Toronto, qui prit la photo à droite d'un homme s'évadant par un échelle de pompier alors que navire Noronic brûlait dans le port de Toronto, en septembre 1949.

"This was the death chamber..."

Policemen pose inside the Laurier Palace Theatre after the tragic fire of January 9, 1927. Seventy-eight children who had been watching a Sunday matinee died of asphyxiation. A Montreal Star photo.

Des agents de police photographiés à l'intérieur du théâtre Laurier Palace, à Montréal, après l'incendie tragique du 9 janvier 1927. C'était un dimanche, et 78 enfants qui assistaient à un spectacle de matinée moururent asphyxiés. Photo du Star de Montréal.

EXTRA The Citizen EXTRA

PEACE!

WORLD WAR ENDS; ARMISTICE SIGNED; KAISER IS OUT; GERMAN REVOLUTION

ARMISTICE SIGNED AT MIDNIGHT TAKES EFFECT 6 A.M. TODAY; NEWS IS OFFICIAL

GLORIOUS ANNOUNCEMENT FLASHED FROM WASHINGTON AT THREE A.M. THIS MORNING; TERMS KNOWN LATER

WASHINGTON, Nov. 11.—The world war will end this morning at 6 o'clock, Washington time, 11 o'clock Paris time. The armistice was signed by the German representatives at midnight.

This announcement was made by the State Department at 3 this morning.

Terms not issued till 8 o'clock today.

WASHINGTON, Nov. 11.—Armistice terms have been signed by Germany, the state department announced at 2.45 o'clock this morning.

The department's announcement simply said: "the armistice has been signed."

This announcement was made verbally by an official of the state department in this form:

"The armistice has been signed. It was signed at five o'clock a.m., Paris time and hostilities will cease at eleven o'clock this morning, Paris time.

PROBABLE TERMS OF THE ARMISTICE

GREAT ARMY CHIEFS WHO DOWNED THE HUN!

TO PUNISH EX-KAISER IF LAW THE ALLOWS

MAD DESIRE TO DOMINATE WORLD IS ALSO TOPPLED

PRESIDENT WILSON GOT THE NEWS FIRST

OTTAWA BEGINS CELEBRATE ANEW ALLIED VICTORY

"PEOPLE'S GOVERNMENT" HAS TRIUMPHED IN GERMANY, MOST OF COUNTRY ENDORSES CHANGE

REVOLUTION SUCCEEDS; GENERAL STRIKE

KAISER ABDICATES, FLEES TO HOLLAND WITH MILITARISTS

GENERAL STAFF WITH THE FUGITIVES

BRITAIN SLOWING UP IN MUNITION WORK

THE WEATHER

Citizen Extras will be issued from time to time as the news developments warrant.

War and peace...

(Below) Canadians going over the top at the battle of Flers-Courcelette, September 1916. This photograph appeared pro-conscription propaganda in The Montreal Star of December 8, 1917, with the caption: "Shall we desert our boys under fire?"

"Wait for me, Daddy" (right) is one of the most famous photographs of the Second World War. It was taken by Claude P. Dettloff in New Westminster B.C. while the British Columb Regiment was leaving for the front. After appearing on the front page of the Vancouver Province on October 1, 1940, it was published twice by Life and used many times to symbolize the Canadian war effort.

(Ci-dessous) Des Canadiens franchissant une crête à la bataille de Flers-Courcelette, en septembre 1916. Le Star de Montréal utilisa cette photo pour faire de la propagande conscriptionnist dans son numéro du 8 décembre 1917. La légende disait: "Allons-nous déserter nos fils en plein bataille?"

"Wait for me, Daddy" (à droite) est le titre d'une des photos le plus célèbres de la seconde guerre mondiale. Elle fut prise par Claude P. Dettloff, à New Westminster (C.-B.) alors que le British Columbia Regiment partait pour la guerre. Après avoir paru en première page du Province de Vancouver le 1er octobr 1940, elle fut publiée deux fois par la revue Life et utilisée à maintes reprises pour symboliser l'effort de guerre canadien.

PREMIER
HOTEL
PREMIER
HOTEL

Le gouver... t demande $100.000.000 au Parlement

LE DROIT

SEUL QUOTIDIEN FRANÇAIS D'OTTAWA ET DE HULL

ADMINISTRATION — REDACTION
98, rue Georges, Ottawa
Tél.: *3-4061

4, rue Langevin, Hull
Tél.: 2-7884

DEMAIN
BEAU ET FRAIS
MAXIMUM HIER
MINIMUM (NUIT)
A 8 H. CE MATIN

Le numéro: 3 sous

OTTAWA, LUNDI 11 SEPTEMBRE, 1939

27e Année: No 211

LE CANADA EN GUERRE

LA DÉCLARATION DE GUERRE A ÉTÉ PROCLAMÉE HIER

Les deux Chambres se prononcent en faveur de la participation

Le Sénat a approuvé unanimement la politique du gouvernement mais il y a eu de l'opposition

L'embargo des E.-U. au Canada

PRISONNIERS POLONAIS SOUS LA GARDE DE NAZIS

Le Parlement sera invité à voter cent millions

Pour pourvoir aux déboursés de guerre du Canada au cours de l'année financière 1939-1940.

RESOLUTION DE M. ILSLEY

Le gouvernement fédéral demandera au parlement de ... la session d'urgence actuelle des crédits de $100.000.000 ... guerre du Canada jusqu'à la ...

...and war again

During the Second World War, Canadian newspapers frequently relied on official photographs from the armed forces. The picture below of Canadian troops leaving a landing craft on D-Day is from the Royal Canadian Navy.

At right, Haligonians eagerly scan copies of morning newspaper extras telling of the surrender of Japan, August 14, 1945. Photo by The Halifax Herald.

Pendant la seconde guerre mondiale, les journaux canadiens durent souvent utiliser des photographies officielles des services armés. La photo ci-dessous qui fait voir des troupes canadiennes sortant d'une péniche d'embarquement, date du jour "J" et fut prise par la Marine Royale du Canada.

A droite, des citoyens d'Halifax parcourent avidement les éditions spéciales des journaux du matin annonçants la reddition du Japon, le 14 août 1945. Photo Halifax Herald.

(Below) Franklin Delano Roosevelt and Winston Churchill in Ottawa, September 1944. Photo by Nelson Quarrington, The Telegram.

Prime Minister Pearson (left) lights the Centennial flame at 7.30 p.m. on New Year's Eve 1966. Photo by Ottawa Journal-Dominion Wide.

Hommes d'état et hommes politiques: (ci-dessous) Franklin Delano Roosevelt et Winston Churchill à Ottawa, septembre 1944.

Le premier ministre Pearson (à gauche) allumant la flamme du Centenaire, la veille du jour de l'an 1967 à 19h.30.

tatesmen and politicians

(Above) Two Quebec strongmen: Camilien Houde and Maurice Duplessis.

(Ci-dessus) Deux hommes forts du Québec: Camilien Houde et Maurice Duplessis.

(Below) Charlotte Whitton and George Hees inaugurate the new Curl-O-Drome at Ottawa, 1964. The photographer was Gordon Karam, Ottawa Citizen-United Press International.

(Ci-dessous) Charlotte Whitton et George Hees inaugurant le Curl-O-Drome à Ottawa, 1964. La photo est de Gordon Karam, du Citizen d'Ottawa et de l'agence United Press International.

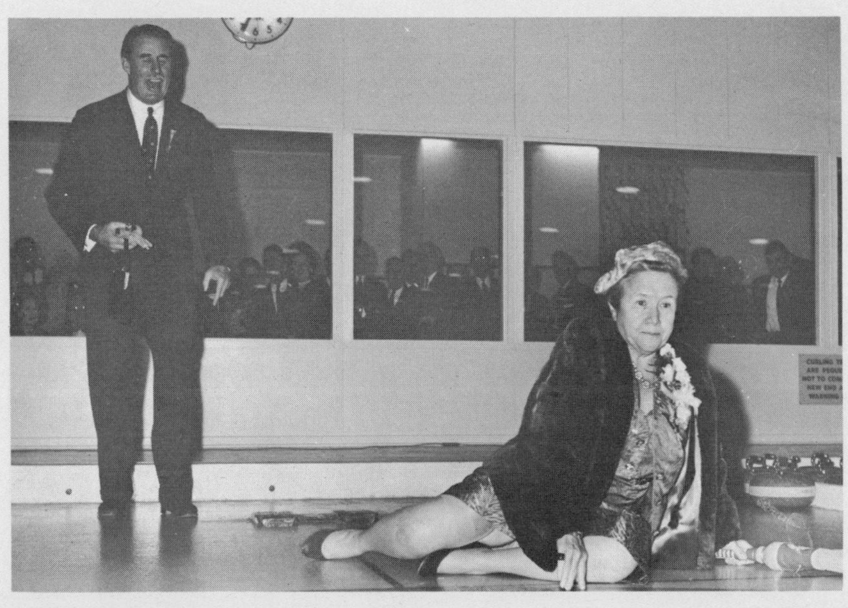

Mackenzie King and admirers at a Liberal ladies' tea in 1948.

Mackenzie King entouré d'admiratrices, au cours d'un thé offert par les femmes libérales, en 1948.

Depression decade

A member of the "Single Unemployed Men's Association" (left) receives a handout from a passerby at the corner of Bay and Queen Streets, Toronto. Minutes later he was arrested for begging. A Toronto Star photo from January 16, 1939.

In the early summer of 1938, hundreds of unemployed staged sit-down protests in Vancouver. The Vancouver Sun photo below shows some of the men fleeing the Post Office after tear gas had been fired into the main lobby.

Crise économique: *Un membre de l'"Association des chômeurs célibataires" (à gauche) reçoit de l'argent d'un passant charitable, à l'angle des rues Bay et Queen, à Toronto. Quelques minutes après, il est arrêté pour mendicité.*

Au début de l'été 1938, des centaines de chômeurs organisèrent des protestations à Vancouver. La photo ci-dessous, parue dans le Sun de Vancouver, fait voir quelques-uns des hommes chassés du bureau de poste après que des bombes lacrymogènes eurent été lancées dans le grand hall.

When the money stopped coming...

... hordes of unemployed massed for a march on Ottawa. Here the men arrive on boxcars in Regina. But the federal government called a halt to their progress, and two weeks later the Regina "riot" ensued. This photograph appeared in the Toronto Star on June 17, 1935.

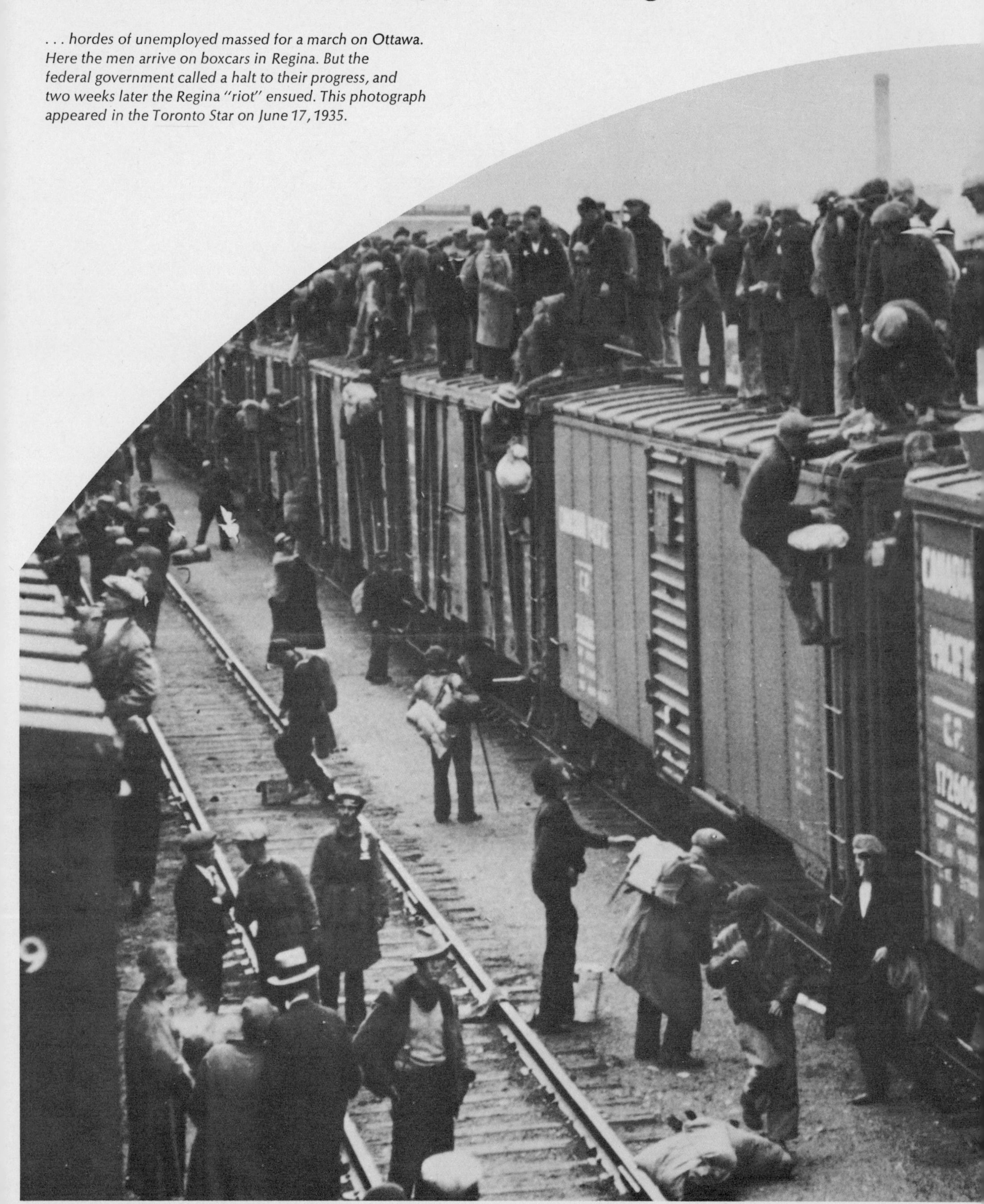

Ayant quitté les camps de secours de la Colombie-Britannique pour se diriger sur Ottawa, des hordes de grévistes arrivent à Regina à bord de wagons de marchandises. Mais le gouvernement fédéral leur bloque la route, et deux semaines plus tard éclate l'émeute de Regina. Cette photographie a paru dans le Star de Toronto le 17 juin 1935.

People: élément humain

Distraught girls (above) are comforted by St. John's Ambulance workers after the first Beatles' concert at Maple Leaf Gardens, Toronto, in 1965. The photograph is by The Hamilton Spectator.

The Sons of Freedom Doukhobors (right) begin their march from their headquarters village of Krestova to Agassiz, September 2, 1962. Photo by George Diack of the Vancouver Sun.

Des volontaires de la Société ambulancière St-Jean (ci-dessus) prodiguent leurs soins à des adolescentes à la suite du premier concert donné par les Beatles aux Maple Leaf Gardens de Toronto, en 1965. La photo est du Spectator de Hamilton.

Les Fils de la Liberté (Doukhobors) (à droite) entreprennent la longue marche qui les conduira du village de Krestova, leur "capitale", à Agassiz, le 2 septembre 1962. Photo George Diack, du Sun de Vancouver.

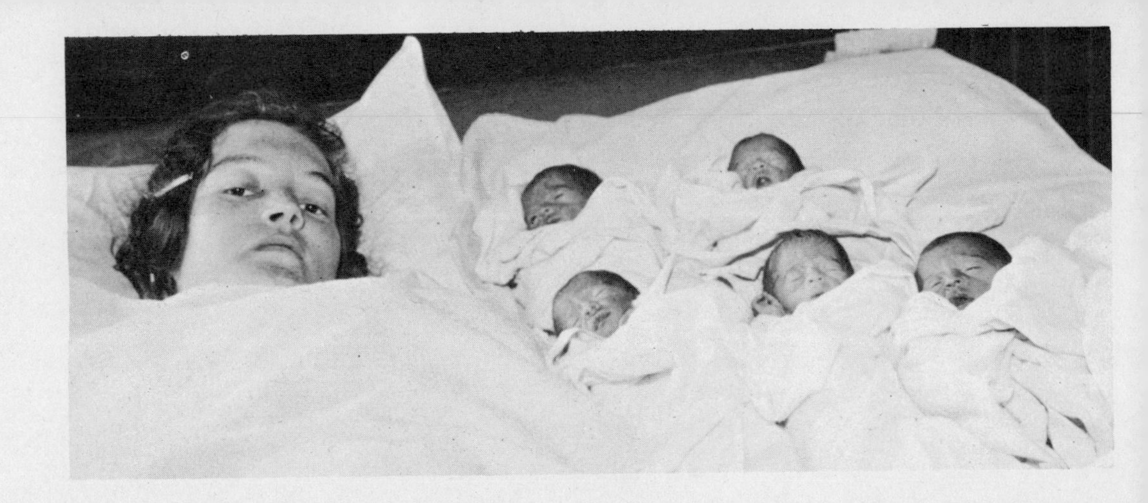

e Dionne quintuplets and
eir mother (above), shortly
er the quints' birth in 1934.
oto by The North Bay Nugget.

Les quintuplées Dionne et leur mère (ci-dessus), peu de temps après la naïssance des jumelles en 1934.

ootsteps to Death" (right) won
National Newspaper Award for
otographer Harry Befus of
e Calgary Herald in 1950.
Calgary policeman stares at
pair of overshoes whose
vner has just been struck by a
eeding car.

"Footsteps to Death" (à droite). Un agent de police de Calgary reste bouche bée devant une paire de couvre-chaussures dont le propriétaire vient d'être heurté par une voiture filant à grande vitesse.

'hile representatives of the
orld press pounded at the
oor, Gerda Munsinger and
oronto Star reporter Ray
imson did the dishes (below) in
er four-by-four kitchen.
oronto Daily Star photograph.

Tandis que des journalistes du monde entier s'acharnaient à la porte, Gerda Munsinger et Ray Timson, journaliste au Star de Toronto, lavaient la vaisselle (ci-dessous) dans la cuisinette.

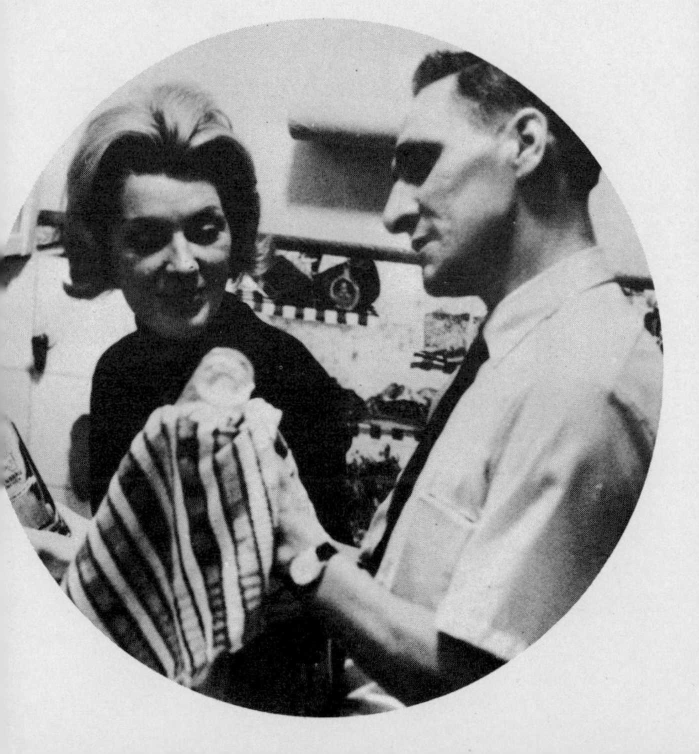

TEAR GAS EQUIPMENT

The law breakers

Boris Spremo took the photograph at left of Toronto police firing at a robber in a York Street gun store. It appeared in The Globe and Mail on August 18, 1965.

The Montreal Star photograph above shows one of the results of FLQ violence: two Westmount police officers bend over the crumpled form of Sergeant-Major Walter Leja, seconds after the bomb he was trying to dismantle exploded in his hands.

The young lady at right, photographed during Prohibition, looks innocent enough. To find out what she's really up to, turn the page . . .

Les violateurs de la loi: La photo à gauche, qui fait voir des agents de police de Toronto faisant feu sur un voleur dans une boutique de la rue York, fut prise par Boris Spremo. Elle parut dans le Globe and Mail du 18 août 1965.

La photo ci-dessus, empruntée au Star de Montréal, illustre l'un des pires actes de violence du FLQ: deux agents de police de Westmount se penchent sur le corps effondré du sergent-major Walter Leja, quelques secondes après que la bombe qu'il essayait de désamorcer lui explosa entre les mains.

Cette jeune personne, à droite, photographié à l'époque de la Prohibition, semble parfaitement innocente. Mais si vous tournez la page . . .

(Right) Walter Skol of the Toronto Star won a National Newspaper Award for this picture in 1954. The man with the hunting knife in his back had been stabbed in his Queen Street store. He gave chase to his attacker before collapsing on the sidewalk.

(A droite) Cette photo valut à Walter Skol du Star de Toronto un Prix national de journalisme en 1954. L'homme au couteau de chasse dans le dos vient d'être victime d'un attentat dans sa boutique de la rue Queen. Il a donné la chasse à son assaillant avant de s'écraser sur le trottoir.

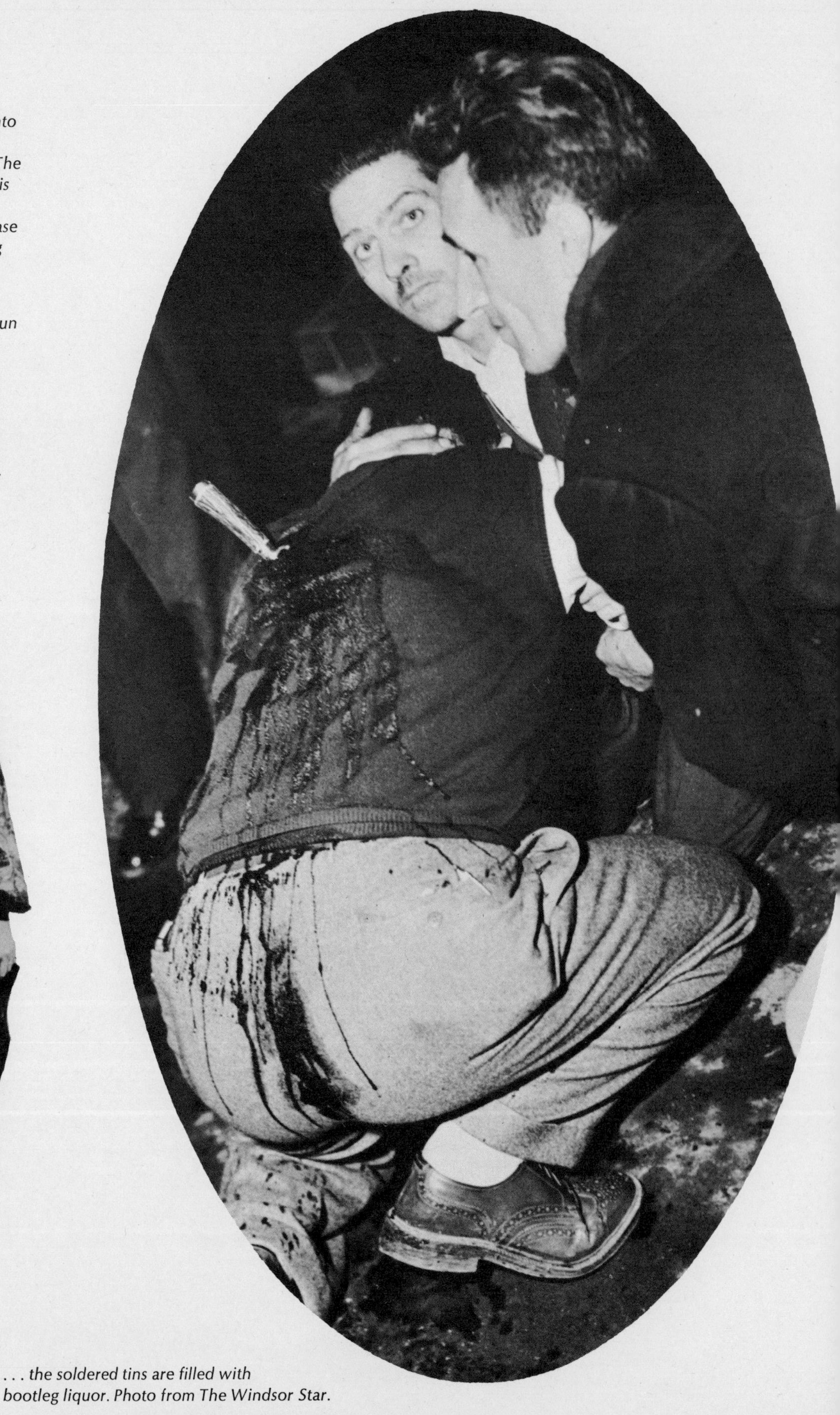

. . . the soldered tins are filled with bootleg liquor. Photo from The Windsor Star.

. . . les récipients sont remplis d'alcool de contrebande.

The race of the century

It took place during the 1954 British Empire Games in Vancouver and matched Roger Bannister, first man to break the four-minute mile barrier, and John Landy, the world-record holder. Here Charles Warner of The Vancouver Sun catches the precise instant when Bannister overhauled Landy on the final turn and "kicked" to victory. At this moment, Landy was probably the only person in Empire Stadium who didn't know he was beaten.

La "course du siècle", qui eut lieu en 1954 dans le cadre des Jeux de l'Empire britannique, à Vancouver, opposait Roger Bannister, premier coureur à avoir couru un mille en quatre minutes, et John Landy, détenteur du record mondial. Ici Charles Warner, du Sun de Vancouver, saisit l'instant précis où Bannister dépasse Landy au dernier tournant et court vers la victoire. A ce moment, Landy était probablement la seule personne dans le stade à ignorer qu'il était battu.

(Left): The 1950 Grey Cup. This picture is by the famous Turofsky brothers, who for years supplied Canadian newspapers with superb sports photographs.

Rocky Graziano (below) stands over Johnny Greco of Montreal. The photo was taken in 1951 by David Bier for the now-defunct Montreal Herald.

(Right) Another masterful shot from the Turofsky studios: Terry Sawchuk making a save.

(A gauche): Les finales de la Coupe Grey (1950).

Rocky Graziano (ci-dessous) et son adversaire Johnny Greco, de Montréal.

(A droite): Terry Sawchuk bloquant la rondelle.

The Mail and Empire, Toronto—Saturday, October 13, 1917

THE UNION GOVERNMENT

When one reads today about the bitterness brought out by the Conscription Crisis, one realizes how many of our present difficulties go back to 1917, and how little English-Canadians of the time understood the French-Canadians' resentment at the imposition of the majority will upon them. In 1867 Confederation had been an attempt to get the two peoples working together in a great project of economic expansion that would build up "a new nationality." Exactly fifty years after Confederation, the nation was torn apart by controversies that had little to do with economics; and today, one hundred years after Confederation, we face another crisis over moral and cultural issues.

The complacency of English-speaking Canada over what happened in 1917 is what strikes one most in reading the newspapers of that year. The following editorial from the Toronto Mail and Empire *is typical.*

En lisant aujourd'hui des pages qui évoquent l'amertume suscitée par la crise de la conscription, on discerne combien de nos difficultés actuelles remontent à 1917 et combien peu de Canadiens anglais à l'époque comprirent le ressentiment des Canadiens français à qui la majorité imposait sa volonté. En 1867, la Confédération avait tâché de faire collaborer deux peuples à un grand projet d'expansion économique qui devait créer "une nouvelle nationalité." Exactement 50 ans après la Confédération, la nation était déchirée par des controverses fort étrangères à l'économie. Aujourd'hui, 100 ans après la Confédération, nous affrontons une autre crise au sujet de questions morales et culturelles.

Le contentement éprouvé par les Canadiens anglophones au sujet des événements de 1917 est ce qui frappe le plus le lecteur des journaux de cette année-là. L'éditorial suivant, qui est tiré du Mail and Empire, *est caractéristique à cet égard.*

By right of merit Sir Robert Borden is the undisputed Leader of the Nation through the wilderness of this Great War. Of his unequaled fitness for that high trust he has given the proofs of heroic labors and of great achievements. The latest and most to the honor of his statesmanship is the establishing of a Union Government. He has harnessed together and hitched to the car of State a Government team of Conservatives and Liberals to bound forward with the country's war business. The idea was large-minded and the task of carrying it out was one of immense difficulty. But Sir Robert Borden had triumphed over great difficulties before, such as the opposition to conscription and to the temporary disfranchisement of naturalized citizens of enemy country birth, and to this last undertaking he brought the same qualities of resolution, patience and candor as he depended on for the accomplishment of those other objects.

None but a statesman of his commanding moral stature could have brought about the party entente and turned it into the alliance which has just been sealed by the swearing in of Liberals and Conservatives as members of his Union Government. On both sides he had to deal with men of strong will and high ability, men accustomed to dominate others rather than to be persuaded by others. Their party connections were those of a lifetime, much of which had been spent in party warfare. To Conservative Ministers for years entrenched behind a large Parliamentary majority, and with fair prospects of winning a party victory at the polls, the idea of sharing power with political opponents would not be pleasing. Yet loyalty to Sir Robert Borden and confidence in his patriotism led every colleague in his Cabinet to place his resignation in the Premier's hands, to do with it as he would for the purpose of forming a National Government. On the other hand party associations and party sentiment were of equal force to restrain Liberals from joining him. There was a not unnatural disinclination to take any step that would look like a desertion of their party or that might react upon their party in such a way as to break it up. The personal and party relations most of them had had with Sir Wilfrid Laurier could not but make them reluctant to quit his leadership and combine with politicians against whom they had contended under his banner. Strong influences were brought to bear to keep them out of the Union Government, and they could not be blamed if they vacillated between the two attracting forces. Sir Robert Borden's tireless perseverance, his largeness of mind, his perfect openness, his absence of distrust, and his unquestionable honesty convinced the Liberals he was negotiating with that his was the side of not party opportunism, but of Canadian patriotism. When the Prime Minister and the Liberal negotiators got on a footing to exchange views unreservedly, the business of forming a Union Government became little more than a matter of arranging details.

The new Government is a war economy. It converts into a propulsive force something of what was before a retardant. If union had not been effected Canada's undertakings as a belligerent would all the same have been carried out, but the strain upon a purely party Government would have been very great. Now that Liberals are co-operating with Conservatives in a Union Government, the friction of Parliamentary opposition cannot but be greatly reduced, and the strain upon Ministers will be eased accordingly. Sir Robert Borden had done great things in pursuance of war policy when he had to stem party opposition. He would have continued in his strong course even if he had had to adhere to party government to the end. The co-operation of Liberals in the Cabinet will directly lighten the burden and the moral effect of such co-operation will be even more helpful. The rank and file of the Liberal party will tend to fall into line behind the Union Government. Parliamentary opposition in so far as war policy is concerned is surely suspended. The Liberal members of the Cabinet will be turned to as the war-time leaders of their party, and that the more readily because few Liberals can any longer follow Sir Wilfrid Laurier, whose strong stand against conscription tends to bottle up his leadership to a Quebec following.

Besides putting the nation's shoulder more heartily to the wheel of the gun-carriage and pushing on the war, the Union Government may inaugurate, as we all hope it will, a new and better age for Canada. The party system in its ideal state may be the best system for democratic government, though it is to be said that in no democratic country has it stood the test of the war. In Britain, France, Italy and in all the British Dominions, party government has had to give way to national government, that is, government-by-coalition. In practical party politics there are drawbacks that it ought to be possible to eliminate. Opposition should be able to fight Government, and Government to fight Opposition, in a way that is purely to the public advantage and not detrimental to the public interest. For one thing there is unnecessary vilification. Politicians are neither the angels supporters often think of them nor the imps of darkness opponents sometimes imagine them. The traits with which any prominent politician is credited by his friends and those opposite traits with which he is debited by his opponents cannot both be in a true character-sketch of him, and generally both are fanciful. The qualities the public are made to see in a politician are often subjective. The man who is represented as full of guile may have more of honor, may be of sounder patriotism, than the man who is held up as a model of political righteousness. It would be a good thing if politicians of the party habit of mind could see that the nation is sick of all the smart scheming and mean arts to which the name of "politics" is almost wholly appropriated. The mass of the people do not admire these things.

Now that we have a Union Government whose chief value for war service is the giving over of party strife let all politicians think only of what the country is about and give their full attention to that. The understanding that the Union Government is merely for the purpose of tiding the country over a great emergency may or may not be present in the minds of the principal persons concerned, but it can do no good to dwell on that idea and look forward to the resumption of party warfare as the normal state of affairs. The truth is, party warfare is an abnormal state of affairs, though a chronic one. Let us throw aside for good all of partyism that is lowering to public life and holding back the progress of the country. Let us take the passion out of our partyism and put it into our patriotism.

The Morning Chronicle, Halifax—Saturday, December 8, 1917

DEATH ROLL GROWS

The explosion in Halifax harbour on December 6, 1917, brought the horror of World War I home to Canadians. A Norwegian ship with supplies for Belgian relief collided with a French ship that was loaded with munitions. The resulting explosion demolished a square mile of buildings in the north end of the city, caused property damage of $35 million, killed over 1,600 people and injured several thousand. The force of the explosion was so great that it broke windows in Truro, sixty miles away. Suffering was increased by a blizzard that swept over the scene the next day. Here is how the disaster was reported in the Halifax press.

L'explosion survenue dans le port d'Halifax le 6 décembre 1917 fit sentir aux Canadiens les horreurs de la première Grande Guerre. Un navire norvégien plein d'approvisionnements qui étaient destinés à secourir la Belgique, se heurta à un navire français chargé de munitions. Il en résultat une explosion qui démolit un mille carré d'édifices dans le nord de la ville, causa des dommages aux biens s'élevant à 35 millions de dollars, tua plus de 1,600 personnes et en blessa plusieurs milliers. La force de l'explosion fut si grande qu'elle brisa des vitres à Truro, à 60 milles de distance. La souffrance fut accrue par une tempête de neige qui souffla sur la scène le lendemain. Voici comment l'on raconta le désastre dans la presse d'Halifax.

The war has touched Halifax. Sorrow and anguish are left in its trail. Where only a few hours ago, "the most prosperous city in Canada" stood secure in her own defences, unafraid and almost apathetic, there are now heaps of ruins. No one, even yet, can estimate more than approximately, the loss of life and property, and words fail to describe the mental anguish of those who have lost home and dear ones by one cruel stroke. The busy, thriving North End from the sugar refinery to Creighton's Corner is just a mass of broken, splintered timbers, of powdered brick and stone and human bodies crushed to pulp or charred and blackened by fire.

Five minutes before the explosion men were going about their business, women were busy in their homes and children played about the floors or went hurrying to school. Upon the harbor steamed a ship laden with munitions, and down the harbor came a ship flying the Norwegian flag. They drew nearer and in some way, the two vessels came into collision. It was twenty-five minutes after the collision before the explosion occurred. At the first shock houses rocked, vessels broke from their moorings, bits of shell whistled through the air, buildings fell upon their occupants, shrieks and moans rose for a second above the awful din, and in all parts of the city, men, women and children ran into the streets, many of them insufficiently clad. To add to the horrors fire broke out in a hundred places at once and those who were pinned down by debris met the most horrible death.

Orders were at first given that everybody flee to the south of the city and in a short time Barrington Street resembled a road in Belgium or Serbia when the people fled before the advancing Hun. Every variety of vehicle was pressed into service for the sick and infirm. Men, women and children hurried along the pavements and blocked the street. Stores were deserted, houses forsaken, and the entrance to the Park was soon black with human beings, some massed in groups, some running anxiously back and forth like ants when their hill has been crushed. There were blanched faces and trembling hands, a few had tears pouring down their cheeks, but there was no undue excitement and no disorder. The wildest rumors were in circulation and the bearer of tidings was immediately surrounded. The stories lost nothing in the telling, until the brain reeled and the heart grew sick trying to picture the horror and desolation. When the flying automobiles brought the good word that the danger was under control, and the people might return to their homes the crowd trekked back.

Many, relieved of immediate fear for themselves, bethought them of relatives and friends in the North End, and started to walk there. Most of them returned heart-sick from the sights they saw. From North Street on the horrors and the wreckage grew. On the one side the King Edward Hotel stood a practical wreck, on the other the central portion of the Railway Station no longer existed. But the wreckage up to and including this point was as nothing to that beyond. Houses were simply indistinguishable masses where they had not been devoured by the flames that rose and fell, that roared and seethed and made the place like a smelting oven.

Most pathetic stories, so tragic that they almost benumb the sensibilities, seeped through. One possessing all the elements of horror was told by two white-faced sailors who came to ask if The Morning Chronicle could help them in their search. They were both looking for their wives and children. They had lived on Hanover Street and when they had got to what had been their homes, there was nothing but ruins, and search among the debris revealed nothing. They had then made the rounds of the hospitals with hope and fear gnawing at their hearts, but all to no avail. A list of the temporary hospitals and shelters was furnished them, but at last accounts they were still torn by hope and uncertainty. Nothing is more terrible than the suspense, and, strong men as they were, their faces showed the strain.

There were many miraculous escapes as well as appalling disasters, as is always the case at such times, but the pall that hangs over Halifax, will not be lifted in many months. Every effort was soon bent to providing succor and shelter for the injured and homeless. Every available building was turned into a shelter-house or hospital. The Academy of Music was one of the first big buildings to post the notice "Free Shelter Here." The headquarters of the Terminal Construction Company and the big sheds on their piers were soon being hastily equipped for hospital purposes. St. Mary's Young Men's Hall and a score of others were freely opened. Everywhere people whose homes were intact made room for those who had no homes, and all day long the work of removing the dead and wounded went on. Hundreds of bodies lie in temporary morgues awaiting recognition and burial. Whole families are wiped out; parents are left childless, and children have been made orphans.

All day and night the agonizing search for the missing went on. Rescuers tell harrowing tales of their experiences. Houses in most instances simply settled down, story on story, crushing everything into one awful mass. Though the inmates had been only on the street floor it was necessary to remove the wreckage layer by layer beginning at the roof and working down. One party of soldiers worked with almost superhuman strength and energy for an hour and a half to release a young girl pinned under such debris, whose moans urged them to still greater effort. Just as they lifted the last of the mass from her, her spirit fled, and it was merely a body they lifted out.

Passengers on the ferry-boat near the Dartmouth shore felt the concussion from the water even before it was felt in the air. Glass crashed in and passengers were cut and bruised. Reports say that not only were windows and doors in every part of the City shattered, but as far as Lawrencetown houses suffered severely. Dartmouth had perhaps fewer casualties than might have been expected, but there are enough to sadden the homes there.

The Learment Hotel at Truro, 62 miles away, had windows blown in by the force of the shock, while a barn at Meagher's Grant, 30 miles out of the City, was turned around and blown off its foundation, a trick as queer as some reported of cyclonic disturbances. Nearly two hundred miles away as the crow flies, at Orangedale and Sydney, the shock was distinctly felt, and a hospital ship, 60 miles out at sea, thought at first that she had struck a mine, so severely was the concussion felt. A realization of the fear that must for a moment have filled the hearts of the poor fellows almost within reach of home and friends, adds a touch of sympathetic pain to the pangs already suffered here, as well as makes us breathe a prayer of thankfulness that for them at least the explosion meant no further ill.

Those who cannot find loved ones in any of the hospitals are holding to the hope that their families may be among those who were put aboard the trains and carried to towns along the line, some going even as far as Truro. It has been impossible to get all the names of the missing. Families have been scattered and because of the lack of communication there is no immediate means of bringing the scattered families together. For that reason the Citizens' Relief Committee suggests through The Chronicle that anybody housing anyone separated from his or her family should give the name to the press. Such names are being published and the process of re-union thus greatly facilitated. Major McCleave reported that two daughters of Constant Upham, of Richmond, were at his house, and Constant Upham, Jr., was at 79, Birmingham Street. No news of Mr. and Mrs. Upham had been received.

It will be days before the full extent of the casualties can be known, but much suffering will be saved if reports are promptly made to the press of the City.

The alarm to citizens to leave their houses in case of a second explosion was given shortly after ten o'clock on Thursday morning, while those in the down town precincts of the City were warned to get back into the interior. Automobiles went all over the City with military men giving the warning with the result that in a very short time crowds of people gathered on the Citadel Hill, the Commons, in the districts around the North West Arm and Ritchie's Woods, and in the fields in the West End.

In all these places of refuge, grief and distress prevailed. Men, women and children were to be seen bleeding, bandaged and heartbroken. A large number had both friends and relatives in the North End whose fate was unknown. Wives were crying for their husbands and mothers for their children. Husbands from the North End were in despair for their children and wives whom they had left safe and sound when they went off to work in the early morning. In addition there were those who had relations and dear friends in every part of the City, seriously ill and near to the vale of the shadow of death.

In the Western and Northwestern part of the City many poor people stood in the fields, sadly surveying the wreckage of their homes. Homes which both husband and wife had worked so hard to have for their own when old age came upon them. Practically every house had its windows shattered and the ceilings fallen through. Pianos, pictures and valuable cutlery and dishes were smashed to pieces. Family relics handed down from generation to generation, all were included in these ruined homes, which such a short time ago had been the pride of the hard-working citizen striving his utmost to secure independence.

The message came through shortly after noon that it was safe for the people to go back to their homes and immediately the unfortunate ones went back to the wreckage to fix a place to eat and sleep, for the time being. Despite their misfortunes, the hearts of all were with those who were in distress and many deeds of kindness were performed by people who were themselves in the same plight.

Although the extent of the tragedy of Thursday has been described as amazing, appalling and incalculable, an expert in explosives has made a statement that should cause Halifax, shrouded in grief as she is, to realize that she has had a miraculous escape.

The Mont Blanc carried between three thousand and four thousand tons of high explosive munitions and had the same quantity of explosives been stored on land when the explosion occurred, it would have wiped out every living thing within an area of ten square miles. Not even a cat or a rat would have been left to show that life had ever existed here. The Mont Blanc lay across the Narrows, bow on towards the Halifax shore. Small wonder that the North End of the City was wiped out in the twinkling of an eye almost. Terrible as the tragedy is it might have been a hundred fold greater and swept every vestige of human habitation on both sides of the harbor from Point Pleasant to Bedford, out of existence. There would have been none left to tell the story, for not even Louvain was so thoroughly demolished as Halifax would have been.

Among the dead the City may well mourn is "Jack" Ronayne, a young man of splendid promise, of sterling worth and high character. For several years he had been a member of The Chronicle and Echo staff, and had endeared himself to all his associates by unfailing courtesy and kindliness, his enthusiasm for his work, his fine ideals and his clean living. Mr. Ronayne was assigned to the waterfront for his special work, and on Thursday morning telephoned to the Echo that he was going up to get a story of a munitions ship then coming up the harbor, before he reported at the office. After the explosion the Echo made enquiry and search for Mr. Ronayne, but to no avail. Late in the day his body was found at the Infirmary by one of his former deskmates, and in every newspaper office in the City there was genuine sorrow over the loss of this bright young member of the profession. Mr. Ronayne met his death in the willing attention to his duties that characterized his brief career. The Chronicle and Echo, along with innumerable friends, tender their sincere sympathy to his family in their sad loss. Mr. Ronayne was only in the first flush of young manhood, nevertheless his death is a distinct loss to the City as well as to the newspaper profession.

Le Soleil, Québec—22 décembre 1917

SI LE COEUR VOUS EN DIT!

Quand elle fut présentée à l'Assemblée législative de Québec, à la fin de 1917, la "motion Francoeur" fit couler beaucoup d'encre. En fait, elle proclamait le droit des Québecois à la sécession parce que le député de Lotbinière, comme beaucoup d'autres, jugeait que la seule province bilingue du Canada n'était plus acceptée comme un partenaire valable par la majorité des provinces anglophones. La motion Francoeur toutefois devait demeurer lettre morte: celui qui l'avait présentée ayant lui-même accepté qu'elle ne fut pas mise aux voix. Par la suite, Francoeur entra au gouvernement en qualité de ministre des Travaux publics.

L'editorial du Soleil *nous éclaire cependant sur la pérennité du "nationalisme québecois", comme la motion Francoeur elle-même traduit l'état d'esprit de beaucoup de Canadiens français lorsque le gouvernement Borden décida d'imposer la conscription.*

When it was presented to the Legislative Assembly of Quebec at the end of 1917, the "Francoeur Motion" produced an ocean of ink in the nation's newspapers. It proclaimed the right of the citizens of Quebec to secede from Confederation: the member from Lotbinière, like many others, thought that the only bilingual province of Canada was no longer being accepted as a real partner by the majority of the English-speaking provinces. The Francoeur Motion, however, was to remain a dead letter. Francoeur himself agreed that it should not be put to a vote. Afterwards he entered the Government as Minister of Public Works.

The following editorial from Le Soleil *throws light, nevertheless, on the continuing nature of Quebec nationalism, for the Francoeur Motion was an expression of the state of mind of many French-Canadians when the Borden government decided to impose conscription.*

La motion dont monsieur Francoeur, député de Lotbinière, a donné avis à la Législature pour la prochaine séance—c'est-à-dire pour le 8 janvier prochain—est excellente en ce qu'elle définit de façon heureuse, et très exacte, la question dont le règlement préoccupe en cette heure tous les esprits.

Si, dans les autres provinces, déclare la dite motion du député de Lotbinière, on croit que la province de Québec est un obstacle à l'union, au progrès et au développement du Canada, nous sommes, nous, parfaitement disposés et consentants à dissoudre et sans retard le pacte de la Confédération.

Here you are, gentlemen. Ce qui en français pourrait se traduire: "tu l'as voulu Dandin!"

Il est excellent de poser aussi nettement la question et de la rétablir sous son véritable aspect.

Ce n'est pas Québec, quoiqu'on en veuille faire croire par d'absurdes campagnes de presse, de pupitre et de plate-forme, ce n'est point Québec qui a manifesté, qui manifeste encore aujourd'hui aucun désir de se séparer de la Confédération; de résilier un marché.

Ce sont nos associés dans la Confédération qui, sans relâche, presque obstinément, semblent être attelés à la tâche en s'efforçant de rendre intenable la continuation du traité, EN NOUS RENDANT LA VIE IMPOSSIBLE!

Québec dans son domaine, a été le modèle exemplaire de la fidélité aux engagements pris lors de la conclusion du pacte.

En vain chercherait-on au microscope la moindre tentative pour être, nous ne dirons même pas injuste, mais simplement désagréable à la minorité anglo-saxonne qui vit à ses côtés dans la province.

Québec au contraire a toujours joué dans la Confédération, en regard des grandes questions qui se sont présentées, un rôle actif et souvent prédominant; son action a été conforme aux meilleurs intérêts de la Confédération.

Québec a toujours été dans la Confédération canadienne, un partenaire équitable, bienveillant et charitable.

Par contre, il a été dans la plupart des autres provinces,

ses associées, en butte continuellement aux persécutions mesquines, mais méchantes; il a dû passer son temps à se défendre, à défendre ses droits et ses privilèges. Québec a été traité comme une Cendrillon dans la cabane confédérée, ne pouvant jamais trouver ni calme, ni repos dans les autres chambres de la maison en dehors de la sienne propre.

Voilà la plus incontestable vérité pour qui veut, de bonne foi, se rendre compte de l'histoire du Canada en ces soixante dernières années.

La Confédération qui avait été proposée, conçue et adoptée, au premier chef, afin d'assurer l'entente et l'harmonie entre les diverses colonies sur le continent nord-américain, n'a pas tardé à être méconnue, à être violée et dans son esprit et jusque dans sa lettre par les groupements anglo-saxons un peu partout en dehors de Québec.

Québec, cependant, a-t-elle jamais eu la moindre velléité de rendre à ses persécuteurs la monnaie de leur pièce? Elle le pouvait pourtant et de plus d'une façon peut-être.

Au lieu de cela Québec a tout supporté, Québec a lutté peut-être pas toujours très heureusement, ni très sagement, ni très efficacement mais constitutionnellement pour la défense de ses droits et privilèges attaqués.

Répondez Ontario, et vous Manitoba, et vous toutes les autres provinces, quand, où et comment Québec a-t-il jamais pris l'initiative de ces querelles incessantes, intestines?

Quel reproche, quelle excuse peut-on donner en guise de reproche, contre Québec, pour essayer de justifier les querelles d'Allemands qui, dans tant d'autres provinces ont été sans cesse suscitées contre les Canadiens-français?

Allons sans peur au fond des choses. Le seul prétexte de conflit, c'est le fait que les Canadiens entendaient, dans les diverses provinces de cette confédération, jouir, en ce qui concernait l'exercice de leur langue et de leur religion, de la bonne entente et de l'harmonie, de la bienveillance qui étaient justement la raison même de la Conféderation.

En sorte que la Confédération ne paraît bien avoir été, somme toute, en ce qui concerne les Canadiens-français, en dehors de leur propre province, qu'un affreux attrape-nigauds.

Peut-on s'étonner, après cela, si les Canadiens-français n'éprouvent aucune affection particulière pour ce régime et le verraient sans douleur disparaître?

A qui la faute? Assurément pas à ceux qui, maltraités continuellement, en butte à une telle hostilité furent assez fiers, assez soucieux de leur dignité pour ne pas se vouloir laisser traiter en ilotes, dans un pays découvert et évangelisé par leurs ancêtres et que leurs ascendants, loyalement, ont conservé à la Couronne britannique aux heures de danger.

C'est dans ces conditions, dans cet état d'esprit bien légitime que la guerre, la grande crise inattendue a trouvé le Canada.

Et toutes ces persécutions stupides, en fin de compte, à quoi doit-on les attribuer sinon à des manoeuvres de politiciens, prétendant se servir de Québec comme d'un épouvantail pour exploiter odieusement le patriotisme mal éclairé des Anglo-saxons?

D'ailleurs, il convient de noter que plus la province de Québec grandissait, se développait, conséquemment affirmait son droit à l'existence et assurait plus grande sa part légitime d'influence, plus vives, plus intransigeantes se faisaient les agressions contre Québec.

Si, trop longtemps, le bon peuple de Québec trop indifférent aux réalités, a pu méconnaître les vrais mobiles de cette hostilité, ce qui s'est passé au sujet du Transcontinental National n'a pas tardé à ouvrir les yeux de nos gens. Ils réalisent maintenant dans toute leur crudité, les motifs réels de cette hostilité d'Ontario; ils savent désormais qu'il s'agit là tout bonnement de jalousies et d'appétits insatiables de la part d'Ontario.

Les fougueux patriotes de 1911 qui criaient à la déloyauté lorsqu'il s'agissait de réciprocité avec les Etats-Unis, n'ont-ils pas été ceux-là même qui, dès que leur intérêt y trouva son compte, réalisèrent cette réciprocité.

Nous ne ferons que mentionner brièvement le parti pris déplorable qui, dès le premier jour de la guerre s'est manifesté à l'endroit de Québec.

Que n'a-t-on pas fait pour laisser de côté les Canadiens-français?

Nous connaissons une lettre écrite en automne de 1915, par un officier canadien haut placé qui, sans vergogne, déclarait:

"Ne vous occupez pas des Canadiens-français, nous gagnerons bien la victoire sans leur concours."

On n'a rien fait de ce qui pouvait, de ce qui devait être fait, si, sincèrement, on avait désiré le concours enthousiaste des Canadiens-français dans cette crise.

Pendant trois années, le cabinet Borden, franchement, outrageusement, conservateur et partisan, a prétendu gouverner seul et gouverner d'abord pour le prestige et le bénéfice de ses amis.

La grande préoccupation, l'exclusive préoccupation des gens d'Ottawa, ce fut de s'acquérir tout le mérite, avec ce que la chose comportait de gratitude, de bénéfices et d'honneurs pour le groupe anglo-saxon.

On n'a même pas hésité à attribuer sans pudeur à ce groupe anglo-saxon-canadien, le mérite des enrôlements de sujets anglais, écossais et irlandais, accourant sous les drapeaux par un patriotisme bien naturel de la part de citoyens de la Grande-Bretagne et y ayant encore toutes leurs attaches.

On a accumulé toutes les injustices, toutes les malveillances, toutes les insultes contre Québec. On s'étonne après cela, que Québec, conscient de ce complot se soit refroidi?

Les Canadiens-français ne mériteraient pas le nom d'hommes s'ils n'avaient pas ressenti de tels procédés aussi injustes, aussi outrageants.

Et, lorsque poussés enfin au pied du mur, Borden et ses partenaires, ses complices, pour esquiver un verdict dont le résultat ne pouvait que leur être désastreux, se sont enfin imaginé de proclamer la nécessité de l'Union, s'en faisant un paravent, n'est-ce pas encore en prenant Québec comme tête de Turc que la campagne s'est organisée.

Nous ne saurons jamais dans ses détails, l'ignominie de cette campagne, mais nous en avons assez d'échantillons cependant, pour pouvoir déclarer que jamais en aucun pays, rien de plus odieux ne s'est vu.

Et l'on voudrait maintenant employer le savon des minoucheries, nous asperger de protestations onctueuses de bon vouloir, maintenant que poussé à bout par de tels procédés, notre peuple, le peuple de Québec s'est levé et a serré les rangs, a rallié et formé ses cohortes nationales, on voudrait, ne pouvant plus nous faire peur, ni nous intimider, NOUS CONCILIER!!

La conciliation nous l'avons pratiquée dans la Confédération et seuls et à notre détriment. Nous avons fait un métier de dupes; dans notre bonhommie et notre sincérité nous avons été les jouets de farceurs intransigeants!

L'heure est passée où nous étions dupes de ces simagrées.

Vous avez voulu réaliser le bloc contre Québec, mais en même temps et contre toute attente vous avez aussi réalisé le bloc canadien-français.

Le bloc existe; il a fallu du temps pour le créer et bien des exaspérations pour le cimenter; mais il est solide et il subsistera.

Le verdict de Québec, lundi dernier, mérite l'admiration, car nos gens, en dépit de tant de provocations, ont fait preuve d'une merveilleuse sagesse.

Non seulement ils ont balayé de la vie publique tous les individus qui, à la faveur du nationalisme, en 1911, avaient réussi à les tromper, non seulement ils ont écarté tous les candidats qui représentaient le point de vue extrémiste, celui de la non participation, mais encore dans les comtés de l'est, dans Québec-Sud, dans Sherbrooke, les Canadiens-français ont élu des députés anglais ou irlandais, avec la même belle ardeur qu'ils ont appuyé ceux de leur race.

Québec a conscience d'avoir fait oeuvre sage et utile. Québec est resté fidèle à l'esprit de la Confédération. Québec a voté en bloc pour ce qu'il considérait être l'intérêt du Canada, la patrie, contre les emballements de meneurs impérialistes, les uns sincères mais mal inspirés, les autres hypocrites et simplement cupides.

Et maintenant, nous sommes à votre disposition, Messeigneurs.

Nous ne changerons pas de peau pour vous faire plaisir: voilà ce que veut dire le vote de lundi dernier.

Si nous vous gênons dans la Confédération, si vous estimez nos opinions contraires à vos aspirations, libre à vous de le dire.

Vous trouverez à Québec un accueil empressé.

Nous en avons assez d'une Confédération canadienne qui n'est plus qu'une Fédération impérialiste.

Mais si vous voulez que la Confédération subsiste, il vous faudra changer vos façons. Nous ne sommes plus disposés à supporter vos impertinences, vos complots politiques, et bien moins encore vos persécutions.

Vous connaissez maintenant notre sentiment: à vous de décider.

Le Soleil, Québec—30 mars 1918

DEUX EMEUTES DEPUIS JEUDI ONT BOULEVERSE QUEBEC

On se souviendra longtemps, dans la Vieille Capitale, de la Semaine sainte de 1918. Le tout commença le Jeudi Saint, à Saint-Roch, lorsque des manifestants—dont certains recherchés par la police militaire—décidèrent de rosser sur place trois détectives de la station No. 3 qui étaient à la recherche des conscrits en fuite. L'émeute devait se prolonger jusqu'au lundi de Pâques. Mais à aucun moment, la tension ne fut aussi grande que le soir du Vendredi Saint lorsque les émeutiers donnèrent l'assaut aux bureaux du régistraire où l'on conservait les dossiers de tous les Québecois sujets à la mobilisation.

Dans ses mémoires, le major "Chubby" Power, l'ancien ministre, lui-même Québecois, a raconté ces événements de façon vivante et pittoresque: l'intervention du maire Lavigueur, l'appel d'Armand Lavergne aux émeutiers, les rencontres au club de la Garnison, etc. . . . L'article du Soleil, *publié le samedi, 30 mars 1918, constitue un excellent document: si le français est douteux, le style est vif et rapide. . . .*

Faut-il ajouter que ces émeutes furent sans lendemain, si ce n'est au plan politique? On était à six mois de la victoire. Mais durant 25 ans, la conscription allait être la grosse pièce de l'arsenal électoral du parti libéral.

Holy Week of 1918 will long be remembered in the Old Capital. The trouble began on Holy Thursday at Saint Roch, when anti-conscription demonstrators—some of them wanted by the military police—decided to beat up three detectives of Station No. 3 who were looking for conscripts who had got away. The riot lasted until Easter Monday. But at no time was the tension so great as on the evening of Good Friday, when the rioters stormed the offices of the Registrar where the files on all Quebec men subject to mobilization were kept.

The article in Le Soleil, *published on Saturday, March 30, 1918, makes an excellent document; if the French is questionable, the style is lively. The riots themselves were short-lived, but not in the political sense. For twenty-five years conscription was to be the big gun in the electoral arsenal of the Liberal Party.*

Québec vit, depuis jeudi, des scènes de désordre comme jamais la vieille et jusqu'ici paisible capitale n'avait connues.

Jeudi soir, une émeute a éclaté à St-Roch, comme manifestation de mécontentement contre des détectives de la police militaire: le poste de police N° 3, sur la place du marché Jacques-Cartier a été enlevé d'assaut, trois détectives de la milice arrachés à leur cachette et battus au point que deux d'entre eux, Léon Bélanger et Arthur Evanturel, sont dans un état précaire.

Hier soir, Vendredi Saint, une petite bande composée d'abord d'une cinquantaine, se dirigea de St-Roch vers la Haute-Ville et, après avoir enfoncé les vitrines du *Chronicle*, vidé les bureaux de tout ce qui pouvait être enlevé—clavigraphes, appareils télégraphiques, l'horloge et une superbe tête d'orignal—l'émeute se dirigea vers *L'Evénement* où toutes les grandes fenêtres furent aussi brisées; les cadres des vitrines et de la porte étant même arrachés. Ici, l'émeute entra par la rue de la Fabrique et sortit par la rue Garneau.

Puis la foule monta la rue St-Jean et, s'arrêtant devant l'annexe de l'Auditorium, manifesta bruyamment pendant qu'une vingtaine de policiers municipaux se tenaient aux abords de l'Auditorium; mais leur présence n'y fit rien et, après quelques cris, un va-et-vient dans la foule, quelqu'un cria:

—Montons.

Et la foule monta.

Les policiers furent débordés; ils ne tirèrent aucun coup de feu contre la foule, et seul, à ce qu'on dit ce matin, le détective Tom Walsh essaya d'arrêter les premiers manifestants qui voulurent monter aux bureaux du régistraire, mais il fut vite jeté par terre et les gens passèrent sur lui, ainsi que sur le sous-chef Burke, un vieillard, qui fut aussi jeté sur le sol. Aucun des deux policiers municipaux, cependant, ne fut blessé sérieusement.

Alors, des cris éclatèrent aux premiers rangs de la foule: "Mettons le feu!"

Alors, dans les fenêtres des étages supérieurs, on vit des ombres aller et venir. Puis ce fut dans la rue une pluie de clavigraphes, de pupitres, de livres, de papiers. Et, vers enfin neuf heures et cinquante-cinq, les flammes sortirent des fenêtres des étages supérieurs. Alors les pompiers furent appelés, par l'avertisseur 14, à 9 heures 57; et à 10 heures 7, l'alarme générale appelait tous les pompiers sur la scène. Tout l'édifice donnant sur la rue St-Jean a été gâché. Le feu a dévasté les deux étages supérieurs, et l'eau a inondé les étages inférieurs.

D'après les reporters du *Soleil* qui ont suivi les péripéties de l'émeute d'hier soir, il y avait tout au plus une vingtaine, peut-être cinquante vrais turbulents, mais la foule qui suivait laissait croire à une bande plus forte.

Toujours est-il que, à l'Auditorium, hier soir, le nombre de ceux qui sont montés aux bureaux du registraire mettre le feu et tout mettre à sec, étaient au plus trente en nombre. Ils sont montés, ont fait leur petit ménage puis sont sortis, passant devant et au milieu du cordon de police municipale. Aucun n'a été arrêté.

Quand le trouble commença, il y avait, comme on l'a dit plus haut, un cordon d'une vingtaine de constables municipaux devant l'Auditorium. Quand la foule commença à briser les grandes vitrines du magasin de musique de Gauvin & Courchesne, le maire Lavigueur arriva sur la scène et, montant sur le siège de son auto, il adressa la foule, tenant à la main un papier.

Les citoyens comprirent par là que le maire proclamait le *Riot Act*, la loi d'émeute, et quinze minutes plus tard des détachements de milice, carabine chargée, furent amenés de la citadelle et cernèrent l'Auditorium pour empêcher toute autre manifestation, mais dans le temps, tout était saccagé et en feu.

Le maire Lavigueur, ce matin, cependant, a déclaré qu'il n'a pas proclamé le *Riot Act*, hier soir. En tout cas, ce matin, il y a encore des cordons de soldats gardant l'Auditorium, le *Chronicle* et le *Daily Telegraph*.

Il est question à Ottawa, d'après une dépêche, d'appliquer la loi martiale à Québec, mais jusqu'à l'heure où nous allons sous presse, la loi martiale n'a pas été proclamée.

Le maire Lavigueur, hier soir, a reçu du gouvernement Borden, une dépêche lui demandant de faire rapport sur ce qu'a fait la police pour empêcher les émeutes de jeudi et d'hier soir, et disant que Ottawa avait vu des rapports que la police n'avait offert qu'une résistance passive aux émeutiers. Le maire a répondu comme suit:

Québec, 30 mars 1918

A l'hon. Sir Robert Borden
Premier ministre, Ottawa,

"Je n'ai pas pris connaissance encore des commentaires des journaux sur lesquels vous basez votre déclaration, contenue dans le message que vous m'avez envoyé le 20 mars, à l'effet que la police municipale de Québec aurait gardé une attitude passive, qu'elle n'aurait fait aucun effort pour empêcher les troubles.

"La chose a été sans doute grossièrement exagérée dans les journaux de l'étranger.

"Les troubles d'hier soir et de ce soir sont sincèrement déplorables, je le regrette pour moi et pour les citoyens de Québec. Le manque de discrétion, de tact de la part des officiers responsables pour l'application de la loi du service militaire semble être pour une large part, la cause de ces regrettables événements.

"J'espère sincèrement que des instructions immédiates vont être données aux autorités compétentes ici, pour éviter à l'avenir les scènes qui se sont passées."

(Signé) H.-E. LAVIGUEUR,
Maire de Québec.

A l'Auditorium, le théâtre lui-même n'a eu rien en fait de dommages. Seule, l'annexe donnant sur la rue St-Jean a été avariée, et considérablement. On venait d'y finir des travaux d'amélioration et de modification, ayant coûté au moins $15,000. Les autorités fédérales de la justice pour l'application de la loi du Service militaire en étaient locatrices.

En bas, il y avait les magasins de musique Gauvin & Courchesne dont l'installation avait été finie cette semaine seulement. Ici, les pertes matérielles seront d'au moins $15,000 avec de faibles assurances. Tous les gramophones, pianos, instruments furent gâchés par la foule qui entra dans ces magasins, y saccageant tout. Après cela, l'eau que les pompiers durent lancer pour éteindre les flammes finit de tout gâcher.

A l'immeuble même, les dégâts matériels seront d'au moins $35,000 avec assurances.

Au théâtre, aucun dommage n'a été causé et le locataire, M. J.-H. Pâquet, dit que le théâtre ouvrira comme à l'ordinaire.

Au *Chronicle*, les dégâts matériels seront d'environ $1,200 et à *L'Evénement*, on croit que les dégâts seront d'au moins $2,000.

Les manifestants, au bureau du régistraire, firent main basse sur une quantité de documents qui furent lancés dans la rue, mais au dire d'un officier dudit bureau, qui parlait à un reporter du *Soleil*, hier soir, les principaux documents n'ont pas été atteints. Ils étaient dans une voûte spéciale, inattaquable.

Cependant, les documents de plusieurs conscrits exemptés récemment ou à la veille de l'être ont été lancés dans la rue et ceci pourrait bien nécessiter la réapparition desdits conscrits ou enrôlables devant les tribunaux.

L'arrestation d'un jeune homme, jeudi soir, à St-Roch par des détectives privés des autorités fédérales, vers 8 heures, a provoqué des manifestations qui ont pris une tournure plutôt dramatique, avec le résultat aujourd'hui qu'il y a plusieurs blessés dont un assez gravement actuellement sous les soins des médecins de l'hôpital St-François d'Assise.

Les manifestations qui ont marqué l'entrée en scène des détectives fédéraux, plus activement que jamais, se sont prolongées jusqu'à une heure du matin, prenant parfois les allures d'une véritable émeute, pendant laquelle le poste de police N° 3, situé sur la place du marché Jacques-Cartier a été pris d'assaut par les manifestants qui one brisé les portes et les fenêtres, saccagé l'intérieur, dans leurs tentatives pour s'emparer des détectives fédéraux à qui l'on voulait faire un mauvais parti.

Une bombe aurait éclaté à l'intérieur du poste de police, qu'elle n'aurait causé plus de dégât. Tout fut bouleversé, le téléphone fut arraché, le plancher brisé sur une assez bonne étendue, les portes des cellules forcées, tandis que d'autres dommages étaient aussi causés dans le voisinage, entre autres à l'école des frères, rue St-François et un café chinois rue Dorchester, où des vitres ont été brisées par des projectiles lancés par les manifestants qui poursuivaient les envoyés du gouvernement dans leur fuite pour se mettre à l'abri des coups.

Les blessés sont Léon Bélanger, ancien restaurateur, le major Arthur Evanturel, détectives fédéraux chargés de rechercher les conscrits; Odilon Plamondon, du bataillon composite en service dans le piquet militaire et le capitaine Charlie Desrochers qui est à la tête de l'organisation des détectives fédéraux.

Les plus gravement blessés sont Léon Bélanger et le major Evanturel. Tous deux se présentaient jeudi soir, vers 7 h 30 aux salles de quilles Frontenac, rue Notre-Dame-des-Anges pour arrêter un jeune homme, Henri Mercier, étudiant, fils de M. Oliva Mercier, employé civil; et ils lui demandèrent de montrer ses papiers établissant qu'il s'était conformé à la loi du service militaire.

Le jeune Mercier demeure rue Notre-Dame-des-Anges.

Mercier leur déclara qu'il les avait laissé chez lui. Il demanda aux deux détectives de lui permettre d'aller les chercher, mais pour toute réponse, en appela deux soldats à qui on le remit pour le faire conduire au poste N° 3, place Jacques-Cartier.

Les deux détectives, d'après la version qui nous a été donnée, après avoir escorté le conscrit et les deux militaires jusqu'au poste, seraient ensuite retournés à la patinoire Martineau, rue Notre-Dame-des-Anges, près Dorchester, pour opérer d'autres arrestations mais il semblerait qu'en les voyant arriver sur les lieux, un groupe de jeunes gens qui avaient eu vent de l'arrestation de Mercier, se lancèrent immédiatement à leur poursuite.

Dans l'intervalle Mercier avait été relâché après qu'un citoyen qui le connaissait eût été chez le jeune Mercier chercher les papiers réclamés pour les montrer aux détectives qui consentirent à le laisser aller.

Les amis de Mercier et d'autres qui s'étaient joints à eux dans la poursuite des deux détectives, voyant que leur proie leur échappait par le fait qu'ils s'étaient retirés dans le poste de police se lancèrent à une attaque furibonde. Tout ce qui était à la portée servit de projectile. Au début, le groupe des manifestants était peu considérable, mais il augmenta graduellement. L'excitation devint à son comble.

La foule se massa tout autour du poste de police qui fut cerné et pris d'assaut.

Il n'est pas exact, comme le disait un journal anglais, hier matin, qu'une foule de plus de 5,000 personnes prit part à la manifestation. Tout au plus 400 personnes étaient présentes et de cette foule, c'est le petit nombre qui a manifesté, le reste étant plutôt des curieux que la nouvelle qui s'était répandue dans la ville avait fait accourir.

Dans l'assaut qu'ils ont livré contre la station de police, les manifestants semblaient avoir deux objectifs: d'abord ils étaient sous l'impression que plusieurs de leurs amis avaient été coffrés et ils voulaient les faire relâcher, puis ensuite on voulait s'emparer des détectives Bélanger et Evanturel, mais ces deux derniers avaient été enfermés dans la salle de détention où on les avait embarrés dans le but de les protéger.

Nous laissons au sergent Jos Dumontier, du piquet de police militaire qui n'avait rien à faire avec l'arrestation des conscrits, le soin de nous dire ce qu'il a vu.

Témoin oculaire des premières scènes qui se sont déroulées, il était au poste de police N° 3 vers 7 h 30 jeudi soir, lorsqu'il reçut une demande de la police fédérale qui voulait avoir deux hommes, pour leur aider.

On informa le sergent Dumontier que c'était pour aller chercher un conscrit aux salles du club Frontenac. Les deux hommes furent dépêchés sur les lieux et attendirent à la porte. Peu de temps après les détectives fédéraux sortaient avec le jeune Mercier qu'ils remettaient aux militaires, pour le faire conduire au poste N° 3.

Dans l'intervalle un homme s'était présenté, avec les papiers du jeune Mercier, dit le sergent Dumontier, et devant la preuve qu'il s'était conformé à la loi, il fut relâché.

Le sergent du piquet de police militaire sortit à la porte, mais il vit aussitôt venir dans la direction du poste de police un groupe de jeunes gens qui poursuivaient Bélanger et Evanturel; les manifestants venaient de la patinoire Martineau. Les deux détectives fédéraux pénétrèrent dans le poste, pendant que la police essayait au dehors de calmer les manifestants. Mais rien n'y fit. Pour toute réponse une pluie de glaçons tomba dans les vitres qui volèrent en éclats.

"A ce moment dit le sergent Dumontier, j'étais à l'intérieur du poste avec deux hommes du piquet militaire, du nom de Kerr et Ste-Croix. Nous étions dans la salle de détention, dans l'obscurité complète. Les fils électriques avaient été brisés.

"Comme la position devenait excessivement dangereuse, que notre vie était exposée, je sortis avec mes hommes, mais en nous voyant, les manifestants qui nous prenaient sans doute pour des détectives fédéraux, nous conspuèrent. J'essayai de m'expliquer, faire comprendre à la foule que nous n'étions pour rien dans cette affaire, mais rien n'y fit et comme je cherchais à passer, je fus saisi à la gorge par une personne que je ne connais pas.

"Heureusement le soldat Vaillancourt, revenu récemment du front vint à mon secours et je parvins, mais après bien des difficultés, à me libérer.

"C'est aussi le soldat Vaillancourt, ajoute le sergent Dumontier qui a protégé le capitaine Desrochers à qui l'on semblait vouloir faire un mauvais parti également."

Le chef de la police municipale, le capitaine Emile Trudel avait été averti par téléphone. Il se rendit sur le théâtre des hostilités, mais voyant que ses hommes n'étaient pas en nombre suffisant pour faire face aux manifestants, il sonna une alarme à la boîte 62, demandant les pompiers, avec l'espérance qu'en mettant des jets d'eau en activité ceci aurait eu pour effet de disperser la foule, mais les pompiers n'en eurent pas la peine, ni le temps du reste et durent retourner au poste comme ils étaient venus.

Le chef de police s'adressa alors aux autorités militaires pour demander de l'assistance, mais on lui répondit qu'il fallait un ordre du maire.

Le général Landry, commandant du district N° 5, communiqua avec le maire Lavigueur qui se rendit à son tour hâtivement sur les lieux, dans l'automobile du chef de la brigade réquisitionné pour la circonstance, accompagné de plusieurs échevins, afin de se rendre compte s'il était nécessaire de faire descendre la force militaire.

Rendu en face du poste de police, le maire s'adressant à la foule l'informa que les détectives fédéraux que l'on réclamait avaient évacué la bâtisse, mais ses appels au calme et à la modération restèrent vains.

Considérant que les seuls dommages causés l'avaient été au poste de police et que la manifestation n'était pas à vrai dire une émeute, le maire téléphona au général Landry, qu'il n'était pas nécessaire de réquisitionner la milice, puis il partit vers 11 h 30 pour regagner sa demeure.

Plusieurs citoyens essayèrent de calmer les manifestations, entre autres M. Louis Létourneau, M.P.P., le Dr Martin et M. l'abbé Côté, mais leurs suppliques restèrent sans réponse et le bombardement de la station de police continua comme de plus belle avec des glaçons et tout ce qui pouvait tomber sous la main.

Peu après minuit, les manifestants étaient encore sous l'impression que Bélanger pour un était toujours caché dans la bâtisse, en disant qu'il était caché dans la cave du poste et les recherches commencèrent de ce côté, avec des "searchlights".

Bélanger fut découvert caché dans une armoire; on s'en empara pour le sortir du poste, mais une fois dehors, Bélanger essaya de monter dans un tramway de la rue de la Couronne, qui se dirigeait vers la Haute-Ville.

Ceux qui le poursuivaient s'emparèrent de la corde du trolley qui fut enlevé du fil et Bélanger fut de nouveau attaqué. Dans la mêlée, il reçut ce que l'on croit être un coup de marteau ou de crosse de revolver sur la tête lui causant une blessure hideuse au crâne, par où du sang s'échappait en abondance. Sans connaissance à la suite du coup qui lui avait été administré, Bélanger fut conduit d'urgence chez le Dr Emile Fortier qui lui donna les premiers soins, puis on le dirigea en toute hâte à l'Hôtel-Dieu du Précieux-Sang.

A l'Hôtel-Dieu, hier matin, où l'un des reporters du *Soleil*, a téléphoné pour avoir des nouvelles du blessé, on nous a tout simplement répondu que M. Bélanger avait quitté l'hôpital et que c'était tout ce qu'on avait à dire.

D'autre part, on a appris plus tard que le blessé était rendu à l'hôpital St-François d'Assise.

Nous apprenons cependant, que l'état de Bélanger, pour le moment, à moins de complications n'inspire pas de crainte sérieuse.

Au cours de la mêlée, jeudi soir, le soldat Odilon

Plamondon, du piquet militaire a été aussi blessé, mais aujourd'hui il est sur pied et ne doit la vie, sans doute qu'à sa forte constitution.

Il revenait de St-Sauveur, dans la soirée de jeudi avec deux autres hommes du piquet militaire, le soldat G. H. Picher, le soldat B. Foucault et le sergent Morris, du bataillon composite, après avoir été faire des recherches pour trouver un soldat déserteur, lorsqu'en passant au coin de la rue Dorchester, voyant un ressemblement, il s'informa de ce qui se passait.

On lui répondit que c'étaient des détectives fédéraux qui venaient d'arrêter un conscrit. Il se dirigea vers le poste de police N° 3, après avoir déclaré qu'il n'avait rien à faire avec ça. A peine était-il arrivé dans la station de police, que les mottes de neige, les glaçons et le reste commencèrent à tomber dru dans les vitres. A ce moment plusieurs autres détectives fédéraux, entre autres Evanturel, Gagnon, Martel étaient dans le poste, mais bientôt il se trouva seul avec le détective Gagnon, les autres ayant réussi à s'esquiver. Peu après Gagnon disparaissait de son côté et Plamondon venait de mettre son pardessus pour sortir lorsqu'on s'empara de lui. Plamondon était en civil. Il reçut un coup sur la tête et d'après ce qu'il a pu voir c'est un soldat de l'Army Service Corps qui le frappa avec le manche d'un fouet.

Les manifestants demandèrent à Plamondon, s'il était un détective fédéral, chargé de rechercher les conscrits.

Non! Non! leur répondit Plamondon qui les informa qu'il faisait partie de la patrouille militaire.

Mais on alla le reconduire sous bonne escorte jusqu'au pied de l'escalier de la rue de la Couronne, en l'accablant de coups de poings, de coups de pieds, pendant qu'on lui tenait les bras.

Rendu au pied de l'escalier de fer, on le laissa là, après que deux jeunes gens qui le connaissaient eussent intervenu, mais on lui posa de nouveau la question pour savoir s'il "faisait cet ouvrage-là" voulant parler de la besogne de rechercher les conscrits.

—Non et je ne la ferai pas non plus, j'appartiens à la police militaire chargée de faire la patrouille et pas autre chose.

Plamondon a reçu des blessures à un oeil, à la tête et aux jambes.

Jusqu'à présent aucune arrestation n'a été faite.

Hier toute la journée, une foule énorme a visité le théâtre des hostilités. Un groupe de 400 à 500 personnes a manifesté de bonne heure, hier matin contre un civilien que l'on suppose être un détective fédéral chargé de rechercher les conscrits. Mais devant la preuve qu'il n'était rien de cela on l'a laissé filer son chemin tranquille. Aucun acte de violence n'a été commis.

—Perth et Kitchener, c'est-y dans Québec, ça, p'pa?
—Aw, shut up!

"Gee Dad, are Perth and Kitchener in Quebec?"
"Aw, shut up!"

Les émeutes de 1917-1918 contre la conscription ne se cantonnèrent pas dans la province de Québec. A Perth et à Kitchener, en Ontario, les gens d'origine allemande étaient ouvertement hostiles au service militaire obligatoire. Albérice Bourgeois de *la Presse* évoque ici la réaction des Anglo-canadiens aux incidents de Perth et de Kitchener.

Anti-conscription sentiment in 1917-18 was not confined to the province of Quebec. In Perth and Kitchener, Ontario, people of German origin were openly hostile to compulsory military service. Here Albérice Bourgeois of *La Presse* pictures an English-Canadian reaction to the Perth and Kitchener incidents.

J.F.B. LIVESAY

CANADIANS BREAK WOTAN LINE

The breaking of the Drocourt-Quéant Line was the second of the great exploits of the Canadian Corps in the summer of 1918. It was one of a series of assaults the corps made on strongly defended German positions before it began its long pursuit of the retreating enemy which ended on November 11 at Mons. The Drocourt-Quéant Line was part of the so-called Hindenburg Line, the long system of trenches, dugouts, strongpoints and barbed wire that the Germans had meant to be impregnable. This assault came after the spectacular eight-mile advance of the Canadians and Australians in front of Amiens on August 8, and before the crossing of the Canal du Nord (which General Currie thought to be the most brilliant of all the Canadian attacks) and the advance on Cambrai.

La percée de la ligne Drocourt-Quéant fut le second des exploits réalisés par le Corps canadien à l'été de 1918. Elle s'inscrivait dans la série d'assauts que le Corps livrait contre des positions allemandes fortement défendues avant de commencer sa longue poursuite de l'ennemi en déroute, poursuite qui se termina le 11 novembre à Mons. La ligne Drocourt-Quéant faisait partie de ce qu'on appelait la ligne Hindenburg, long réseau de tranchées, d'abris, d'emplacements fortifiés, que les Allemands avaient voulu rendre imprenables.

Cet assaut survint après que les Canadiens et les Australiens eurent réalisé leur avance spectaculaire de 8 milles en face d'Amiens, le 8 août, mais avant la traversée du canal du Nord—de l'avis du général Currie, ce fut la plus brillante de toutes les attaques lancées par les Canadiens, —et l'avance sur Cambrai.

With the Canadian forces in the field, Sept. 2—At noon today the Canadian forces attacking had passed through the portion of the Quéant-Drocourt switch line confronting them, thus breaking down the enemy's main line of resistance in this sector. On either flank, British troops were well up in the heat of the battle. Reports of villages or positions won are apt to prove deceptive, as these may be held only by outposts and are then liable to change hands before an energetic enemy counter-attack. Sections of our troops, for instance, have been reported to be at points considerably east of the main line now occupied. That line is roughly as follows:

Biachest Vaast on the Scarpe to Eterpigny, this being unchanged, thence in a wide northeasterly sweep to east of the strong point of Dury, which village we captured after a hard struggle, thence south through the village of Villers-les-Cagnicourt to east of Cagnicourt, joining up with other British troops at Bouch wood.

Our drive is being pushed forward and is making steady headway though there is not that rapid going which distinguished the early days of the second battle of Amiens. The enemy evidently means to contest to the last ditch the triangle, Ecourt, St. Quentin, Sauchy Marquion. He has withdrawn most of his guns behind that line although a number were captured in the first drive.

Prisoners to noon were estimated at 3,000, but these figures are subject to correction as the returns at the corps cages are tabulated. This is no runaway victory. Every inch of the ground is being sharply contested. The enemy relies primarily on machine gun nests, supported by his heavy artillery. It is these that have caused our worst and heaviest casualties. In one case, the machine gun crews lay doggo until the tanks had passed beyond them, then emerged from their dugouts and poured a destructive fire into our infantry.

"It isn't the rifles that shoots them guys," said a walking case at the front dressing station after the battle. "It's the machine gunners."

A very large proportion of the prisoners taken were

machine-gunners. These surrender as soon as their guns are out of action. They have no taste for close quarters with Canadians. That assertion has been made before, but today there was overwhelming evidence from many different quarters that the Boche will fight his hardest to keep his machine guns going but once these break down he cries "Mercy, Kamerad." He is in no humor to go to it at close quarters with the Canadians.

The clean wound of a machine gun, when it does not kill outright, leads to a big proportion of walking wounded cases and it was interesting to collect the views of these as they came fresh from the battle. "Our battalion has taken three trenches and is still going strong," said a British Columbia Highlander. Another British Columbian insisted everything was going fine and that his battalion had taken more prisoners than its entire strength. A member of a southern Saskatchewan unit said: "We've got the Boche licked, and the battle couldn't be going better. I hope to get back from Blighty in time to shove him into the Rhine."

A private of a famous Hampshire battalion—it belonged to the old army—who is fighting on one of the flanks of the Canadian corps, took his wounds lightly. "I don't believe it is a good Blighty," he said, "but anyway, I am just as glad not to be out of this push. In April, 1918, we helped the Canadians to save Arras, and now we're pushing in with you again, and to a very different tune."

The Canadian corps has achieved the great initial feat of breaking the enemy's chosen and fortified line. It opens the way for large operations but the corps is up against resistance of the most determined kind. To even hold what it has won, it must beat back counter-attack after counter-attack. The enemy has massed some of his best divisions in an attempt to stop our forward rush, and the struggle of the next few days may be of a severe character, but the Canadians are confident. They believe that even under his selected conditions they can always take the measure of the Boche.

In the entire Amiens operation the Canadians captured 190 guns and howitzers, 1,040 machine guns and trench mortars, and 9,131 prisoners. But important though that operation was, its objectives were limited as compared with the task essayed today by the Canadians. This was nothing less than the shattering of the enemy's last main line of defence in this sector. The ground on which they stood when the zero hour struck was the farthest line east of Arras won by the Allies since the Battle of the Marne two years ago, and this would have been a great objective in itself, but with the coming of the war of movement, such tried troops can be set a greater task.

They were given the task of breaking through the Quéant-Drocourt switch or Wotan line as he calls it, and thus driving in the wedge that shall burst asunder his defence and roll it up to north and south. It is a task entailing great preparation of every kind, but depending on its final terms on the power of the artillery and the tenacity of the infantry. The barrage that was opened at five o'clock this morning was the most extensive and represented the heaviest collection of artillery, light and heavy, seen in this war, whether on the front of the Amiens battle, or that of Passchendaele or of Vimy Ridge. But in addition there was the converging fire of the British armies to right and left.

As this barrage crept forward ahead of the infantry, lifting a hundred yards at a time, there could be made out the slow-moving tanks. Hardly had the show opened when field batteries galloped over the ground where a few minutes before the infantry had stood at attention waiting the word to go in. Overhead flew the bombing aircraft raining death from the riven skies upon the enemy trenches. Behind all waited the motor machine guns that did such splendid work along the Roye road and now waited impatiently the chance to get back in behind and cut to pieces the enemy's organization at the back. Again, a considerable body of British home troops are fighting within the same corps side by side with the men from the Dominion. They too share in the victory. These cool troops of the first British armies, they are the worthy comrades in arms of their Canadian brethren.

(Later, 9.30 a.m. Sept. 3)

The Canadian corps yesterday captured between five and six thousand prisoners but it was only by intensive and sanguinary fighting. More than ever the enemy relies on his machine gun nests. A single gunner ensconced in one of these might inflict a hundred casualties on our advancing infantry. It is small solace that the destruction of such nests invariably led to the capture of a hundred or more Boche in the dugouts behind. They surrendered willingly enough. Their machine guns had paid their price.

The Ottawa Citizen—November 12, 1918

OTTAWANS JOINED IN CELEBRATIONS AS NEVER BEFORE

Contrast these spontaneous, joyous celebrations on the first Armistice Day in Ottawa with the Armistice Days of the 1960's, as described by the poet George Johnston:

Comparez les joyeuses fêtes qui se déroulèrent spontanément le premier jour de l'armistice à Ottawa avec les jours d'armistice des années 60 qu'évoque le poète George Johnston:

> *Every November eleventh after the leaves have gone,*
> *After the heat of summer when the heats of winter come on,*
> *Ghosts from all over the country drift to the capital then*
> *To see what we do to remember, we left-over Ottawa men,*
> *We veterans and near veterans left over from obsolete wars,*
> *Hitler's war and the Kaiser's and that ancient one with the Boers;*
> *They haunt Confederation Square to see what we do*
> *But it can't be very exciting, there's never anything new;*
> *Year after year we gather and shout commands in the Square,*
> *Wait for the Governor-General, say a few words of prayer,*
> *Lay our wreaths in order, mothers and big shots first,*
> *In memory of those who have made it to the other side of the worst*
> *And left us righteous survivors in the world they thought they might save,*
> *Blowing our bugles and noses and making ourselves feel brave,*
> *And not only brave but prudent, and not only prudent but wise.*
> *Go to sleep ghosts, we say, and wave our wise good-byes.*

The complete and unconditional surrender of Germany to the demands of the Allied nations, after more than four years—fifteen hundred and sixty-seven days to be exact—of war, war of an almost inconceivable nature; the doom of the Hohenzollern dynasty, with its autocracy and militarism, and the abdication of the "Beast of Berlin"—Kaiser Wilhelm II.—the bloodiest, most savage, unrelenting tyrant the civilized world has ever known; the vindication of ravaged Belgium and the restoration of Alsace-Lorraine, and, in a word, the end of the greatest war in history—a glorious, victorious end—was fittingly observed by the Capital of the Dominion of Canada—Britain's greatest colony—with a week-end celebration that will ever remain fresh in the memories of the citizens who took part, and will be handed down as the most momentous event in the history of Ottawa to the generations to come.

The first celebration to commemorate the downfall of the Teuton tyrant on Saturday afternoon and evening paved the way, perhaps, for the greater celebration. When two flashes of all the electric lights in the city, the signal prearranged by The Citizen to announce to Ottawa's thousands and tens of thousands that the Kaiser had abdicated, officially blinked out the dethronement of the tyrant ruler, the streets were filled a few minutes afterwards with a surging mass of humanity, exultant in the overthrow of the Hohenzollerns.

Flags, pennants, horns, whistles, firecrackers, tin pans, wash boilers and a collection of other culinary articles were brought forth into play and all the citizens of Ottawa joined in the celebration. Gaily decorated automobiles, sirens wide open, some with shrieking whistles attached to the "cut-out", rolled slowly along Sparks street, following and being followed by the crowds overflowing from the sidewalks. The air was filled with the sounds of cheering—the cheering of a multitude. There was no cessation in the noise, which lasted from half past three until long after midnight. Ottawa's victory celebration had commenced.

The "wee, sma' hours" of the Sabbath saw Ottawa, to all outward appearances, in the arms of Morpheus. But the atmosphere of expectancy surrounded the homes, and many of the citizens did not retire until the early hours of the morning, eagerly waiting for the inevitable surrender of the enemy. Lights were kept burning all night in some of the residences, in order that The Citizen's signal for peace—four flashes—might not be missed. But Sunday morning broke, and the churchgoers went without the great news that they were awaiting. The time for peace had not yet come.

On Sunday evening, the press despatches indicated that there might be a delay in the signing of the armistice, and the man on the street made up his mind that Monday afternoon would be about the time to start on the real celebration, and went to bed, fairly confident that nothing unusual would happen before the next morning, at any rate.

But the biggest news generally comes at the most unexpected moment, and the end of the world war proved to be no exception to the rule. At six minutes past three yesterday morning, the official Associated Press despatch came over the wires in The Citizen offices, announcing that the armistice had been signed and that hostilities would cease at six o'clock.

Following immediately upon the receipt of the official news, every electric light in Ottawa flashed four times—a steady, convincing flash that could not be mistaken. The arrangement made by The Citizen with the Ottawa Electric and Hydro-Electric companies worked perfectly without even a second's delay. Night watchmen in the factories caught the signal and ran for the steam whistles. Late diners in the all-night cafes realized in a moment what had happened and rushed out on the streets, lustily cheering. The girls on the telephone exchanges did their part nobly when the flashes came, and immediately the telephone wires were carrying the news—that the war was at an end. The churches were not a moment behind, and the pealing of the bells in the belfries swelled the din—joyously ringing forth the announcement. A few minutes after the signal had been given, Ottawa awakened. The din of victory—complete victory—made all sleep impossible. Windows were hastily thrust up and heads were put out. Little groups who happened to be on the streets when the news was received paraded triumphantly up and down the thoroughfares, shouting out that "the war had ended." The streets that were deserted but a short time before became filled with hurrying throngs of hastily garbed men, women and children, some armed with flags and tin horns that were used to such advantage on Saturday evening. The din increased, the crowds increased, the enthusiasm increased. From every doorway there came wildly excited residents, who, without hesitation, followed the crowd and headed for Sparks street and The Citizen bulletin boards.

At ten minutes past three, the bulletin board announcing that peace had come was being read by hundreds of cheering people. Every minute added another hundred, until the street in front of The Citizen became impassable. The climax was reached when a bulletin bearing the words "Germany Surrenders" was put out. The cheers which greeted this announcement were deafening and prolonged.

The scene on Sparks street between half past three and four o'clock yesterday morning baffles all verbal description. Saturday evening's celebration was tame in comparison, for the citizens did not try to hold in their feelings. Peace had come and nothing else mattered. Once again a surging mob filled the streets, once again gaily decorated automobiles rolled slowly up and down the thoroughfares, following and being followed by the crowds. But there was something else noticeable—the spirit of Victory—the Allied Victory. Saturday evening was merely to celebrate the passing of a murderer and a tyrant—Monday morning was the celebration of the greatest victory for civilization in the history of the world.

For a short while after the news had been announced, the only music was the strident voices of the tin horns and trumpets. But the real music came as the stirring, inspiring, martial strains of the bagpipes were heard in the vicinity of O'Connor and Slater streets. The "guid, auld pipes" were in at the death, and St. Andrew's society was "on the job." Then came the rat-a-tat-tat of the kettle drums and boom-boom of the bass drum, and a brass band composed of members of the "Victory Loan" E.T.D. band and the G.W.V.A. band hove in sight, playing the requiem of war. Flags were everywhere, waving triumphantly from the windows or in the hands of the people. From Connaught square to Bank street on Sparks street was one black, slowly moving, mass of humanity. A dash of color here and there denoted the presence of flags or pennants. Ottawa's victory celebration was well under way.

Parliament Hill was the next objective and it was stormed (if one may be permitted to use a military term) by the crowds headed by the bands.

As the bands mounted Parliament Hill, the "Maple Leaf Forever" was played, and a chorus of thousands of human voices joined in the refrain.

Proudly marching, the crowds followed the bands until the steps in front of the new parliament building were reached. The bands then took up their position on the steps, holding well to the fore the Union Jack and the G.W.V.A. standard. On the grass terraces assembled the multitude, ready to follow the lead of the musicians.

The scene was one of extreme beauty. Overhead the star-strewn heavens were faintly tinged with the approaching light of dawn; to the east, Connaught square presented a fairy spectacle with its gaily-colored Victory Loan lights, the enormous cash register erected by the Victory Loan committee looming up with its twinkling lights; the large, electric sign on the pinnacle of the Chateau Laurier flashed forth the single word—Victory—instead of "Buy Victory Bonds" (this due to the clever work of the hotel electrician who rose to the occasion without delay). On Wellington street à huge bonfire cast its ruddy glow on the surrounding edifices, casting fantastic shadows here and there.

The drummer of the bands gave two beats on his bass drum—the signal that the thanksgiving service was about to commence. A second later, and the majestic, swelling notes of the "Old Hundred" rolled forth, and there, on the most historic spot in Ottawa, in the dim light of early morning, a multitude stood with bared heads and from thousands of lips came those beautiful words, adaptable to all heavenly blessings, "Praise God From Whom All Blessings Flow." It is not to be wondered at that women cried and that strong men were not ashamed of the tears that trickled down their cheeks. The "Old Hundred" was sung on that morning from the hearts of those people—sung perhaps as it has never before been sung. It was the song of victory.

A moment of reverent silence followed the singing, and then the cheers resounded. For two minutes at least, the cheering was sustained, and then died away as the beats of the drum were again heard. This time, as had been announced, the wonderful hymn, divinely significant in its beauty, "O God Our Help in Ages Past", was sung by the assembled populace.

The service was not all singing. Heads were bowed in prayer as Rev. (Major) T. P. Thompson conducted a short prayer. It was a splendid sight to see all denominations praying as one man, to hear all denominations singing with one voice.

This concluded the religious aspect of the service, and for the next twenty minutes or so, patriotic airs followed and were sung with gusto. The concluding number apart from the National Anthem—"Tipperary"—brought forth the concerted cheers of the crowds, who remembered that the boys went away to that air, and that it was meet that "Tipperary" should welcome their release from the trenches.

Then a lively march was struck up, and the bands headed the parade for the Plaza. Here, the musicians mounted the platform there, and practically the same service was repeated, with the exception that the national anthems of all the allied nations were played.

The bands dispersed after this service, and the crowds joined in with the other crowds that had remained on Sparks street. The celebration then became more or less of a spontaneous nature, and was kept up, informally, until shortly before two in the afternoon.

Promptly at two o'clock, the veterans, accompanied by their band, assembled on Cartier square and marched up to Parliament Hill, followed by thousands. On the hill, the "Victory Loan" band, conducted by Sergt. Cook, joined the "vets" band, under Lieut. Jones, and drew up on the steps in front of the new parliament buildings. As this program had been announced on the bulletin boards, Parliament Hill became, for the time being, the centre of attraction, and, like some gigantic magnet, drew the people from the highways and by-ways to that spot.

Lined up on each side of the steps were representatives of the allied nations, each bearing the standard of the nation he represented. Mounted guards were patrolling the grassy terraces to control the crowds, and Dominion and civic police kept excellent order.

The guests at the ceremony arrived about two thirty. His Excellency the Duke of Devonshire accompanied by the Duchess and the staff, Lady Borden, Hon. N. W. Rowell, M.P., P.C., Bishop Roper, Archbishop Gauthier, Dr. Herridge, Rev. S. P. Rose and many other prominent clerical and military figures, took their places on the steps. The National Anthem was played as the Duke took his place.

Hon. Mr. Rowell then rose and introduced His Excellency. Lusty cheers greeted the representative of His Majesty the King, and as soon as the noise had died away, the Duke addressed the crowds. He spoke of the victory that had been won and of the tremendous part played in that victory by the troops from Canada. His Excellency stated that he had come to Canada when Canada was at war, and was proud that he had been in Canada when the victory had been won, that he might share in the pride that Canada had every right to feel.

Unfortunately, His Excellency's speech was not heard by the crowds congregated on the lawns, as there was a continual noise, caused principally by enthusiastic small boys extracting horrible noises from tin horns.

Following the address by the Governor-General, the "Old Hundred" was again sung. Bishop Roper then led the masses in prayer—a prayer of thanksgiving for victory. Rev. Dr. Rose read a psalm, followed by another prayer—a prayer of thanksgiving for peace by Dr. Herridge. "O God Our Help in Ages Past" was sung, with fervent feeling, as it had been sung ten hours before.

Hon. Mr. Rowell, in his address, impressed upon his audience what this victory meant and what a debt of gratitude was owed to the brave men who had sacrificed their lives for the Empire and who had gone forward in the fight for civilization, eager to do their duty.

On Parliament Hill, just after the news had been announced, two couples one-stepped to the tune of "Rule Britannia." (It may not have been a one-step but it was certainly a victory dance.)

At Lansdowne Park the members of Sergeant Cook's famous brass band, the Victory Loan band, got busy and routed everyone out just a minute or two after the flash. And this is official. The bulk of the men who stood at attention when the National Anthem was played stood in their shirt tails.

The Ottawa Journal—February 24, 1919

FITTING FINAL TRIBUTE FOR DEPARTED CHIEFTAIN

Wilfrid Laurier's last years were tragic for him, because his life-long aim of uniting French and English in Canada was defeated by the crisis that arose over conscription. Yet when Laurier died a little over a year later, the universal sorrow of the Canadian people, illustrated by this account of his funeral, was as striking as the similar grief over Macdonald in 1891.

Les dernières années de sir Wilfrid Laurier furent tragiques pour lui, car alors que toute sa vie il avait cherché à unir les Français et les Anglais du Canada, cette aspiration se soldait par un échec imputable à la crise que la conscription avait provoquée. Et pourtant quand Laurier est mort à peine un an plus tard, le chagrin universel des Canadiens, qui se reflète dans ce récit de ses funérailles, était aussi frappant que la douleur ressentie à la mort de Macdonald en 1891.

With all the solemn pomp and impressive liturgy of the Catholic Church, with the highest honors the State could pay, and amidst the grief and homage of fifty thousand mourners, the mortal remains of Wilfrid Laurier were laid to rest on Saturday. Unprecedented in its grandeur and imposing in its solemnity was the nation's last tribute to the dead. For two days the body lay in state, and during that time upwards of forty-five thousand people passed in procession before it, but great as was that unprecedented outpouring of national grief and veneration, it was as nothing compared to the magnitude and impressiveness of the vast throng which everywhere blackened the Capital's streets along the route of the funeral procession or followed the remains to the grave.

In days gone by Ottawa had seen many vast assemblages, but nothing to equal this. All day Friday every incoming train brought its quota of mourners, men and women who had followed Laurier through life and desired to follow his body in its last journey on earth. Far into the night and until the small hours of the morning they stood in line braving snow and cold so that they might look upon the face of the dead Knight, and when at last dawn came, and the doors of the Death Chamber were closed hundreds more were gathering, pleading with the officers who stood guard outside that they be not denied the privilege of a last look at the nation's Grand Old Man. And, when finally the doors of the buildings opened, and they were bringing the casket, carried reverently, almost tenderly, to the funeral chariot, the place for miles in the vicinity was one blackened mass of humanity. Sir Wilfrid in his mightiest days had made many triumphal marches through the Capital's streets, but none so mighty as this. Every class in the community, every creed, every political faith, every walk of life, was represented, marshalled into a procession which for magnitude has never been paralleled since the passing of Sir John Macdonald. Cabinet Ministers, Governors of Provinces, diplomatic representatives of foreign nations, members of the House of Commons, Senators,

Justices of Supreme Courts, clergymen of all faiths and denominations, representatives of labor unions, fraternal societies, Great War Veterans, professional men and workers walked behind the dead statesman's bier; and all along the two mile route of procession thousands of men stood with bared heads as the casket went by.

Long before the solemn concourse reached the Basilica the galleries of the vast cathedral were filled, the only seats left vacant being those reserved for the Governor-General and his aides, the Lieutenant-Governors of the Provinces, members of the Dominion Cabinet, members of Parliament, Senators and Judges. And when, shortly after eleven, the doors of the church swung open, and the casket was borne up the aisle and placed upon a high catafalque imposingly draped in black and gold, the scene was a deeply moving one. In his recently published memoirs Sir Charles Dilke left a memorable impression of the vast beauty and impressiveness of the ceremony in the Catholic Cathedral of London over the remains of a great Catholic layman, the Marquis of Ripon. Not since the death of Ripon has the Catholic Church in the British Empire lost so distinguished a lay son as Wilfrid Laurier, and on Saturday she marshalled all the solemn beauty of her ancient liturgy to pay homage to his remains.

In the sanctuary there was assembled an imposing gathering of clergy. Monsignor Di Maria, the papal delegate, garbed in the most magnificent robes of his high office, celebrated the solemn mass of requiem, and with and around him were Archbishops, Bishops, several Monsignors, and a host of priests.

The vastness of the cathedral, with its dim, stained windows, its massive pillars and its medieval atmosphere, lent itself to the pomp and impressiveness of the occasion. High up was the stately altar, now massed with solemn black. Upon it hundreds of lighted candles glowed, shedding a softened light through the gloom, while the massive columns, festooned with black and purple and gold, added to the grandeur of the whole. But greater than all of this was the imposing beauty of the service itself: the priests reciting the burial service in measured accents of sonorous Latin: the massive organ, now pealing forth in mighty volume, now falling away into sweetly solemn dirge: the hymns rendered with surpassing beauty and power, and the exquisite warbling of the requiem by a host of choristers—these made up a scene not easily forgotten.

And, finally, when Protestant and Catholic had knelt together at the offertory, and the funeral orations, moving in their eloquence, had been pronounced, the last "Requiescat in pace" had been spoken, they took the casket from the catafalque, and to the moving strains of Chopin's funeral march, bore it to its waiting chariot outside. Far aloft in the spires of the great cathedral, the bells pealed forth, seeming to fall harshly upon the air, a dozen chariots draped with black and burdened with beautiful flowers turned toward Sir Wilfrid's last destination, and the procession of Death was resumed.

In a secluded spot of the Catholic cemetery, in a quiet suburb of the Capital a few mourners stood and waited. Shining were the snow-clad fields in the light of the sun, for although in the morning all the sky was grey with clouds and vexed with a chilling wind, as the hours wore on there came a light that shone and pierced through the sad mists and dissolved them, and when noon was passed all the dome that is above the world was a faery blue, and the sun glittered: God had sent a beautiful day to bury Wilfrid Laurier.

Slowly, reverently, in grave pomp, the funeral procession came toward the place where the mourners were standing. First a boy in black and white lifted up a glittering cross: behind him a figure clad in a cloak also of black and white, whose lips moved incessantly: the faint murmur of words in an old tongue came across the stillness. On the one side of this figure walked one who bore a vessel of pure water, on the other a youth carried fire and incense—symbols of eternal mysteries. And behind these sacred ministers came the coffin and the mourners: they were bringing the body of Wilfrid Laurier to its place of rest in the earth.

The priest in his cope and stole of black and silver stood at the head of the open grave, and began to utter in sonorous and solemn Latin the last supplications for the dead. With bared heads we heard him marshalling the host of heaven in aid of the departed soul: with a reiterated summons he prayed for the repose of him who had passed through the deep waters of death.

"I am the Resurrection, and the Resurrection is the Life.
He that believeth in Me, although dead, shall live.
Everyone who liveth and believeth in Me shall not die forever."

The last majestic canticle was uttered; the blue incense smoke rose into the sunlight; the holy water was sprinkled into the darkness of the grave; the priest pronounced a final requiescat, and Wilfrid Laurier's body was committed to the earth sub signo Cruscis.

M. GRATTAN O'LEARY

HON. W. L. MACKENZIE KING CHOSEN LEADER IN SPIRITED CONTEST

The choice of William Lyon Mackenzie King to succeed Laurier as Liberal leader was of greater importance than was realized at the time. King reunited the Liberals and made them the great governing party of Canada for the rest of his life. This article by M. Grattan O'Leary about the Liberal convention of 1919 does not deal with the party platform adopted at the convention. While this platform correctly forecast the party's course in the field of Canada's imperial relations, its treatment of the tariff question had little relation to later Liberal policy; and the planks on labour and social welfare, which were the contributions of the new leader himself, hardly served the Liberals even as a general guide. Medicare, for example, is still to be put into effect.

Le choix de William Lyon Mackenzie King qui succédait à Laurier comme chef du parti libéral, était plus gros de conséquences qu'on ne se l'imaginait à l'époque. King a regroupé les libéraux pour en faire le grand parti qui a gouverné le Canada le reste de sa vie.

Le présent article que M. Grattan O'Leary a rédigé au sujet du congrès libéral de 1919 ne traite pas du programme adopté par le parti à cette occasion. Même si ce programme annonçait correctement la ligne de conduite que le parti allait suivre dans le domaine des relations avec l'Empire, son exposé de la question douanière n'avait guère de rapport avec la politique suivie plus tard par les libéraux. Les articles visant le travail et le bien-être social, qui traduisaient l'apport du nouveau chef, n'ont guère servi à l'orientation générale des libéraux. Par exemple, il reste encore à mettre en vigueur l'assurance frais médicaux.

William Lyon Mackenzie King is the successor of Sir Wilfrid Laurier. He won that high and coveted honor yesterday, defeating Hon. W. S. Fielding, Mr. D. D. McKenzie and Hon. George P. Graham in a contest which, for spectacular and dramatic interest and the passionate, stirring scenes it evoked, has never been paralleled in Canadian political annals. Four ballots were necessary for the convention to register its verdict, the final vote narrowing down to a choice between Mr. Fielding and Mr. King, the youthful aspirant vanquishing his veteran rival by a vote of 476 to 438—a majority of 38.

For Mr. King, the victory was a remarkable one. Right up to the threshold of the convention his name had not been seriously regarded, and while he developed strength as the convention wore on, few believed that he would triumph over the great prestige and personal force of Mr. Fielding.

The ex-Finance Minister had behind him the votes and the influence of eight provincial Premiers, the commanding potency of his long and eminent services to Liberalism, and the almost unbroken support of the more conservative elements among the English-speaking delegates. It was a combination which, in the opinion of most observers, should have easily carried him to victory, but it was not powerful enough to prevail against the almost solidly massed antagonism of the delegates from Quebec.

The cold truth is—it is admitted by delegates themselves—that Mr. Fielding paid the price of having supported Union Government. The delegates cheered themselves hoarse for concord and harmony, but they marked their ballots against reconciliation and union. Mr. King had stood by the "Old Man" in the darkest moment of his political life: Mr. Fielding had deserted him. That was enough. The men who had shouted for Liberalism spat upon one of its cardinal tenets; it was thumbs down for the man who had answered conscience and supported military conscription.

It was in vain that the majority of the wiser and the more influential leaders strove to make him leader, in vain that Sir Lomer Gouin—a great figure in the convention—used all the force of his splendid powers to commend him to Quebec. Memories of 1917 were too potent: the spirit of recrimination invincible. Nor was the antagonism to Mr. Fielding, the desire to chastise his apostasy to Sir Wilfrid, confined to Quebec. The "Right or wrong, my party" men, the anti-conscriptionist diehards from the other provinces—and they were by no means a minority—were unrelenting in their bitterness against anything or anybody with the remotest connection with Unionism; and these, added to the almost solid columns of hostility from Quebec, were more than the Nova Scotian could conquer.

As for Mr. King, the new leader, he fought a brilliant fight. His speech of Wednesday evening, when pointing dramatically to the picture of Sir Wilfrid which hung over the platform, he applied to him the moving lines of Tennyson on the Duke of Wellington, was a master stroke of strategy as well as a triumph in oratory, for it mobilized and consolidated the French-Canadian and the Laurier-Liberal vote. Up to that moment hostility to Unionism was existent but unorganized. Mr. King's eloquence pointed it in a figure around which its forces could rally.

Mr. McKenzie and Mr. Graham proved more feeble than expected. The first ballot showed them running badly; the second increased their incapacity to win, and both gentlemen, realizing that the prize was lost to them, withdrew from the fight. With the contest narrowed down to Mr. Fielding and Mr. King excitement became tense. Delegates, failing to realize in time that Mr. Graham and McKenzie had retired, marked their ballots for them, and this led to almost a quarter of an hour of such excitement and confusion as seemed at one time to threaten the capacity of the chairman to maintain a semblance of order. Finally, however, after much argument, and explanation, and heated discussion, the temporarily disarranged machinery was made to function smoothly, and the scrutineers, after a half-hour which, to the over-wrought, excited delegates, seemed like half a century, brought in the final verdict.

"Mr. William Lyon Mackenzie King has been selected leader of the Liberal party," declared Hon. George H. Murray, chairman of the convention, after a glance at the figures. It was a hard blow for the Fielding men, who had worked so hard and fought so stoutly, but the convention was equal to the occasion. Like one man delegates, men and women, sprang to their feet, and, led by the leaders on the platform, welcomed their new chief. Whatever might have been in the hearts and minds of many of them, they made no outward sign, but putting on a brave face, and exhibiting good sportsmanship, waved handkerchiefs and flags and cheered again and again.

Then happened one of the things which lift political controversy above mere pettiness and passion. Walking to the front of the platform, Mr. Fielding, big in defeat, moved that the triumph of his youthful victor be made unanimous. It was a speech that for manliness and detachment from pettiness could hardly be excelled and it went straight to the heart of the audience. It would have been a great honor, he said—and there was a touch of regret in his voice—to have been nominated as leader of the Liberal party by such a magnificent and historic convention, an honor as great as could possibly come to any man, an honor to be prized by one's family in years to come, but he had lost fairly, and he was proud to stand there and ask that the choice of the convention—a personal friend and an old ex-colleague—be made unanimous. With sincerity and earnestness he hoped and trusted that Liberalism, closing the ranks, and turning to the future would give to its new chief united and wholehearted support.

The words, spoken so simply and so sincerely, carried the convention away. Hon. Dr. Beland, springing to the centre of the platform called for cheers for Mr. Fielding, and for a moment pandemonium broke loose. Men and women shouted themselves hoarse, cheering and cheering again and again. It had listened to the speech of a man.

Mr. Graham and Mr. McKenzie followed Mr. Fielding in eulogy of the new leader, and then the successor of Laurier, the young man who, still in his forties, wears the mantle of Brown and Mackenzie and Blake, stepped forward to receive the plaudits of the crowd.

PETER McARTHUR **NEW WORDS**

Peter McArthur began his writing career as a Bohemian literary man, and ended it as a gentleman farmer who wrote one of the most popular newspaper columns in Canada. In 1908, after writing for some of the bright periodicals of New York and London, McArthur returned to the family farm near London, Ontario, and began writing a twice-weekly column for the Toronto Globe. *The column became widely read for its amusing sketches of farm life, its warm praise of Nature, and its shrewd observations on the politics of the day, sometimes written in verse. Here is one of McArthur's more political offerings.*

Peter McArthur a débuté comme écrivain en bohème de la littérature. Il a fini comme gentleman-farmer *qui rédigeait une des chroniques les plus populaires du Canada. En 1908, après avoir écrit pour certains des brillants périodiques de New York et de Londres, McArthur retourna à la ferme familiale près de London (Ont.) Il entreprit de rédiger une chronique qui paraissait deux fois par semaine dans le* Globe *de Toronto. La chronique devint très lue, car elle faisait des croquis amusants de la vie agricole, un cordial éloge de la nature, des observations aiguës sur la politique du jour, et elle était parfois en vers. Voici un des articles écrits par McArthur dans une veine politique.*

Ekfrid, Sept. 13.—The other day I saw an inspired misprint. A typesetter achieved a masterpiece and the proofreader allowed it to stand. It was quite evident how the mistake had occurred, but it added a new word to the language—a word that we are in need of. An editorial writer had been "viewing with alarm" in his best manner, and in the course of his tirade against the passion for amusement and folly that prevails in the world to-day he spoke of "the wave of unrest" that is going over the land. The typesetter split the preposition "of" so that the "f" became part of the following word, "unrest." The result was that the Editor appeared to be deploring the "funrest" that is at present afflicting humanity. There you have our ailment diagnosed in one word. The combination of fun and unrest noticeable everywhere is properly united in the new word "funrest." It is a syncopated word with a real jazz flavor. It describes exactly the condition of unfortunate people who are forever giggling and forever on the go. They can't be serious about anything, and they can't keep still. The obvious explanation is that they are suffering from "funrest." It looks like a good word, and I hope the lexicographers will welcome it.

Of course, we have altogether too many words in the language already, but there are times like the present when we need a few more. If we could only have a verbal house-cleaning every once in a while and get rid of a lot of old words that have outlived their usefulness we might be more hospitable to new words that would express our ideas with up-to-date exactness. Just now I feel the need of a new word that will define a new line of political activity.

Since Bolshevism has become a world menace after the world war Ottawa campaigners are trying to make our flesh creep by pretending with eloquent shudders that our old neighbors with whom we are at present changing work at thrashings are Bolshevists. They claim to be able to see Bolshevists wherever they look. To describe this sort of thing as hypocrisy or slandering doesn't quite express what is going on. Perhaps a new word would help us out. How would it do to coin one? Let us try. In order to make it clear I shall try to define it in dictionary fashion:

BOLSH: Verb. Trans. (Apparently a combination of "bosh" and "slush." Perhaps derived from the first syllable of Bolshevik. cf. A.S. bolgen, angry.)

1. To delude an honest voter into thinking that all opponents of the Government are Bolshevists.

"The editor of the ———— has been badly bolshed by the utterances of leading statesmen."—News Item.

"An effort will be made to bolsh the intelligent voters of West Elgin."—Press despatch.

2. To make an opponent appear to be a Bolshevist.

"A campaign has been started to bolsh the Liberal leaders and the leaders of the U.F.O."—Inside Stuff.

BOLSHER: Noun. One who is addicted to bolshing his political opponents.

"Shall pack-horses
And hollow pamper'd jades of Asia,
That cannot go but thirty miles a day,
Compare with bolshers, and with cannibals,
And Trojan-Greeks? Nay, rather damn them with
King Cerberus, and let the welkin roar!"
—Ancient Pistol Up-to-date.

BOLSHING: Noun (Verbal noun of Bolsh.) The act of deluding people into thinking that other people are Bolshevists. Also the act of making other people appear to be Bolshevists.

"Sir, if I were on the mundane sphere to-day I would amend my most famous definition and say: 'Bolshing is the last refuge of a scoundrel.' "
—Samuel Johnson, by ouija board.

There you have the new word fully defined and ready to be incorporated in the dictionaries. If it were not for the paper shortage I would expect the publishers of dictionaries to announce new editions at once, so that the language might be enriched and brought right up to the minute. And now, having dealt with the etymological side of the question, let us consider the political side for a moment. There is no doubt that Bolshevism is wrecking countries in the Old World. But, as pointed out before, the one thing that seems to be known positively about it is that Bolshevism is a reaction against irresponsible autocratic government. In Canada the amazing thing is that the fear of a wave of Bolshevism seems to be wholly confined to members of the Government. This gives the matter a serious aspect that I do not feel safe in dismissing lightly. Premier Meighen and Sir George Foster unquestionably know better than anyone else the kind of government they have been giving us, and should be able to judge the reaction it is likely to provoke. Ay, there's the rub.

ERNEST HEMINGWAY

BULL FIGHTING IS NOT A SPORT — IT IS A TRAGEDY

The Toronto Star *has been the great impresario among Canadian newspapers. Its virtuosity in providing its readers with a variety of exceptional feature writers is impressive.*

No doubt the greatest of these writers was Ernest Hemingway, who worked on and off for the Daily Star *and* Star Weekly *from 1919 to 1923. It was during these years that Hemingway became a professional writer and evolved the style that he later brought to perfection in his novels and stories. In 1921 the* Star *sent him to Europe as a roving correspondent. From Europe he sent back a great variety of pieces: reports of international conferences, sketches of Paris and the international set, and items of political commentary, including an interview with Mussolini. Reprinted here is one of the finest features that Hemingway wrote for the* Star Weekly, *an account of the first bull fight he ever saw.*

Le Star *de Toronto fait figure de grand imprésario parmi les journaux canadiens. Avec une virtuosité impressionnante, il amène à ses lecteurs toute une collection de rédacteurs exceptionnels d'articles à sensation.*

Le plus grand de ces auteurs fut sans doute Ernest Hemingway qui, de 1919 à 1923, travailla à intervalles irréguliers pour le Daily Star *et le* Star Weekly. *Au cours de ces années, Hemingway devint un écrivain professionnel. Il développa le style qu'il devait plus tard porter à la perfection dans ses romans et ses nouvelles. En 1921, le* Star *l'envoya en Europe comme correspondant itinérant. Hemingway envoya d'Europe une grande diversité d'articles: comptes rendus de conférences internationales, aperçus de Paris et croquis des cercles internationaux, observations d'ordre politique, y compris une entrevue avec Mussolini. Nous reproduisons ici un des plus beaux articles spéciaux qu'Hemingway ait écrits pour le* Star Weekly. *C'est le récit du premier combat de taureaux qu'il ait vu.*

It was spring in Paris and everything looked just a little too beautiful. Mike and I decided to go to Spain. Strater drew us a fine map of Spain on the back of a menu of the Strix restaurant. On the same menu he wrote the name of a restaurant in Madrid where the specialty is young suckling pig roasted, the name of the pension on the Via San Jeronimo where the bull fighters live, and sketched a plan showing where the Grecos are hung in the Prado.

Fully equipped with this menu and our old clothes, we started for Spain. Our objective—to see bull fights.

We left Paris one morning and got off the train at Madrid the next noon. We saw our first bull fight at 4.30 that afternoon. It took about two hours to get tickets. We finally got them from scalpers for twenty-five pesetas apiece. The bull ring was entirely sold out. We had barrera seats. These, the scalper explained in Spanish and broken French, were the first row of the ringside, directly under the royal box, and immediately opposite where the bulls would come out.

We asked him if he didn't have any less distinguished seats for somewhere around twelve pesetas, but he was sold out. So we paid the fifty pesetas for the two tickets, and with the tickets in our pockets sat out on the sidewalk in front of a big cafe near the Puerto Del Sol. It was very exciting, sitting out in front of a cafe your first day in Spain with a ticket in your pocket that meant that rain or shine you were going to see a bull fight in an hour and a half. In fact, it was so exciting that we started out for the bull ring on the outskirts of the city in about half an hour.

The bull ring or Plaza de Toros was a big, tawny brick amphitheatre standing at the end of a street in an open field. The yellow and red Spanish flag was floating over it. Carriages were driving up and people getting out of buses. There was a great crowd of beggars around the entrance. Men were selling water out of big terra cotta water bottles. Kids sold fans, canes, roasted salted almonds in paper spills, fruits and slabs of ice cream. The crowd was gay and cheerful but all intent on pushing toward the entrance. Mounted civil guards with patent leather cocked hats and carbines slung over their backs sat their horses like statues, and the crowd flowed through.

Inside they all stood around the bull ring, talking and looking up in the grandstand at the girls in the boxes. Some of the men had field glasses in order to look better. We found our seats and the crowd began to leave the ring and get into the rows of concrete seats. The ring was circular—that sounds foolish, but a boxing ring is square—with a sand floor. Around it was a red board fence—just high enough for a man to be able to vault over it. Between the board fence, which is called the barrera, and the first row of seats ran a narrow alley way. Then came the seats which were just like a football stadium except that around the top ran a double circle of boxes.

Every seat in the amphitheatre was full. The arena was cleared. Then on the far side of the arena out of the crowd, four heralds in medieval costume stood up and blew a blast on their trumpets. The band crashed out, and from the entrance on the far side of the ring four horsemen in black velvet with ruffs around their necks rode out into the white glare of the arena. The people on the sunny side were baking in the heat and fanning themselves. The whole sol side was a flicker of fans.

Behind the four horsemen came the procession of the bull fighters. They had been all formed in ranks in the entrance way ready to march out, and as the music started they came. In the front rank walked the three espadas or toreros, who would have charge of the killing of the six bulls of the afternoon.

They came walking out in heavily brocaded yellow and black costumes, the familiar "toreador" suit, heavy with gold embroidery, cape, jacket, shirt and collar, knee breeches, pink stockings, and low pumps. Always at bull fights afterwards the incongruity of those pink stockings used to strike me. Just behind the three principals—and after your first bull fight you do not look at their costumes but their faces—marched the teams of cuadrillas. They are dressed in the same way but not as gorgeously as the matadors.

Back of the teams ride the picadors. Big, heavy, brown-faced men in wide flat hats, carrying lances like long window poles. They are astride horses that make Spark Plug look as trim and sleek as a King's Plate winner. Back of the pics come the gaily harnessed mule teams and the red-shirted monos or bull ring servants.

The bull fighters march in across the sand to the president's box. They march with easy professional stride, swinging along, not in the least theatrical except for their clothes. They all have the easy grace and slight slouch of the professional athlete. From their faces they might be major league ball players. They salute the president's box and then spread out along the barrera, exchanging their heavy brocaded capes for the fighting capes that have been laid along the red fence by the attendants.

We leaned forward over the barrera. Just below us the three matadors of the afternoon were leaning against the fence talking. One lighted a cigaret. He was a short, clear-skinned gypsy, Gitanillo, in a wonderful gold brocaded jacket, his short pigtail sticking out under his black cocked hat.

"He's not very fancy," a young man in a straw hat, with obviously American shoes, who sat on my left, said.

"But he sure knows bulls, that boy. He's a great killer."

"You're an American, aren't you?" asked Mike.

"Sure," the boy grinned. "But I know this gang. That's Gitanillo. You want to watch him. The kid with the chubby face is Chicuelo. They say he doesn't really like bull fighting, but the town's crazy about him. The one next to him is Villata. He's the great one."

I had noticed Villata. He was straight as a lance and walked like a young wolf. He was talking and smiling at a friend who leaned over the barrera. Upon his tanned cheekbone was a big patch of gauze held on with adhesive tape.

"He got gored last week at Malaga," said the American.

The American, whom later we were to learn to know and love as the Gin Bottle King, because of a great feat of arms performed at an early hour of the morning with a container of Mr. Gordon's celebrated product as his sole weapon in one of the four most dangerous situations I have ever seen, said, "The show's going to begin."

Out in the arena the picadors had galloped their decrepit horses around the ring, sitting straight and stiff in their rocking chair saddles. Now all but three had ridden out of the ring. These three were huddled against the red painted fence of the barrera. Their horses backed against the fence, one eye bandaged, their lances at rest.

In rode two of the marshals in the velvet jackets and white ruffs. They galloped up to the president's box, swerved and saluted, doffing their hats and bowing low. From the box an object came hurtling down. One of the marshals caught it in his plumed hat.

"The key to the bull pen," said the Gin Bottle King.

The two horsemen whirled and rode across the arena. One of them tossed the key to a man in torero costume, they both saluted with a wave of their plumed hats, and had gone from the ring. The big gate was shut and bolted. There was no more entrance, the ring was complete.

The crowd had been shouting and yelling. Now it was dead silent. The man with the key stepped toward an iron-barred, low, red door and unlocked the great sliding bar. The door swung open. The man hid behind it. Inside it was dark.

Then, ducking his head as he came up out of the dark pen, a bull came into the arena. He came out all in a rush, big, black and white, weighing over a ton, and moving with a soft gallop. Just as he came out the sun seemed to dazzle him for an instant. He stood as though he were frozen, his great crest of muscle up, firmly planted, his eyes looking around, his horns pointed forward, black and white and sharp as porcupine quills. Then he charged. And as he charged, I suddenly saw what bull fighting is all about.

For the bull was absolutely unbelievable. He seemed like some great prehistoric animal, absolutely deadly and absolutely vicious. And he was silent. He charged silently and with a soft, galloping rush. When he turned he turned on his four feet like a cat. When he charged the first thing that caught his eye was the picador on one of the wretched horses. The picador dug his spurs into the horse and they galloped away. The bull came on in his rush, refused to be shaken off, and in full gallop crashed into the animal from the side, ignored the horse, drove one of his horns high into the thigh of the picador, and tore him, saddle and all, off the horse's back.

The bull went on without pausing to worry the picador lying on the ground. The next picador was sitting on his horse braced to receive the shock of the charge, his lance ready. The bull hit him sideways on, and horse and rider went high up in the air in a kicking mass and fell across the bull's back. As they came down the bull charged into them. The dough-faced kid, Chicuelo, vaulted over the fence, ran toward the bull and flopped his cape into the bull's face. The bull charged the cape and Chicuelo dodged backwards and had the bull clear in the arena.

Without an instant's hesitation, the bull charged Chicuelo. The Kid stood his ground, simply swung back on his heels and floated his cape like a ballet dancer's skirt into the bull's face as he passed.

"Ole!" — pronounced Oh-Lay! — roared the crowd.

The bull whirled and charged again. Without moving Chicuelo repeated the performance. His legs rigid, just withdrawing his body from the rush of the bull's horns and floating the cape out with that beautiful swing.

Again the crowd roared. The Kid did this seven times. Each time the bull missed him by inches. Each time he gave the bull a free shot at him. Each time the crowd roared. Then he flopped the cape once at the bull at the finish of a pass, swung it around behind him and walked away from the bull to the barrera.

"He's the boy with the cape all right," said the Gin Bottle King. "That swing he did with the cape's called a Veronica."

The chubby-faced Kid who did not like bull fighting and had just done the seven wonderful Veronicas was standing against the fence just below us. His face glistened with sweat in the sun but was almost expressionless. His eyes were looking out across the arena where the bull was standing making up his mind to charge a picador. He was studying the bull because a few minutes later it would be his duty to kill him, and once he went out with his thin, red-hilted sword and his piece of red cloth to kill the bull in the final set it would be him or the bull. There are no drawn battles in bull fighting.

I am not going to describe the rest of that afternoon in detail. It was the first bull fight I ever saw, but it was not the best. The best was in the little town of Pamplona high up in the hills of Navarre, and came weeks later. Up in Pamplona, where they have held six days of bull fighting each year since 1126 A.D., and where the bulls race through the streets of the town each morning at six o'clock with half the town running ahead of them. Pamplona, where every man and boy in town is an amateur bull fighter and where there is an amateur fight each morning that is attended by 20,000 people in which the amateur fighters are all unarmed and there is a casualty list at least equal to a Dublin election. But Pamplona, with the best bull fight and the wild tale of the amateur fights, comes in the second chapter.

I am not going to apologize for bull fighting. It is a survival of the days of the Roman Coliseum. But it does need some explanation. Bull fighting is not a sport. It was never supposed to be. It is a tragedy. A very great tragedy. The tragedy is the death of the bull. It is played in three definite acts.

The Gin Bottle King—who, by the way, does not drink gin—told us a lot of this that first night as we sat in the upstairs room of the little restaurant that made a specialty of roast young suckling pig, roasted on an oak plank and served with a mushroom tortilla and vino rioja. The rest we learned later at the bull fighters' pension in the Via San Jeronimo, where one of the bull fighters had eyes exactly like a rattlesnake.

Much of it we learned in the sixteen fights we saw in different parts of Spain from San Sebastian to Granada.

At any rate bull fighting is not a sport. It is a tragedy, and it symbolizes the struggle between man and the beasts. There are usually six bulls to a fight. A fight is called a corrida de toros. Fighting bulls are bred like race horses, some of the oldest breeding establishments being several hundred years old. A good bull is worth about $2,000. They are bred for speed, strength and viciousness. In other words a good fighting bull is an absolutely incorrigible bad bull.

Bull fighting is an exceedingly dangerous occupation. In the sixteen fights I saw there were only two in which there was no one badly hurt. On the other hand it is very remunerative. A popular espada gets $5,000 for his afternoon's work. An unpopular espada though may not get $500. Both run the same risks. It is a good deal like Grand Opera for the really great matadors except they run the chance of being killed every time they cannot hit high C.

No one at any time in the fight can approach the bull at any time except directly from the front. That is where the danger comes. There are also all sorts of complicated passes that must be done with the cape, each requiring as much technique as a champion billiard player. And underneath it all is the necessity for playing the old tragedy in the absolutely custom bound, law-laid-down way. It must all be done gracefully, seemingly effortlessly and always with dignity. The worst criticism the Spaniards ever make of a bull fighter is that his work is "vulgar."

The three absolute acts of the tragedy are first the entry of the bull when the picadors receive the shock of his attacks and attempt to protect their horses with their lances. Then the horses go out and the second act is the planting of the banderillos. This is one of the most interesting and difficult parts but among the easiest for a new bull fight fan to appreciate in technique. The banderillos are three-foot, gaily colored darts with a small fish hook prong in the end. The man who is going to plant them walks out into the arena alone with the bull. He lifts the banderillos at arm's length and points them toward the bull. Then he calls "Toro! Toro!" The bull charges and the banderillero rises to his toes, bends in a curve forward and just as the bull is about to hit him drops the darts into the bull's hump just back of his horns.

They must go in evenly, one on each side. They must not be shoved, or thrown or stuck in from the side. This is the first time the bull has been completely baffled, there is the prick of the darts that he cannot escape and there are no horses for him to charge into. But he charges the man again and again and each time he gets a pair of the long banderillos that hang from his hump by their tiny barbs and flop like porcupine quills.

Last is the death of the bull, which is in the hands of the matador who has had charge of the bull since his first attack. Each matador has two bulls in the afternoon. The death of the bull is most formal and can only be brought about in one way, directly from the front by the matador who must receive the bull in full charge and kill him with a sword thrust between the shoulders just back of the neck and between the horns. Before killing the bull he must first do a series of passes with the muleta, a piece of red cloth about the size of a large napkin. With the muleta the torero must show his complete mastery of the bull, must make the bull miss him again and again by inches, before he is allowed to kill him. It is in this phase that most of the fatal accidents occur.

The word "toreador" is obsolete Spanish and is never used. The torero is usually called an espada or swordsman. He must be proficient in all three acts of the fight. In the first he uses the cape and does veronicas and protects the picadors by taking the bull out and away from them when they are spilled to the ground. In the second act he plants the banderillos. In the third act he masters the bull with the muleta and kills him.

Few toreros excel in all three departments. Some, like young Chicuelo, are unapproachable in their cape work. Others, like the late Joselito, are wonderful banderilleros. Only a few are great killers. Most of the greatest killers are gypsies.

Le Droit, Ottawa—22 janvier 1927

CHARLES GAUTIER

L'AVENIR DE LA CONFEDERATION

Il existe aujourd'hui deux quotidiens français en dehors du Québec: Le Droit *dont la fondation remonte à 1912, qui est publié à Ottawa, et* l'Evangéline, *de Moncton au Nouveau-Brunswick, fondé en 1887 et qui est quotidien depuis 1949. L'éditorial que nous reproduisons fut écrit il y a plus de quarante ans et porte précisément sur l'avenir des minorités francophones dans les Prairies. Dans cet article, Charles Gautier cite abondamment une conférence de Raymond Denis qui, en 1927, était président de l'Association canadienne-française de la Saskatchewan.*

Il est intéressant de noter qu'aux yeux du Droit, *cette question concerne au même titre le gouvernement fédéral et le gouvernement du Québec puisqu'elle met en cause l'avenir de la Confédération. Si l'article de Charles Gautier et les propos de Raymond Denis nous éclairent sur l'attitude traditionnelle des Canadiens de langue française à l'égard des immigrants, par ailleurs, ils nous disent aussi quels moyens il aurait fallu prendre, à cette époque, pour s'assurer, grâce à l'apport d'un plus grand nombre de Québecois, du caractère biculturel de l'Ouest canadien.*

Today there are two French-language daily papers outside Quebec: Le Droit, *founded as far back as 1913 and published in Ottawa, and* L'Evangéline *of Moncton, New Brunswick, founded in 1887 and a daily since 1949. The editorial reproduced here was written more than forty years ago and still has a bearing on the future of the French-speaking minorities on the Prairies. In the article Charles Gautier quotes liberally from a lecture by Raymond Denis, who in 1927 was president of the French-Canadian Association of Saskatchewan.*

It is interesting to note that in the eyes of Le Droit, *this question is the concern of both the federal and the Quebec governments, since it is linked with the future of Confederation. The article and the words of Denis throw light on the traditional attitude of French-speaking Canadians with regard to immigrants, and tell us also what steps would have been necessary at that time to ensure the bicultural character of the Canadian West, involving the contribution of a greater number of people from Quebec.*

C'est une magnifique thèse que M. Raymond Denis, président de l'Association canadienne française de la Saskatchewan, a présentée lorsque, le 23 décembre dernier, il a, au Château Frontenac, en présence du premier ministre de la province de Québec, exposé les vues et les désirs des Canadiens français des provinces de l'Ouest.

Est-ce oubli, parti pris ou insouciance, le discours de M. Denis n'a pas suscité dans la presse québecoise de nombreux commentaires. Il méritait mieux.

En effet, M. Denis a expliqué l'importance, au double point de vue national et canadien-français, de la présence des Canadiens français dans les provinces de l'Ouest, et il en a conclu à certains devoirs qui s'imposent au gouvernement fédéral et à la province de Québec.

La question de la survivance française dans l'Ouest ne se discute plus; c'est un fait que les Canadiens français sont établis dans l'Ouest pour y vivre et s'y développer.

Au point de vue national, ce fait est d'une grande importance. De nombreux étrangers sont établis dans l'Ouest qui placent leurs intérêts économiques avant l'allégeance canadienne. Or, ces intérêts les portent vers le Sud et non vers l'Est, par conséquent vers l'annexion aux Etats-Unis.

Les éleveurs d'animaux et les cultivateurs de l'Ouest pourraient vendre leurs produits plus cher aux Etats-Unis qu'à Winnipeg, à Toronto, ou à Montréal s'il n'y avait pas de frontière. Les machines aratoires, les automobiles et une foule d'autres articles nécessaires aux cultivateurs sont beaucoup meilleur marché aux Etats-Unis qu'au Canada.

Il est donc assez naturel que des étrangers qui n'ont aucun esprit national désirent une annexion qui serait, au point de vue économique, très avantageuse.

Les Canadiens français de l'Ouest placent l'amour de la patrie canadienne au-dessus des avantages économiques: "Par-dessus les droits de douane, il y a notre langue et nos écoles qui disparaîtraient dans le grand tout américain. Un gouverneur a pu dire jadis qu'au Canada, le dernier coup de fusil en faveur de la couronne britannique serait tiré par un Canadien français; nous pouvons dire avec autant de vérité et de force que les Franco-Canadiens seront les derniers défenseurs de la Confédération dans l'Ouest canadien. Et c'est pourquoi il faut fortifier leur groupe, développer leur influence, non seulement dans l'intérêt de la race, mais encore dans l'intérêt du Dominion tout entier".

Le développement des groupes français de l'Ouest est nécessaire aussi à la province de Québec. Que sera l'influence des députés du Québec dans un Parlement qui comprendra dans quelques années quatre à cinq cents députés. A la suite de chaque recensement, le nombre des députés augmente, pendant que celui des représentants du Québec reste stationnaire: "Le jour n'est pas loin où notre constitution dépendra toute entière du Parlement d'Ottawa. Nous serons livrés alors et la province de Québec avec, au droit du plus fort, c'est-à-dire au droit de la majorité.

"C'est donc pour éviter cet isolement dangereux du Québec qu'il faut protéger, développer, fortifier les noyaux d'influence française qui se trouvent déjà dans les provinces de l'Ouest et y font du bon travail. Ces noyaux d'influence, par leur nombre, par les sympathies qu'ils sauront inspirer, par les alliances qu'ils sauront nouer, seront la sauvegarde de l'influence du Québec dans la Confédération."

Ne ressort-il pas de ces constatations que le gouvernement fédéral et la province de Québec devraient faire tout en leur possible pour encourager l'immigration canadienne-française dans les plaines de l'Ouest?

Est-ce là ce qui s'est fait dans le passé? Non, et M. Denis le constate amèrement: "Par une politique paradoxale d'immigration, on a fait tout ce qu'il fallait pour amoindrir cette influence et la faire disparaître. Il y a vingt ans, alors que ces prairies si fertiles s'offraient à qui voulait les prendre, on semble n'avoir rien fait pour diriger vers elles l'émigration du Québec qui, à pleins trains, se déversait vers les Etats-Unis et dans l'Ouest, on donnait 160 acres de terre à un Doukhobor ou à un Mennonite étranger à un pays où rien ne l'attachait, comme on donnait également 160 acres, mais pas plus, à un Canadien de Québec dont la famille habitait le pays depuis trois siècles!"

Est-ce mieux aujourd'hui? Non, c'est pire et M. Denis cite quelques faits qui montrent bien l'insanité de la politique fédérale d'immigration: "Un Anglais des vieux pays, un Européen, paye beaucoup moins pour traverser les mers et venir s'installer dans l'Ouest qu'un Canadien partant de Québec pour se rendre à Régina ou Prince-Albert. Un Américain ne payera que $25 ou $30 pour se rendre de Montéal à Edmonton; mais un Canadien qui paye des taxes pour compenser les déficits du C.N.R., un Canadien dont la famille a contribué depuis trois

Comme la Tour de Pise, elle penche mais ne tombe pas.
Like the Tower of Pisa, it leans but doesn't fall.

Caricature de Berthio.

Cartoon by Berthio.

siècles au développement et à la prospérité du pays, devra payer trois fois plus pour le même parcours. Et le résultat, c'est que les familles du Québec, qui, pour une raison quelconque, veulent ou doivent quitter la vieille province, partent à pleins chemins vers les Etats-Unis où le transport ne leur coûte presque rien, tandis que les étrangers s'emparent de l'Ouest et s'y enrichissent."

Les Canadiens français de l'Ouest demandent à la province de Québec de leur donner du capital humain: "Chaque année, des milliers des vôtres vous quittent—les statistiques sont là pour le prouver—et rien n'est fait, semble-t-il, pour arrêter ce mouvement ou le détourner vers l'Ouest où il serait si utile.

"Si les Américains s'emparent de vos forêts ou de vos pouvoirs d'eau, dans toute la province retentissent des protestations indignées et devant ces richesses humaines qui disparaissent, devant ce sang français qui goutte par goutte épuise la race, on semble organiser la conspiration du silence. Et cependant, parmi ceux qui partent des milliers feraient de bons, d'excellents fermiers dans l'Ouest. Ils y trouveraient une aisance raisonnable, y élèveraient leurs familles en restant catholiques et Canadiens."

Ces idées qui sont d'une très vive actualité et qui intéressent profondément l'avenir de la Confédération et l'influence future de la province de Québec méritent, en vérité, autre chose qu'une nouvelle conspiration du silence.

R. T. ELSON

PERCY WILLIAMS CAPTURES SECOND WORLD TITLE

Canadian athletes began to participate in the Olympic Games in 1904, when the Games were held at St. Louis. The greatest Olympic achievement by a Canadian has probably been Percy Williams' double sprint victory of 1928, which has never been surpassed in its effect on Canadian public opinion. But the effect was transitory; and every four years we hear the same complaints about the lack of sufficiently trained Canadian athletes and the lack of public interest and support.

Des athlètes canadiens commencèrent à participer aux jeux Olympiques en 1904, année où les jeux se déroulèrent à Saint-Louis.

Le plus grand succès remporté par un Canadien en pareille occasion fut probablement la victoire qu'obtint Percy Williams en 1928 au double sprint. Il n'a jamais été dépassé quant à son effet sur l'opinion du public canadien.

Il s'agissait pourtant d'un effet transitoire. A tous les quatre ans, nous entendons les mêmes plaintes sur l'insuffisance de la formation des athlètes canadiens, sur le manque d'intérêt du public, sur le peu d'appui que leur donne la population.

AMSTERDAM, Aug. 1—A scene of riotous joy was enacted in this great stadium here today when Percy Williams, Vancouver's brilliant schoolboy flash, achieved a second glorious victory in winning the 200-metre championship, after winning the 100-metre event on Monday.

The whole Empire wildly acclaimed the young winner, who in every heat had beaten the much-vaunted American track stars.

The Canadians in the stands broke through the police barriers and draped Williams with the Union Jack. P. J. Mulqueen, Canadian Olympic president, fought his way through a force of police and kissed the Canadian victor.

Williams, as in the 100 metres, had tremendous speed left for the final dash after trailing the leaders until near the finish. The curly-haired Canadian boy was unbeatable. It was the first double sprint victory since 1912.

Williams' victory meant defeat for the United States in the first two finals of the day and again the reverses were at the hands of representatives of different sections of the British Empire, the 110-metre hurdle championship having been won by Sydney Atkinson of South Africa. In both events the U.S. held the Olympic championships and failed in their defence.

Williams came through today as no other sprinter in history, because of the fact that he fought off the greatest sprinters the world has ever seen. Most of his opponents were three or five years older and one of them was three times an Olympic champion. He remains modest in his victory.

After the race he said: "I can't say how I won. I just ran. I am glad all competition is over, and I want The Daily Province to be sure to tell Mother, Mr. Graham Bruce and the High School of Commerce." Mr. Bruce was Williams' coach at the high school.

Percy adds that when he gets home, he hopes to have some fun hunting.

It is a grand and glorious day for Canada here.

The Edmonton Journal—February 19, 1932

EYEWITNESS TELLS STORY OF LAST DESPERATE STAND BY TRAPPER

One of the most bizarre of many bizarre tales to come out of Canada's North is the true story of "The Mad Trapper of Rat River." The trapper, whose name was Albert Johnson, does appear to have been insane. Around Christmas 1931 some Loucheux Indians complained to the RCMP that Johnson was interfering with their traplines at the Rat River, near Fort McPherson in the Northwest Territories. When the RCMP investigated, they found Johnson barricaded in his log and sod cabin with a good supply of guns and ammunition, refusing to come out. Two constables and two Indian guides returned to the cabin with a search warrant. They attempted to force their way in, but were met by a fusillade of bullets that wounded one of the constables severely. A large expedition, including the famous bush pilot Wilfred "Wop" May, was then organized to capture the mad trapper, and the success of that expedition is described here by one of the participants, in a dispatch to The Edmonton Journal.

L'une des plus bizarres des nombreuses histoires étranges qui nous viennent du Nord canadien est la véritable histoire du "Trappeur fou de la rivière aux Rats", qui s'appelait Albert Johnson.

Vers le Noël de l'année 1931, des indiens Loucheux se plaignirent à la Gendarmerie royale du Canada que Johnson dérangeait leurs circuits de trappes à la rivière aux Rats, près du Fort McPherson, dans les territoires du Nord-Ouest. Faisant enquête, la GRC trouva Johnson barricadé dans sa cabane de billes et de terre. Il avait un bon stock de fusils et de munitions. Il refusait de sortir.

Deux agents et deux guides indiens retournèrent à la cabane avec un mandat de perquisition. Ils essayèrent de forcer la porte. Ils furent accueillis par une rafale de balles qui blessèrent grièvement l'un des agents. Une grosse expédition, dont faisait partie le fameux pilote de brousse Wilfred "Wop" May, fut alors organisée pour capturer le trappeur fou. Le succès de cette expédition est évoqué ici par un des participants, dans une dépêche publiée par le Journal d'Edmonton.

Below is the graphic eyewitness story of the Arctic manhunt and last desperate stand of Albert Johnson as told exclusively to the Edmonton Journal by Q.M.S. Riddell, pal of Staff Sergeant Hersey, and one of the men who was in at the death of the Arctic madman. It was a bullet from Riddell's rifle, among others, which killed Johnson. Riddell, who has been on duty at the Aklavik and Herschel Island radio stations of the Royal Canadian Signals for over six years, is considered one of the best "mushers" and bushmen in the north. He is 25 years old and entered the service at the age of 18.

By Q.M.S. Riddell, Royal Canadian Signals

"When the Royal Canadian Mounted Police started on their second attempt to dislodge Johnson from his cabin on the Rat river, Inspector Eames, in charge of the Aklavik district, asked Sergeant Major Neary, the warrant officer in charge of the Aklavik radio-telegraph station, if it would be possible for him to provide wireless communication of a mobile nature which could be used by the posse in the field.

"He was advised that receiving equipment could be provided so that the posse could receive messages from Aklavik, but that owing to the extreme cold it would not be possible for the posse to send messages back to Aklavik except at such times as the posse would remain at a base camp for a sufficient length of time for the batteries necessary for the operation of the transmitter to be thawed out.

"Permission was granted by Colonel Forde, D.S.O., V.C., the director of signals in Ottawa, for Staff Sergeant Hersey and myself to accompany the posse, and we were instructed to render all possible assistance to the police.

"Transmitting and receiving equipment were hurriedly constructed and packed on a toboggan, and we started off with the posse on January 16.

"Upon arrival at Johnson's cabin on the 19th of January, we found that he had deserted the cabin and taken to the bush. Heavy snows had obliterated his trail and it became a question of covering the surrounding country in an attempt to pick up his tracks. As sufficient supplies for the whole party could not be carried by dog teams, Inspector

Eames decided to leave four men, Constable Millen, R.C.M.P., two trappers, Gardlund and Verville, and myself, to carry on the search; and one man, S. Sgt. Hersey, at the base camp which was located close to Johnson's cabin. Sufficient supplies were left to maintain this smaller posse, and the others returned to Aklavik for additional supplies.

"Owing to the deep snow and heavy underbrush in this country, together with the very short period of daylight at this time of year, locating Johnson's trail was a difficult and tedious matter, and it was not until eleven o'clock on the morning of January 30 that we overtook the fugitive. He had apparently paused for rest and had dug himself in in a well protected triangular hole in a clump of brush.

"Immediately upon sighting him, Gardlund took a snap shot at him, and Johnson appeared to have been hit and fell back below the top of the barricade. As a precaution, we waited over two hours, during which time there was no sign of movement behind Johnson's improvised shelter.

"Believing him to be dead or seriously injured, the party then advanced. When we were within about 25 yards, Johnson suddenly sprang up and fired on us, hitting Constable Millen, and then dropped back out of sight. His position gave him the advantage and it was useless to try to advance further.

"We carried Millen out of the danger area but he expired within a few minutes. I got his rifle from where it had fallen in the snow when he was shot.

"As I had the fastest dog team, it was decided that I should 'mush' back to Aklavik to report Millen's death and to get additional men. I stopped at the base camp to send up Hersey to take my place. I got into Aklavik the next afternoon, Sunday. Inspector Eames broadcast a call for volunteers over the local broadcasting station, UZK, to which a number of trappers in the vicinity responded the next day. Inspector Eames also wired requesting that a plane be sent in to assist in the search and to carry supplies, as a great deal of time was lost in having to send men and dog teams for supplies continually.

"On Tuesday morning the third posse left Aklavik under command of Inspector Eames, going in by way of Fort McPherson where we picked up additional volunteers. Owing to heavy winds and blizzards, the going was very rough and we had to break trail for the dogs practically all the way and we did not reach the point where Johnson was supposed to be encamped until late Saturday.

"We received word that night over our portable radio that Capt. W. R. 'Wop' May of the Canadian Airways, accompanied by Constable Carter, R.C.M.P. of Edmonton, would be over the area on Sunday. The plane arrived, and after circling several times, landed close to the forward party. 'Wop' reported that apparently our man had fled as he had seen a faint trail leading from the barricade away into the divide.

"I was taken up in the plane to assist in tracing the trail. At one place a trail led off, heading directly for the divide, and also another trail, just as fresh looking, continued on up the creek (the Barrier river) but ended abruptly. Later on, we discovered a faint trail continuing on from this and ending in a circle.

"Evidently Johnson had circled back on his own trail and camped for the night just off his main trail so that he could watch it. A heavier, or fresher, trail led from this to his trail back along the creek as though he had back-tracked. After about an hour, we landed and reported to Inspector Eames. As a result, the base camp was moved up to the junction of the two trails.

"A party of us went ahead to examine the trails on the ground. This was the start of more than a week's hard grind of following Johnson's trails. The aeroplane made several attempts to cover the trail from the air, but the heavy winds, which at times blew the drifting snow as high as a thousand feet, prevented the plane from making observations and also from being able to land and connect with the ground party until late in the week. By this time we had followed the trail backwards and forwards into the divide, and it was quite apparent that Johnson was attempting to get across to the Yukon side. The tracks indicated that he was growing groggy although, as he had a number of days' start on us, he might have had a chance to rest since those tracks were made.

"On Friday, Constable May of the Old Crow detachment of the R.C.M.P. on the Yukon side, reported to Inspector Eames that Johnson had been seen in the vicinity of Bell river on Wednesday, so on Saturday morning Inspector Eames, Gardlund, and myself flew over to LaPierre House while the other party, including S. Sgt. Hersey, continued on by dog team through the divide. The tracks did not look fresh, denoting that Johnson was some distance ahead but apparently was keeping in the vicinity of Bell river. Instead of continuing on his trail, the party decided to cut overland to shorten the distance.

"The forward party was joined late Monday by the party which had come over the divide by dog team. Close to LaPierre House, the travelling was difficult as the snow was very deep, but further on the trails became excellent, being hard packed due to the thousands of caribou in the region.

"Early Wednesday morning, a party under Inspector Eames, including Constable May, S. Sgt. Hersey, Verville, Gardlund, an Indian special, Frank Jackson of LaPierre House, an Indian from Aklavik, and Peter Alexei, a local Indian who knew the district well, and myself, left camp which was about 25 miles from LaPierre House to follow Johnson's trail up the Eagle river. The trail was fairly good, though two days old. Gardlund and myself were making and setting out markers so the aeroplane could follow our route.

"As he had done several times before, Johnson doubled back on his own trail and we came upon him unexpectedly in a very crooked stretch of the river. Hersey with his team was in the lead, followed closely by Joe Verville.

"Johnson must have spotted Hersey a moment before Hersey saw him as when first seen, Johnson was running to the edge of the bank on the inside of a bend for cover. Hersey grabbed his Lee Enfield off the toboggan and ran to the centre of the creek where he would have a good view of Johnson, Verville following him.

"Johnson immediately opened fire from fairly good cover on the two boys in the centre of the creek, wounding Hersey as he knelt on one knee, firing. The rest of the party immediately scattered, some to the tops of the banks on either side of the creek, and some down the centre of the creek. Johnson started running back along his own trail, up the creek amidst a hail of bullets. He was knocked down from a distance of 500 yards, probably wounded in the leg. He then laid prone on the snow, and putting his large pack in front of him, commenced digging down in the deep, soft snow; the posse meanwhile rapidly overtaking, and partially surrounding him.

"Johnson fought desperately to the end, emptying his rifle, and was in the act of reloading it when killed. The accurate shooting of the posse had riddled his body with bullets.

"The aeroplane had arrived overhead and landed as soon as the firing ceased. I dashed over to Hersey followed by the rest of the party, and to my joy found he was still alive. It at first appeared that he had been hit three times as he was bleeding from the knee, the arm, and the chest. However, it was later found that one bullet had caused all three wounds. As Hersey was kneeling on his right knee with his left elbow resting on his left knee, the bullet had grazed the knee cap, entered the elbow, come out the upper arm, and into the chest.

"First aid was immediately given and we carried Hersey to the aeroplane which took off at once. I accompanied my pal and inside of an hour and a half he was in the hospital in Aklavik under the care of Dr. Urquhart.

"I am certainly glad that it is over, and now that I know that Hersey is out of immediate danger, all I want is a good hot bath and to go to sleep for about a week."

THOMAS B. ROBERTON

COMMONS CROWDED AS MESSAGE FROM KING GEORGE OPENS PARLEY

The Imperial Economic Conference, attended by the member-states of the British Commonwealth at Ottawa in the summer of 1932, was organized through the initiative of R.B. Bennett. Since the Depression the whole world had been suffering from the collapse of international trade. The British delegates came to Ottawa with the proposal that Commonwealth states should increase intra-Commonwealth trade by lowering their duties against one another's products. But Bennett insisted instead that they should shut out foreigners from their markets by raising their duties against foreign products, while continuing each to protect their own products by maintaining existing tariffs against fellow Commonwealth members. At the beginning the conference seemed a glittering international occasion, as illustrated by this article written for the Winnipeg Free Press *by Thomas B. Roberton. But in the end Britain was unable to get effective concessions in the Canadian market for her textiles and iron and steel products, i.e. for commodities which she had to sell in large quantities if her economy was to recover. She got a few token concessions only, such as the agreement that Canada would put Scots bagpipes on the free list.*

La Conférence économique de l'Empire, qui a réuni les Etats membres du Commonwealth britannique à Ottawa à l'été de 1932, fut organisée sur l'initiative de R.B. Bennett. Depuis la crise économique, le monde entier souffrait de l'effondrement du commerce international. A leur arrivée à Ottawa, les délégués anglais proposèrent aux Etats du Commonwealth d'accroître leurs échanges réciproques par l'abaissement des droits de douane qui frappaient leurs produits. Mais Bennett, par contre, marqua avec insistance que les pays du Commonwealth devraient exclure les étrangers de leurs marchés par l'accroissement des droits douaniers qui frappaient les produits étrangers et qu'ils devraient par ailleurs continuer à protéger leurs propres produits par le maintien des droits de douane qui s'appliquaient aux autres membres du Commonwealth. A la fin du compte, la Grande-Bretange fut incapable d'obtenir d'efficaces concessions sur le marché canadien pour ses textiles, ses produits de fer et d'acier, c'est-à-dire pour les articles qu'elle devait vendre en quantités massives pour relever son économie. Elle obtint seulement quelques concessions symboliques; ainsi le Canada consentit à inscrire les cornemuses écossaises sur la liste des denrées entrant en franchise.

Ottawa, July 22.—At 11 o'clock precisely, in the presence of a multi-colored audience which filled the floor, the galleries and every corner of the brilliantly illuminated chamber of the House of Commons, Lord Bessborough, with Mr. Bennett at his side, entered the chamber and walked slowly to the speaker's chair, where he immediately read to the assembly the King's message of welcome to the conference delegates, supplementing it by some welcoming and hopeful observations of his own.

The regal addresses struck a high and solemn note. On few occasions has such a gathering been held in any country, and never before has there been such a meeting of delegates of the great constitutional union of the British Empire.

Ranged on the government benches were the stalwarts of the Canadian government. Mr. Meighen sat with Mr. Guthrie, Dr. Manion with Mr. Ryckman, Mr. Rhodes with Mr. Cahan, and behind them ranged the benches of advisers, experts, members of the House, camp followers and secretaries of the government generally. An imposing spectacle—not a vacant seat in the long rows of benches.

Facing them were the delegates from Britain, Mr. Baldwin, Mr. Chamberlain, Mr. Runciman, and their colleagues and beyond the British sat Ireland's representatives, and down from them the Indians, who gave a note of color to the scene by the turbans worn by several of their group.

New Zealand sat between Britain and Ireland, and across from India were the Australians, led by stately Mr. Bruce. Above them the galleries were crowded by influential and distinguished people who had come to see the historic event.

Mr. Mackenzie King sat beside Sir Robert Borden above the government leaders and across from them was Mrs. Baldwin, in fawn silk, with a large brimmed drooping brown hat, poised in her seat with her hand on her parasol, reminiscent of the famous tragic muse, with a pleasant expression on her face.

Mr. Baldwin opened the proceedings by moving Mr. Bennett into the chair. Mr. Bruce seconded, both in charming speeches, recognizing Mr. Bennett as a statesman of great position, and the prime minister of Canada then took the chair and went on to open the Imperial discussions by a speech thirty minutes long, in which he set out his theory of Imperial reciprocal tariffs. Mr. Bennett's practical contribution on Canada's behalf was a proposal to offer freer trade to British goods which do not come into competition with Canadian goods. The Dominion has enjoyed free entry into British markets, and this, it was Mr. Bennett's hope and intention to retain.

Towards the end of his address the prime minister's voice took on the tones of solemnity as he looked back over the long historic road this Empire has travelled, and as he resumed his seat a hush had fallen on the whole assembly.

Mr. Baldwin followed, and Mr. Baldwin left a deep impression of the importance of the conference. Outside this dazzling chamber lay the multitudes of the world suffering from the effects of depression. All the nations of the Empire were suffering and all were looking to Ottawa for relief.

There is a remarkable ring of sincerity in Mr. Baldwin's voice. He is aware of the portents, the fateful issues which depend on it. They are all there to co-operate in the high cause, but there is also a warning to be uttered. This congress marks a point in the history of the Empire where two roads diverge. One road leads to further developments of nationalism, with the separating consequence which nationalism involves; the other leads to an increase of unity in the Empire; and this is the road Mr. Baldwin is in Ottawa to persuade, if he can, the nations of the Empire to take.

Sir Robert Borden, with his white head and sober visage, listens in his place to the British statesman: Mr. King sits seriously beside him. The cultured English voice stops and a burst of applause fills the chamber.

Mr. Bruce spoke next for Australia. A most dignified presence, and a most impressive orator. He stands calm and collected while the microphone is brought into position for him, and then associates himself with Mr. Baldwin in the complimentary references to Lord Bessborough and Mr. Bennett. Australia's leader is also in serious mood. The eyes of the world this day are on Ottawa. He endorses Mr. Bennett's exposition on reciprocation tariff and declares that it is unthinkable that the conference should fail.

There should be closer economic union. They have overcome the more difficult task of overcoming the constitutional problems of the Empire, and they cannot approach the problems involved in extensions of intra-Imperial trade. Can they take action in monetary policy which will result in a recovery of world prices? Australia has arrived ready to make their contribution to the furtherance of intra-Empire trade, and in that spirit they will enter on their great and difficult task.

The conference proceeds. New Zealand's representative follows Mr. Bruce, with a statement of their trading position. Not for a moment had the interest of the gathering slackened. The galleries listen in attentive silence. The huge lights beam above the delegations. Outside the lawns are thronged with the crowds who have come for the celebration, and through the microphones the speeches go out to the world.

With fitting historic spectacular setting the great Imperial Economic conference of the Empire has launched itself into the ocean of actuality, with results to be discovered in due course.

They Won't Fit Him Very Well.

Cela ne lui fera pas très bien.

J.S. Woodsworth et Mackenzie King—Je ne puis étendre d'autre linge avant que ce gars-là soit parti.

The government of R.B. Bennett did not take major steps to alleviate the sufferings of the Depression until 1935, the year of a general election. At that time Bennett's critics, who included the *Winnipeg Free Press* and its cartoonist, Arch Dale, claimed that Bennett was borrowing wholesale from Liberal and CCF policies.

Le gouvernement de R.B. Bennett n'a pas adopté avant 1935 de grandes mesures pour alléger la souffrance provoquée par la crise économique. C'est cette année-là qu'eurent lieu des élections générales. A l'époque, les critiques de Bennett, notamment la *Free Press* de Winnipeg et son caricaturiste Arch Dale, soutenaient que Bennett pillait consciencieusement les programmes des libéraux et des cécéfistes.

Toronto Daily Star—December 26, 1933

GORDON SINCLAIR

SCRIBE JOINS POKER GAME OF DEVIL'S ISLE CONVICTS

Gordon Sinclair, now a radio and television personality, was the Toronto Star*'s most flamboyant roving reporter in the Thirties. Sinclair barged all over the world, sending back bizarre, racy, opinionated dispatches, such as this one on Devil's Island.*

Gordon Sinclair, qui est maintenant une personnalité de la radio et de la télévision, était le reporter itinérant le plus haut en couleurs du Star *de Toronto dans les années 30. Sinclair bourlinguait dans le monde entier. Il en câblait des dépêches excentriques, pleines de verve et d'idées très personnelles comme ce reportage sur l'île du Diable.*

Cayenne, French Guiana, Dec. 5.—Sprinkled throughout France's twelve prison camps, inaccurately known to the world as "Devil's Island," are 5,505 desperadoes from France, Morocco, Algeria, Senegal and Indo China.

These, the dishonored of France, sweat and swear, work and worry, sicken and die—or else they laugh and play, drink and joke, buy and sell.

Hundreds of them go stark staring mad. They shriek and moan. At the end of all human endurance, when life has become so bitter they can't stand it another second, they simply go berserk and claw themselves apart.

That's the picture of these infamous penitentiaries the world has been seeing for 78 years. And it's quite true.

Yet for every man who goes mad in a solitary cell you'll find ten, all of them convicts in uniform, sitting under the palm trees playing bridge! And sipping wines from French vineyards while they play!

On a high hill overlooking this, the capital of the colony, coal black savages from Africa sometimes erect a guillotine. Drums rattle out a summons to the population and the half-breed citizens troop up the hill to see some man have his head cut off. It's done right in public at high noon.

That gets into the outer press too.

But have you ever heard that the prisoners of Devil's Island have two tennis tournaments a year?

You've heard, of course, that 95 per cent of them are exiled here for life. You've heard that the average victim only lives five years but has anyone told you that you're liable to find a smart convict football team playing any afternoon?

Before coming to pry into convicts' lives and prowl through their prisons I read everything I could lay my hands on about this hell hole. This haven of lost hopes. This land of do without. More than 99 per cent of all I read was frightful and hideous.

On the day I landed I too was appalled and depressed. I found a town of 10,000 people living in crumbling, windowless fire traps. I found them walking unpaved streets, stepping gingerly over open sewers in which vultures fought and clawed for the waste matter from homes.

I found that one person in three had leprosy, one in five had that dreadful swelling disease called elephantiasis, and more than nine out of ten were illegitimate; mostly half breeds. All of these lepers, consumptives, and people swelled so badly out of shape they didn't look human, walked in the street.

So did the "libereres." These post-graduates of crime are the convicts who have served out their time in penitentiary but now, beaten, broken, bent and diseased they are like dead men crawling in the sun. Never again can they go home and seldom can they muster up strength to do a day's work. If they do it brings them 40 cents, enough, perhaps, to keep them alive.

If there had been a ship out of Guiana the day I landed I would have taken that ship and abandoned my job. I'd have quit cold. The place terrified me. But I couldn't get out. There wasn't a ship for a month, no plane for two weeks. I was marooned just as surely as one of the condemned.

I walked around broken streets hardly believing that a place with thousands of convicts to work it could possibly be so dirty. Mangy pie dogs got under my feet, vultures cluttered up the road; old women with faces like witches sat on stones peeling scabs from barrel-shaped bodies. Everything seemed dilapidated, depressed and debauched.

I had a few books and during the night fat cockroaches ate the covers. And yet during the night I was kept awake by laughter. Laughter! What heroic soul in such a place could laugh? I got up, redressed, went below and found a group of colored boys and girls blissfully shooting craps and gleefully giggling. Life, to them, was the grandest thing.

As the two weeks slid by, ever so slowly, I began to get a different point of view. French officials were courteous and helpful. I dined with the governor, walked with the secretary of the interior. I went into the prisons and ate with nine murderers. I was permitted free access to facts and figures within certain limits. I found that at least half the horrors written of this place were entirely imaginary. One so-called reformer, quoted at length in English, American and Canadian papers, was located.

According to his descriptions, which he didn't deny, Hell itself was a pleasant summer resort compared to this equatorial death house. Torture was routine stuff. So I asked the fellow to take me and show me the things he talked about.

But he was too busy. Or he was going to be too busy. Or he was ill. Or it was too hot.

I caught on. Sometimes I'm smart like everything.

I was living with a Jewish gold buyer and his amiable mulatto mistress. So was the reformer. This brought us into frequent contact. So he moved.

I spent hours with convicts day after day. I ate with them, played cards with them, borrowed their bicycles. One day, two convicts—both murderers—and I tramped into the jungle to try and catch a howling monkey. We never asked any guard if we could go. We just went. I didn't have a camera but I had $1,000 and there I was alone in the South American jungle with two murderers who were supposed to slit a throat for $1.98. If I'd wanted to take pictures there would have been nothing to it. If they'd wanted to murder me I had about as much chance as a clay pigeon.

In another book I read about the bamboos. That was a shocker. It told in great detail how the convicts, who died by dozens every week, were never buried but dumped one on top of another in a clump of bamboos east of the town cemetery.

So I risked sunstroke to go down there in the heat of the day which is the burying hour. One "liberere" and one convict were buried. It was a forlorn and lonely sight all right. Made me think how short and terrible life could be. But the dead were in coffins. Cheap little rat traps, of course. But coffins. And every man had a grave to himself. He was not buried on top of a companion and never had been. I remember that a fat green lizard jumped out of one grave when they chucked the box in.

All this is just a sort of general prelude to a group of articles on the world's most infamous penitentiaries which begins to-morrow. It had been my intention to write the stuff at home, because I thought I might be spied on down here but beyond casual amours with dusky belles, which is quite out of my line, there isn't much doing among the vultures, and pink striped brigands, so I'm writing these random impressions as they come. You'll find some frankly and definitely contradictory. Well, you know me, folks. I'm a reporter, not a philosopher. I call 'em as I see 'em and when, one day, I write about convicts playing tennis on the village green and the next day write of debaucheries in cages filled with 60 men each don't be surprised.

The first hundred years are the hardest.

The Vancouver Sun—Monday, May 14, 1934

A DOMINION OF BRITISH COLUMBIA

This editorial outburst from the Vancouver Sun, *in the midst of the dislocations of the Depression, is a reminder that separatism is not a phenomenon of our history that is confined to Quebec. Economically Canada is the commercial empire of the St. Lawrence, controlled by Montreal and Toronto. And the surprising thing has not been the occurrence of occasional revolts against exploitation by this empire, but the weakness of the revolts when they do occur.*

Cette sortie éditoriale du Sun *de Vancouver qui parut au milieu des bouleversements de la crise économique, rappelle que le séparatisme n'est pas un phénomène de notre histoire cantonné dans le Québec. Sur le plan économique, le Canada est l'empire commercial du Saint-Laurent, sous la coupe de Montréal et de Toronto. Ce qui est étonnant, ce n'est pas le déclenchement de révoltes occasionnelles contre l'exploitation faite par cet empire, mais la faiblesse des révoltes, quand elles surviennent.*

What is the political and economic future of people in this province? That is a question which is being asked in every store and club in Vancouver and throughout the country. The question is hardly a party one, it is not a new one, but events of the last few days have forcibly brought it before our people.

Premier Bennett's refusal to extend to the Government of British Columbia the same credit help that was given to the C.P.R. was one incident. The other, Ottawa's disclosure that an outside-owned tobacco monopoly had, in 5 years, paid out some 32 million dollars in dividends while at the same time reducing to Canadian growers a tobacco price per pound from 30¢ down to 15¢.

These are only samples of a series of events which show British Columbians how they and their rich province are being exploited. That young student tobacco grower, what chance had he to get ahead while he was being bled white by the tobacco monopoly? What chance have the people of this province to get ahead with development thwarted, with trade stifled by high duties, and with tax and transport levies that seem designed to kill rather than encourage industry?

Unless some understanding and quotas and agreements are arrived at with the money centres and political powers of Canada, something more serious than talk must be given the idea of forming a DOMINION OF BRITISH COLUMBIA, which will include the Yukon, Vancouver Island, and, if they want to join us, the Province of Alberta.

In transportation, in finance, in industry, and in political recognition, too, Canada, from the Great Lakes west, as a "receiving" entity, simply does not exist.

Our ability to produce and pay is openly admitted. President Beatty, at the recent annual meeting of the C.P.R., stated that 50% of the freight revenues came from the West: and what applies to railway freight, applies to most other businesses. But when it comes to sharing emoluments and control and executive position, we are not on the map. Hardly an executive salary or ranking directorship in any Canadian institution is now held by men west of the Lakes.

The centralizing policy of the East may have been all right in the growing, building, prosperous days of Canada, but to allow this exploiting and unequal sharing to settle down into a permanent policy and economy for CANADA is, to independent-minded, social-minded, British-minded British Columbians, unthinkable.

It is certainly time for a re-survey and declaration of future plan and policy.

The national debt of Canada totals about $3 billions.

On the basis of this province's 700,000 population, our share of this debt would total about $180 millions. Interest on this debt would cost taxpayers in interest about eight million dollars a year. Instead of eight millions per year, what British Columbia now pays the Federal Treasury in excise and duties and various taxes, is well over 30 million dollars annually.

What do we get for that money?

Confederation was formed on a basis of very low tariffs. This province could, on a basis of the B.N.A. Act, buy and sell and trade unhampered with the world. A scheming, exploiting East has changed all this.

Now we must try and sell our lumber and minerals and wheat and fruits in world markets, but are compelled to buy all our goods from and do all our business with Eastern Canada.

Although there are markets for tens of millions worth of our Western products in England and Japan and China, we British Columbians cannot exchange a seagrass rug with Japan without paying several hundred per cent duty; we cannot bring in a bamboo chair from China, we cannot exchange cotton or woollen goods or machinery with England without being taxed unpayably high duty.

To meekly state that British Columbians have been unjustly dealt with is not enough. The day of sending from Vancouver protesting Board of Trade and public delegations to St. James Street and to Ottawa, must come to an end.

What is now required is a re-survey of CANADA, a planned economy that will allow this province to develop trade in England and abroad, and a re-allotment to this end of Canada of its rightful share in the directing and executive positions and spending of Canada.

This fine rich Pacific Coast province is not going to be prevented from buying and selling to Britain, our natural market; we are no longer going to be hindered in developing trade with Japan and China and India.

The Okanagan and Fraser Valley fruit farmer is not the docile habitant of Quebec; our loggers and miners in this province are real men; while the great middle classes in our British Columbia cities average up a people unequalled on earth.

IF WE ARE FORCED TO IT BY EASTERN CANADA, WE CAN SEPARATE AND PAY OUR OWN WAY AND GO IT ALONE; AND WE CAN BE SURE WE WILL HAVE 100 PERCENT BRITISH SUPPORT.

There must be a more equitable sharing among Canadians of things Canadian, or else this province must look about in self-defence to find ways and means to federate these parts into a DOMINION OF BRITISH COLUMBIA.

—Editor.

"Now here's the deal, Phil blacktops the road from California to the Aleutians, Mike gives up the Yukon, Lyndon gives me Washington and Oregon. . . ."

—Voici l'entente: Phil bitume la route de la Californie aux Aléoutiennes, Mike cède le Yukon, Lyndon me donne Washington et l'Oregon. . . .

This cartoon by Len Norris was published in the *Vancouver Sun* on September 8, 1964, after President Lyndon Johnson had met with Prime Minister Pearson in Vancouver to sign the Columbia River Treaty. At the time Premier W.A.C. Bennett of British Columbia was drawing a great deal of newspaper space with his proposal that B.C. take over the Yukon Territory in exchange for paving the Alaska Highway. The proposal came to naught.

Cette caricature de Len Norris a paru dans le *Sun* de Vancouver le 8 septembre 1964, après que le président Johnson eut rencontré le premier ministre Pearson à Vancouver pour signer le traité du Columbia. A l'époque, W.A.C. Bennett, premier ministre de la Colombie-Britannique, faisait couler des flots d'encre dans les journaux pour avoir proposé que la Colombie-Britannique prenne le Yukon en échange du pavage de la route de l'Alaska. La proposition de Bennett est morte de sa belle mort.

WILLIAM DUMSDAY

QUINTUPLETS BORN TO FARM WIFE

On May 28, 1934, the little community of Callander near North Bay, Ontario, won world fame through the birth of the Dionne quintuplets—Annette, Emilie, Yvonne, Cecile and Marie. The subject of their proper care and upbringing became a matter of concern not only to their parents, Mr. and Mrs. Oliva Dionne, and to their doctor, Allan Roy Dafoe, but to all the people of Ontario and all the newspaper-readers of North America. Papers all over the continent printed boxes on their front pages showing the quints' daily gains and losses in weight. A special nursery was built for them, to which came thousands of motorists who were able to observe the babies at play without themselves being observed. The Ontario Legislature eventually made the quints wards of the province, to prevent them and their parents from being unduly exploited by profit-seeking commercial interests.

The very first newspaper story on the Dionne quintuplets appeared in The North Bay Nugget, *written by a cub reporter, William Dumsday. Dumsday was tipped off to the story when Ernest Dionne, brother of the quints' father, phoned the* Nugget, *to ask how much it would cost to insert five birth notices. The account he wrote was the basis of a world scoop by The Canadian Press.*

Le 28 mai 1934, la petite paroisse de Callander près de North Bay (Ont.) devint fameuse dans le monde entier par la naissance des quintuplettes Dionne, Annette, Emilie, Yvonne, Cécile et Marie. La question d'en prendre soin et de bien les élever en vint à préoccuper non seulement leurs parents, M. et Mme Oliva Dionne, et leur médecin, le Dr. Allan Roy Dafoe, mais tous les gens de l'Ontario et tous les lecteurs de journaux de l'Amérique du Nord. Les journaux de tout le continent publiaient à la une des articles encadrés où l'on indiquait pour chaque jour les gains et pertes de poids des quintuplettes. On construisit pour elles une garderie spéciale. Des milliers d'automobilistes s'y rendaient, car ils pouvaient regarder jouer les bébés sans en être vus. Finalement, l'assemblée législative de l'Ontario fit des quintuplettes les pupilles de la province pour les empêcher elles et leurs parents d'être exploités par des entreprises commerciales avides de bénéfices.

Le tout premier reportage sur les quintuplettes Dionne parut dans le Nugget *de North Bay et fut écrit par un débutant, William Dumsday. Celui-ci eut vent de l'histoire quand Ernest Dionne, frère du père des quintuplettes téléphona au* Nugget *pour demander combien il en coûterait pour insérer cinq avis de naissance. On trouve son récit à la base de la primeur mondiale qu'eut la Presse canadienne.*

The stork was prolific when he visited a farm house two miles from Corbeil early this morning. . . . Before he winged his way homeward, he had delivered five babies to Mr. and Mrs. Oliva Dionne. They were all girls.

It is admitted to be a record for Canada.

It brought the total family of the 24-year-old mother to ten. She has given birth to eleven . . . but one died.

All five babies were a picture of health, and Dr. A. R. Dafoe, who attended Mrs. Dionne, pronounced them fit.

Twenty-six years ago at Burks Falls, quadruplets were born to Mr. and Mrs. Isaac Wilson. All died within a week.

Examining the babies early this afternoon, Dr. Dafoe stated that they were gaining in strength.

When the Nugget and photographer arrived this morning, all was quiet at the Dionne residence.

Mr. Dionne, who is 31, was not sure of the weights of the children. So a potato scale was produced and each of the youngsters placed in the pan and weighed. Their total weight amounted to 13 pounds, six ounces, with the first born leading the list at three pounds, four ounces. The two lightest tipped the beam at two pounds, four ounces.

Asked how she felt, the pretty, brown-eyed, dark-haired mother replied pleasantly in French.

Interpreted for the reporter, she said, "Oh, pretty good."

All the time while the photographer was clicking his flashlights, she laughed and joked with her nurses. Not one whimper was heard from the little ones during the entire proceedings. They blinked their eyes and squirmed, but seemed quite satisfied with their lot.

"Well, do you feel proud of yourself?" the father was asked.

"I'm the kind of a fellow they should put in jail," was the answer.

Mr. Dionne explained that he had been married since September 15, 1925, and his oldest child, a boy, Ernest, was seven.

He says he has not yet had time to think up names for the new additions, and he was not sure of the ages of the other four.

Relayed questions to the mother, however, revealed that the other youngsters were Pauline, 11 months, Dan, two years, Theresa, five, Rose, six, and Ernest, seven.

He was glad to see all the little ones looking so well, he said, but admitted that the financial burden was not going to be easy to bear.

At present he is buying a farm, and still owes a large amount on it.

Ready to do the best for his already large family, Mr. Dionne stressed that he only weighed 130 pounds. He is five feet, eight inches tall. His wife is slightly shorter.

Mrs. Ben Lebell rushed to the residence from Corbeil last evening. She was in attendance constantly, and three of the babies had been born before Dr. Dafoe arrived on the scene.

She is still nursing the youngsters, the first of which was born at 4:30 this morning, and the fifth at five.

Mr. Dionne himself did not come from a large family, being one of only six.

His sister-in-law, Mrs. Leo Dionne of Callander, drove to the scene with the Nugget reporter this morning.

She said she was greatly surprised when she heard of the quintuplets. Never more than one child had been born to the young mother at any previous time, she explained.

The Regina Leader—Thursday, February 14, 1935

D. B. MACRAE

THIS TARTAN BUSINESS

The serene assurance of an effortless superiority with which the Scots have successfully confronted all other peoples in Canada (especially the English and the Irish) has given their ethnic group a special status, compared with which the special status demanded by Quebec nationalists is a modest aspiration. Here an editorial writer with a Mac in front of his name criticizes those non-Scottish elements in the community who have been tempted to adopt the motto: If you can't beat them, join them.

La sereine assurance de la supériorité sans effort avec laquelle les Ecossais ont affronté avec succès tous les autres peuples au Canada (surtout les Anglais et les Irlandais) a conféré à leur groupe ethnique un statut spécial qui, par comparaison, donne un air de modeste aspiration à l'exigence de statut spécial formulée par les nationalistes du Québec. Voici un éditorialiste dont le nom est précédé de Mac et qui critique les non-Ecossais tentés d'adopter la devise: si vous ne pouvez l'emporter sur eux, joignez-vous à eux.

We think the time has come when something should be done about this tartan business. Time was when the plaid was largely a garment used by Scots folk when they broke down their natural barriers of modesty and wished to appear mildly conspicuous. As further indicating this natural modesty, most plaids or tartans are so bright that the alien can look at them only through smoked glasses. There are many colors in the popular tartans. A man once placed a chameleon on a Scottish plaid and in the words of the story, "It bust itself trying to change colors fast enough."

The clan system in Scotland gave rise to the use of the plaid or tartan. The scheme was that the members of a particular clan (and is there a Scottish clan that isn't particular?) wore the same tartan. There was a reason for this. Clan feuds were not uncommon. There was fighting to the death. If Andrew McCorkscrew happened to be heading homeward from the clachan of a summer evening and met on the braeside one Angus Glenlivet MacPherson, the McCorkscrew drew and at him. That is, unless the MacPherson saw him first.

Now the point is that the McCorkscrew would recognize the MacPherson by the color of his tartan. If the stranger, mayhap, were not a MacPherson but a MacSporran, a gentleman of a friendly clan, the McCorkscrew would ken him by the fling of the tartan and would keep his weapon sheathed. Instead of trying to let the oatmeal out of each other, they would spend the night taking the Caledonian cure, priming a piper, and chasing the conies and haggises among the whins.

The tartans had to be bright to be recognized as one went roamin' in the gloamin' when the light wouldn't be very good, and the light is never very good after one has consumed a couple of quaichs full of Athole brose. It took a good man to distinguish a MacIntosh from a MacHinery or a MacGrigger from a MacGander, so they colored the threads bright with the dye of the whortleberry and the rowan and the flower of the ranald bushes. So that when you had a plaid finished, you had something that could be used to flag a train, ripen a cheese or scare off the whaups and the peewits as the traveller wrapped himself up in his mantle, helped himself to another quart of his native cheer, hummed a few bars of "Wha Saw the Forty-Second?" and composed himself to sleep.

Most of the clans had two tartans—one for wearing around the house, which they called the dress tartan, and another called the hunting plaid, which they wore when they went hunting the English. Some of the more modest clans had dark-colored tartans, which made them harder to locate when it wasn't a braw, bricht moonlicht nicht, ye ken. And so on. And so on.

Now, the Scots are entitled to have their tartans, which they wore made up as a kilt, as a drape for the shoulders, and sometimes for a bonnet or a Balmoral or a Glengarry or a tourie.

But whoever started this business of putting tartans on everything from Lithuanians to lamp-posts? They are now using them for all kinds of clothing except underwear—which may be a matter that ought to be looked into—for a headdress for Hungarians and blankets for saw-horses. Where is the thing going to stop?

Time was when you met a man on the street who would be wearing a tartan and you recognized him as a MacSlintoch or a MacSlather. And there you were. But now you meet a fine, upstanding bit of a lad on the street or in the uplands, and you greet him with a heigh and a hooch, and he says to you, says he: "Excuse it, please, I no spik English goot."

And where are you?

—Hourra! où est le rédacteur?

Angered by press criticism of his Social Credit government, Premier William Aberhart of Alberta passed an act in 1937 permitting government censorship of Alberta's newspapers whenever they did not "tell the truth." The act was soon declared unconstitutional. Cartoon by Arch Dale.

Mis en colère par la presse qui critiquait son gouvernement créditiste, M. William Aberhart, premier ministre de l'Alberta, fait adopter en 1937 une loi permettant au gouvernement de censurer les journaux de la province chaque fois qu'ils ne diraient pas "la vérité". La loi fut bientôt déclarée inconstitutionnelle. Caricature d'Arch Dale.

CHARLES J. WOODSWORTH

TRIBUNE REPORTER PUSHED TO PRESERVE HIS INCOGNITO

The most explosive incident produced in Canada by the Depression was the Regina "riot" of 1935. In the early summer of that year, a number of unemployed workers in Vancouver organized a trek to Ottawa to present their grievances to the federal government. These men are referred to in the stories that follow as "strikers," but they were not strikers in the usual sense because they had no jobs; they had been living in the relief camps that the Bennett government had established around the country. The men rode in freight cars without interference from the railway companies. Their numbers grew as they moved eastward and Ottawa decided that the trek should be stopped at Regina, where some 1,800 men were lodged in the exhibition grounds.

The "riot" that finally ensued is described in a later article. The story at right on the "hobo army" was written by Charles J. Woodsworth, son of J. S. Woodsworth, one of the founders of the CCF. It demonstrates the trouble to which a resourceful newspaperman will go to obtain a good story. Woodsworth later became editor of The Ottawa Citizen.

L'incident le plus explosif provoqué au Canada par la crise économique fut "l'émeute" de Regina en 1935. Au début de l'été de cette année-là, un certain nombre de chômeurs de Vancouver décidèrent d'organiser un voyage à Ottawa pour présenter leurs griefs au gouvernement fédéral. Dans l'article qui suit, ils sont qualifiés de "grévistes", mais ils ne l'étaient pas au sens ordinaire du mot, car ils n'avaient pas d'emplois. Ils avaient vécu dans les camps de secours que le gouvernement Bennett avait aménagés dans diverses régions de notre pays. Ces hommes voyagaient en wagons à marchandises sans être ennuyés par les sociétés ferroviaires, et ils êtaient de plus en plus nombreux à mesure qu'ils avançaient vers l'est. Ottawa décida que le voyage devait finir à Regina. Quelque 1,800 hommes y logeaient sur les terrains de l'exposition.

Un autre article décrit "l'émeute" qui arriva finalement. Cet article au sujet de "l'armée de chemineaux", rédigé par Charles J. Woodsworth, fils de J. S. Woodsworth, un des fondateurs de la CCF, laisse voir jusqu'où un journaliste ingénieux peut aller pour obtenir une bonne nouvelle. Woodsworth devint plus tard rédacteur du Citizen *d'Ottawa.*

REGINA, June 17—A newspaper reporter has some strange experiences. To be a private in the largest hobo army ever to cross Canada and be accepted without question as a genuine recruit is one of the strangest and most interesting experiences I have ever had.

How long my identity will remain unknown I don't know. For five days I've ridden the rods, eaten relief meals and tramped in the long parades with young fellows to whom I'm just another comrade.

So far patched trousers, an old mackinaw, shoes that let in the water, a disreputable hat and unshaven face have done the trick. Slipping away from the ranks to wire dispatches back to Winnipeg means constant danger of exposure. I've come close to being discovered but so far I've escaped.

How many other disguised newspapermen are masquerading around among these 1,500 box-car cowboys, I don't know. There may be plenty. The boys whisper about spies and stool pigeons.

"We mustn't let anyone in we can't trust," they say. "We've got to keep our ranks closed. If you see anyone you're not sure of, tell your group or division leader."

I hope you can trust me. Certainly my sympathies are with them. In these few days with them I have grown to like them tremendously. They are just so many young chaps like myself only unfortunately they have no jobs. That is the tragedy.

In any case I have no great secrets to betray. A private is at a disadvantage in this army. He learns nothing of plans in advance. He is merely told official decisions and expected to obey. If he doesn't he is disciplined.

At Swift Current last Wednesday I slouched into a cafe on the heels of the trek's advance guard and ate my first relief meal, dished up by Chinese waiters. That afternoon the long train bearing the marchers arrived. I registered as one of the gang, was given my card with group and division number and fell into line. On top of the swaying box cars, we rolled on later in the afternoon to Moose Jaw.

You learn the ropes from old hands as the freight jolts

onwards, groaning, heavily-laden, up slight grades, puffing villainous black smoke, filling the air with fumes and cinders. Leaders from other groups who have travelled with the original contingent from British Columbia walked dexterously over the moving line of cars to squat down and chat with the new recruits.

In their friendly advice lies the secret of the amazingly efficient organization which has evoked admiration and respect in every town and city through which the trek has passed along the route. These leaders are anxious to maintain an unblemished record, knowing full well that public sympathy and support depend on it.

"Keep to your group," they advise new comrades. "Stick to your captain and follow his orders. Don't get down from the trains or board them till you're told. Try to be as quiet and orderly as possible when we're stopping off. No individual bumming. No drinking. Just keep together and show people we don't need police or anyone else to look after us."

There are boys from all over Canada in this trek. I have chatted with young coal miners from Nova Scotia, farm lads from every province, factory workers, boys who have never gone beyond public school, boys from every grade of high school. I have talked with railroad firemen, boilermakers, garage men, lumber men, an aeroplane observer for three years with the United States Air Force at Honolulu, a trapper and fur trader from Northern British Columbia.

Most of them are young, clean-cut fellows. Given the work and real wages they demand I don't think they would shirk. But they are sick, with justice I think, of camps, the life of which they describe as one of discouragement and absolute hopelessness.

At Moose Jaw, after we marched up to the exhibition grounds, I slipped away to a hotel down a side street where I borrowed a typewriter and set to work. The tapping of the machine in the quiet building in the early hours of the morning attracted a visitor to my room, a Regina reporter also covering the march who scented a fellow newspaperman.

Since reaching Regina I have been dodging in and out of telegraph offices, seeing all kinds of people and neglecting my own group. In a city this size, with the marchers wandering everywhere about the streets, it's not difficult to miss your comrades.

Sunday I got into trouble. My group captain spotted me at the Stadium where we are quartered and accused me of breaking discipline and not reporting for two days.

"We thought you'd deserted," he declared. "How the dickens do you think we can keep track of you if you beat it all the time without telling us where you are going?"

There was a real row. "Here's the end of my incognito," I thought to myself. From my point of view it was an amusing situation. Though in the wrong I pretended righteous indignation at his attack.

He talked of cancelling my card, without which it is impossible to get meal tickets or enter the Stadium. I talked back. The result was a "trial" before one of the marshals.

This particular marshal dealt gently with me, although some of them are noted as fiery critics. He reproved my way of disappearing for long periods. Evidently believing dissension between a captain and private was not a good thing, he took advantage of a vacancy in another group and transferred me. My old comrades were for the most part from Swift Current. The new ones are originals from British Columbia. With their stricter discipline my wandering habits will no doubt be curbed. I have to report, for instance, regularly at 9 o'clock in the mornings, a departure which seriously threatens to lessen my efficiency in reporting events. I am a mere private, however, and if I wish to remain among the marchers I must obey.

Welcome reinforcements in the way of clothes have arrived. A local department store contributed $100 worth and other stores have helped. New leggings, underwear, shirts, socks, and other garments have replaced many worn outfits. A dairy company is delivering ten cans of milk free at the Stadium each day and other concerns are making similar donations.

Sunday was a day of tidying up and meeting Regina's citizens. All morning on the straw-covered floor of the Stadium, box-car hikers, with needle and thread, sat mending their socks and trousers.

Mouth organists played "The Red River Valley," "The Old Pine Tree," "The Wreck of the 97," and other old favorites. Snatches of song broke out. A stocky sailor with tattooed forearms cut hair at five cents a head. Some marchers wrote letters, others read their mail.

A monster picnic was held in the afternoon in one of the grain exhibition buildings. Uncertain weather and skies dark with rain clouds made it an indoor affair. Regina citizens turned out in numbers with boxes and hampers of sandwiches and cakes. Marchers and citizens chatted while they ate. Regina's Boys Band contributed a musical accompaniment to a thoroughly pleasant affair.

The Vancouver Sun—June 22, 1935

THOMAS WAYLING — CABINET SAYS 'NO' TO CAMP STRIKERS

The following two articles continue the story of the march of the unemployed on Ottawa. Although communist leadership was fairly evident in Regina, public sympathy with the men was widespread. Eight leaders went on to present their case to the federal cabinet. They received no satisfaction from Mr. Bennett, however; in a stormy interview they had with him and some of his ministers, it was obvious that neither side understood the other. Late in June the Government cut off food supplies to the men encamped in Regina. And the climax came on the evening of July 1, when a meeting of some of the men in the market square was broken up by the RCMP and city police. One policeman was killed and a good many were injured on both sides. It was said that the Government had ordered the police to intervene.

These two stories are perhaps not outstanding as pieces of journalism, but they depict faithfully the bitterness and hysteria of the times.

Le récit de la marche des chômeurs à Ottawa se continue dans les deux articles qui suivent.

Même si la présence de chefs communistes était assez évidente, ces hommes avaient largement la sympathie du public. Huit de leurs dirigeants partirent de Regina pour présenter leur point de vue à Ottawa. Il ne reçurent pas satisfaction de M. Bennett; au cours d'une entrevue qu'ils eurent avec lui et certains ministres, il était évident que nul côté ne comprenait l'autre. Vers la fin de juin, le gouvernement coupa les vivres aux hommes campés à Regina. Le moment critique arriva le soir du 1er juillet quand une réunion de certains des hommes sur la place du marché fut dispersée par la Gendarmerie royale et la police de la ville. Un policier fut tué. De part et d'autre, il y eut bien des blessés. On affirma que le gouvernement fédéral avait ordonné à la police d'intervenir.

Ces deux reportages ne sont peut-être pas remarquables du point de vue journalistique, mais ils peignent fidèlement l'amertume hystérique de l'époque.

OTTAWA, June 22.—Fireworks blazed away in the Prime Minister's office when a Vancouver strikers' delegation were heard by full Cabinet on their grievances.

The Prime Minister referred to Communistic propaganda; discussed the prison record of Arthur Evans, the Toronto-born leader of the delegation.

Repeatedly Evans called Premier Bennett a liar, and told him he didn't know what he was talking about.

He burst out shouting the Prime Minister was a "damned liar" and not fit to govern the country.

Throughout the outburst Mr. Bennett kept his temper and quietly insisted on the point he was making.

He charged that the strikers were being misled, that Communist propaganda was being spread, and finally summed up: "You may take back to Regina word that the men will be able to go back to the camps and that as work develops in the country, on building highways and other undertakings as opportunity offers they will have an opportunity to work."

"But," Mr. Bennett warned, "trespassing on railways involving delay to mails, and risk to life and limb will not be tolerated."

Evans outlined the events leading up to the desertions in B.C. camps, the assembly in Vancouver and finally the trek eastward.

He asserted that at Princeton where there were 450 strikers the police had assisted them in boarding trains to go to other towns to get bread, but at Golden where there were only sixty they had been arrested.

Evans complained that the Hon. Mr. Stirling had declared there was a Red element in the camps planning to burn them. This, Evans denied and charged the Minister with raising the Red bogey.

The strikers' leader reported a meeting with Mayor McGeer at which a message was read from Acting Premier Sir George Perley.

The wire was to the effect that the Government would send plenty of militia but would not take responsibility for the men after leaving the camps.

Mayor McGeer, according to Evans, had said: "See, we

have bullets for you, but we have no bread."

The Prime Minister said, "At one place you ask for relief, at another for work and wages.

"You haven't shown any anxiety to get work.

"It's the one thing you don't want.

"What you want is adventure and the hope that this organization you are building up may overawe the Government and break down law and order."

Evans referred to recent movements of the R.C.M.P.

Premier Bennett: "The police have moved west or have moved east. They will move in increasing numbers to maintain law and order.

"Take that down, Evans. This government will not be overawed by anything done by those who have imposed on the sympathies of decent citizens of this country."

Premier Bennett referred to Evans' record.

The strikers' leader shouted: "This is all insidious propaganda. You are not fit to be Premier of a Hottentot village."

The Prime Minister quietly asked Evans if he had not been imprisoned for embezzlement.

Evans: "I say you are a liar. I was arrested for fraudulence, for feeding hungry miners with the union funds instead of sending them down to pot-bellied international officers in Indianapolis."

Walsh, another of the delegates, came to his feet. He said quietly: "I've been in jail, Mr. Bennett, an army jail.

"I've been behind the lines in France.

"They didn't call me a foreigner then.

"You accused us of setting up Soviet committees.

"You are the first to say such a thing.

"I rode freight trains.

"I rode them in France in the war."

Premier Bennett intimated he had not called the delegates foreigners.

Cosgrove, a Scottish-born delegate, protested against Mr. Bennett bringing in personal records. He grew indignant.

Bennett: "Sit down."

Cosgrove: "I will not sit down."

Bennett: "Then you will be removed."

Cosgrove: "Then you can remove me. I'm not going to sit down while you make lying slanderous statements. I fought as a boy from 16 to 19 years of age, I've the interests of this country at heart as much as you have."

Evans intervened: "We've heard enough of these lying slanderous statements of the Premier. We want to hear what he has to say to take back to people at Regina."

Mr. Bennett: "As long as you keep within the law you will be all right, but when you step outside of it you will land where you were before. As opportunity offers the men will be drafted out to work.

"It is impossible for the Dominion to provide work and wages except as it is doing."

As to the complaint that there was military discipline in the camps Mr. Bennett denied there was any such discipline, and emphasized that the camps would not be taken out of the control of the National Defence Department.

Evans and Cosgrove cited the camp at Point Grey, where men were paid $7.50 a month and were being drilled with rifles and had to wear uniforms. Mr. Bennett denied the Dominion government had anything to do with it.

"I warn you," added Mr. Bennett, "that if you purpose any violation of the laws of Canada you must be prepared to suffer the consequences."

Mr. Bennett warned the strike leaders they would have to take the responsibility.

Mr. Evans said: "We realize our responsibility. It is greater now than ever.

"We have to take back to the workers and to the public word that the hunger program of the Bennett Government will not be stopped."

The delegation trooped out.

When they entered the Prime Minister's office at the beginning of the interview they found practically every member of the Cabinet lined up on each side of the Prime Minister, who was seated.

The strikers took eight chairs along the wall before them, unconscious that a plain clothes R.C.M.P. officer had quietly taken up a position at each end of their line, and remained throughout the interview.

The Regina Leader-Post—July 2, 1935

TEAR GAS AND BULLETS AS STRIKERS STAMPEDE

Charles Millar, city detective, was clubbed to death as terror swept Regina last Monday and a running fight between police and relief strikers followed a stampede on Market Square.

More than 100 persons were injured.

Chaos swept the city for more than three hours.

Tear gas bombs burst on Market Square and gunfire came in thickly crowded streets near the post office.

Coming as a climax to seven days of unrest, negotiations, police blockades, the outbreak left in its wake property damage of some $25,000 and produced scenes on the streets of Regina unparalleled in the history of the West.

For three hours and 15 minutes there was attack and counter-attack by police and strikers.

Windows were broken, autos wrecked, and streets filled with terrified citizens and warring factions of police and strikers.

Men were shot down on the streets.

The one fatality, Detective Charles Millar, met his death on the Market Square, clubbed to death by strikers.

The air was thick with the fumes from tear gas bombs.

Bricks, stones and pieces of cement flew through the air, hitting the spectators as well as the battlers.

The stampede and riot started at about 8:15 when strikers and the general public, including men, women and children, were attending a mass meeting called by the relief camp strikers. It was about dusk. A member of the strike committee was appealing for funds when police, city first and Mounted following, marched without warning on the square.

Someone heard blasts on a police whistle.

Panic seized the whole assembly.

A mass of humanity, men, women and children swept towards the west side of the square. Women and children were swept under foot.

The strike battle had begun.

For three hours afterwards the streets were a chaos of R.C.M.P. on horseback, private cars trying to get past the fighting, crowds, screaming women, and bloody war.

After fighting which extended from the Market Square, along Eleventh avenue and up and down Hamilton, Scarth and Cornwall streets, order was restored.

Strikers returned to the Stadium, leaving many wounded behind them.

The situation early Tuesday morning was in doubt. Mounted police armed with rifles were guarding all entrances and exits to the strikers' headquarters at the Stadium.

It was reported that the Stadium was to be seized.

At an early hour no action had begun. The lights were ablaze and the strikers had not gone to bed.

In the fighting numerous strikers and some citizens were arrested.

Arthur Evans and William Black, well known as strike leaders, were among those taken in custody by the police.

The number arrested was estimated at over 21.

Some were in R.C.M.P. cells and others in the city police station.

Casualties were difficult to determine.

First reports from hospitals indicated that one police officer and one striker had been killed.

Later checks revealed that one police officer was dead.

It was estimated that well over 100 persons suffered injuries for which medical treatment was necessary.

HAROLD DINGMAN

RED RYAN, PAL, OFFICER ARE SLAIN

On July 24, 1935, Norman "Red" Ryan, notorious gunman and bank robber, was released from Kingston Penitentiary. He had served over eleven years of a life sentence, and was released through the efforts of some of Canada's most eminent citizens, who were convinced, on fairly good grounds, that he had reformed. But on May 23, 1936, less than a year after his release, Ryan was shot to death while trying to rob a liquor store in Sarnia. This produced a spectacular newspaper story by Harold Dingman, of the Toronto Globe. *Morley Callaghan's novel,* More Joy in Heaven, *is based on the Red Ryan story.*

Le 24 juillet 1935, Norman "Red" Ryan, gangster notoire et voleur de banque, fut libéré du pénitencier de Kingston. Il avait purgé plus de 11 ans d'une peine d'emprisonnement à perpétuité. Il fut libéré grâce aux interventions de certains des citoyens les plus éminents du Canada, qui étaient convaincus, pour d'assez bonnes raisons, qu'il s'était amendé. Mais le 23 mai 1936, moins d'un an après sa libération, Ryan fut abattu en cherchant à voler dans un débit de spiritueux de Sarnia. L'incident donna lieu à un reportage sensationnel de Harold Dingman, dans le Globe *de Toronto. Le roman de Morley Callaghan,* More Joy in Heaven, *est basé sur l'histoire de Red Ryan.*

SARNIA, May 24.—NORMAN ("RED") RYAN, reformed public enemy, who swore, after twelve bitter years behind prison bars, that he would walk the straight and narrow, was slain on Saturday night in a furious gun battle with police.

He was the victim of a trap sprung by his own stupid bungling in a petty hold-up of a liquor store.

The last-ditch stand of Ontario's pet boy cost the lives of two others. Red shot a courageous young Sarnia constable named John Lewis in cold blood before the policeman could lift his gun.

The other victim of that three-minute blast of gunfire between four armed policemen and the two daredevil desperadoes was one of Ryan's bandit companions. Tonight he was still unidentified, but the police conjectured from information in their possession that he might have been William (Chuck) McMullen, alias Leggett, brother of Edward McMullen, Ryan's companion in the sensational 1923 Kingston Prison break.

Red's companion fell mortally wounded with his gun in his hand, still pressing the trigger with his last ounce of strength. He never whimpered, never opened his mouth.

With Ryan, it was different. He had just murdered a man and was dying himself when he threw aside his gun and cried he had had enough. As his life blood was spilling on the dirty floor, and as it welled to choke him in the throat, he gasped: "You've got me, boys. I've had enough." Had he lived, he would have died on the gallows.

Hardly a year since he was released from Portsmouth, and hardly weeks since he had reiterated that he was "on the square for life," the notorious Red Ryan lay dying Saturday night on a hospital bed. He did not die with his boots on. He died on a hospital cot, stripped of his clothes, while nurses dabbed at three gaping wounds in his body.

Red was the last of the three to die. He died in silence—except for the horrible wheeze and gasp of a man mortally stricken.

The sum of money he died for, the sum of money that cost the life of the gallant, dutiful Constable Lewis and the life of Ryan's hard-shooting, tight-lipped companion, was $394.26.

Thus for a paltry piece of money, less than four hundred dollars, crashed the legend of the great Red Ryan. He who once was Canada's public enemy No. 1, he who shot up banks, broke the toughest jails, sneered at law, and then reformed and paid penance to society by twelve long years in jail, finally betrayed his friends and himself, murdered in cold blood a fine young man, and then pleaded for mercy.

More than twenty-five bullets were fired in the furious exchange of shots. Roughly twenty-five customers who were in the liquor store miraculously escaped the flying slugs.

The officers of the Sarnia police force who killed Ryan and his pal were Detective Frank McGirr and Patrol Sergeant George Smith. They fired at least nine shots. The bandits fired at least seventeen.

Another constable, Traffic Officer William F. Simpkins, was in the store, but the shooting was over before he could get into it. He was guarding an exit against the escape of the two gun fighters when they died in their tracks inside.

The two gunmen had planned the hold-up with utmost care. They must have taken weeks to study the layout of the liquor store and to make preparations for their desperate raid. Despite their cunning and their well-formulated plans, they bungled horribly, overlooked obvious factors necessary to a successful hold-up. Their stupidity cost them their lives.

At five minutes to 6 on Saturday night Ryan and his pal drove into the quiet streets of Sarnia in a stolen Oldsmobile sedan, 1936 model. It bore license plates marked E-2431. The number had been skillfully changed from F-2431. In the car was a change of plates, these marked L-4598, which had been changed from E-4598.

They parked the car on Victoria Street, about a block and a half from the liquor store.

The two left the car and sauntered toward the store, reaching it about three minutes to 6. Red was dressed in dirty blue overalls, a railroad cap perched on his copper-red head, two guns in his pockets, together with several strips of steel wire, cut to the right length for handcuffing his victims. His companion was in a blue suit. He, too, had two guns and several lengths of wire.

They entered the entrance door to the store. Quickly their slow, careless attitude changed to the slinking litheness of a cat. They sprung the Yale lock on the door behind them, then donned handkerchief masks.

Drawing their guns, they mounted the few steps to the main level of the store.

Ryan strode to the middle of the room and roared: "Stick 'em up! This is a hold-up."

The twenty-five customers in the store looked at him sheepishly for a moment. They thought some one was kidding them. Ryan roared another order, swinging his guns in a wide circle, and shouted at the men and women to line up against the counter. Behind him his masked companion was barking similar orders. "Against the counter," he called. "Get against the counter."

The twenty-five customers sprang to obey. It was no joke now. "Put up your hands," barked the little man with Red. The people reached high, turned their faces to the wall.

Perhaps Red realized he had bungled already. He had forgotten that Monday was a holiday, and that on Saturday at closing there would be a crowd in the store. The few lengths of wire in his pockets indicated he had expected there would be only a few customers, perhaps two or three, and three or four clerks. He certainly had not counted on having to deal with twenty-five.

However, he carried on in true desperado style. While his pal kept his guns on the customers, Red vaulted the counter and shoved a .45-calibre automatic into the stomach of Sydney Capps, permits clerk. "This is a hold-up," he repeated, and pushed the man aside. He scooped all the money out of the till. Then he came out from behind the counter and started to herd the customers behind the counter.

He wanted a clear getaway, but he could not bind and gag them all. He had counted on the locked entrance door to protect him, and also, apparently, he had counted upon the exit door being locked to the outside. That was the usual practice of the liquor store. Too, he had waited until the last minute to stage his raid.

The store was supposed to close at 6 o'clock. Red entered about three minutes to 6, thinking he had locked the doors behind him, so that any late customers would believe it was regular closing time. From the street the interior of the store cannot be seen.

Red's luck was running low, however. One late customer to the liquor store was Geoffrey Garvey of 190 London Road, Sarnia. He knew well that he had two minutes to get into the store. He could not understand why he could not get in the regular entrance door, and he tried the exit door. It gave at his touch, and he mounted the few steps. Stunned, he saw a group of people with their hands stretched toward the ceiling.

Garvey bolted and flashed across the street to a taxi stand. "There's a hold-up there. Call the police," he shouted at William McLean, young cab driver in the stand. McLean jumped to the phone and called for the police station.

The clock was just striking 6 when a police constable picked up the phone at Headquarters. There were four officers in the station, Constable John Lewis, Detective Frank McGirr, Patrol Sergeant George Smith and Traffic Officer William Simpkins.

The four of them leaped into a waiting cruiser and sped to the liquor store, two blocks away. Constable Lewis was first to the entrance door. It was locked and he stepped into the exit door, followed closely by Detective McGirr and Sergeant Smith.

Simpkins guarded the other door. Upstairs, Red was just ready to go. He had made one last fatal error, however—he had waited too long to herd the frightened customers into the back of the store. He was about three feet from the top of the stairs leading to the exit door when he spotted the blue-coated officer, Lewis, mounting, gun in hand.

Ryan whipped about and fired four shots at Lewis. The constable had not time to lift his gun to fire. He crumpled to his knees, chokingly, calling for help. Then he fell forward on his face.

Red stepped ahead three paces to Lewis's body and kept on firing at McGirr and Smith. Meantime, behind him, his little companion had opened fire on the officers.

The two officers had started shooting at the same moment as Red and they came on, blasting from the hip. Ryan fell back. A bullet had chipped his ankle, another slug tore through his arm. He turned and scooted across the length of the floor.

The little bandit was at the top of the stairs when he got a bullet through his chest. He toppled over backward, his face greenish, his end near. But he was still shooting crazy wild shots into the walls. Another slug tore through his left breast, cutting through both lungs and searing his heart. His gun fell silent and he lay in a huddled heap in a pool of blood at the foot of the stairs.

Ryan had emptied his heavy automatic of its eleven shots and had fired three out of a .38-calibre in his other hand when a bullet smashed him in the neck just below the ear. He fell backward, throwing away his guns.

"You've got me, boys. I've had enough," he whispered hoarsely. His almost lifeless body slid down the stairs and bumped against his companion. Both lay still.

Police called an ambulance, while customers in the store scattered from the building.

Accounts of the shooting of Ryan differ in some details. Some eyewitnesses claim Ryan threw away his guns when he was first hit in the ankle. Others claim the ankle wound was the last he got.

But medical opinion declares tonight his last wound was the wound in the head, and the principals in the shooting backed up this opinion.

The silent little gunman died first. Lewis died at almost the same time. Big, husky Red Ryan lay on a hospital cot while attendants stripped him and bathed his wounds. But attending doctors already had given up hope. He died about a half hour after his desperate fight.

An inquest has been called for Tuesday night by Coroner Dr. Douglas Logie to inquire into the death of Constable Lewis.

Tonight no probe of the death of the others has been ordered.

"We know who killed them," said Chief of Police William J. Lannin. "The police killed them. They shot them to death."

One of the queer twists of the gun fight was the manner of Lewis's death. Ryan fired four shots at pointblank range straight into the officer's tunic, yet only one shot entered his body. One heavy slug smashed on a tunic button and ricochetted off. Another bit into a thick little booklet in the officer's upper pocket and was deflected. Another passed through the coat near the body, but did not touch. The one fatal bullet drilled through the centre of the officer's chest.

MATTHEW HALTON

HITLER DAILY MORE POPULAR

Matthew Halton was a leading foreign correspondent for the Toronto Star *for some years before he joined the CBC. Although based in London, Halton spent a good deal of time in Germany and sent back a series of dispatches warning of the real nature of Hitler's regime. One of these is reprinted here, and it illustrates one significant fact about World War II: Canadian newspaper readers were made much more aware of the European events that led up to war than was the case before 1914, when war burst upon Canada unexpectedly. In fact the newspapers did a far better job of preparing the public for 1939 than was done by Parliament in its debates on foreign affairs.*

Matthew Halton était, depuis quelques années, un des principaux correspondants étrangers du Star *de Toronto quand il est entré à Radio-Canada. Tout en ayant son bureau à Londres, Halton passait beaucoup de temps en Allemagne d'où il câblait une série de dépêches qui nous prévenaient de la véritable nature du régime hitlérien. Nous reproduisons ici un de ces articles. Il met en lumière un fait significatif qui concerne la seconde Grande Guerre: les lecteurs de journaux du Canada furent beaucoup plus informés des événements d'Europe dont l'aboutissement fut la guerre qu'ils ne le furent en 1914, année où la guerre fit au Canada l'effet d'un coup de tonnerre dans un ciel bleu. De fait, les journaux préparèrent beaucoup mieux le public à 1939 que ne le firent les députés au Parlement par leurs débats sur les affaires étrangères.*

Berlin, Aug 10.—The Hitler parade, consisting of Hitler and his chief satellites driving in some 40 high-powered cars, moves from the centre of Berlin towards the Olympic stadium. Hitler, standing erect in the front seat beside his chauffeur, acknowledges with outstretched arm the frenzied, thunderous and unceasing heiling of the two million people who line the route, fenced in from the street by over 50,000 storm troops in brown uniforms, policemen in blue uniforms and Black Guards in black uniforms and steel helmets, and every man over six feet tall.

When the King passes in London, one policeman stands every six feet, their backs to the crowd. When Hitler passes in Berlin, the police join hands and make a cordon facing the crowd. In front of them, one man facing the crowd and the next the street, stand Brownshirts or Blackshirts. Every man is armed. And in front of these, their feet wide apart, bayonets fixed on their rifles, stand the great, black-helmeted, sinister-looking giants of the Black Guard, Hitler's personal bodyguard, his corps d'elite.

The 40 shining black cars roll by—first Hitler, then Goering, Goebbels, General von Blomberg, Deputy Rudolf Hess, Police President Himmler and other luminaries. . . . When they enter their "honor seats" in the stadium, the world becomes for a few moments nothing but a sea of outstretched arms and a crashing roar of "Heil! Heil! Heil!" and when you turn this way and that examining men's eyes you see in them something like mystic hysteria—a glazed, holy look as of men hearing voices.

This is the important event of each day's Olympics to the Germans at least, though I heard foreigners wonder whether they had come to Berlin to pay homage to Caesar or to see men running and jumping.

Caesar, dressed in his brown uniform, sits down to watch the gladiators. His face is whiter, but plumper, than I have seen it before. When he is not talking to someone, his eyes have an unseeing look—as of a man hearing voices, or at least thinking of something not in that stadium. His hands seem to be in his way.

Caesar's right hand man, Goering, sits near him. One

glance at him and you smile. He looks so pleasant, amiable and good-natured that it is hard to believe the things you know. For once his colossal front and rear are garbed not in a resplendent uniform covered with medals, but in an ordinary gray flannel suit—yards of it. He laughs and chatters and turns this way and that, peering through huge binoculars at one thing and then another.

Caesar's left hand man, Herr Dr. Paul Josef Goebbels, sits between Goering and Caesar. He is a thin little man: Goering dwarfs him. But he has more brains than Hitler and Goering put together and then much to spare. His face is extremely intelligent, and in my opinion, even pleasant. But anti-Nazi Germans hate him far more than they hate Hitler. They call him "the Fox." He it is who has killed thought in Germany and welded most of those 65,000,000 people into one vast, sentient mass whose emotions, feelings, loves and hates he controls with diabolical skill. Every single instrument of publicity in Germany, whether it be school books or newspapers, radio or moving pictures, is part of his great pipe-organ; and that pipe-organ has one, and only one tune, played with variations; the preparation of Germany for the domination of Europe.

Goering and Hitler are present every day, with other famous Nazis and visiting Italian princes. How can they afford seven full afternoons a week for watching games. . . Let us leave them there at the games and slip round behind the Olympic facade.

A pathetic, unforgettable sight meets your eyes as you leave the stadium. Outside the gates scores of thousands of people are massed, just standing there, their faces pressed to the grilles—people with a great hunger in their eyes for color and life and for ordinary sensations unconnected with politics and militarism. . . Yet how they love their militarism. There is something about a deep, heavily-massed column of marching men that arouses extraordinary emotion in the German soul. When the Bulgarian contingent to the Olympic games entered the arena goose-stepping, I thought it was stupid but it seemed to drive the German crowds frantic. In London, straggling little groups gather every day to watch the changing of the guard; in Berlin, they gather on the Unter den Linden 50 deep.

Secret police and Black Guards keep close watch on Hitler's car while he sits in the stadium. Just before he leaves the stadium to enter the car, every wheel is thoroughly examined. Near his car are two or three others, with tarpaulins stretched over the machine-guns in the back seat. And wherever there were a handful of people gathered, there also were policemen and S.S. "You guard the leader well," I remarked to a policeman. "Jawohl," he replied, "he is the most precious thing we have."

Then I mentioned the dangerous word "assassination." "In my opinion," I said, "there isn't much danger of attempts being made on Hitler's life. He is so popular with most of the people." "Jawohl," said the policeman, but he said no more. Then to my surprise, an officer of the Black Guard spoke up: "And every month he becomes more popular," he said—and he said "he" almost with a capital H. "Even people who once were Socialists have seen Hitler get things for Germany which no one dreamed we would get without war, and have become enthusiastic supporters of the regime."

This is perfectly true, except for one word. I have met dozens of Germans, once radicals—that is, radical for Germany—who have seen Germany go from strength to strength in her foreign policy while the democracies, making no effort to prevent such happenings as the rape of Abyssinia and Germany's violation of one treaty after another, lose prestige almost every week. These Germans say to themselves: "Well, maybe the Nazis were right after all. They are getting what they want by force and bluff when everything else had failed." One admitted to me frankly that it wasn't much of an effort in any case for a German to go over to the cult of force and might.

But one word which is wrong is "enthusiastic." The whole phenomenon is expressed, very accurately, I believe, by a Manchester Guardian reporter, writing in the New Statesman. "As deeply ashamed as we Englishmen feel that our government has no foreign policy," he says, "the German is proud that Hitler is now the moving force in Europe, though he may add (as one young scientist said to me), 'I know it may end in the breakdown of civilization, but if so I can't help feeling proud that it is we who are leading the way to hell and you who are following meekly after.'

"This queer feeling of self-immolatory acquiescence is difficult to describe. It is not enthusiasm; it is far removed from a buoyant happiness. It is more like the old strung-up exhilaration so noticeable in prerevolution days in all the political parties. Only now it is unified, and the last tatters of the belief in the use of reason have gone. The nation is homogeneously neurotic; religiously united to rush headlong into the abyss—together. The yearning for 'togetherness' is indeed the most noticeable feature of German life. The nation moves—the sexes segregated—in squads or groups.

It marches until it is so tired that it forgets that there are no eggs and that butter is prohibitively dear.

"I spent two days camping among the pines of the Bohemian forest. All day long squads of boys marched along the roads, generally in heavy rains, without overcoats and with heavy packs. They were amazingly fit; their morale was fine and they were in a way happy; but in those gloomy mountains, especially at night when the drums beat all round, I had a queer feeling that history had moved back a thousand years, and the mountain clans were gathering for the fight, huddling together round their camp fires."

I had that feeling and wrote about it from Germany three years ago. D. H. Lawrence had the same impression six years ago and wrote about it in a remarkable article not long ago before he died—this was even before the Nazis came to power when the signs were already clear that Germany was beginning to relapse into that tom-tom Orientalism, that unreasoning mysticism which bids fair to destroy reason in Europe and with reason all that sane and decent if blundering democracy has taken so many laborious centuries to build up.

Perhaps I am pessimistic, but it does sometimes seem that the kind of sadistic nostalgia which has already reconquered Germany is spreading over Europe—a sort of "nostalgie de la boue," as if the fair prospect which a few years ago seemed within the grasp of humanity was too much for the smallness of us, as if there were some cancer in men making them thirsty for blood and death.

This cancer is subtly masked in a garb of belligerent nationalism called Fascism. Watch for the first signs of Fascism in your own country, and operate on them quickly, because in spite of their seductive exterior virility, they are signs of decay. They are signs that we are despairing of reason, despairing of our fine dreams, of a sane world.

Cette merveilleuse caricature d'Adolf Hitler est de Robert LaPalme. Elle a paru dans *l'Ordre* en 1934.

This marvellously economical caricature of Adolf Hitler is by Robert LaPalme. It appeared in *L'Ordre* in 1934.

JOHN W. DAFOE

MR. KING AT GENEVA

J. W. Dafoe, the great editor of the Winnipeg Free Press, *was the chief exponent in Canada of the idea of the League of Nations. For years he advocated the thesis of collective security, and denounced the hypocrites who pretended to be League supporters while refusing to take action against states guilty of armed aggression.*

In this editorial, Dafoe takes Mackenzie King to task for the Canadian retreat from the principle of collective security as laid down in the Covenant of the League. The retreat had begun with the efforts of successive Canadian governments, both Liberal and Conservative, to get Article X of the Covenant deleted, amended, or generally watered down. These efforts resulted in the adoption of the interpretation of 1923, which is quoted here. Dafoe failed to convert most of his countrymen, however, and became more and more gloomy in his prophecies as he watched the post-war era come to an end and the pre-war era begin.

J. W. Dafoe, le grand rédacteur de la Free Press *de Winnipeg, fut au Canada le principal champion de la Société des nations. Pendant des années, il préconisa la thèse de la sécurité collective et dénonça les hypocrites qui, tout en faisant mine d'appuyer la Société, refusaient de prendre des mesures contre les Etats coupables d'agression armée.*

Dans cet éditorial, Dafoe reproche à Mackenzie King d'avoir laissé le Canada s'écarter du principe de la sécurité collective énoncé dans le pacte de la Société. Une telle reculade avait commencé avec les efforts des gouvernements successifs du Canada, libéral ou conservateur, qui tentaient de faire biffer, modifier ou énerver l'article X du pacte. Ces efforts aboutirent à l'adoption de l'interprétation de 1923, qu'on cite ici. Dafoe ne parvint pas toutefois à convaincre la plupart de ses compatriotes. Il devint de plus en plus pessimiste dans ses prophéties à mesure qu'il voyait s'achever l'après-guerre et poindre l'aube du nouveau conflit.

The most accurate comment upon the deliverance by Mr. King, on behalf of Canada, at Geneva, is that made by The London Daily Express, the newspaper which expresses Lord Beaverbrook's views. "Canada leads the way out of the League," says the noble lord, who adds that the only policy left for Canada is one of isolation.

Technically a denial of this summing-up of Mr. King's attitude could be made. Canada is still, Mr. King says, to be a member of the League and the Covenant is to remain unimpaired. Nothing could seem fairer than that. But Mr. King added conditions to his gracious admission that Canada would remain within the League. It is that by the simple procedure of its members repudiating any obligations under the Covenant which appear onerous to them and by acceptance of the rule that each article in the Covenant means nothing to any nation which desires to ignore it, the League will be transformed into something to which Canada can belong without on the one hand incurring the censure which would attach to an ignominious abandonment of the League or, on the other, taking any part in the labours and responsibilities which will be necessary if the League is not to be the most pitiable and transparent humbug of all time. This is the last in a long series of acts by successive Canadian Governments intended to circumscribe the League's powers; and it is the most discreditable of them all because it amounts to the rejection by Canada of the League.

Mr. King put forward in support of his contention certain considerations which do not stand up very well under examination. He seems to suggest that as matters stand it is necessary to rescue Canada from the danger of "automatic sanctions". There is no League machinery which calls for automatic sanctions. An attempt was made to supply these by the Geneva protocol, but it was rejected on grounds that do not now look nearly as sound as they did in 1925.

Last autumn economic sanctions of a very limited character were applied to Italy by the League. Mr. King might tell us whether they were applied automatically. Our recollection is that the Canadian Government, then headed by Mr. Bennett, was a party to the successive steps that led up to the application of sanctions. Mr. King, upon acceding to office, confirmed the sanctions of the preceding Government, which at least suggests that he thought the Canadian Government could retreat from the position it had taken— as it undoubtedly could have done had it been willing to take the odium of quitting.

There was here no cast of automatic sanctions. Still less are there automatic sanctions in the case of a resort by the League to military operations. It is quite unnecessary for Mr. King to rescue Canada at this time from the threat of automatic military sanctions because he did the rescuing—if it was necessary, which we doubt—in 1923, when the League Assembly, at the instance of the Canadian Government, adopted an interpretation of Article X to which the League procedure has since conformed. That interpretation was in these terms:

"It is in conformity with the spirit of Article X that, in the event of the Council considering it to be its duty to recommend the application of military measures in consequence of an aggression or danger or threat of an aggression, the Council shall be bound to take into account, more particularly, of the geographical situation and of the special condition of each state.

"It is for the constitutional authorities of each member to decide, in reference to the obligation of preserving the independence and the integrity of the territory of members in what degree the member is bound to assure the execution of this obligation by the employment of its military forces.

"The recommendation made by the Council shall be regarded as being of the highest importance and shall be taken into consideration by all the members of the League with the desire to execute their engagements in good faith."

This reservation gives the Canadian authorities the right to judge for themselves the time and the degree of intervention but it stipulates that in exercising their judgment they shall not forget the obligations to which their good faith is pledged. Is Mr. King's elaborate assertion of the right of Canada to make her own decisions an attempt to disown the moral obligations set forth above? If so, he has failed. The moral obligations can only be escaped by the withdrawal of Canada from the League—a course which Mr. King will long hesitate to recommend.

Mr. King's other expedient is an attempt to assure the public that the mutilated and emasculated League which he favours is "just as good" if not better than the League which was brought into being in Paris in 1919. In this connection the blessed word "conciliation" is overworked. The League, of course, is not an instrument of force or an agency for war, though its enemies continually libel it by asserting that it is. The whole structure of the League is based upon the principle that difficulties between nations shall be adjusted by conciliation and arbitration, or by reference to international courts of justice. It is only when an aggressor nation refuses to submit its case to these processes and resorts to force that the League of Nations becomes a defensive League for the protection of the member against which the aggression is directed. The League has many notable achievements by methods of conciliation to its credit because it had behind its efforts in this direction the right to intervene.

The League is not necessary to keep the peace between nations that are willing to arbitrate their difficulties; and with the repudiation of the right to restrain aggression, it is useless when grandiose schemes of conquest are afoot. In the light of Japan's action in 1931 and Italy's within the last twelve months, how can Mr. King think that the League can keep the peace by methods of conciliation?

Mr. King in his speech to the Assembly, sought to commit Canada to the acceptance of certain propositions:

That the League should be permitted to continue in existence provided it agrees not to recognize or act upon the principle that is its reason for existence.

That Canada will continue to subscribe to the obligations of the Covenant provided it is understood that she can repudiate them without moral obliquity.

These propositions are unworthy of Mr. King and if adopted as governing principles of policy would be discreditable to Canada, and, in the long run, ruinous to the peace and prosperity of this country.

But there is at least a reasonable probability that these propositions will remain inoperative. While the League of Nations remains in existence with the Covenant intact, there is the possibility and even the likelihood that in the moment of crisis there will be leadership in Geneva that will rally the nations of the League to the duty of saving the world from slumping down ignominiously into the anarchy and savagery of the pre-War world. That leadership might come from a British nation. Quite possibly from South Africa; perhaps even from New Zealand; conceivably from Great Britain, if the people of that country should, for their own preservation, decide to sack the so-called statesmen who think that defence of world peace is not a vital interest for the country.

From Canada no such leadership can be looked for. But one prediction can, we believe, be made if the League ever acts in keeping with the spirit which called it into being for the preservation of human freedom and the vindication of the principle that nations shall not make war in the mood of world conquest. Canada will reject the suggestion that she should deny her obligations and stand aside. Under these conditions both her honour and her interests, both immediate and future, would require from Canada that degree of participation which is implicit in her signature to the membership roll of the League of Nations.

Mackenzie King vu par Robert LaPalme.

Mackenzie King as seen by Robert LaPalme.

RALPH ALLEN

PLAIN FOLKS' SHOW EQUALS ROYAL SPECTACLE

Here is a colour story written by a youthful Ralph Allen, giving a sidelight on the Coronation ceremonies of George VI. Allen, later editor of Maclean's *and managing editor of the Toronto* Star, *also published novels and historical writing. He died in 1966.*

Voici un papier d'atmosphère écrit par un Ralph Allen encore jeune. Il fournit un aperçu indirect des cérémonies du couronnement de Georges VI. Allen devint plus tard rédacteur en chef de la revue Maclean's *et directeur de l'information du* Star *de Toronto. Il a aussi publié des romans et des ouvrages d'histoire. Il est mort en 1966.*

LONDON (By Mail)—It is no more possible to write objectively of the Coronation than it is possible to write objectively of any personal matter, such as say, a million-dollar legacy or a toothache. If you were anywhere in the British Isles that day, the show was so near to you that you became part and parcel of it, a glowing entity of the whole as intimately concerned in your own way as the King himself. We, the people, were not mere onlookers. The spectacle that we put on for the Captains and the Kings was just as splendid as the spectacle they put on for us. We were magnificent. Those princelings and Rajahs from the far corners of the Empire will be talking about us long after their grandchildren are grown up.

They showed us turbaned troops from Burma, guardsmen splashed in red, lancers from the hills and infantry bronzed by the kraals, guns and cavalry, glass coaches and gold, white horses and coronets. We showed them flags and waving hats, seven solid miles of faces, gross ones and comely, flushed ones and pale, old ones and young, brown ones and white. We showed them Man and drummed them down the long waiting streets with a towering tumult.

* * * *

We went to considerable trouble to do all this, but we'd do it again tomorrow if we had the chance. Even those of us who were lucky enough to have seats had to be in them by 6 o'clock in the morning. The others started lining up on the kerbs late the afternoon before.

* * * *

Yet we didn't get peevish or impatient or out of sorts, not even when it started to rain just as the procession came through the Marble Arch and turned into the homeward lap. And then, old ladies who had slept on the sidewalk all night and were now getting chilled and soaked to the marrow had no disquieting thought but for the King and Queen and "What a strain it's been on them, poor dears." We were so infernally cheerful through all our restless vigil that perhaps, as the clarion voice of the popular press had been insisting all week would happen, we did become temporarily dispossessed of all but our most ennobling qualities. Surely some mighty cataclysm of nature must have transpired within the authentic old period clubman who asked for a match after sitting beside me for only six hours.

* * * *

Oh, we were good, I tell you. I don't know who was responsible for us, but we reflected great credit on him and he on us. There were so many of us that I don't know how he managed, but manage he did, in some inscrutable way. No one pushed us around or hurried us. No one was impolite to us. The visible link between ourselves and the giant who planned us was the Bobbies, and unless you have some knowledge of the Bobbies, you would never believe that such perfect staging could have been anything but an incredible accident.

They had us blue-printed and cross-indexed to the minutest detail. They even had a tree-evacuating Bobby near our stands. He would stand at the foot of the ladder while some lesser gendarme climbed the tree requiring evacuation and bade its occupant come down. If, as usually happened, the occupant refused to oblige, the lesser Bobby would return alone to report. The tree-evacuating Bobby would go up himself then. He never lost a patient, nor did the spirit of the day escape him once. He just gave the miscreants a triumphant grin and let them go.

* * * *

Ah, we were something to remember. I'll bet when they saw us those Rajahs began to wish they had brought their cameras along.

Le Droit, Ottawa—19 octobre 1937

CHARLES GAUTIER

LE CAS DE CONSCIENCE DE M. BOURASSA

Né en 1868, quand la Confédération canadienne avait tout juste un an, le fondateur du Devoir *avait 69 ans en 1937. L'homme avait beaucoup évolué depuis le moment où, à Notre-Dame, face aux évêques d'origine irlandaise, il avait défendu avec vigueur le nationalisme des Québecois de langue française. Au fait, dans une conférence publique qui avait eu un grand retentissement, il venait d'affirmer que "le nationalisme (était) un péché" et il avait condamné, en termes vifs, le séparatisme prôné par certains disciples de l'abbé Groulx qui, sans plus expliquer sa pensée, venait de proclamer à Québec: "Notre Etat français, nous l'aurons!"*

Henri Bourassa devait vivre encore quinze ans. Jusqu'à la fin de ses jours, il se montra un adversaire déclaré du nationalisme. De même, au cours de quelques conférences martelées, il s'attaqua de façon inlassable aux abus du capitalisme et, à l'occasion, aux membres du clergé qui s'intéressaient de trop près au marché des obligations.

D'où l'éditorial de Charles Gautier, le rédacteur en chef du Droit, *qui se sentait doublement visé: d'abord parce que* Le Droit *était l'organe de "la survivance française" en Ontario et, par surcroît, qu'il était la propriété des pères Oblats!*

Born in 1868, when Canadian Confederation was exactly one year old, Henri Bourassa was sixty-nine years of age in 1937. As a man he had developed a great deal since the time when, facing the bishops of Irish extraction in Notre Dame, he had vigorously defended the nationalism of the French-speaking people of Quebec. As a matter of fact, in a public lecture which caused widespread interest, he had just asserted that "nationalism [was] a sin," and in vivid terms had condemned the separatism preached by certain disciples of Abbé Groulx who, without further explanation, had just proclaimed: "We will get our French State."

Bourassa was to live another fifteen years. Until the end of his life he was a declared enemy of nationalism. In several vigorous lectures he also attacked indefatigably the abuses of capitalism and, on occasion, members of the clergy who had too close an interest in the stock market.

Nous avons des chefs religieux que l'Eglise nous a donnés et qu'elle a chargés de nous guider dans le chemin de la vérité et de la charité. Ces chefs, nous les aimons, nous les vénérons et, lorsqu'ils élèvent leur voix de père et de pasteur, ils ne s'adressent ni à des sourds ni à des endurcis. Ils ont fait le Canada français comme les abeilles font leurs ruches, parsemant le sol de la patrie d'innombrables et florissantes paroisses, qui sont autant de cellules fécondes où ils ont déposé en surabondance le miel de la parole divine et des moeurs chrétiennes. Ils nous ont fait ce que nous sommes. Grâce à eux, nous avons conservé intact le triple culte de Dieu, de la famille, de la patrie. Grâce à eux, nous sommes demeurés catholiques et français.

Nous ne sommes pas un peuple parfait, il est vrai. Quels sont ici-bas, les peuples parfaits? Mais si nous n'avons pas que des qualités, si nous accusons des défauts, la responsabilité n'en est certes pas à nos guides spirituels. Nous souffrons de ne pas les avoir assez écoutés, et nous en souffrirons encore, tellement la faiblesse humaine est grande. Mais demain comme hier, c'est à ces chefs qu'il appartiendra—eux seuls ont les grâces d'état pour s'en charger—de faire notre examen de conscience, de fustiger nos vices, de nous indiquer la voie de la perfection et du salut. Ils sont juges et médecins; ils disposent de la science et de la grâce; ils commandent à la fois à la vengeance et à la miséricorde divines, toutes choses dont Gros-Jean, qui voudrait en remontrer à son curé, serait bien incapable.

* * * *

Nous avons aussi des chefs laïques, dans le domaine politique et national, et dans d'autres sphères. Nous les choisissons, soit par voie de suffrage, soit par consentement tacite, toujours librement. M. Henri Bourassa fut un jour le plus brillant et le plus écouté de ces chefs. Toute une génération a admiré et applaudi l'homme indépendant des partis, l'orateur au verbe hardi et passionné, le champion de l'autonomie canadienne, l'ardent défenseur de la langue française, des écoles bilingues et confessionnelles, des minorités ethniques et religieuses, des droits de sa race et de son pays. Nous aurons toujours de la reconnaissance pour celui qui a réveillé les énergies d'un peuple endormi, ranimé le patriotisme et la fierté nationale, convié ses compatriotes aux grandes tâches nécessaires.

Cette voix claironnante qui portait la vérité et soulevait l'enthousiasme, M. Bourassa voudrait aujourd'hui l'étouffer et la renier, mais nos oreilles en entendent toujours l'écho et nous continuons d'en vivre. Tenter de retenir la formidable et bienfaisante impulsion qu'il a communiquée est au-dessus de ses forces. Quels que soient les anathèmes qui pleuvent sur leurs têtes, les disciples ne renoncent pas aux doctrines du maître.

* * * *

Malgré ses propres démissions, M. Bourassa se permet, de temps à autre, de parler haut et dur à ses compatriotes. Nous ne discuterons pas ses intentions. Il croit sans doute qu'il a gardé la même autorité et la même puissance de conviction que jadis. "Qui aime bien châtie bien", semble-t-il se dire avec le proverbe. Encore faut-il que le châtiment soit proportionné à la faute; que celui qui manie les verges ne frappe pas à l'aveuglette, comme un possédé; qu'il ne soit pas lui-même sujet à caution.

Dans l'occurrence, M. Bourassa accuse le peuple canadien-français de manquer de sens catholique, de tomber dans les excès d'un nationalisme outrancier, de trop s'occuper de questions nationales. Pourquoi? parce que le Souverain Pontife, lui a dit, il y a dix ans, au cours d'une audience privée: "Il est permis à tout peuple de survivre et à un groupe de peuples de conserver sa langue. Mais n'oubliez pas de dire à vos compatriotes qu'il n'est jamais permis de pousser leurs revendications nationales ou linguistiques jusqu'à mettre en danger l'unité du catholicisme. Un catholique doit être catholique avant tout".

Depuis ce temps, le remords torture l'âme de M. Bourassa. L'apaise-t-il par des actes de mortification personnelle? Nous l'ignorons; mais, à coup sûr, il tient à mortifier les autres. Afin que personne ne lui échappe, il administre depuis dix ans, à ses compatriotes tant ecclésiastiques que laïques, de grandes et publiques volées de bois vert, dont il paraît ressentir, lui, M. Bourassa, à défaut de tout autre, un immense soulagement. Il n'est pas donné à tous ceux qui reçoivent cette bastonnade d'éprouver la même jouissance que celui qui la leur applique, et il devrait leur être permis, au moins à l'un d'entre eux, de se demander—étant donné que M. Bourassa n'est pas encore un Père de l'Eglise—si le pélerin de Rome a bien compris les paroles du Pontife Suprême, s'il n'en exprime pas plus qu'elles ne contiennent, s'il n'en abuse pas.

* * * *

Les paroles du Souverain Pontife sont très claires. Elles rappellent la primauté du spirituel sur le temporel; la hiérarchie des dévotions: l'amour de la patrie immortelle d'abord, celui de la patrie terrestre ensuite; la nécessité de respecter cette échelle des valeurs, pour le bien de l'Eglise et des peuples. Ces vérités sont de tous les temps et s'appliquent à toutes les nations. Que le Saint-Père en ait confié la défense à un polémiste et à un tribun de grand prestige, nous n'avons pas lieu de nous en étonner.

Mais le Souverain Pontife n'a pas dit que nous étions tombés dans l'erreur qu'il dénonçait et il n'a pas chargé M. Bourassa de passer le reste de sa vie à nous faire des remontrances aussi sévères.

Nous approuvons M. Bourassa lorsqu'il condamne le séparatisme, insiste sur la nécessité du bilinguisme, prêche l'attachement à l'Eglise et au Pape; qu'il nous demande de fortifier notre sens catholique, de nous enrôler dans l'armée de l'action catholique, de travailler de toutes nos forces au rétablissement du règne du Christ dans les âmes, les familles et la société; qu'il invite toutes les forces spirituelles dont nous disposons à s'unir contre les assauts du matérialisme et du communisme. Mais il déraille complètement quand il met en doute une mission providentielle qu'illustrent trois siècles d'apostolat en terre l'Amérique et dont la réalité éclate à tous les yeux; lorsqu'il prétend que le peuple canadien-français s'est cantonné dans la province de Québec, que son apostolat n'a pas rayonné au-delà de ses frontières, qu'il s'est désintéressé du sort des autres catholiques, et qu'il a formé, au sein de l'Eglise canadienne, un obstacle à l'unité. Rien n'autorise M. Bourassa à nous convaincre d'un amour inconsidéré de la race et d'une absence totale de sens social chrétien; à discuter la valeur de la formation religieuse donnée à notre peuple; à prétendre que nous savons débiter des prières "comme des moulins", mais que nous consacrons le meilleur de nous-mêmes à la race et à la langue; à ravilir une civilisation et une culture qui ont peut-être leurs imperfections et que nous ne savons pas toujours défendre comme elles le méritent, mais qui en valent bien d'autres et que, en tout cas, nous aimons et nous chérissons parce qu'elles sont les nôtres.

C'est étrangement déformer la pensée traditionnelle de l'Eglise que de vouloir nous imposer un catholicisme farouche, à base de jansénisme national, qui ferait des Canadiens français des êtres d'exception, des sortes de monstres spirituels à qui il ne serait pas permis, malgré le commandement divin de rendre à César ce qui est à César et à Dieu ce qui est à Dieu, d'honorer les auteurs de leurs jours; d'entretenir le culte de la petite et de la grande patrie; d'aimer leur langue, leur histoire, leurs traditions, tout ce trésor de grandeur et d'héroïsme qui forme leur patrimoine national et qu'ils ont le devoir de transmettre, comme un bien de famille, de génération en génération.

Quoi qu'il en soit, au pis aller, M. Bourassa n'est certainement pas autorisé à faire la leçon à l'épiscopat, à débiter des histoires scabreuses sur le dos des curés et des vicaires, à faire d'une conversation privée avec le Pape le départ de mercuriales au vitriol, assaisonnées de sarcasmes et d'incongruités. M. Bourassa, qui ne croit guère à notre mission providentielle, s'abuse étrangement lorsqu'il s'imagine que, du Pape à lui, la pensée catholique forme un cycle complet et qu'il est devenu l'interprète infaillible de cette pensée auprès des foules, comme si, tout à coup et à son intention, le pouvoir enseignant des évêques et du clergé avait été miraculeusement suspendu. Bernadette Subirous, confidente des secrets divins, remit à son évêque le message de la Vierge.

* * * *

Nous ne référons pas ici la thèse de la légitimité du patriotisme et du nationalisme; de la parfaite compatibilité de la piété patriotique et de la charité chrétienne; de la politique traditionnelle de l'Eglise en présence des survivances nationales et de son respect du droit naturel des peuples à l'existence; de l'obligation d'aimer et de défendre la patrie terrestre. Ce sont là vérités élémentaires qu'il n'est pas besoin de démontrer, pas plus qu'il est nécessaire de disserter longuement pour comprendre que la langue est une sauvegarde de la foi et que la foi est le soutien le plus sûr des traditions nationales. Nous voulons simplement rappeler que si nous errons dans ce domaine, que si nous outrepassons nos droits, que si notre nationalisme, dont le défaut n'est pourtant pas d'être trop téméraire, met en danger l'unité des catholiques et paralyse le progrès de l'Eglise, c'est à nos évêques qu'il appartient de nous en avertir, et non pas à M. Bourassa.

JOHN W. DAFOE

WHAT'S THE CHEERING FOR?

Here is another of the editorials written by J. W. Dafoe as he watched the world drift towards war in the Thirties. Dafoe reacted quite differently from most Canadians to Neville Chamberlain's seemingly triumphant return from Munich. Mackenzie King was an admiring supporter of Chamberlain on this occasion.

Voici un autre des éditoriaux que J. W. Dafoe a écrits alors qu'il regardait comment le monde allait à la dérive vers la guerre au cours des années 30. Dafoe a eu des réactions bien différentes de celles de la plupart des Canadiens quand Neville Chamberlain est revenu de Munich avec les apparences du triomphe. A cette occasion Mackenzie King était en admiration devant Chamberlain.

While the cheers are proceeding over the success which is attending the project of dismembering a state by processes of bloodless aggression, some facts might be set out for the information of people who would like to know what the cheering is about and who ought to be taking part in it.

First we draw attention to this passage in a letter from the Berlin correspondent of The Economist, appearing in its issue of September 17:

"When Prague made concessions which would have more than satisfied the Sudeten Germans, had they desired to remain within the Republic, the pretence that they only wanted autonomy within the Czechoslovak State had to be abandoned. In fact, it was abandoned in Germany before Herr Hitler made his final Nuremberg speech—first when the press was ordered to print dispatches, all dated from Nuremberg, declaring for partition (an English newspaper article provided incentive and text); and, secondly, when Herr Hitler made a general statement in favour of the right of 'self-determination'. He was most emphatic addressing the army on September 12, in his announcement that 'no negotiation, no conference, no agreement (Abmachung) gave us the natural right to unite Germans.' He was expressly referring to Austria; and he added that the right was vindicated 'thanks to the soldiers'.

"Significantly, the only 'agreement' in question at the time of the Anschluss was the agreement concluded between the Fuehrer and Herr von Schuschnigg to respect Austria's independence. What, we may ask, would be the use of a similar agreement about Czechoslovakia—were there any chance of such an agreement—if, 'thanks to the soldiers', the agreement would merely lead to further disagreements and the vindication, as in Austria's case, of the natural right to unite Germans?

"It is to be feared that, in these matters, the blunt-minded English people do not understand the Nazi psychosis, sometimes misnamed an ideology. The substance of this is that there are no limits to what may rightly be done in the name of unity, Aryanism, might, and other national values, real or ornamental. It is from this that the impressive single-mindedness of National Socialism derives—the great thaumaturgy of doing-as-one-likes in pursuit of aims which, neither moral nor immoral, are always National Socialist. From this single-mindedness also arise the apparent contradictions and anomalies of National-Socialist actions—the execution today of political enemies for shots fired in street riots six years ago, while shots fired on the other side are applauded; the impending trial of Austrian Separatists; and so on."

In this brief compass there is given the formula for Nazi aggression, which excludes as worthless agreements, engagements, pledges, guarantees, when they get in the way of desire for aggression and the power to effect it. Austria yesterday; Czechoslovakia today; what of tomorrow and the day after?

To apply the formula to the events of only the last two years is to see how effectively it works in the absence of countervailing force. These need not be given in detail since this would be to repeat what has already appeared on this page; but they can be so grouped and summarized as to throw a penetrating light upon the manoeuvres of today and the consequences tomorrow.

Nazi Germany guaranteed the independence of Austria July 11, 1936, and destroyed it on March 11, 1938. The steps can be clearly identified: internal disturbances organized and directed from outside; the habitual misrepresentation in Germany of efforts by the Austrian authorities to maintain law and order as diabolical persecution of a minority; intervention by ultimatum to force the admission into the Austrian Government of Nazi agents; further intervention by a second ultimatum demanding the transfer of power to Hitler's representatives; then the rape of Austria covered with a thin veil of legality by the pretence that the new Government, established by these means, requested the assistance of German troops. The brazenness of these successive steps towards the destruction of a friendly and kindred power is undisguised.

With Czechoslovakia more devious methods were necessary. First it was necessary to make protestations that Nazi Germany had no designs upon the territorial integrity of Czechoslovakia. Hence Herr Hitler's announcement in the Reichstag in March, 1936, that: "We have no territorial demands to make in Europe" (just as he now says that his demands upon Czechoslovakia are the last that he will make of Europe). Further, in his speech he went on to say that he favoured, not force, but "a slow evolutionary development of peaceful co-operation " for the adjustment of "wrong relationships between the populations living in areas" (of tension caused by "wrong territorial provisions").

Though there has been friction between the Czechoslovakian Government and the Sudeten Germans (or rather a section of them) since the peace treaty, the Nazi Government did not come into the open as instigators of extreme courses by the minority until after Austria had been safely bagged.

On February 20 Herr Hitler, in his address to the Reichstag preparatory to the raid on Austria, declared that Germany charged herself with "the protection of those fellow-Germans who live beyond our frontiers and are unable to ensure for themselves the right to a general freedom, personal, political and ideological." The Czechoslovakian premier naturally interpreted this as implying a possible "attempt to intervene in our internal affairs, an attempt incompatible with the principle of the recognition of the sovereignty of other states," and declared the purpose of his country to defend "the attributes of its independence".

This was on March 4, 1938. Just one week later, on the day that the Nazi forces marched into Austria, Field-Marshal Goering gave "a general assurance to the Czech Minister in Berlin—an assurance which he expressly renewed later on behalf of Herr Hitler—that it would be the earnest endeavour of the German Government to improve German-Czech relations." This quotation is from a statement to the House of Lords on March 14 by Lord Halifax. Two days later Lord Halifax again noted these assurances in a statement to the House of Lords, and added:

"By these assurances, solemnly given and more than once repeated, we naturally expect the German Government to abide. And if, indeed, they desire to see European peace maintained, as I earnestly hope they do, there is no quarter of Europe in which it is more vital that undertakings should be scrupulously respected."

The recital, for the purposes of enlightenment, need hardly go further; the general course of events since March being within the knowledge of the public. Herr Hitler made no attempt whatever to "improve German-Czech relations"; on the contrary, once Austria was safely in his power, he turned up the agitation of the Sudeten Germans to a degree which gave him the opening for the application of the formula of Nazi aggression on racial grounds, as described by the writer in The Economist. This writer, in the same article, states as something about which there is no doubt whatever that the Nazi Government from the first had no other intention than the wresting, by force or duress in other forms, of portions of Czechoslovakia.

The doctrine that Germany can intervene for racial reasons for the "protection" of Germans on such grounds as she thinks proper in any country in the world which she is in a position to coerce, and without regard to any engagements she has made or guarantees she has given, has now not only been asserted but made good; and it has been approved, sanctioned, certified and validated by the Governments of Great Britain and France, who have undertaken in this respect to speak for the democracies of the world.

This is the situation; and those who think it is all right will cheer for it.

Operation Successful But the Patient Died.

L'opération a réussi, mais le patient est mort.
—Nous allons réformer la Société.

Cartoonist Arch Dale reinforces John W. Dafoe's editorial stand on the League of Nations in the *Winnipeg Free Press.*

Le caricaturiste Arch Dale prête main-forte à John W. Dafoe dont l'éditorial dans la *Free Press* de Winnipeg portait sur la Société des nations.

PART III / TROISIEME PARTIE

1939-1967

CAMILLE L'HEUREUX

LE PARLEMENT APPROUVE LA GUERRE

Le 1 septembre 1939, à l'aube, l'armée hitlérienne attaqua la Pologne et, en un clin d'oeil, ce fut la fin du "couloir polonais". La Grande-Bretagne et la France, liées par traité, déclarèrent la guerre à l'Allemagne dès le 3 septembre. A son tour, le 10 septembre, le Canada par un vote du parlement décida de participer au conflit. La déclaration de guerre du Canada ne fut donc pas automatique puisqu'elle fit suite à un débat aux Communes, et que le vote fut pris une semaine après l'invasion de la Pologne.

L'article de Camille l'Heureux, dans Le Droit, *a le rare mérite d'expliquer en termes clairs comment les choses se sont passées à la Chambre des Communes; de donner la liste, d'ailleurs diminutive, des députés qui ont refusé de voter la déclaration de guerre, et de résumer en quelques lignes l'argumentation respective des libéraux, des progressistes-conservateurs, de la CCF et du Crédit social. Cet article nous éclaire enfin sur les solutions de rechange qui s'offraient alors au gouvernement et les craintes, qu'à l'époque on entretenait au Québec.*

At dawn on September 1, 1939, Hitler's army attacked Poland and wiped out the Polish Corridor in the twinkling of an eye. Great Britain and France, bound by treaty, declared war on Germany on September 3. Canada in its turn entered the conflict on September 10 by a vote of Parliament. Thus Canada's declaration of war was not automatic, since it followed a debate in the Commons and since the vote was not taken until ten days after the invasion of Poland.

This article from Le Droit *by Camille L'Heureux has the rare merit of explaining in clear terms what took place in the House of Commons, of giving the list, which was small, of the members who refused to vote for war, and of summing up in a few lines the respective arguments of the Liberals, Progressive Conservatives, CCF and Social Credit. The article, finally, throws light on the alternatives which presented themselves to the Government and the fears entertained in Quebec at the time.*

Pour la seconde fois, en vingt-cinq ans, le pays est engagé dans une guerre d'Europe. A la suite de l'approbation, par le parlement canadien, de la politique ministérielle de participation immédiate à la guerre, que le premier ministre King lui a soumise, le Canada a déclaré formellement hier la guerre à l'Allemagne.

La participation du Canada comportera d'abord la défense de notre pays contre les attaques possibles de l'ennemi, puis la collaboration économique et militaire avec les alliés. Leur procurer toutes sortes d'approvisionnements: munitions, articles ouvrés, matières premières et denrées alimentaires: voilà l'objet de cette assistance économique. L'aide militaire aux alliés consistera à contribuer de notre mieux à la défense des territoires britanniques, autres que le Canada, et des territoires français de notre hémisphère, afin de permettre à l'Angleterre et à la France de concentrer leurs forces dans la partie du monde où leur sécurité immédiate est en jeu. Pour ce qui est de l'envoi d'une armée de terre en Europe, la question sera étudiée plus tard. Le gouvernement, toutefois se prépare à prendre immédiatement les mesures nécessaires à l'envoi d'un personnel de l'air aguerri outre-mer. Il ne croit pas, d'autre part, que la conscription des Canadiens pour le service d'outre-mer soit nécessaire ni qu'elle soit une mesure efficace. Le premier ministre a promis que le présent gouvernement ne proposera point de conscription. Voilà, en ses grandes lignes, la politique militaire du ministère King dans le présent conflit.

Le discours du Trône ne contenait pas un exposé aussi développé de la politique ministérielle. Mais, lorsque le premier ministre expliqua samedi la procédure que le gouvernement entendait suivre pour donner suite à la décision du parlement touchant la participation du Canada à la guerre, il déclara expressément que l'adoption de l'adresse en réponse au discours du Trône serait considérée non seulement comme une approbation dudit discours, mais encore comme une approbation de la politique ministérielle de participation immédiate à la guerre qu'il avait exposée vendredi.

C'est donc non seulement sur la participation active du Canada au présent conflit européen, mais également sur la forme et l'étendue de cette participation, que le parlement a été appelé à se prononcer. Le premier ministre en a fait une question de confiance en l'administration actuelle. "Si la Chambre ne nous accorde pas son appui, dit-il, elle devra se trouver un autre gouvernement." Après une discussion de deux jours, la députation a approuvé, samedi soir, sur division, la politique ministérielle. Le Sénat l'accepta à l'unanimité. Six sénateurs seulement participèrent au débat.

La politique du gouvernement, toutefois, n'a pas reçu l'appui unanime de la Chambre des communes. MM. Liguori Lacombe, député libéral de Laval-Deux-Montagnes, Wilfrid Lacroix, député de Québec-Montmorency, Maxime Raymond, député libéral de Beauharnois-Laprairie, et J.-S. Woodsworth, chef de la C.C.F., se sont prononcés contre la participation du Canada au présent conflit, au nom de nos intérêts immédiats.

Bien que le député de Laval-Deux-Montagnes soumit une amendement à l'adresse en réponse au discours du Trône, on ne prit pas de vote. La procédure parlementaire exige que cinq députés au moins se lèvent pour demander le vote lorsque le temps de voter sur une question est venu. L'amendement, que M. Wilfrid Lacroix, député libéral de Québec-Montmorency, avait appuyé, regrettait que "le gouvernement n'ait pas jugé à propos d'aviser Son Excellence le gouverneur général que le Canada doit s'abstenir de participer à toute guerre extérieure." Lorsque M. Pierre Casgrain, président de la Chambre, mit l'amendement au vote, seuls le proposeur et le secondeur se levèrent. Vint alors le tour de la motion principale. Les deux mêmes députés se levèrent et M. Woodsworth se joignit à eux. Comme il n'y avait pas le nombre requis de députés pour demander le vote, on ne le prit point. Le débat sur le discours du Trône prit fin. Le parlement adoptait formellement, sur division, de participer au conflit européen aux côtés de l'Angleterre dans les limites de la politique tracée par le gouvernement.

Plusieurs orateurs ont participé au débat. D'abord les chefs de parti: MM. King, Manion, Woodsworth, Blackmore et Lapointe. Une dizaine de députés seulement prirent la parole. On a répété les arguments entendus jusqu' à présent pour ou contre la participation.

Jamais au cours du débat, comme avant d'ailleurs, il y eut l'ombre d'un doute que les partisans de la participation militaire ne l'emporteraient pas sur ceux qui auraient pu désirer une participation économique seulement ou bien la neutralité stricte ou une neutralité mitigée. Tous unis dans la condamnation du nazisme, mais concevant différemment la patrie canadienne, ils se divisaient sur l'attitude à prendre dans le conflit européen. Les uns ont soutenu la participation pour des raisons surtout sentimentales, et les autres, parce qu'ils croyaient ne pouvoir faire autrement, à contrecoeur, ou pour éviter ce qu'ils pensaient être un plus grand mal.

Le débat sur le discours du Trône aurait été beaucoup plus court, n'eût été du mouvement antiparticipationniste de la province de Québec. L'attitude du parti conservateur était connue. M. Manion l'a réitérée lorsqu'il a déclaré que le Canada était tenu de participer au conflict de l'Angleterre et qu'une partie de l'Empire ne pouvait demeurer neutre tandis qu'une autre était en guerre. Dès l'ouverture de la session, le Crédit social fit connaître qu'il demandait la conscription des ressources humaines, industrielles et financières du pays pour défendre l'Empire. Ce fut la déclaration la plus impérialiste que l'on ait entendue au cours du débat.

La participation du Canada à la guerre a divisé la représentation parlementaire des deux autres partis. M. J.-S. Woodsworth, chef de la C.C.F., a courageusement réclamé en son nom personnel la neutralité du Canada, s'il en était encore temps. Chez les libéraux, MM. Lacombe, Lacroix (Québec-Montmorency) et Raymond en ont fait autant. Ces trois députés ont été logiques avec ce qu'ils ont toujours prêché. Les autres membres de la C.C.F. se sont prononcés pour une participation économique et pour la participation militaire limitée à la défense territoriale du Canada; ce qui est un point de vue acceptable à plus d'un Canadien.

Une attitude qui ne manquera pas d'étonner, c'est celle de M. Héon, député conservateur d'Argentueil. On voyait en lui un futur chef de la province de Québec. Après avoir entendu son discours, un publiciste du parti libéral nous disait sérieusement: "Héon s'est révélé, ce soir, un grand homme d'Etat. Il ira certainement loin." Jamais éloge ne saurait être plus compromettant. Le député d'Argenteuil, s'il aspirait à la charge de chef de la minorité canadienne-française dans le domaine fédéral, s'est "coulé" avec son discours de samedi soir. Ce n'est pas tant l'attitude du député d'Argenteuil que nous ne comprenons point. Hélas! nous la comprenons trop bien. Ce qui nous étonne, ce sont les raisons qu'il invoque pour justifier l'appui qu'il accorde au gouvernement. Parlant de MM. Lacombe et Lacroix, il s'est exprimé comme suit: "Si je voyais à leur point de vue la moindre chance de triompher, je ferais un effort personnel pour les appuyer. Mais je suis suffisamment réaliste pour savoir que ce point de vue ne peut pas être adopté et ne serait pas adopté par la Chambre ou par la majorité de la population canadienne à ce moment-ci. Et je ne suis pas pour faire l'erreur d'indisposer un élément majoritaire, qui nous est, au moment où je vous parle, absolument sympathique et favorable. Je ne suis pas, non plus, pour faire le jeu d'un certain élément qui ne voudrait rien mieux que de soulever les autres provinces contre la nôtre pour servir leurs fins impérialisantes." Si Joseph Papineau, Louis-Joseph Papineau, sir Hippolyte Lafontaine et tous nos autres chefs avaient ainsi parlé, ils auraient toujours cédé devant le groupe le plus puissant et la position des Canadiens français serait aujourd'hui moins forte qu'elle ne l'est.

Principe dangereux que d'invoquer la nécessité d'approuver la volonté de la majorité ou de ne pas l'indisposer, sans n'y apporter aucune restriction? Il conduit inévitablement aux pires concessions. Si on l'appliquait, par exemple, à la revision de la constitution canadienne, qu'en résulterait-il pour le Canada français?

On ne manquera pas de se demander ce que le reste du groupe des députés qui combattirent, au cours des dernières sessions, la politique étrangère du gouvernement a fait. Placés dans une situation difficile parce que le gouvernement avait fait de l'adoption du discours du Trône une question de confiance, et soumis, à une rude pression de la part des partisans dévoués de M. King, ils ont cru qu'il valait mieux ne rien dire et ne pas provoquer de vote sur l'adresse en réponse au discours du Trône, oubliant, toutefois, que le premier ministre avait formellement déclaré qu'il considérait l'adoption du discours du Trône comme l'adoption de la politique qu'il avait exposée devant le parlement. Au fond, ce qu'ils ne voulaient point, c'est voter un amendement de non-confiance en leur parti, de crainte d'en être rejetés. Toujours l'esprit de parti! Ils préfèrent apparemment soutenir l'amendement que le député de Beauharnois soumettra aux dépenses budgétaires de guerre. C'est, du moins, ce que l'on dit. En n'exigeant pas de vote, ils ont fait, toutefois, le jeu des ministériels qui n'en voulaient point.

JOHN W. DAFOE

LOOKING BEYOND THE WAR

This editorial by J. W. Dafoe was written before the explosive German attack in the spring of 1940, which overran the Low Countries and most of France and drove the British forces off the continent. The next few years were to bring in Soviet Russia, Japan and the United States; and the ending of the war, while it produced a United Nations to succeed the old League of Nations, failed to establish an international system to restrain the great powers from the unilateral pursuit by force of their own interests. This Dafoe editorial has a strangely contemporary ring. Now we have once again had our twenty-years' armistice, and the problem of the maintenance of international peace is still unsolved.

L'éditorial suivant de J. W. Dafoe a été écrit avant la fulgurante attaque déclenchée par les Allemands au printemps de 1940; l'offensive eut raison des Pays-Bas, de la France, et chassa les forces Britanniques hors du continent européen. Les années suivantes devaient déterminer l'intervention de la Russie soviétique, du Japon et des Etats-Unis. La fin de la guerre amena la création des Nations unies pour succéder à l'ancienne Société des nations, sans établir un système international pour empêcher les grandes puissances de poursuivre unilatéralement leurs propres intérêts par la force. L'éditorial de Dafoe est d'une étrange actualité. Nous venons encore de connaître 20 ans d'armistice et le problème du maintien de la paix internationale est encore sans solution.

The realities of the war are beyond question. It has still to be fought and won. Between today and that achievement lie the fearful certainties and the dread uncertainties of war. But perhaps there is more speculation today about the peace that will follow the war than about the course of the war itself; and these speculations, whether they are made within the nations at war, or by the statesmen and writers of neutral countries, all rest upon the assumption of an Allied victory. Of course, with the defeat of the Allied nations there will be no peace, but a continuation of aggressive war until world domination is a reality instead of a hope. The confidence of the Allied nations is based upon those national qualities which have proven equal to the trials of the past; the confidence of the lookers-on is based upon various considerations, including wishful thinking, since an Allied defeat might draw them into the vortex. It has even been explained that the neutral nations will be best fitted to make a just peace because their minds will be beautifully detached, whereas the actual victors, with their lists of dead, their damaged trade, their bombed cities, their bankrupt treasuries, might have their judgment affected by these experiences. No more discreet division of labour could be envisaged.

By an effort of imagination let us leap beyond these years of tribulation to the making of peace, the war having been won. What kind of a peace is to be made? Mr. Chamberlain, Lord Halifax, Mr. Daladier and other Allied statesmen have given us a general idea of what is in their minds. On some points they are specific. Czechoslovakia and Poland are to be restored as independent states. Nothing less than this could be expected from an Allied victory; Czechoslovakia, which was offered up as a peace token to Hitler; and Poland, which bore the first fury of the war for the world's freedom. But after they are reconstituted, how are they to be protected? Guarantees and assurances to this end are to be given. By whom? And who will guarantee the guarantees and insure the assurances? There is to be disarmament. But as we have learned during the past ten years, nations can be disarmed and they can re-arm without saying "By your leave" and get away with it. The war is to go on until Freedom is safe. But how? Nations, it is announced, must be freed of fear if they give up their defences. But who will come to their defence if a nation that does not disarm attacks them?

For these specifications of the peace that will be insisted upon by the Allies, should they win, we have drawn upon Mr. Chamberlain's speech at Birmingham last Saturday. There is no intention here to be critical of Mr. Chamberlain; he could not reasonably be expected to answer these or other equally pointed questions at that time and place. But the questions are implicit in the situation that the war is creating and they are in the minds of everyone who looks beyond the war to think about the peace. They will be asked and they must be answered. It is all the more certain that explicit answers will be demanded because this will not be the first time of asking. All these factors affecting peace were in the minds of victors once before; they were considered, solutions reached, and guarantees given. Nevertheless, there is today war over a large portion of the world with every prospect that it will spread. States whose security was guaranteed have been put to the sword; others tremble with the sword at their throats.

With the war over and peace-making about to begin (the Allies having won) the powers that made the last peace and gave the world the glad assurance that war would thereafter be forbidden, will be at the council board. Great Britain will be there; France will be there; the United States will be there, and if it lives up to announcements of various American prophets, it will take full charge of the business in hand. Canada will be there, too; and a much more important member of the gathering than it was last time by virtue of the sacrifices exacted by war which by that time will have been paid. Assuming that the issue is in their power as much as it was at Paris in 1919, what are they going to do about it? They ought by this time to begin to have some ideas about what is to be done to provide against the weaknesses in the last peace, which gave to many of the signatories of the peace treaty twenty years of precarious peace and then aggression and war.

Possibly they have given some thought to the dictum that in the modern integrated world peace is indivisible in the sense that if war is permitted in one area, it will break out elsewhere, given a little time. The statement that the Mukden incident in September, 1931, lit a fuse which has since touched off wars in every part of the world, and has now relit the first of the World War may not seem as absurd to the governments of these countries as it did until recently. Conceivably it may have come home to the nations now at war that when they made excuses for not defending little nations from aggression, they were committing their own countries irretrievably to conflicts beside which a defence by force of a threatened League member would have been nothing but a skirmish. And in time this may prove equally true of the United States.

As they face up to the problem which has got to be solved this time (if there is a "this time"), they may reach the opinion that the incompetent, impractical idealists of Paris—Lloyd George, Woodrow Wilson, Jan Smuts, Lord Cecil, R. L. Borden and others—knew what they were about when they created the League of Nations and imposed upon its members without exception the moral obligation to come to the defence of every member nation, whatever its size and wherever situated, if threatened with aggression. The problem is what it was in 1919; and they are free to improve upon the solution which was then attempted if they can find a better one. But they will find no solution in a Federal Union of Europe (even if it is feasible, which may be doubted), which leaves the rest of the world free for the playing of power politics. Nothing smaller than the world will do for the field of the League or for the improved substitute of the League if one can be devised; and the obligation of every member to help in keeping the peace will need to be put on a firmer basis than in 1919, when it was mistakenly assumed that an obligation of honour was enough.

We are assuming that the government of every nation which is now at war, realizes that the peace aims which are now being stated in general terms can only be implemented by arrangements and engagements of this scope; and is resolute in its determination to see that this will be done and no mistake about it. Unless this is done, the Allied nations may win the war, but all they will get out of it will be a twenty years' armistice, as before.

LOUIS FRANCOEUR

NAZISME A MONTREAL

Ecrivain de race, Louis Francoeur ne nous a laissé que des articles de journaux et lui-même n'a voulu publier qu'un certain nombre de ses "commentaires" qui, dès le tout début de la deuxième guerre mondiale, étaient écoutés de façon quasi religieuse par le gros de la population francophone. Francoeur devait se tuer dans un accident de voiture et, à compter du printemps '41, René Garneau et Jean-Louis Gagnon lui succédèrent à l'antenne de Radio-Canada. Beaucoup de journalistes de carrière, au Canada français, ont été des commentateurs écoutés, à la télévision comme à la radio. Entre autres, Marcel Ouimet, Roger Duhamel, Lucien Parizeau, André Laurendeau, Gérard Pelletier et, en tout premier lieu, René Lévesque. Mais aucun n'a joui d'une cote d'amour aussi soutenue que Louis Francoeur qui devint une tête d'affiche dès le moment où il s'installa devant un micro.

Ce commentaire du 12 juillet 1940 est typique de "la manière Francoeur". Il est écrit — c'est-à-dire que la syntaxe est sêre et qu'il a du style ou un ton: s'il s'ouvre sur un fait divers local, il aboutit à une leçon d'histoire. Il est le fruit de l'érudition. Mais on notera que l'homme aussi s'attaque à certaines écoles de pensée et que, l'occasion aidant, il sait se faire polémiste. Au total, c'est du meilleur Francoeur.

Many professional journalists in French Canada have been radio or television commentators with wide followings. But no one has enjoyed such a share of constant affection as Louis Francoeur, who, from the moment he took his place behind a microphone, was recognized as first-rate. A born writer, Francoeur has left us only newspaper articles. He was unwilling to publish any more than a small number of his radio talks, which from the beginning of the Second World War were listened to almost religiously by most of Canada's French-speaking population.

This talk from July 12, 1940, is typical of the Francoeur style. It is written *— that is, it has style. If it begins as a local news item it ends as a history lesson; it is the fruit of learning. But it will be noted that Francoeur also attacks certain schools of thought and can, when the occasion warrants it, take sides in a controversy. On the whole, it is Francoeur at his best.*

La police est allée faire une petite excursion, ce matin, dans un établissement de la rue St-Laurent à Montréal. C'est une librairie tenue par un yougoslave naturalisé du nom de Kilbertus. Depuis assez longtemps déjà, la police recherchait la provenance d'illustrés qui circulaient parmi la nombreuse population non-canadienne-française, non-canadienne-anglaise de Montréal. Ces périodiques consacrés à l'éloge du nazisme, entretenaient chez nos coloniaux venus d'Europe centrale un sentiment dangereux. Après enquête, la police s'est rendue chez le sieur Kilbertus; elle a visité la maison de la cave au grenier, et elle y a trouvé d'abord 15,000 magazines de propagande naziste, puis une quantité difficile à déterminer de brochurettes et documents en plusieurs langues, et enfin un poste récepteur de radio d'une puissance inusitée, réglé de façon à capter exclusivement toutes les émissions allemandes.

Le plus intéressant, pour nous, Canadiens français, c'est qu'au moment où le raid s'effectuait, on distribuait dans certains quartiers de Montréal, de porte en porte, une circulaire imprimée sur carton qui disait ceci: "Ne vous enregistrez pas; résistez à la circonscription; répandez partout ce message". Et c'était signé: "Ligue québecoise contre la conscription".

L'ennemi continue donc d'être actif parmi nous. Il procède de toutes les manières: il endoctrine secrètement; il manoeuvre certains de ses affidés, qui font de la cabale dans la rue, chez le marchand de journaux, au café, au salon. Plusieurs de ceux qui se livrent à cette besogne ne se rendent pas le moindre compte qu'ils sont les agents innocents de l'ennemi. Innocents quelquefois, mais pas toujours. . . . La kyrielle comprend diverses variétés de propagandistes, négatifs ou positifs: il y a l'imbécile serein, qui parle des péchés de la France et des crimes de l'Angleterre, comme si seuls ces deux peuples méritaient d'expier; il y a le fanatique qui remonte aux Croisades, passe par le procès de Jeanne d'Arc, énumère les mariages d'Henri VIII; s'il a fait ce qu'on appelle "un cours classique", Catherine de Médecis, Henri IV et l'Edit de Nantes servent son argument.

Il se transporte au Nouveau Monde, rappelle l'expulsion des Acadiens, la prise de Québec, et retraverse vite en Europe, où Louis XVI et Marie-Antoinette l'attendent. Il côtoie l'Angleterre dans sa navigation, pour y prêcher le Serment du Test. Evidemment, il aimerait bien Napoléon, car il aime les maîtres durs, mais il ne peut oublier les démêlés de l'Empereur avec Consalvi et le pape Pie VII; il n'y consacre que peu de temps, car les Patriotes de 37 l'appellent, et il franchit les mers de nouveau pour retourner tout de suite en France où les lois de 1880 et de 1901 suppriment pour lui 2000 années d'histoire catholique. C'est ensuite une brève envolée vers l'Afrique du Sud, pour saluer les Boers, et remonter en Grande-Bretagne à temps pour y trouver Sir Wilfrid Laurier en train de se laisser séduire par la reine Victoria.

Ce serait amusant, arrangé en scénario d'opérette bouffe. Ah! quel dommage tout de même, pour ces gens-là, que le chancelier Hitler se soit comporté comme les Français de 1901! Parlez-leur des crimes de l'Allemagne; ils n'en connaissent pas. Il n'y a que la France qui doive être châtiée. Au fait, ce qui arrive à la France est, pour ceux-là, un châtiment céleste à répétition. Ils sont fort ennuyés que l'Angleterre, par sa situation géographique, ne se soit pas offerte, comme la France, à toutes les invasions barbares. Heureusement pour eux, l'Angleterre détient un empire, ce qui leur permet de la fustiger, eux, si notoirement désintéressés, de l'épithète de mercantile. . . .

Keats, Coleridge, Byron, Goldsmith, Keble, Tennyson, Scott, Burns, Ruskin . . . tous ces poètes si délicats, si nuancés, si exquis, n'étaient évidemment que des industriels qui voulaient vendre leurs bouquins. . . . Ces défaitistes-là seraient probablement fort étonnés d'apprendre qu'ils secondent la besogne de M. Kilbertus, aussi étonnés probablement que les prophètes qui nous annonçaient la défaite de l'Angleterre pour le 10, et presque aussi sereins que ces messieurs qui voient dans la défaite de la France le châtiment de son impiété, oubliant que le pays le moins chrétien d'Europe, c'est l'Allemagne.

Ce sont ceux-là qui se réjouissent, sans oser le dire, des malheurs de leur vieille mère-patrie; ce sont ceux-là qui ne veulent pas voir l'immense tristesse des Français et qui trouvent que ce qui s'est passé était très bien ainsi. S'il est bon et salutaire d'avoir quelques notions d'histoire, il est encore meilleur et plus salutaire d'en avoir des notions équilibrées, balancées, où le bien comme le mal trouve sa place. Et s'il est ridicule de se figer l'esprit à certains événements qui plaisent, il l'est tout autant de ne voir dans les annales humaines que le laid, le désagréable et le moins beau.

La France a péché? . . . Certainement, et bien des fois. Sa nature est trop riche et trop généreuse pour n'avoir pas des défauts aussi violents, aussi entiers que ses qualités. La "fille aînée de l'Eglise" est humaine, comme vous et moi, si on l'incarne; c'est elle qui a fait l'Europe; c'est sur elle que tous les Etats se sont modelés. La transition de la barbarie à la civilisation, c'est en France qu'elle s'est faite pour le compte de toute l'Europe. Les Croisés sont partis de France, et Jeanne d'Arc, sauf erreur, était Française. C'est la France qui a empêché la Réforme de s'étendre à l'ouest et au midi. Ce sont les rois de France—Henri IV, François ler, Louis XIII, Louis XIV, Louis XV, oui Louis XV; c'est Napoléon Bonaparte, c'est Louis XVIII, Charles X et Louis-Philippe, qui ont encouragé, de toute leur autorité, les écrivains, les artistes, les hommes de science, les réformateurs ecclésiastiques. Ils ont péché? . . . Certainement, comme vous et moi.

En Grande-Bretagne, c'est l'admirable conquête chrétienne de saint Augustin de Cantorbéry; c'est le flambeau de la science historique du haut Moyen-âge, le vénérable Bède; c'est l'archevêque Stephen Langton, et la Grande Charte; c'est Lanfranc, ce normand de Bayeux, qui fonda à Cantorbéry la plus haute école de savoir du bas Moyen-âge. C'est Grosse-tête, évêque de Lincoln, qui s'éleva le premier de son temps contre les désordres des grands et l'oppression des petits. C'est la reine Elizabeth, pécheresse comme beaucoup d'autres, qui fit de la petite nation anglaise, alors ignorée du continent, la grande colonisatrice et déjà la maîtresse des mers. C'est Pitt, c'est Walpole, c'est Wellington, c'est Nelson, grands hommes d'Etat, grands hommes de guerre. Et c'est le formidable essor d'un peuple mal placé par la nature, dont Victoria, aidée de Palmerston, de Gladstone, de Disraëli, fait l'arbitre du monde pendant cent ans.

France et Angleterre, politiquement brouillées pour l'instant, ont tout de même autre chose dans leurs annales qu'une couple de crimes et une demi-douzaine d'erreurs. Ce sont ces deux peuples qui incarnent l'Occident, terres de paysages doux, de travail intense et d'équilibre, nations cousines, puisque l'Angleterre est une colonie normande, et que la Normandie est la première nourricière de la France. Terres si apparentées qu'on y trouve les mêmes noms, qu'il s'agisse de Colgate ou de Houlgate, du Tréport ou de Newport, de Grandville ou de Granville, du Mont St-Michel ou de St. Michael's Mount, du Finistère ou de Land's End, du Mont Ste-Catherine ou de St. Catherine's Point, des innombrables églises dédiées dans les deux pays à Notre-Dame, à saint Pierre, à saint Paul, à saint Martin.

C'est de cette double ascendance que vient notre héritage, puisque plusieurs d'entre nous ont dans leurs veines du sang anglo-saxon, et que celui qu'on appelle anglo-saxon est aux trois-quarts normand. C'est pourquoi malgré les vicissitudes et les douleurs qu'une politique, bien accessoire, somme toute, inflige aux deux grands peuples civilisés, il ne nous appartient pas, à nous qui en sommes, de juger leurs vertus et leurs vices à la petite équerre de nos rancunes de coloniaux.

Portons sur des faits précis une appréciation raisonnée . . . c'est notre droit. Personne ne peut nous l'enlever. Mais voyons dans les deux pays, à qui nous devons tout, de très grandes et de très nobles nations, sans lesquelles il n'y aurait pas d'Occident, pas d'Europe, sans lesquelles nous n'existerions point. En temps de guerre, il est des sujets que l'on s'épargne de traiter. Ceux-là qui, de façon inconsciente, ne voient que le mal, ceux-là qui ne jugent leurs parents que d'après leurs infirmités physiques, leurs accidents de digestion, ou leurs crises de mauvaise humeur, n'apportent pas, comme point de balance à leur pesée, ce sens de l'équité respectueuse et bienveillante qui incite à voir d'abord les beaux côtés, les gestes nobles, les actes valeureux.

C'est un proverbe arabe, paraît-il, qui résume le mieux la situation: "Certains gens détestent les roses parce qu'elles ont des épines à la tige; d'autres cueillent les roses avec amour, sans penser aux épines, et ceux-là ne se blessent jamais".

ROSS MUNRO

MUNRO'S FIRST CABLE AFTER DIEPPE

The attack on Dieppe on August 19, 1942, in which the main landing forces belonged to the Second Canadian Division, was a complete failure, owing to the strength of the German defences and the inadequate artillery and aerial bombardment from the Allied side. Of the 4,963 Canadian soldiers embarked, 3,367 became casualties. This failure led to a good deal of bitterness in Canada and to a controversy that has continued to this day.

Newspaper coverage of the Dieppe raid was far more extensive than for any previous Canadian operation. Never before had so many correspondents been allowed to share the dangers of frontline fighting with the troops. The most brilliant account of the attack was given by Ross Munro of The Canadian Press, who went ashore in a small landing craft and saw men killed a few feet away from him. His story was cabled around the English-speaking world. Munro also wrote a number of follow-up stories detailing the parts played by the various units, and when he returned home for a holiday he spoke about the battle at the hometown of every Dieppe regiment from Montreal to Calgary.

Le raid sur Dieppe du 19 août 1942, où le gros des forces de débarquement appartenait à la 2e Division canadienne, se solda par un échec complet, car les installations allemandes de défense étaient solides, tandis que du côté allié le bombardement d'artillerie et par avion était insuffisant. Sur les 4,963 soldats canadiens qui s'étaient embarqués, on compta 3,367 pertes. Ce fiasco produisit beaucoup d'amertume au Canada et une controverse qui dure encore.

Les journaux parlèrent du raid sur Dieppe beaucoup plus que de n'importe quelle autre opération antérieure des Canadiens. Jamais auparavant l'on n'avait permis à tant de correspondants de partager avec les troupes les dangers des combats à la ligne de feu. Le récit le plus brillant de cette attaque fut écrit par Ross Munro de la Presse canadienne qui aborda dans une petite embarcation et vit tuer des soldats à quelques pieds de lui. Munro écrivit aussi une série d'articles complémentaires qui détaillaient le rôle joué par les diverses unités. Revenu au Canada en congé, il prononça des causeries dans la ville d'origine de chaque régiment de Dieppe, de Montréal à Calgary.

WITH THE CANADIAN RAIDING FORCE AT DIEPPE, Aug. 19—For eight raging hours, under intense Nazi fire from dawn into a sweltering afternoon, I watched Canadian troops fight the blazing, bloody battle of Dieppe.

I saw them go through this biggest of the war's raiding operations in wild scenes that crowded helter-skelter one upon another in crazy sequence.

There was a furious attack by German E-boats while the Canadians moved in on Dieppe's beaches, landing by dawn's half-light.

When the Canadian battalions stormed through the flashing inferno of Nazi defences, belching guns of huge tanks rolling into the fight, I spent the grimmest 20 minutes of my life with one unit when a rain of German machine-gun fire wounded half the men in our boat and only a miracle saved us from annihilation.

A few hours later there was the spine-chilling experience of a dive-bombing attack by seven Stukas, the dreaded Nazi aircraft that spotted out the small assault landing craft waiting off-shore to re-embark the fighting men.

Our boat was thrown about like a toy by their seven screeching bombs that plunged into the water around us and exploded in gigantic cascades.

There was the lashing fire of machine-gunning from other Nazi aircraft and the thunder of anti-aircraft fire that sent them hustling off.

Over our heads in the blue, cloud-flecked French sky were fought the greatest air engagements since the Battle of Britain, dogfights carried on to the dizzy accompaniment of planes exploding in the air, diving down flaming, some plummetting into the sea from thousands of feet.

Hour after hour guns of the supporting warships growled salvos at targets ashore where by now our tanks also were in violent action.

Unearthly noises rumbled up and down the French coast, shrouded for miles in smoke screens covering the fleet.

There was heroism at sea and in the skies in those hours but the hell-spot was ashore, where the Canadians fought at close quarters with the Nazis. They fought to the end, where they had to, and showed courage and daring. They attacked the Dieppe arsenal of the coastal defence. They left Dieppe silent and afire, its ruins and its dead under a shroud of smoke.

The operation against Dieppe started from a British port Tuesday evening. I boarded a ship which also carried the Royal Regiment of Toronto. It was seven o'clock and only then were we told that Dieppe was our destination.

The Royals took it coolly enough. They had been trained with the rest of the force for several months on Combined Operations for just such a job.

Maps, mosaics and photographs of Dieppe were issued and as the boat put to sea with the other ships of the raiding fleet, the troops were briefed in their tasks.

It was a muggy night but the sky was clear. The sea was calm. It was Combined Operations weather.

Below deck the men sat around cleaning weapons, fusing grenades and loading magazines of Stens, tommy-guns and Brens.

In darkness formed the flotilla, shadowy tank landing craft that looked like oil tankers, a score of small assault boats, destroyers, gunboats, motor launches and torpedo boats.

A few officers in the raiding party drank a beer with the ship's captain and chatted about everything but the operation. We had a snack of bully beef, bread and butter, and tea, and then went over the side into assault craft.

After leaving the mother ships, our flotilla of little craft took positions in line astern. The Royals were to land at Puys, one mile east of Dieppe and establish themselves in that flanking area.

Just as we were pushing away from the mother ship, an old British tar whispered to us: "Cheerio laddies, the best of luck, give the -------s a ballicking."

It was pleasant in the open assault boats. Nobody seemed particularly nervous about the coming business though it was to be the Canadians' first time in action.

I made myself think in terms of manoeuvres, exercises in which I had taken part with these men in preparation for this night.

I had about convinced myself that this was another of those familiar exercises when at 4:10 a.m., about 50 minutes before we were due to hit the beach, a flare arched over the Channel.

Tracer bullets followed quickly, long green and red streaks marking their path. They were too close for comfort.

"E-Boats," announced a sailor.

The atmosphere suddenly became tense. Wide-awake men tightened their grip on their weapons. A sailor hoisted a Lewis gun into place and cocked it.

Our boats slipped steadily through the quiet waters. The motor was hardly audible.

Then the E-Boats appeared, close by off to one side. They opened up with lead that bounced bright red off one or two of our boats. Fire now came from several angles. It was the first time most of us ever had been under direct enemy fire. We flattened against the armorplating of our craft. The E-Boats kept up a running attack for 20 minutes and the night became alive with streaking tracers. It occurred to me it was awkward to be travelling towards the Germans, with other Germans hanging on our heels.

But the Royal Navy took care of our unwanted travelling companions. Destroyers popped up with a barrage that sent the E-Boats scurrying off like sea rats.

Aircraft drummed overhead by this time, heading for the south. They were the first of the bombers for Dieppe, and in a few minutes great crumps shook the French channel shore as they unloaded their bombs on the port.

Nazi anti-aircraft defences barked at the skies and a haphazard pattern of tracer and flak criss-crossed a horizon showing the first streaks of dawn.

They made a brilliant chandelier over Dieppe. Two searchlights probed for bombers dodging anti-aircraft fire. Other bombers went in, squadron after squadron.

Flashes of bomb explosions in the town to which we had crept within two miles revealed a concrete jetty at the harbor entrance.

Anti-aircraft fire was heaviest from the cliff-tops on either side of the town.

Over on our right I could see another fleet of raiding craft bearing men of the Essex Scottish, the Royal Hamilton Light Infantry and the Calgary Tank Regiment to the main beach in front of Dieppe.

There was a great roar as a concentration of high explosive and smoke bombs landed on the east headland by the harbor with a blinding flash that seemed half a mile long. Black smoke billowed out and turned white as it curled along over the sea to conceal our landing from the shore defences.

Crouched low, the Royals gave their webbing last-minute hitches. Faces were taut, jaws firm. We knew that this wouldn't be any party.

We could see destroyers and gunboats creeping up behind the attack flotillas racing for the main beach. The flame and peal of artillery told us that the naval bombardment of the town had opened. The navy kept up its torrent of shells into Dieppe as we sped for shore.

Already some of the Royals were landing at Puys as we headed for the beach at the base of a slope leading from the shore into a break between the cliffs.

To one side fighter planes hopped in at sea level to blast with cannon and machine-guns the hotels and buildings full of Germans on the Dieppe esplanade.

Dawn was breaking. The battle of Dieppe got hotter.

We were to land in a matter of minutes. Through smoke layers I looked up at the white cliffs, growing higher before us. Anti-aircraft guns up there clattered unceasingly. Machine-guns drilled down bullets that clanged against the armor of our boat.

By the time our boat touched the beach the din was in crescendo. I peered out at the slope lying just in front of us and it was startling to discover it was dotted with the fallen forms of men in battle-dress. The Royals ahead of us had been cut down as they stormed the slope. It came home to me only then that every one of those men had gone down under the bullets of the enemy at the top of the incline.

Vicious bursts of yellow tracers from the German machine-guns made a veritable curtain about our boats. The Royals beside me fired back with everything they had. One Canadian blazed away with an anti-tank rifle.

The Germans held a couple of fortified houses near the top of the slope and occupied some strong pillboxes. From their high level they were able to pour fire into some boats, ours among them.

Several bursts from machine-guns struck men in the middle of our craft. The boat's ramp was lowered to permit the men with me to get ashore, but German fire caught those who tried to make it.

The remainder crouched inside, protected by armor and pouring return fire at the Nazis. The Canadians' shooting was dead-on and half a dozen men in steel helmets and field-grey uniforms toppled from windows to the ground.

Other Germans made the mistake of trying to change their positions only to be caught when sighted by Royal sharpshooters armed with Brens.

Caught by this unexpectedly intense Nazi fire, the Canadians fought a heroic battle from those craft that were still nosed up on the beach.

I lay behind a flimsy bit of armor plating and heavy calibre bullets cut through it a couple of feet above my head.

An officer sitting next to me was firing a Sten gun. He got off a magazine and a half, killed at least one Nazi, and then was hit in the head. He fell forward, bleeding profusely. A sailor next to him was wounded in the neck and another got a bullet through the shoulder. Those around the injured tied them up with field dressing. The fire was murderous now and the Canadians' fire-power was being reduced by casualties.

There were eight or 10 in our boat who had been hit and a landing here seemed impossible. The naval officer with us decided to try to get the boat off the beach. On manoeuvres there were times when it was a difficult task to do it quickly, but by a miracle it slid off and we eased away from the hellish fire with nerve-wracking slowness.

The Nazis pegged away at us for half a mile out. That attempted landing was one of the fiercest and grimmest events in the whole raid and the only spot where the landing was temporarily repulsed.

I will forever remember the scene in that craft: wounded lying about being attended by medical orderlies oblivious to the fire; the heroism of the Royals as they fought back and strove as desperately as any men could to get on the beach and relieve their comrades still fighting ashore; the contempt of these men for danger and their fortitude when they were hit. I never heard one man even cry out.

During the whole raid there were no stauncher fighters than these Toronto soldiers.

Off Dieppe the raid flotilla re-massed after putting the troops ashore. Our wounded were sent to a hospital ship and I transferred at sea to another assault landing craft and then another and another.

They were floating about doing jobs at the different beaches.

At one stage 14 soldiers and I tried to get onto one of the beaches near Dieppe but the German cliff-side machine-gun posts which later were wiped out plastered us without hitting anyone and we turned back out of range.

Finally we got ashore for a few minutes right in front of the Dieppe esplanade. The smoke screen was so thick, though, that one could not see much of the town and we took off again. The area in front of the town looked like a First Great War battleground, with broken buildings gutted or burning in all sections.

By 10 a.m. the Canadians, many of their actions led by tanks, seemed to have the town fairly well under control and to have stabilized the situation on the beaches.

Then 50 minutes later the Nazis sprang their one heavy attack by air. For 45 minutes Stukas, Dorniers, Heinkels, and fighters swept up from the south and attacked the fleet, whose terrific bombardment I had been watching from an assault craft just off the main Dieppe beach.

Earlier the enemy had sent over aircraft in fours and fives but they had been unable to cope with the Royal Air Force and had resorted only to minor machine-gunning and inaccurate bombing.

But the big attack was a real one. German pilots flying anywhere from 200 to 2,000 feet showered bombs over the British ships, at the same time sweeping them with machine-gun fire. The sky was splotched with hundreds of black and white puffs from exploding shells and the thundering of the ships' guns was deafening.

Sometimes the Nazis picked peculiar targets. At one time even their Stukas were dive-bombing our little craft, which this time carried only one naval officer, four ratings and this lone correspondent. Their bombs came crashing down on either side of our bouncing craft, making the sea look as if it had been churned by a tornado. Once we almost capsized but we ended up with only a bashed stern and a shattered bow.

We had just picked ourselves up from the deck when a fighter zoomed in and gave us a hail of gunfire. But they added only more scars to our unsteady but still seaworthy craft.

The plane was one which had succeeded in avoiding squadrons of British planes which hovered overhead throughout the operation, picking off German machines attempting to get in close. Seven Nazi machines crashed into the sea within the limited view we had of the complete scene.

One Dornier attempting to attack the destroyer was raked by fire before it could release its bombs. It exploded at about 300 feet. Small bits of debris were all we saw fall into the sea.

Every little while a lone German would swoop on an isolated assault craft whose crew would reply with everything aboard. Sailors would pop off with Tommy-guns and Lewis guns from hip level and some even used rifles. And they succeeded in bringing down some of these diving Nazis.

At noon final re-embarkation of the troops was under way and the force was taken off the main beach.

With another smoke screen blanketing the raided town, the fleet turned for England. No German aircraft marred the departure and the navy gave some coastal installations another bump with its heavy guns for good measure.

Through the afternoon I sailed north in a craft to which the Stukas had taken such a liking. It was just an ordinary assault landing craft, 30 feet long and looking like a floating packing box. This is the way hundreds of raiders started back to England but the sea stayed reasonably smooth.

I lay in the sun and slept, and woke to see the white cliffs of England in the mist ahead.

British planes — fighters and bombers — were swarming south to France again in a steady stream with more packages for the Germans.

ROSS MUNRO **BRIDGEHEADS ESTABLISHED IN SICILY**

The Allied invasion of Sicily was the first of the thrusts back into Axis-held Europe that eventually led to victory. As the following well-detailed story by Ross Munro illustrates, the landing was a tactical surprise. Five third-rate Italian divisions defending the Sicilian coast were caught unawares, and it was only when the German reserve divisions engaged the Allies that serious fighting began. The First Canadian Division, under the command of Major-General Guy Simonds, fought in Sicily as part of the British Eighth Army. When Sicily was taken after thirty-eight days, General Montgomery called the Canadians "one of the veteran divisions" of his army, for they had travelled farther and fought longer than any other division in the campaign.

This is one of more than a hundred dispatches that Munro filed from Sicily.

L'invasion alliée de la Sicile fut la première des percées faites dans l'Europe dont l'Axe était maître. Elle aboutit à la victoire. Comme le démontre le minutieux reportage de Ross Munro, le débarquement fut une surprise tactique. Cinq divisions italiennes de troisième ordre qui défendaient le littoral de la Sicile furent prises à l'improviste, mais quand les divisions allemandes de réserve attaquèrent les Alliés, les combats sérieux commencèrent. La 1re Division canadienne, sous le commandement du major-général Guy Simonds, combattit en Sicile au sein de la 8e Armée britannique. La Sicile ayant été prise en 38 jours, le général Montgomery déclara que les Canadiens formaient "une des divisions chevronnées" de son armée, car ils avaient franchi une plus longue distance et combattu plus longtemps que n'importe quelle autre division au cours de la campagne.

Voici une dépêche choisie parmi plus d'une centaine de reportages que Munro écrivit de Sicile.

AN ALLIED FORCE COMMAND POST, July 11—(Delayed)—(CP Cable)—Canadian assault troops with a crack British formation on their right flank over-ran Pachino peninsula on Sicily within 24 hours after their landing had established an invasion bridgehead.

It has been one success after another in this Canadian-British sector as the greatest combined operation in history is developing.

I landed alongside the first wave of assault companies of a famous Canadian regiment on a sandy beach at Costa dell Ambra, four miles southwest of Pachino, at 5:15 Saturday morning.

The Canadian troops have been rushing ahead ever since. It is a tough job keeping up with them on two feet.

Casualties for the first day were very light. A colonel who heads a divisional medical service said that less than 40 casualties had been reported to him so far. During my trip around the battle zone I saw only three wounded soldiers, who had been hit while cleaning out a pill-box just before the beach defence collapsed.

The Italian beach defences which folded up like a concertina were merely barbed wire and some machine-gun posts which fired a few bursts and then gave up. On our beach the enemy was evidently counting on a sandbar 15 feet off shore as a natural defence. But the Canadians surprised them completely by coming in in heavy surf and battling ashore through water to the waist.

Coastal batteries shelled the landing boats but the fire was erratic. The Canadians went through the beach defences in a matter of minutes and struck inland, mopping up groups of Italians en route. More than 700 prisoners, including 15 officers, have been captured already by the Canadians.

During the day we saw no enemy aircraft. It seemed eerie not having any about.

There are some German formations in Sicily and the enemy has some tanks. The Canadians realize they met poorer Italian soldiers on the beaches and around Pachino

—men of a coastal defence divison—and they are not being misled that the road ahead will be easy. But everyone keeps asking himself: "Where are the Italian navy and air force?"

I started this story of the first day in a slit trench on my cliff top position and it is being finished now in the early morning aboard a Headquarters Ship. This is the story now of my trip onto the beaches, the assault and the follow up.

This attack was the stuff the men had prepared for in intensive combined-operations training in Britain. Immediately after the exercises the convoy carrying assault troops sailed for the Mediterranean and they went right to these Sicilian beaches without being attacked by aircraft.

The entire 2,000-mile trip was made without any trouble—fantastic considering that we sailed in daylight right through the Sicilian channel and the Malta channel towards Pachino peninsula with the whole invasion armada concentrated in one gigantic convoy.

The day before the attack we started to head in the general direction of Sicily and everyone was keyed to a high pitch. In the morning the wind started to kick up whitecaps on the Mediterranean which up till then had been as calm as a millpond.

The wind rose steadily until by afternoon it was of gale proportions. By that time we could see Malta. Our spirits sank for we thought the operation would have to be postponed. Our small boats could not live in that sea. Some of the waves were 15 feet high and a heavy swell was running. But there was bright, burning sunshine—and no message came telling us the job was off.

A colonel told us the attack was to go on. At last we were definitely on our way. There was quite a strong surface swell, though, and it wasn't going to be any sinecure landing on what everyone knew to be a tough beach with a sandbar stretched across the face of it.

During the evening (Friday, July 9) we learned from the Headquarters Ship that the Pachino airfield had been plowed up. Some thought perhaps the Italians had got wind of our attack. But security had been maintained 100 per cent. The attack was definitely a tactical surprise, according to Headquarters staff officers.

Down in the mess decks the Canadians were preparing for their landing. They got their kit together, dabbed a little more oil on their weapons, sorted out grenades and loaded up with ammunition. They were having a whale of a time. In the sergeants' mess some N.C.O.s were playing cards and drinking pop—our ship was "dry" all the way. In the officers' lounge a British tommy played a piano expertly—some lively tunes and a few melancholy ones.

The officers met in the lounge and were addressed by their colonel. Similar meetings were held aboard the other ships as the zero hour approached.

"We are on the eve of a night in history that will never be forgotten," said the colonel. "We will look back on this night, and our children will. We will look back on it as the night we started to put the skids to the enemy."

Then everyone repeated the Lord's Prayer and shook hands all around.

The meeting broke up. I went on deck and watched our convoy in the moonlight.

There was still no air attack. Unbelievable! At midnight we saw great flashes in the distance where Sicily lay. Our bombers were hitting their targets.

Earlier we had all been getting a little jumpy for it looked like suicide to try to land in the wild sea. We had the evening meal and were becoming reconciled to a possible postponement. But when darkness fell we were still heading for the southeast tip of Sicily.

Hundreds upon hundreds of other ships and warships were around us—the greatest convoy ever to sail to the attack. There were ships as far as you could see. About 10 p.m. the wind suddenly dropped and the whitecaps disappeared. The gale had been one of those queer storms they get in the Mediterranean during the summer. Sometimes they do not last long, and this one didn't.

The High Command gambled on the wind falling —undoubtedly it had the weather "taped"— and won. Then the big convoy broke up. The Americans headed off for the Gela beaches. We sailed right ahead under a first-quarter moon that gilded the ocean. The sky was clear and crowded with stars. It was a Mediterranean night of fiction and peacetime cruises.

I could hear our bombers droning over towards Italy. Some flares shot up from the shore. They were unnerving and lingering. I was going in with the naval commander in a naval motor launch which was to guide the assault troops to the right beaches.

At 1 a.m. we went down the side of our ship in an assault landing craft and hit the swell which lifted us high in the air. We rocked about and moved among the ships which now were anchored a number of miles off Pachino peninsula. Finally we located our motor launch and clambered aboard. My trouble was I had my typewriter, waterproofed with adhesive tape for the plunge from the sandbar to the beach. Slowly the assault landing craft gathered around us for the run in. There were scores of these 40-foot craft bouncing about on the swell. Many of the troops were seasick in them.

Through a megaphone, our commander on our little, leaping motor launch told the flotillas destined for our beach to follow him, and we started off. Other flotillas sped off noiselessly for other beaches. British Commandos were on the Canadian left flank and another British formation on the right.

Crack units were to land first and destroy a coastal battery. Ahead of us we could see a glare in the sky. The air attack and naval bombardment had set Pachino ablaze. Wooden buildings in the town of 15,000 population were burning.

To the left I saw tracer bullets and could hear the bang of machine-guns. Troops were landing. We crept in closer until we could see the low, dark coastline of Sicily in the shadows. It was a thrilling moment but a tendency towards sea-sickness took a lot of the edge off it for many of the men. Some red flares shot up, lingered and snuffed out. The enemy was doing some kind of signalling. Tremendous explosions boomed out in the night. I think it must have been bombing far inland. We could see gigantic flashes.

On our right there were more flashes, but this time from seaward. Warships of the Mediterranean fleet were shelling positions on the peninsula. The noise was ear-splitting, though the ships were miles away. When the flashes occurred you could see the gleaming gun barrels lit up even at that distance. Tracers started to criss-cross our beaches.

Some Royal Canadian Engineers from Nova Scotia and two companies of an Ontario regiment were touching down ahead of us. There were spurts of machine-gun bullets at their boats. Then I heard our Bren guns. The Brens have a distinctive knocking sound like a stick striking an oak door.

Canadians were in action.

Dawn was creeping up as I transferred from the motor launch to a landing craft for beaching. The typewriter was still tagging along somehow. Just then tank-landing craft bringing up the first wave of an Ontario regiment came up and in we went. Naval craft were laying a smoke screen for us, and gunfire from destroyers, a cruiser and a monitor dinned in our ears.

Some beach defences were still pegging away with their final shots before being wiped out. A coastal battery halfway between the beach and Pachino was firing with six-inch guns. Shells crashed in the sea around us. They were too close for comfort but did not hit a thing.

Canadians were swarming over the beach and our craft leaped through the surf in smoke, confusion and noise. The landing craft hit the sandbar and stopped short. We piled over the side and plunged into four feet of water. My typewriter was dunked. I suddenly thought of Dieppe and wondered who would be writing this story for it looked plenty hot here.

But we waded frantically through the breakers and ran onto the beach. Troops swarmed off their craft and went through a gap in the wire defences which had been cut by sappers a few minutes before. Infantrymen were already spreading out in the sand dunes on the other side of the wire.

Not an enemy beach machine-gun was in action right here.

I cleared off down the beach with one thought in mind—digging in for dive-bombing which, on the basis of a past disagreeable experience, I thought was certain to come. I had no spade so I scooped out sand with my hands and my tin cup.

The sun now was up. Infantrymen with fixed bayonets were prodding bushes on the dunes. The first prisoner had been taken—a soldier in a pill box. Apparently his comrades had run for it.

Canadians moved up a hill to the right of the beach and occupied it. Others scouted north and west. There was some firing from farmhouses among the vineyards on gently-rising land. There were stone walls around most of the fields. It was miserable farm land, though, with many rocks.

For half-an-hour we waited tensely for enemy planes but they never showed up. The beach was organized now, and special British beach groups had the whole situation in hand.

Canadian infantry were racing up the road leading to Maucini, a mile and a half from the beach. Maucini is an old monastery on a hilltop and served as an Italian barracks and ammunition dump. The troops surprised nearly 200 Italian soldiers there and captured the lot of them. Then infantrymen went on to a coastal battery a mile farther north on the same road. This was the one that blasted at us on the way in.

Attacking with grenades, the Canadians stormed the gun positions and knocked the battery out, taking more prisoners. Troops of an Ontario regiment by now were also about three miles inland and pushing ahead at top speed. The R.C.E. and British sappers were going through fields with mine detectors. They located several large minefields and dug up scores of the latest model German mines.

Pachino, burned to a crisp, fell during the morning.

After half an hour on the beach I began to trudge up the Maucini road. At the first turn I met a batch of Canadians who had done the initial assault and they told me the first civilian they ran into was a Sicilian who had lived in Toronto for seven years. I went to his hovel among knee-high grape vines and confirmed this. He claimed he could speak very good English, but would not tell me his name.

Bren-gun carriers were ashore now, and they clattered along hard, dusty roads up gentle hills on the way to the Pachino area. Long columns of troops marched along, following up the assault infantry. The beach was a conglomeration of soldiers, vehicles, landing craft, wireless sets, and hand carts of supplies.

Just behind our beach were two salt marshes. They had dried out a little but the surface was still slimy. Here mosquitoes bred and we remembered our anti-malaria precautions. Four hundred yards from the beach I went around a sharp turn in the road and saw the first prisoners. They were six short, swarthy Italians dressed in soft forage caps and flimsy gray uniforms. One carried a satchel with food and wine in it. He seemed to have been prepared for capture. They looked anything but good soldiers, and when the Canucks gave them the odd cigaret to see what happened their faces lit up.

They were evidently quite content with their lot and as we passed they grinned, said hello in Italian and gave us a Fascist salute. There were also two horse-drawn Italian army ammunition carts, filled with ammunition, and the Canadians took them over immediately to carry mortar bombs to the forward troops.

There were still a few snipers around and we walked along the road cautiously. Bren carriers passed us at top speed. At Maucini a handful of Canadians were in charge. Outside the courtyard of the white stucco building were piles of Italian steel helmets, ammunition pouches, rifles and machine-guns.

The area around Maucini was quiet but ahead there was firing of small arms and we heard the deep crump of mortar bombs. The advancing troops had met some opposition. Two hundred Italians taken at Maucini were marching down the road with three Canadians escorting them. The guards were having no trouble at all. One Canadian commandeered an Italian army car and after fumbling with the gears got it rolling and rushed his section to the front. Between Maucini and Pachino I passed two Italian dead lying by the roadside.

It was now 8 a.m. and I was three miles into Sicily already, pursuing the forward infantry. I stopped then with Public Relations Officer Dave McLellan of Halifax, who was with me all the time, to make a cup of tea. We sat under an olive tree in a grove and settled down to breakfast, such as it was. The Canadians were attacking the Pachino airfield a mile ahead of us by now and the sound of furious firing reached us.

On a hill 500 yards from our olive grove enemy mortar fire banged down. It was off range.

Just as I was about to sip the first mouthful of tea I looked across into the next field and there were three tanks. They were moving in our direction. Dropping the tea, I yelled "German tanks!"—they looked like Mark IV's at that distance—and scooted for cover.

Mac crouched with a Tommy-gun. Then I got out my binoculars and identified them as British. They were with the British forces on our right. With relief we went back to our cold tea and we had scarcely started properly into the breakfast of biscuits when we heard the crack of a rifle. It went off twice and seemed close. Some sniper perhaps had spotted us.

So at this stage we left the olive grove, walking back to the beach and passing hundreds of Canadians going forward.

This is inhospitable-looking countryside here on the undulating ground about Pachino. Tenant farmers are poor and live in miserable shacks, scraping a living somehow from rocky soil. Vineyards predominate and melons are getting ripe. With water one of our big problems in this dry part of Sicily, the troops picked and ate them by the roadside during breathers in their march.

Canadians and British troops, in their tropical kit and wearing shorts, looked like veterans by noon, all covered with white dust. A frequent comment to us as we passed them was: "Say, where is the war?" This whole advance seemed so unreal and it was nothing like what the troops had expected.

They had got over the first hurdle in good style. Many had been in action, and they were feeling like the Kings of Sicily. The prisoners they saw going down the line did not give them a very high impression of the Italian army.

In the evening I climbed to a slit trench I had dug with an Italian shovel on the cliff east of the main beach. As the red sun went down I watched the country where the Canadians were fighting. To the north and west, vehicles and guns were streaming to the front, kicking up white billows of dust.

With their initial success behind them now, and some blood on their bayonets, Canadians were prepared to go into really tough battles.

GREGORY CLARK

BLOODLUST OF GERMANS SATED IN WANTON SLAUGHTER

In September 1943 the First Canadian Division, later joined by the Fifth Canadian Armoured Division, moved north to participate in the Allied advance up the boot of Italy. The Canadians were involved in the bitterest sort of fighting throughout the campaign, which dragged on into 1945.

The story reprinted here is from the early days of the advance. It contrasts with most other war correspondence in that it depicts the personal suffering of innocent victims of war, rather than concentrating on tactics and armies. The story was written by Gregory Clark, leading feature writer for the Toronto Star *from 1913 to 1946 and later a widely read humorous columnist for* Weekend Magazine.

Near the end of the story the word "bastard" appears, a word the Star *never used. Worried deskmen took this matter up with the paper's publisher, J. E. Atkinson, who, after reading the story, said "Let it go." This was a first for the* Star, *Clark recalls.*

En septembre 1943, la 1re Division canadienne, à laquelle se joignit plus tard la 5e Division canadienne blindée, s'élança vers le nord pour participer à l'avance des Alliés qui remontaient la botte de l'Italie. Les Canadiens participèrent aux plus âpres combats de la campagne qui traîna jusqu'en 1945.

L'article suivant date des premiers jours de l'avance. Il contraste avec les dépêches de la plupart des autres correspondants de guerre, car il peint la souffrance personnelle des innocentes victimes de la guerre, au lieu de s'attacher à décrire les tactiques et les armées. L'auteur en est Gregory Clark, qui fut l'un des principaux rédacteurs de grands reportages du Star *de Toronto de 1913 à 1946 et écrivit plus tard pour* Weekend Magazine *une chronique humoristique très populaire.*

Vers la fin du récit, le mot "bâtard" apparaît. C'est un mot dont le Star *ne se servait jamais. Inquiets, les reviseurs au pupitre en discutèrent avec J. E. Atkinson qui, ayant lu l'article, décida de le laisser passer. C'était une innovation pour le* Star, *rappelle Clark.*

Somewhere in Italy, Sept. 26—(Delayed)—Monsters in victory and monsters in flight, the Germans have added to the imperishable name of Lidice in Czechoslovakia the little name of Rionero in Italy, and I am one of the witnesses. In this tousled town of 10,000 inhabitants the Germans, the night before last, perpetrated one of their foul slaughters of innocent civilians. Twenty-one young men of the town of Rionero, ranging in age from 16 years and most of them in their early twenties, with the exception of a father of a family, aged 40, were lined up and shot in cold blood.

This afternoon I visited the bloodsoaked ditch in which they died and then went up to the cemetery where the pitiful bodies, clad in their rags, were laid ready for burial. Some were riddled with tommy guns, some were shot between the eyes with pistols.

Of this little random selection of townsfolk, those who fell pretending to be dead, were sought out by calm cold Germans and four Italian Fascist paratroopers aiding and abetting them, and were shot at pistol point. All but one; Stefano Di Mattia, with his townsmen's blood sluicing him, feigned death so well that he alone out of 21 escaped, with only a leg wound. Stefano it was who took me to the scene of the slaughter and then led on to the array of dead.

Here is the story to which hundreds of citizens of Rionero bear witness:

On Friday night, Sept. 24, with 8th Army patrols already on the fringe of the town, 60 Germans with a small number of Fascist paratroopers among them were preparing to withdraw north from the town. Ever since the armistice the Germans had been lawless and contemptuous of the Italians, and looted at will.

About 5 p.m. a party of half a dozen Germans, a sergeant leading, came down the main street and in front of the house of Pasquale Sibilia stopped to shoot a chicken. Little Elena, seven-year-old child of Pasquale, ran in to tell her father and Pasquale came to the door armed with a rifle and shouted to the Germans to get away. The German sergeant laughed and shot Pasquale in the leg. Pasquale fired back and hit the German in the hand.

In five minutes the town was in an uproar, and a party of 16 Germans plus four Italian Fascist paratroopers swarmed on to Pasquale's neighbors and began herding up all the men in the immediate neighborhood.

The whole affair did not take 30 minutes. With their tommy guns and pistols the Germans and Fascist Italians, whom the Italians hate almost more than the Germans, rapidly herded together all the men they could find. The youngest they got was Marco Grieco, a shy boy of 16, and the oldest was the father of the next door family, Antonio di Perro, a farm laborer working in the vineyards about Rionero.

Let Stefano di Mattia, the only survivor of this gruesome vengeance, speak:

"I heard shots and came up the street," said Stefano, "as did many others to see what was doing. Into the crowd charged the Germans and these four lickspittle Italian Fascist gangsters, who play along with the Germans, and before I knew it a pallid-faced German had me on the end of his tommy gun, herding me up the street into a little huddle of my townsmen. For days past, ever since the armistice, we have grown used to Germans and Fascists herding us up to do dirty work for them, or mend a road or carry their stuff. None of us dreamed what was to happen.

"It was all one confused dream, all in silence, broken only by the yells of Germans and the outcries of our women, instantly stilled. We were bustled up the street to the edge of the town, about 100 yards. There in an open field we were ordered to line up. By the faces and actions of the Germans and those four Fascists we suddenly knew what was going to happen.

"In front of us with tommy guns and pistols were fourteen Germans and those four Fascists. The German sergeant gave a command. The Italian Fascists translated to us with sneers, 'Kneel! kneel!' Before we could understand, the guns opened. We were just in a huddle. I felt the sting of a bullet on my right leg and I fell. Others, I don't know who, fell or struggled over me, drenching me with their blood. I lay still as death. I heard the voices of the Germans as they waded among us shooting at pistol point those still alive. Just across the road at the corner of the village, our women folk and a crowd of townsmen and children stared in silence.

"I know," said Stefano, "that they intended to burn us right in the ditch on the roadside, for they forbade any of the townsfolk to come near us, and I lay there till dark, while a sentry guarded the pile of dead. The women and neighbors came and pleaded to have the bodies to bury, but the sentry shouted, 'Everybody back.' Then, it seems, plans were all changed when your patrols began to be reported on the fringes of the town. At midnight 60 Germans left in a great rush with lorries and armored cars and by morning all were gone."

In the second vehicle to enter Rionero, which was the jeep of a 30-year-old lieutenant-colonel, I got into Rionero as soon as the patrols reported it clear, and we went straightaway to the scene of the atrocity. From a roadside ditch, caked with dusty blood, we went to the cemetery where we saw the still open coffins of the victims, awaiting burial. The bodies had lain all night in the ditch and were therefore placed in their caskets just as found, twisted and grotesque in their poor ragged blood-stained clothes of humble workers in the fields around these poverty-stricken Italian towns. It was the most terrible sight of my life, in this quiet cypress-shaded Italian cemetery, where the Italian dead always seem to lie so much more importantly than the living. Only the men of the town were there for the funeral. The women and children were all warned away from the cemetery by the men of Rionero, who spared the memory of their town this awful chapter. But we stood and watched it, and army cameras took pictures and army movies ground out the gruesome document of Rionero.

On the notice board of the town hall, the Germans had left this written testimony to their crime:

"There have been already killed 15 men who were responsible for having fired against the Germans. This serves as a warning to all rebels of what will happen to them if any further acts against Germans are perpetrated."

It was signed by the illegible scrawl of some officer or non-com who must have already felt the hot breath of justice on his neck.

In victory they are monsters. Here their bedraggled and harried rearguard, with the Allies on their very tails, are capable of monstrous acts. Not to enemies, but to humble, poverty-stricken, backward, gentle folk, who until two weeks ago were their allies. When the time comes soon for squaring of accounts, and I am permitted to attend the peace conference, will you, reader, please clip this story of Rionero out and save it against the day I might in those golden hours to come be guilty of one forgetting word, one sparing phrase, one apology for the dirty savage who roves these mountains now?

Save it and send it to me for my shame. But I went back and saw little seven-year-old Elena, who had run into the house to tell her father, Pasquale Sibilia, of the chicken the Germans were playfully about to collect. Pasquale, his leg shot, was also lined up. Pasquale is among those dead. The dark little cave-like house was filled with lamentation, as though Italians were Orientals, and when my uniformed figure appeared at the door and I asked for Piccola Elena, all I saw was a tiny ragged figure vanish into the inner darkness of the house. I did not ask further. I merely vowed to remember and remember that ragged little figure against the day these gray-green bastards plead before the bar of humanity.

Le cabinet (de guerre) mécanisé de Mackenzie King.
—Confucius a dit: "Toi pas pousser, lui pas marcher".

This Conservative cartoon dates from the first months of World War II, when the Opposition was charging that Mackenzie King's government was contributing too little to the war effort.

Cette caricature remonte aux premiers mois de la seconde Grande Guerre, alors que les conservateurs reprochaient au gouvernement de Mackenzie King de concourir trop peu à l'effort de guerre.

MATTHEW HALTON **SPEAKING FROM ITALY**

Matthew Halton's CBC broadcasts became famous in Canada for their vivid, often spontaneous descriptions of the fighting in North Africa, Italy and France. Broadcasting directly from the scene of the action added an exciting dimension to the news coverage of the war. Halton made this broadcast during the severe fighting that preceded the capture of Ortona by the Canadians. Ortona is a town on the Adriatic coast of Italy, a couple of miles north of the Moro River.

Les reportages de Matthew Halton à Radio-Canada devinrent fameux dans notre pays, car ils décrivaient avec une force qui souvent coulait de source les combats menés en Afrique du Nord, en Italie et en France. Ces topos émanant directement de la scène des batailles, ajoutaient une dimension épique aux reportages de guerre. Halton fit ce topo durant les âpres combats qui précédèrent la capture d'Ortona par les Canadiens. Ortona est une ville sur la côte adriatique de l'Italie, à une couple de milles au nord de la rivière Moro.

I am speaking from an Observation Post near the Moro River. This O.P. is in the wall—in the seventeenth century wall of a little old town on the Adriatic. It is twenty-five minutes past three. Five minutes from now—

Gordon: "It's twenty-six minutes past three, Matt."

What? Okay, thanks Gordon—it's twenty-six minutes past three. Four minutes from now there'll be a big—a tremendous artillery barrage laid down on the enemy positions across the Moro River from here. The barrage will continue intermittently for an hour or so, and at half past four our infantry—I can't say which infantry—will move across the valley—across the little river and up the other side—to attack the enemy positions.

For a long time today we have watched battle—battle enough. It's quiet now, but you'll hear it. It's incredible that—one is here watching a battle—and that one should have such a dramatic view of a battle. I see I've timed this badly—I thought there'd be a lot of noises for you right now but there's nothing—such a view of battle, and on such a gorgeous day—with a warm sun, and the Adriatic—dancing in the light. War on such a day seems particularly tragic—and unreal—it seems to have no objective reality—even when the enemy shells hit right on top of this O.P., as they do sometimes. You'll probably hear some. . . . It's so beautiful—I mean the view from here. The other side of the valley is an enchanting patchwork of vivid reds, greens and yellows—like daubs of paint—like a painting by Cezanne—and it's hard to believe at quiet moments like this that men are dying, and that the enemy is waiting there—only two to three thousand yards away. But now I'll take the microphone outside, because it's almost half past three.

(Half a minute of enemy fire.)

Now it is ten minutes or so later, and I'm back inside the wall, but no doubt you can still hear the guns—and perhaps you can hear the explosions of our bombs, our squadrons are bombing the enemy behind the lines. The enemy is shooting back at us, as you must have heard. No doubt you heard the ghastly whine and explosion of one shell that fell fifty yards from here, and perhaps the barking of a dog, a little black dog that was barking in anger.

From the windows in this wall I can see the gorge, and the enemy positions. Right now —

Gordon: There's an enemy plane up there.

That was the Canadian officer with me, Gordon Hutton of Calgary. . . . Right now there is action everywhere. But I can't see the enemy—yes, I see him now, or rather I see his trail, there's a white trail of vapor in the sky. . . . It's—It's an enemy observation plane. It's so high that we can't see it—we can see only that clearcut white trail of vapor. . . . It's climbing—it's shooting up like an enormous white comet—Gosh, it's a spectacular sight. I think—

Gordon: I don't blame it for shooting up. Can you see those four Spitfires after it? . . .

Oh, yes! Four of our aircraft are—racing up at the Boche . . . one is going ahead to cut him off . . . now they're shooting! Perhaps you can hear the bursts. . . . No I don't suppose you can. . . . The enemy plane is diving—like a comet diving. Now we can see it, it seems to be crashing. . . . No, I can't see what happened. . . . But listen to our guns now! I'll take the microphone outside again. But it's nasty out there, every half minute or so the enemy throws a shell right at this O.P.—sometimes a high explosive shell from an 88.-mm gun, sometimes an airbursting shell.

(*Half minute of shelling with enemy gun and vehicle.*)

I am back in the good wall. You could hear those guns. It's a terrific shelling. We get one or two shells every minute on this position, the Germans get hundreds every minute on theirs. The valley down there, through which our infantry have to attack, is one dense pall of smoke, and we can hardly see the town of Ortona just a couple of miles away . . . it looks very—ghostly now, perched up on its cliffs above the sea, seen through this terrible pall of smoke.

Perhaps when I was outside the last time, ten minutes ago or more, you could hear the sound of trucks and tanks and cars. There is another gorge on our left, and the vehicles are going back and forth across it in endless streams. The gorge and the bridge are being shelled all the time, but the vehicles never stop. Right now . . . right now an ambulance is approaching the bridge from the other side—a shell has just exploded in front of it, off the road . . . but the ambulance is coming across, —it's over. There's a military policeman—those are men with a tough job, the MP's who stand at the bridges—shellfire or no shellfire—to prevent traffic jams. A traffic jam down there could cost—it could ruin the battle. The MP stands there, straight and calm—and white-gloved—as if on point duty in a city—stopping this vehicle, giving priority to another, waving some other to come through. That's a drama down there—but that's only a—backstage by-play in this—this terrible show. Which hasn't really begun yet. . . . The guns make a big noise, but the show really begins—the curtain rises and the play begins at half-past four when the infantry go down into the valley—and through the smoke—the valley of the shadow—the fog of war—to attack. Their job is to clear the enemy out of his first positions so that we can put bridges across the Moro River without interference from small arms fire. The sappers will be shelled tonight as they build the bridge, but at least they won't be machinegunned. . . .

(*End of shelling.*)

It's twenty minutes later, and now we can't hear a sound. . . . Just near us there are 126 German prisoners. I was with them when a squadron of our medium bombers were attacking their pals—when that happened we heard Germans cheering. The Germans were putting up a terrific ack-ack barrage, and one of our planes was hit squarely, and burst into flames in midair. The Germans cheered. They are troops of the German Ninetieth Light Division, which was the elite of Rommel's Africa Corps in our—old Libyan days. It was an elite, but it isn't now. . . . The old Ninetieth Light ain't what it used to be. Not such good soldiers. But still pretty good. They gave us a tough fight. They've fought well. . . . There were seventy of them in a huge dugout near here the other day. They wouldn't surrender—they killed the sergeant who offered them a chance to surrender. They are all dead now, the dugout is their grave.

An officer asked these prisoners if they thought Germany would win the war. They laughed and said it would be a draw. They said—

Gordon: Matt, it's half-past four, the attack is going in."

But the guns are still shooting. . . . I'd better take the mike outside again. Perhaps—

(*Half minute of shelling.*)

That was part of a recording made at the Moro River front today during a tremendous shoot on the enemy positions. It's dark now, and all is quiet except for the machineguns across the valley. . . . God knows what's happening down there. . . . Our men are down there, fighting in the dark.

(*Half minute or fifteen seconds of shells.*)

This is Matthew Halton of the CBC speaking from Italy.

ROSS MUNRO ASSAULT ON THE WEST WALL

The Canadian forces taking part in the D-Day invasion were the Third Infantry Division and the Second Armoured Brigade. The First Canadian Army did not become operational in France until July 23, but from then on it played a decisive role in the drive to the Rhine and beyond. Operating on the left of the Allied line, the First Army carried out many of the hard and bloody tasks that were necessary to ensure the Allied success, such as the capture of Falaise and the Channel ports and the clearing of the Scheldt estuary around Antwerp. The Canadians suffered 31,096 casualties from D-Day to the year's end; by February 12, 1945, they had taken 124,520 enemy prisoners.

The invasion of Normandy was Ross Munro's fourth assignment to a combined operation under fire: Dieppe, Sicily, Italy, then France. The following story was the first account of the D-Day landing to go out to the world.

Les forces canadiennes qui ont pris part à l'invasion le jour J comprenaient la 3e Division d'infanterie et la 2e Brigade blindée. La 1re Armée canadienne n'est devenue apte aux opérations en France que le 23 juillet, mais à partir de ce moment-là, elle a joué un rôle décisif dans la poussée vers le Rhin et au delà. Manoeuvrant sur la gauche de la ligne Alliée, la 1re Armée exécuta bon nombre des tâches difficiles et sanglantes qui s'imposaient pour assurer le succès des Alliés, tâches comme la capture de Falaise, des ports de la Manche, le nettoyage de l'estuaire de Scheldt autour d'Anvers. Les Canadiens ont subi 31,096 pertes du jour J à la fin de la guerre; au 12 février 1945, ils avaient fait 124,520 prisonniers.

Lors de l'invasion de la Normandie, c'était la quatrième fois que Ross Munro était affecté à des opérations conjuguées, sous le feu: Dieppe, la Sicile, d'autres régions de l'Italie, puis de nouveau en France. Le reportage suivant constitue le premier compte rendu qui ait été envoyé à l'univers touchant le débarquement du jour J.

WITH CANADIAN FORCES LANDING IN FRANCE, June 6—(CP Cable)—In two hours and 45 minutes of fighting on the beaches here, the Canadian invasion force won its beach-head and shoved on inland.

At 10:45 this morning the Canadian Commander (Gen. Keller) sent this message to Gen. Crerar, G.O.C. 1st Canadian Army: "Beach head taken. Well on way to intermediate objective."

The strip of coast won by the Canadians in this initial assault was quite narrow, but it gave them the beaches and provided a base for further penetration.

There was some stiff street fighting in the little coast towns and the Canadians also met considerable enemy fire on the beaches and as they worked their way into the defences. They had to overcome numerous steel and wooden obstacles which were placed out on the tidal part of the beach and which were covered at high tide to trap landing craft. However, the assault went in at 7:15 a.m. just as the tide began to rise and many of these obstacles were cleared away by the engineers before the water covered them, thus enabling follow-up craft to beach and unload.

Some casualties were suffered in the assault by the Canadians from enemy machine-guns, mortars and artillery fire.

By 10:00 a.m. the Canadians were about 1,000 yards inland and going strong, meeting only small pockets of Germans. The first prisoners were taken and identified as belonging to a coastal unit. On other parts of the front near us the operation is moving along. Canadian and British airborne troops did a good job when they dropped and came in by gliders at 3:30 this morning. They captured several bridges and held them.

Cruisers provided very effective support to the Canadians and one cruiser knocked out a troublesome battery about a mile and a half from the coast with six direct hits.

Enemy tanks are reported about 10 or 15 miles south of the beach-head and some enemy transport is also moving.

Up to noon the German air force has not shown

up. It is estimated to have 2,350 aircraft in Western Europe but it looks as if the air attack will come tonight.

The French coast is still wreathed in smoke driving far down the Channel. In some of the bombarded towns fires are burning and destroyers and support craft are still prowling up and down the coast to finish off anything else that may show up.

The Allied air cover over the fleet and the beachhead is complete. Every few minutes Spitfires or Lightnings sweep past in the sunshine. The wind shows signs of abating.

The assault in this sector saw our troops bounce through a stormy sea in landing craft and in broad daylight storm the beaches and battle their way inland. An hour and a half after the landing, reports of successes began to come in rapidly to the Headquarters ship.

The big surprise in the Second Front attack was that it went in in daylight. A heavy sea was running and small assault craft plunged headlong through six-foot waves to reach the beaches and land troops. For miles along the coast the invasion fleet is lying offshore shoving in men, supplies and vehicles.

As we crossed the Channel and the fleets mustered from ports all over Britain, R.A.F. heavy bombers struck at beach defences and specific targets up and down the long coastline. As daylight came, United States medium bombers took over the bombing and sent hundreds of planes over the beaches dropping high explosives all along the beaches. Then Fortresses and Liberators went in, with a roar that drowned out the naval gunfire, and struck other targets. Cruisers started off the naval bombardment, which was by far the heaviest coastal shelling of the war. For 40 minutes, hundreds of guns fired without a let-up.

Under cover of this colossal barrage, Canadian infantry and engineers in the first assault waves plunged through the white-capped waves in their landing craft, and the first regiment touched down on this sector at 8 a.m.

Other units followed in rapid succession. Some came under heavy machine-gun fire and shelling but they fought their way forward and gained their first objectives on scheduled time.

Allied tanks also landed with the assault force and went into action with the infantry. The deliberation with which this huge fleet stopped off the coast after dawn and formed up for the assault was astounding. The Navy had everything under control and there was not the slightest interference in the early morning from enemy surface craft.

Fighter patrols were over the fleet from daylight on, Spitfires and Lightnings. In mid-morning the sea began to calm, and the black rain clouds and high wind which had threatened to upset the operation in its early stages changed for clearing skies and a falling wind.

All the way across the Channel, there was no interception of our particular Canadian convoy in which landing craft of the Royal Canadian Navy carried Canadian infantry.

So far the operation seems to have gone as well as could be expected. Destroyers and gunboats are cruising up and down the coastline banging away at last coastal points of resistance on our beach.

Now the rest of the assault troops are going in. I am going ashore with them.

MATTHEW HALTON

SPEAKING FROM FRANCE

At the end of the first day of the Normandy invasion the Third Canadian Division had pushed six to seven miles inland, farther than any other division in the assault force. From there it was a short distance to Caen and a mere 21 miles to Falaise. But the Germans had decided that Caen was the key to their position, and mounted a furious resistance to the Canadians and the other formations of the British Second Army. As a result it was a month before the city finally fell, and during that time it suffered terrible destruction, as this broadcast by Matthew Halton shows.

Le soir du premier jour de l'invasion de la Normandie, la 3e Division canadienne avait pénétré six ou sept milles à l'intérieur. Elle avait poussé plus loin que toute autre division de la force d'assaut. Caen n'était pas loin et Falaise seulement à 21 milles de distance. Mais les Allemands avaient jugé que Caen était la clé de leurs positions. Ils organisèrent une furieuse résistance contre les Canadiens et les autres formations de la 2e Armée britannique. Par suite, il s'écoula un mois avant la chute de la ville. Dans l'intervale, Caen subit de terribles destructions comme le montre le texte de ce reportage radiophonique de Matthew Halton.

This is Matthew Halton of the CBC speaking from France.

The people of Caen welcomed us in the reeking shambles of their city today and sang the Marseillaise, to the accompaniment of gunfire, shell bursts and street fighting.

Amid their thousands of dead and wounded men, women and children—most of them the victims of our bombs and shelling—amid worse wreckage than I've seen in any war or campaign, amid fire and smoke and bursting shells and diving enemy aircraft, with street fighting a few hundred yards away, several thousand people of Caen came out of the ancient abbey church and school where they'd been taking shelter to watch the flag of France broken from a masthead and to sing the Marseillaise with strained and broken voices and with tears running down their cheeks.

We've become accustomed to the bravery of the French civilians on the battlefield, and to the fact that they welcome us with open arms even as our shells and bombs burn and kill them. But we hadn't expected anything like this. On the night before D-Day we poured down a thousand tons of bombs on Caen and two or three nights ago we turned four hundred and fifty Lancasters loose on the town. In addition, we've poured hundreds of thousands of shells into it. We did expect to find some coolness if no actual hostility when we met the survivors of Caen.

But this morning they too welcomed us with open arms and with tears of joy.

I and my colleague Marcel Ouimet got into the town early this morning. The smoking shambles of the streets were still deserted except for our fighting men, and engineers clearing mines, and French Red Cross workers and police looking for wounded. At first the place looked like the end of the world, and I couldn't describe it if I wanted to. But working toward the heart of the town we found a few streets not totally destroyed. Then we came suddenly on to a little square, the Place de la Lycée Malherbe. There to our astonishment we saw a great church and school which weren't damaged at all. The Church was the famous

Abbaye aux Hommes, a thousand years old. Two thousand people have been sheltering in that church for several weeks, and about four thousand people in the old Lycée or school beside it. Not one bomb or shell touched the church. If you could go there and see the rest of Caen you'd say this was a miracle.

I went into the church and saw a tapestry of our times that I'll never forget. There were two thousand people in there, mostly women and children. They'd lived and slept and eaten there for several weeks. Babies had been born there at the foot of the sanctuary and wounded people had been tended above the tomb of William the Conqueror, after being brought in from the shambles outside. Yet the great church was as clean and orderly as the halls of Buckingham Palace.

My colleague and I were almost the first men in British uniform these people had seen—though they'd known that British and Canadian soldiers got into the town yesterday. As we moved slowly down the great nave hundreds gathered round us to shake our hands. All were calm and dignified, but their enthusiasm was deep and touching. And they thanked us—but they are the brave ones. To see Caen today is to see greatness and grandeur. When they saw our shoulder patches they cried, "Long live Canada!"—We replied "Long live France"—and we know that the France that produces these people will live and grow.

At half past eleven there was a five-minute ceremony that you wouldn't believe if you saw it on the films—an improvised ceremony to raise the flag of France in the square now that Caen was free. The men and women of the Resistance movement paraded at the flagstaff wearing their armbands bearing the cross of Lorraine—men and women, who, true to France and her allies, had risked death and torture for four years. Hundreds of people, braving the shells that were screaming over and the falling fragments of anti-aircraft shells, came out into the square. And the flag of France was raised to the masthead. The young leader of the Resistance movement, a great hero of this war—his work accomplished at last—put his hands over his face, and reeled two or three steps and began to weep. Then he straightened up and called for the Marseillaise. Almost all the men, women and children were weeping as they sang the great marching hymn of valor and freedom. In this recording you can hear the broken and tortured voices of these unbroken people singing the Marseillaise amid the shambles of Caen, amid the gunfire and amid their dead.

(*One minute recording.*)

During that ceremony one enemy shell swished in very close. I know from experience the scream of a shell that's coming close, and I ducked. So did most of the other correspondents and soldiers there. But of the French people—who also know from experience the scream of shells that are coming close—hardly a man, woman or child so much as moved. We are all marvelling at that sight.

We saw and heard many notable and moving things.

When I was leaving the church a boy of seven or eight came up to my colleague Marcel Ouimet and said: "Are you going now to seek my father?" "Where's your father?" Ouimet asked. "In Germany," the boy replied.

I met a girl of the Resistance movement who'd been sheltering and hiding escaped British soldiers for four years. She's sheltered a number of Seaforth Highlanders in her house for several months.

I said to that girl: "You are brave people." She replied: "Ah monsieur, the bravest of us are in prison or they've been shot. All our best and bravest leaders—most of them men and women unknown before the war—have been put away. The Germans have shot no less than seventy-five thousand of them."

The chief of police told me something else. On June the sixth, eighty-nine of the Resistance movement in Caen, including three women, were in prison. When the Germans heard of our landing they shot the whole eighty-nine.

Every day in that great lovely church there were scenes that might have come out of Victor Hugo. Throughout all the shelling and bombing during those apocalyptic weeks the mass was celebrated in the church three times a day. Three times a day those two thousand people as they knelt heard the music of the Kyrie Eleison coming from the organ. There was no electricity to supply power for the organ, so three times a day, amid the fury, the children in the church worked the bellows with their hands and feet. . . . Outside, the world crashing and burning, but the church never once was hit by a bomb or shell.

The community was organized to the last man and woman. As the terrible days went on more and more of the first-aid workers and police and firemen were killed, but there were always new volunteers to take their place. Every male between the ages of six and sixty had his appointed job, whether carrying food or water under fire or helping the doctors and nurses or cleaning the church or nursing babies. Many stayed on willingly when they could have left. It's one of the noble stories of the war.

FREDERICK GRIFFIN

FALAISE'S AVENUE OF DEATH DESCRIBED BY GRIFFIN

After the fall of Caen there was another month of vicious fighting before the First Canadian Army reached Falaise. Once they had captured that town, the Canadians turned south and east to join up with the Americans in an attempt to cut off the frantically retreating Germans. Many German soldiers managed to escape but many others didn't, and this closing of the "Falaise gap" was a serious blow to the Wehrmacht.

The following story of the capture of Falaise is by Frederick Griffin, a leading feature writer for the Toronto Star *from 1919 to 1946.*

Après la chute de Caen, d'âpres combats se livrèrent pendant un autre mois avant que la 1re Armée canadienne n'atteigne Falaise.

Après avoir capturé la ville, les Canadiens se dirigèrent vers le sud et l'est pour se joindre aux Américains dans l'espoir de barrer la route aux Allemands qui battaient frénétiquement en retraite. Beaucoup de soldats allemands réussirent à s'échapper, mais bien d'autres n'y parvinrent pas, et le colmatage de la "brèche de Falaise" porta un dur coup à la Wehrmacht.

L'article suivant qui évoque la capture de Falaise est de Frederick Griffin, qui fut, de 1919 à 1946, un des principaux rédacteurs de reportages spéciaux du Star *de Toronto.*

With the First Canadian Army in France, Aug. 18—The last clean-up of Falaise was going on Thursday afternoon when I reached the edge of this lovely medieval town towards which the Canadians have fought for the past month. Twenty miles in a month from Caen, a long month that cost a good many Canadian lives—and yet in a jeep today I drove back up the straight road from Falaise to Caen through military traffic in exactly 45 minutes.

Falaise is at last ours, except for at the moment, one pesky German bazooka or portable mortar and a few fanatical snipers. Many times in the past months as our troops fought grimly down the corridor from Caen, which the Germans held so desperately, it seemed as distant as Paris.

As I stood on the hill within a kilometre of the town on the north road it lay below, gray, old and beautiful, with many trees, in a valley cup of the river Ante, which trickles through its northwest edge. It looked peaceful enough, but shots sounded and the ruins of St. Gervais church were still smoking. The Church of the Trinity, another medieval shrine, seemed not too badly damaged. The fine chateau high up on the west side of it was seemingly untouched.

So this small market town lying so snugly in the hills was the objective for which the Canadians have fought for so long and so hard because it is a road centre. Now some of our units are dug in on those hills yonder to the south.

Falaise, perhaps one-tenth the size of Caen, has not suffered as badly as Caen. It suffered, as a road junction, considerable bombing earlier, but has since taken no such punishment as Caen, so that the quaint and lovely pattern of it remains and much of its Norman form survives.

But when the Canadians took it they took a dead town. Up to the time I write only some 30 or 40 of its former 5,000 citizens have come out of holes and hiding places to greet the liberating Canadians. The others were all gone somewhere, driven out by the Germans when they regarded it as the last bastion of the corridor, indeed of the bridgehead.

Where its people went nobody yet seems to know. This

afternoon the road to the south toward Argentan had many refugees moving along it and latest reports showed some 500 flocking into Falaise.

This morning an elderly Falaise couple, man and wife, came creeping out of a basement where they had hidden and greeted the incoming Canadians with information about the Germans. As they talked to our men a sniper fired at them and killed the woman. This was told to me by the officer commanding the troops, who took Falaise and have since been mopping it up.

Incidentally one of the few citizens who stayed in Falaise as the Canadians drove down the corridor and into the town as the Germans sullenly pulled out was the mayor. He is already working with officers of civil affairs branch on plans to restore life to it.

The unpopulated state of Falaise is matched by the whole Caen-Falaise corridor. This stretch of French countryside, some 20 miles long with a width of from three to perhaps 10 miles, does not contain a living soul except Canadian soldiers. All its people are gone heaven knows where, driven forth by the Germans from their villages and farms. Going down to Falaise with my companions, Dick Sanburn of the Southam papers, and Bill Stewart of the Canadian Press, I took a route along back roads to the west of the main highway between Caen and Falaise from Bretteville Sur Laize south. This was partly to follow the Laize river valley, which had marked the west axis of the Canadians' recent advance.

It was also partly to get away from whatever danger there might be on the main highway, although we came back that way.

Driving south and driving north again, I did not see, except soldiers, a single human being. I did not see a horse or a cow, a pig or a chicken. I saw one lonesome black dog loping along a road, and at one Canadian unit headquarters, I saw a small red calf lying in some straw in a corner of a farmyard.

Otherwise the land, this fruitful land, was as deserted as a land of plague. No child romped, no cock crew in this countryside plowed and harrowed by the fearful juggernaut of modern war. Crops stood uncut, orchards untended. Dahlias bloomed in gardens and there was none to view their beauty but tired, dusty men from Canada. There were no cows to milk and no one to milk them. Homes, yards and barns were untenanted. From this rich and vibrant stretch of Normandy, the cradle of many generations of men, every living thing was gone.

On all sides might be seen the gashes, the ruins, the dreadful bric-a-brac of war in the form of smashed and burnt-out tanks and carrier vehicles. Wednesday eve I had made a briefer visit down as far as the quarry at Haute Mesnil and seen the scarred, tortured remains of what had been Tilly La Campagne, one of the villages for which the Canadians had fought so long. Even its Lombardy poplars were smashed into jagged sticks.

Perhaps the most dreadful sight of all was Quesnay wood, which R.A.F. heavy bombers had literally blasted yard by yard to aid the Canadian advance toward Falaise. The riven trees were in many cases uprooted. The topsoil was completely gone and the gray underneath was pocked with overlapping craters in a horrible chaos. In that wood nothing could have lived, nothing. That bombing dug deep into German shelters and strewed misshapen vehicles about like bits of old tin cans.

As I drove down south in from Haute Mesnil through Gouvix, St. Gervais la Vasson, Clair Tizon, Ussy and Villers-Cateret to Falaise I saw varying fearful effects of war's passing. And one village, St. Gervais la Vasson, stood out as a symbol of how lovely some of the villages had been before they became in whole or in part rubble heaps.

St. Gervais lay virtually unhurt on a peaceful back road like a Sussex road in a winding silence. For all its people too were gone. But, unlike the other villages its homes with their curtains and their geraniums awaited their return. It was merely as if everyone, man, woman and child was away at mass and would soon be back. How happy will be their return by contrast with their neighbors of these many other villages to whom return will bring great grief.

There were many things I might have noted but actually in this panorama of a countryside from which all life had gone except the life of the soil I noted particularly only one thing. That was a graveyard of German SS troops by the roadside near Ussy.

We got out for a moment and viewed curiously this French resting place of 100 Nazis. It was neat and ordered and exact. Unlike the simple crosses over our soldiers it had over each an iron cross. At the head of the cemetery was a larger cross on a cairn of stones.

This was no ordinary hasty burial place such as may be seen so often on these battlefields of the world. It had an air of occupancy, of permanency which mocked the Germans, who had left so fast this land they had conquered and ravaged. Each plot had a neat square of stones around it. On each was planted a matching plant. Paths were covered with red pebbles. Tiny firs like the trees of Kris Kringle had been planted with mathematical care around and across.

But to return to Falaise itself. At a forward command post we met the officer commanding the forces in the attack and cleanup. He told us how men of western Canadian units had gone through the town Wednesday evening and night and how French-speaking Canadians had been all day cleaning it up in ugly street fighting.

The toughest part, he said, had been getting into the town. It had had a strong crust of the usual German defences, 88-m.m. guns, self-propelled guns, machine-guns and snipers. Then there was the river to cross, with the main roads to the bridges barricaded with rubble and other obstacles. On the southwest side craters from bombing attacks made another kind of obstacle to the Canadians in their attack on the town.

The southwest part of the town is high and there the Germans had considerable light artillery. They were using churches as strong points and sniping from the spires.

Canadian tanks supporting our infantry had to strike at these infested spires. One church evidently used as a gasoline pump caught fire and blazed furiously and was still smouldering.

Many houses also burned. It was by the light of these fires that the Canadians fought their way through the town and by dawn were in positions above high ground to the west and south.

French-Canadians went in to do the nasty job of "winkling" the remaining German desperadoes out of cellars, churches and heavy buildings. These shadow forces, flitting from spot to spot, from building to building, from street to street by picked passages and even tunnels, had a strong and vicious fire power.

They had over 50 machine-gun posts at points of vantage to sweep streets, plus three tanks or self-propelled 88's and eight or 10 easily carried infantry guns. These had been all cleaned up by later afternoon except for the bazooka I have mentioned, which is a kind of German Piat gun, and a few fleeting snipers.

By nightfall all this last wasplike nuisance fighting had been silenced and Falaise was a silent city without people. Beyond it Canadians held the high ground down toward the gap to Argentan, poised lest the Germans stage either a counter-attack or an attempt to break out. They were ready for either.

MATTHEW HALTON

SPEAKING FROM PARIS

The Americans and the Free French entered Paris on August 25, 1944. The Canadians meanwhile were performing the less spectacular task of clearing the "buzz-bomb coast" along the English Channel. But Matthew Halton of the CBC was present at the liberation of Paris, and gave this exciting description of the event to his listeners.

Les Américans et les Français libres entrèrent à Paris le 25 août 1944. Pendant ce temps, les Canadiens remplissaient une tâche moins spectaculaire. Ils nettoyaient la "côte des V-1," le long de la Manche. Mais Matthew Halton de Radio-Canada avait assisté à la libération de Paris. Il en a donné à ses auditeurs la description palpitante que voici.

This is Matthew Halton of the CBC speaking from Paris.

Speaking from Paris! I am telling you today about the liberation of Paris, about our entry into Paris yesterday, and I don't know how to do it.

Though there was still fighting in the streets, Paris went absolutely mad. Paris and ourselves were in a delirium of happiness yesterday, and all last night, and today.

Yesterday was the most glorious and splendid day I've ever seen.

The first French and American patrols got into the outskirts of Paris the night before last. Yesterday morning the soldiers were coming in in force. I came in with them, with French troops, into Paris.

I believe the first Canadian to enter Paris was Captain Colin MacDougall, of the Army Film and Photo Unit, and I think I was the next.

We came in from the south, along the Avenue de l'Italie. For hours we had strained our eyes for the first sight of Paris, and then suddenly there it was, the most beautiful city in the world, and the people surging into the streets in millions.

I don't know how we got along those streets. We were among the first vehicles, and the people just went mad. We drove for miles, saluting with both hands and shouting *Vive la France* till we lost our voices. Every time we stopped for a second hundreds of girls pressed round the jeep to kiss us, and to inundate us with flowers.

But as we drove along the Boulevard St. Germain toward the river and the bridges leading to the Place de la Concorde, the crowds thinned out, because there was fighting just ahead in the Chamber of Deputies. There was machinegun fire, rifle fire by German snipers, and an occasional shot from a tank.

For half an hour we watched the fighting—battle in the streets of Paris. It was indescribably dramatic—fighting, yet the people frantic with the joy of liberation. We saw Germans stop fighting and come with white flags to surrender to the French soldiers lying behind their barricades.

Then I asked a policeman how we could get around the

fighting, and across the river to the Opera and the centre of the city. I asked if there was still fighting round the Opera. The gendarme at once telephoned to the Maquis. The Maquis sent two young men and a girl in a car to lead us around.

From that moment on I knew what it was to feel like a king. These three people of the Maquis came and got me—two young men and a girl, an actress, one of the loveliest women I've ever seen. They broke into tears when they saw I was Canadian and they kissed me twenty times. Then they took me in their car, and we drove through the wildly cheering crowds with our arms round each other. We crossed the river to the Ile de la Cite, the cradle of Paris history—and us there hand in hand with history—and past Notre Dame, and then up the avenue of the Opera to the Scribe Hotel. Here the crowds were just beginning to come into the streets, mad with happiness, and with my friends shouting *"Il est Canadien!"*—he's a Canadian. And I knew what it was to feel like a king. We were all kings for a day.

In fact, when I asked the proprietor of the Scribe Hotel whether it would be possible to get writing paper, he said: "You can have anything in the world you wish. You are a king."

Men, women and children kissed us and thanked us for coming. Walls were knocked down to produce stores of champagne hidden from the Germans. In a few hours I made friendships that I'll treasure all my life. The only sad thing, it seemed to me, was that British and Canadian troops, who have done so much and suffered so much, were not taking part with their American and French comrades in the entry into Paris. They should have taken part in this glory—the most glorious thing I've ever seen. For years we have dreamed of this day, and tried to imagine what it would be like; and the reality is more wonderful than I'd ever expected.

Paris is not only the most beautiful city in the world. Paris is so much more than that. Paris is a symbol. Paris is victory, freedom, democracy. In some ways Paris is all that we've fought for during these long terrible years. The fall of Paris was one of the darkest days of History. Her liberation is one of the brightest.

The last time I was in Paris was on August the twenty-fifth, 1939. On that day the world was out of control and rushing toward the abyss, and France knew already that she was doomed. Five years later to the very day I returned to Paris with the liberating army. It's a moving thing for which I have no words.

For weeks, as we strained toward Paris, there was the fear that the city might be destroyed. If the Germans held Paris as they held places like Caen, there would be nothing for it but destruction. But happily things have gone otherwise, the city of light—Paris—is not destroyed. She hardly seems to have changed. The dream has come true. You can still stand in the Tuileries gardens in front of the Louvre and look across the Place de la Concorde and up the Champs-Elysees to the Arc de Triomphe, the most splendid view in the world. Yes, and driving up the Champs-Elysees yesterday we knew what it was to be a king.

I drove up the Champs-Elysees with my friends of the Maquis. Sometimes we were all in tears. One youth with me is a descendant of Jacques Cartier. He has fought the Germans inside Paris and elsewhere for four years; his father and his brother have been killed. The young actress I spoke of has for three years been a key link in the chain by which our aviators have been hidden, protected and got out of France. I have talked all night to these people and their friends. Sometime I shall tell their story.

When we got into Paris yesterday the Germans under General von Choltitz, military governor of Paris, were still holding out in five places—the Military college, the Chamber of Deputies, and the Senate, the ministry of Marine in the Place de la Concorde, the German headquarters at the Opera. But just after noon yesterday the German governor asked General LeClerc, commanding the French forces, for an armistice. At half past three the armistice was signed. At that hour Paris was free, after eight days of fighting in the streets.

The armistice was signed by General LeClerc and by Colonel Pol, commander of the Maquis in the Ile de France. An hour later General de Gaulle was in Paris, making a triumphal tour. He went first to the Hotel de Ville, the historic town hall of Paris, which had been seized by the Maquis four days ago. The General made a sober speech. He said: "Germany trembles, but she is not yet destroyed. Combat is still the order of the day. We must enter Germany as conquerors."

One of the most moving things I've ever seen was the entry of French troops into Paris. French troops who had continued the fight for four years, and now had come home. The reception sent thrills tingling down our spines. They were in American battledress, in American tanks and half-tracks; but the colors of France were painted on each vehicle, and each one bore the name of a French town or a French hero or a French sentiment.

At times, however, this unforgettable parade

turned into battle. Once, at the Sorbonne, Germans concealed in a building fired into the crowd and killed men, women and children. The Germans were attacked and killed; but there were other such incidents. The men of the Maquis warned the crowds that there were still Germans in this street or that. But Paris was mad with joy and followed the French tanks down the streets and into action. It was absolutely fantastic. Occasionally, amid the delirium, people formed groups and stood at attention and sang the Marseillaise. Never did the words seem more apt than now: "Against us stands the bloody flag of tyranny. . . . The day of Glory has arrived!" There would be more shooting. Then again the cheering and the handclapping would sweep down the streets as more French troops appeared; and by now the streets were beds of flowers.

Can you blame me if I call this fantastic?

Paris is free. Paris is happy again.

This is Matthew Halton of the CBC speaking from France.

CBC—August 19, 1945

A. E. POWLEY **SPEAKING FROM LONDON**

Contrast this account of a service in St. Paul's thirteen days after Hiroshima with Rudyard Kipling's self-assured, measured, reverent description of 1915. The dread that was in men's minds after the dropping of the atomic bombs on Japan comes through quite clearly in A.E. Powley's broadcast.

Comparez ce récit d'un service qui eut lieu dans la cathédrale Saint-Paul, 13 jours après Hiroshima, avec la description mesurée, respectueuse, pleine de confiance en soi que Rudyard Kipling donnait de la même cérémonie en 1915. L'épouvante que les hommes éprouvaient après le bombardement atomique de villes du Japon transparaît dans le texte du reportage radiophonique d'A.E. Powley.

This is A. E. Powley of the CBC, speaking from London.

Sitting in St. Paul's this afternoon waiting for the Thanksgiving Service to begin, I made a try at thinking what it was all about—victory, and the end of the war everywhere. But instead I was soon looking up into the dome and thinking about atomic bombs. It's easy to think about bombs in the neighbourhood of St. Paul's. If you look at the cathedral from outside—from north, south, or east—you see the dome rising from amidst a waste of bomb ruins. Or if you are inside, it's easy to imagine what one V2 Rocket would have done if it had come hurtling down on the dome from the stratosphere. And then you realize that even thinking about V2 rockets is thinking in obsolete terms. One atom bomb, and not only the dome and the whole cathedral, but perhaps most of London, would disappear in the same instantaneous swirl of dust.

This was to be a service of thanksgiving to Almighty God for the victory granted to Britain and her allies. There could hardly be a man or a woman in the cathedral, or among the thousands who lined the streets to cheer as the King and Queen and the princesses rode by in their state landau, who didn't know and think about the fearful new power that has come into being; not one of us but had some dreadful sort of understanding that we had entered into a new age of history; but still we had come, in the old way and in the old faith, to give thanks. Whether we were in the cathedral or among the crowds outside, or hundreds or thousands of miles away, we were giving thanks.

It would be possible now for the dome of St. Paul's and everything else in the world that is gracious and beautiful, to be destroyed in successive instants. But the Prophets and Evangelists looking down from the mosaics, and the congregation and the order of service that we held in our hands, and the sound of cheering that came rolling into the cathedral from Ludgate Hill, all proclaimed the faith that such things should not happen. The trumpets that sounded a fanfare as the King and Queen entered proclaimed it, and so did the psalm of praise when it said:

Tell it out among the heathen that the Lord is King, and that it is He that hath made the round world so fast that it cannot be moved.

The Archbishop of Canterbury preached the sermon. He called the service an affirmation of faith, but he said it was also a prayer for cleansing. We had fought for the light against spiritual darkness, but in doing so we had had to enter the darkness ourselves and to use the powers of darkness. At the war's end the atomic bomb had come as a shocking reminder that war, even though it was fought to preserve the sanctities of life, was an unclean business. As we thanked God for our deliverance we must also pray Him to turn our minds to the works of charity, reformation and peace.

The hymn that followed the sermon was Blake's *Jerusalem*. Here is a recording made as the choir and congregation sang it:

(Recording:

Bring me my bow of burning gold:
Bring me my arrows of desire:
Bring me my spear: O clouds unfold!
Bring me my chariot of fire.

I will not cease from mental fight,
Nor shall my sword sleep in my hand
Till we have build Jerusalem
In England's green and pleasant land.)

There were prayers for the suffering, the wounded, the hungry, homeless and bereaved; for the leaders and peoples of the United Nations, and for our enemies in defeat; and a prayer to kindle in the hearts of all men a true love of peace. The choir sent the noble words and notes of the Te Deum soaring to the top of the dome, and when the service was over, and the King and Queen were leaving, the bells of St. Paul's, pealing far over the city, made their affirmation of faith.

This is A. E. Powley of the CBC speaking from London.

The Confederate, St. John's—May 31, 1948

JOSEPH R. SMALLWOOD

MOTHERS—READ THIS

After rejecting Confederation in 1867, Newfoundland, Britain's oldest colony, officially became a province of Canada in 1949. Newfoundland's economic and financial difficulties, stemming from World War I expenditures and the pressures of the Depression, had been so great that in 1934 Britain had deprived the colony of responsible government. The governing of the island was entrusted to a Commission consisting of three Newfoundlanders and three outsiders. After World War II there followed much debate over whether Newfoundland should return to its old form of self-government or join Canada. In the second of two referendums in 1948, the people of the island decided by a 52% majority to unite with Canada. The man chiefly responsible for bringing his fellow-citizens to that decision was J. R. (Joey) Smallwood, who has been Liberal premier of the province ever since. Three days before the first referendum, Smallwood wrote the following editorial for The Confederate, *a weekly publication of his Newfoundland Confederate Association.*

Après avoir rejeté la Confédération en 1867, Terre-Neuve, la plus vieille colonie de la Grande-Bretagne est officiellement devenue une province du Canada en 1949.

Les difficultés économiques et financières de Terre-Neuve, qui tenaient aux dépenses de la première Grande Guerre et aux pressions de la crise des années 30, avaient été si grandes qu'en 1934 la Grande-Bretagne avait privé la colonie du régime de responsabilité ministérielle. Le gouvernement de l'île fut confié à une Commission qui comprenait trois Terre-neuviens et trois personnes de l'extérieur. Après la seconde Grande Guerre, on débattit beaucoup la question de savoir si Terre-Neuve devait retourner à l'ancien régime de responsabilité ministérielle ou se joindre au Canada. Lors du second des deux référendums, en 1948, les gens de l'île décidèrent par une majorité de 52 pour cent de s'unir au Canada.

Le principal artisan de cette décision fut J.R. (Joey) Smallwood, libéral qui est premier ministre de cette province depuis ce moment-là. Trois jours avant le premier référendum, Smallwood écrivait l'éditorial suivant pour le Confederate, *hebdomadaire de son Association de Terre-Neuve pour la Confédération.*

Every mother in Newfoundland should vote for Confederation.

Never mind what the politicians say. Never mind what the newspapers say. Never mind what the men say.

If you have children, YOU SHOULD VOTE FOR THEM.

If you have no children, YOU SHOULD VOTE FOR OTHER MOTHERS' CHILDREN.

Confederation is good for the children.

Confederation is good for the mothers.

Confederation is good for the family.

Once we get Confederation we know that NEVER AGAIN WILL THERE BE A HUNGRY CHILD IN NEWFOUNDLAND.

There will be hungry children under Commission Government. There will be hungry children under Responsible Government. There will be NO HUNGRY CHILDREN under Confederation.

Be sure to VOTE. Let NOTHING hold you back. Let NOBODY hold you back. Vote, suppose you have to crawl on your hands and knees to do it.

If it rains cats and dogs, GO OUT AND VOTE.

If it is the worst weather you ever saw, GO OUT TO VOTE.

A Vote for Confederation is a vote for the children.

EVERY VOTE COUNTS.

All over the country—North, South, East and West, the women are going to vote for Confederation. Perhaps a few, rich, selfish women will vote for Responsible or Commission. All the rest of the women are going to vote for Confederation.

Go thou, and do likewise.

Mark your X for Confederation and make Newfoundland a happier place for the children.

The Albertan, Calgary—Thursday, December 2, 1948

30,000 WELCOME GRID CHAMPS

The Grey Cup takes its name from Earl Grey, the Governor General who presented the cup for amateur competition in football in 1909. In the Grey Cup game of 1948, (which by this time had become a professional affair), the Calgary Stampeders not only won the game; but their supporters, coming in crowds to Toronto, introduced a new era of flamboyant parades and celebrations. At the time these jubilations seemed exciting and amusing, a fresh symbol of the ties binding Canadians together. But the elaborately over-organized and over-alcoholic enthusiasm has in time become mechanical and boring, a mere rhetorical escalation of the excitement of the game itself.

C'est au comte Grey qu'on doit la coupe Grey. Elle a d'abord été présentée en 1909 pour des compétitions de football amateur.

En 1948, les joutes de la coupe Grey étaient devenues professionnelles. Cette année-là, les Stampeders de Calgary remportèrent la victoire. Ce n'est pas tout. Leurs supporters, qui vinrent en foule à Toronto, introduisirent une nouvelle ère de défilés flamboyants et de fêtes pittoresques. A l'époque, cette jubilation faisait l'effet d'un amusement palpitant. Elle avait la fraîcheur d'un symbole des liens qui unissaient les Canadiens. Mais avec le temps cet enthousiasme provoqué avec trop de soin et baigné dans l'alcool prit une allure mécanique et ennuyeuse; on a assisté à l'escalade artificielle de l'émoi de la joute.

The boys who put the Western brand on Toronto, the boys who grabbed the Grey Cup in their first bid for national football supremacy, were welcomed home Wednesday—and with what a welcome!

Matching in size and vocal efforts the packed mobs that annually watch Calgary mid-summer Stampede parades, 30,000 Calgarians roared a "Well done, Stampeders" to Les Lear and his rollicking cowboys as they rolled back home aboard the boisterous, hilarious, never-to-be-forgotten "Victory Special."

It was a welcome that came from the heart.

Starting in Northern Ontario where small knots of people gathered to cheer the westward-driving Stampeder special train, the welcome gained impetus across the prairies, burst into a full-throated roar when Stampeders rode out of the C.P.R. station in open-topped cars and were paraded through 12 blocks of jam-packed city streets while excited Calgarians cheered them on.

With the Grey Cup riding high in a saddle-mounted jeep, flanked by cowgirls, who combined for Calgary's great football victory, the victory parade was very much a replica of the pre-game procession that won the hearts of Toronto last Saturday.

Behind the players came Harry McConachie and his mounted Westerners who thrilled Toronto with a little bit of the Calgary Stampede.

And after them came truckloads of the Calgary football fans who had followed the team east and who had ridden up Toronto's Bay Street in similar fashion, bringing staid Torontonians out of their hard shells with vigorous renditions of Western songs.

This time, augmented by scores of youngsters who climbed aboard the trucks, they had much less trouble getting the crowds to sing, and all along the route tribute to Stamps was paid by citizens giving out with "Calgary," "Home on the Range," "Put on Your Red and White Sweater," and "Football Team and Lear."

Oldtimers said the reception has only been equalled by that for the King and Queen on the Royal Tour in 1939.

Right on the dot at 1 p.m. the 16-car Victory Special arrived. The King's Own Calgary Regiment band struck up "Put on Your Red and White Sweater" and the four drum majorettes went into action. The football fans poured off the train onto the station platform followed by the Stamps themselves.

A line of automobiles for the players, their wives and friends were along the station platform, waiting for their loads.

Many of the fans were overcome with the welcome even before it started, and brought out handkerchiefs for a quick dab at their eyes.

After a few handshakes and congratulations the players piled into and onto the convertibles.

Youngsters began throwing confetti over the cars, and autograph fans, who got onto the platform, despite attempts by police to keep them off, besieged the players.

There was a short wait while the horses were taken off the Special, and saddled for the parade.

Between autographs and handshakes, Chuck Anderson managed to express his feeling to The Albertan.

"This is the grandest country I ever lived in. They are really wonderful people."

Said Fritzie Hanson, "Only Calgary can do this. I love 'em everyone."

Jimmie Dobbin remarked, "It's really wonderful isn't it."

J. P. McCaffrey, Calgary lawyer who made the trip, said, "the people in the west really went to town." He added the Ottawa supporters were wonderful sports.

At 1.20 p.m. the parade finally moved off the platform. Immediately thousands of Calgarians packed around the station let out a tremendous cheer as the goal posts, carried by 10 football fans, came into view.

Squads of motorcycle police and policemen on foot patrolled the street to keep the surging crowds back off the parade route.

As the first of the parade turned onto 9th Ave., the crowd swung into the Stampeder song, and burst into wild cheering. Confetti and paper streamers started to fly through the air. When the first car of football players rolled onto the street it was greeted with a riot of cheers, songs, yells and applause.

The crowd was so thick there was barely room for the cars to drive down the avenue. The procession moved at a snail's pace until it reached 8th Ave.

There thousands more lined the sidewalks. Fans were hanging out windows, balancing on the edge of roofs, draped over fire escapes, and standing in show windows.

It wasn't hard for the players themselves to respond to the reception given them along the street—they took it like veterans. They waved their Stetsons in the air, they stood up in the cars and called to the crowd, they autographed pieces of paper and cigarette boxes, they kissed little children all along the line.

Woody Strode, in his white Stetson and red and white Hudson's Bay jacket, perched on the back of the convertible was given a great hand along the parade route. Cheers rang out as Chuck Anderson, Keith Spaith, Paul Rowe, and Johnny Aguirre passed by.

Les Lear, Tom Brook and Archie McGillis in the lead car all wore broad smiles and waved to the wild crowds.

Meanwhile in front of the platform at the station, more thousands were jostling each other and trying to wiggle their way to the barriers. Hundreds failed to see any part of the parade, they were packed in so tight. Instead they kept up a steady stream of cheers and songs.

Planes from Cal-Air Ltd., and an R.C.A.F. jet-propelled aircraft zoomed over the station at low altitudes, dropping rolls of paper over the crowd. The jet screamed up almost out of sight in a "Victory Roll."

A guard of Boy Scouts and city police were kept on the go trying to keep the surging crowds back of the barriers while the parade was on.

Immediately after the parade the school cheerleaders put on a colorful performance at the platform, leading the crowd in a sucession of cheers.

The players were driven back onto the station platform away from the crowds, and then led through the station to the stand where they were introduced individually. Each was greeted with a fanfare from the band, and ear-splitting cheers from their fans.

Once the speeches and congratulations were made, the crowd broke the police lines and swarmed around the platform for autographs.

Les Lear was surrounded by a mob of youngsters, but one young fellow got there first and wouldn't let go of his idol. He was 11-year-old Max Pronin, 1416 4a St. E. Les put his arm around the boy and the two of them pushed their way out of the crowd.

"He's my corner-lot quarter-back," Les told The Albertan.

The youngster just wouldn't let go of the team's coach.

"It was sure a wonderful game, and am I ever glad we won," Max exclaimed.

Even after the fans had left, Max hung onto the coach, and when Les got into his car with Mrs. Lear, the youngster was right there beside him.

Early in the morning, the Stampeders had been welcomed by 400 hardy fans who turned out before sunrise with a pipe band to meet the train.

They presented the team with mementoes of the visit. Fritz Hanson, they called for time and again to make him a special presentation.

Mayor A. Rae, handed "Twinkletoes" a pair of crutches inscribed to him "on the occasion of his 18th annual retirement."

Paul Rowe, Les Lear and Tom Brook showed them the Grey Cup and the players were introduced. They were cheered so loudly that few people in the area were able to sleep. The pipers paraded through the train to rouse any still sleeping passengers.

At Brooks and Gleichen schools were let out and townspeople and children were on hand to shout their praises. Les Lear had his men on hand at every stop.

At Suffield the R.C.A.F. turned out four planes which swooped low over the train waggling wings in salute.

A. B. PERLIN

THE END OF AN ERA

This deeply felt elegy for the passing of the old Newfoundland was written by A.B. Perlin of the St. John's Daily News. *St. John's was a centre of anti-Confederation sentiment on the island.*

A.B. Perlin, des Daily News *de Saint-Jean (T.-N.) a écrit cette élégie qui exprime des sentiments profonds au sujet de la disparition des anciennes structures de Terre-Neuve. Saint-Jean était un centre d'opposition à la Confédération dans l'île.*

There are occasions in the history of a people when sentiments of such deep-rooted and high emotional content are involved that nothing short of the genius of Winston Churchill can translate them into appropriate and adequate words. This day which is to see the extinguishing of Newfoundland as a national entity is one of those occasions. A light goes out that can never be relit. A new road must be taken along which those who go may never return. An indefinable something dies in the hearts of men and women and can never be brought back to life.

For more than four hundred and fifty years this island of Newfoundland has been known to history. For more than four centuries its fisheries have attracted adventurers from many parts of Europe, among the earliest of whom many great figures are numbered. For more than three hundred and fifty years this island took pride in the fact that it has been known to the world as Britain's first colonial possession, the place in which was founded by Royal proclamation the Empire and Commonwealth of today. And through all the vicissitudes of the centuries, in spite of repression and retardation, in spite of the neglect of politicians in London and the shocks and buffetting of nature, in spite of bitter reverses and cruel sufferings, this Newfoundland of ours has held its individuality intact and its spirit proud.

It has been so until today, for a second after midnight an era will end with a finality as complete as death itself and our island and its people will become the tenth province of the Dominion of Canada obligated to acceptance of the new loyalties thereby imposed upon them, subject to its laws and overriding authority, only partial master of the one room they will occupy in a many-roomed mansion. On this day we shall part with many rights and privileges for all time. We shall no longer have the right to adjust our taxation to our own needs and conditions, make our own trade agreements, print our own postage stamps, use our own coins, register our own shipping, regulate our own commerce. These and many things, no less important because they may in some degree be mere abstractions, will disappear at midnight and as the moment of the transition draws even nearer this special issue of the Daily News seeks to recall many chosen echoes from the storied, romantic and eventful past.

As we address Newfoundlanders for the last time as citizens of a small national entity, we admit to contemplation of the union assumed to be consummated with no small concern. It is not a union that commands undivided allegiance. On the contrary, fully one half of the people, forty-eight per cent of those who voted in the second referendum, have opposed it, and the manner in which it was brought about has been the cause of bitter conflict. That unhappy fact cannot be ignored even if, committed as we are now to irrevocable confederation, it would be better if we could forget. For our part, we have neither regrets nor apologies for the policies we have advocated during the period of constitutional controversy and crisis. Our convictions stand. They stand because they were founded on what we still believe to be logic, equity, justice and an honest interest in the welfare of this island and its people. Nor could we ever be persuaded to admit, even if Confederation were to prove a genuine blessing in disguise, that the means employed to attain it can ever be justified in moral law. For this union that will occur at midnight has been procured in part by political tactics of a most despicable character, by appeals to prejudice and greed, and by unparallelled intrigue in high places. And the tragedy is that the same end, this union of Canada and Newfoundland, could have been obtained by following the standard constitutional procedure, leaving differences of opinion but no cause for grievance or resentment. The time may come when there will be regret that this proper course was not followed.

But what is done is done. The dictates of high policy have produced the union that is as irrevocable as it is inevitable. And so, having stated again for the record an old sentiment, a sentiment that we know to be shared by many thousands of Newfoundlanders in all walks of life, we must turn to the future. It will not do that a just grievance should be converted into a heritage of conflict, for this is still Newfoundland, and we who live here are still Newfoundlanders, and the welfare of our island and its people will be ill-served by perpetuation of bitterness and dissension. The traditions of centuries will still remain to be a source of pride and comfort. The lordly sea from which we draw our greatest wealth will still wash our shores; the hills and the valleys, the rivers and lakes, the forests and the barrens, these will remain and we shall love and value them none the less because we shall assume a new and overriding sovereignty. Our problems will be with us still; and the need of true national unity founded on the desire of all men and women of good will to see our country progress, and our people prosper, will be greater than ever before. An era ends but whether we grieve or rejoice must be subordinated. The Newfoundland that bred in us strong and burning sentiments of deep-rooted nationalism will cease to exist at midnight but we cannot afford, as we enter the new era in association with Canada, to waste our time or our talents on vain regrets. There is work to be done. There is a country's security yet to be built. There is a better Newfoundland to be made. Let us never forget the great and glorious past, a past that for all its vicissitudes bears in its annals the imprints of great and patriotic men who strove devotedly for progress, and let us make of their memories an inspiration to succeed and an incentive to toil in unity and good will with our fellow citizens for building of a green and prosperous future. It will be a noble venture and, please God, given a unity of thought and deed, given good will and honest purpose, it will succeed.

L. W. BROCKINGTON

ON THE DEATH OF KING GEORGE THE SIXTH

This broadcast on the death of King George VI represents the late Leonard Brockington at his best. It may be too sentimental for some tastes. But, in the midst of the dullness of most serious talks on the CBC, the sound of the Brockington voice had the refreshing effect of rivers of water in a dry place, of the shadow of a great rock in a weary land.

Ce texte d'une émission radiophonique qui commente la mort du roi Georges VI présente dans tout son éclat la prose de feu de Leonard Brockington. Il est peut-être trop sentimental, au goût de certains. Mais au sein de l'ennui que distillent la plupart des causeries sérieuses à Radio-Canada, le son de la voix de Brockington avait la fraîcheur d'un cours d'eau dans une terre aride, ou de l'ombre d'un grand rocher dans une morne plaine.

This morning, I sat in my room in my London hotel, listening on the radio to a service of surpassing beauty, coming from St. Paul's Cathedral, and trying, with difficulty, to think of some words to speak to you at home. So many sentences have already been spoken and written in these last days that it seems to me there is hardly room for any more. But as I have been asked to speak to you from London, I hope you will forgive me if I do add a few thoughts and memories to the multitude of impressions which have already come thronging upon you from across the seas.

The measured tread of marching men is ended and, to me, there is no sadder sound in the world; because I have seen so many brave men marching to war. The muffled drums are silent. The solemn hearts of those who watched and waited have been uplifted by the example of their King to the tasks that lie before them in this indomitable Island where so many of the hammers of circumstance are beating on the anvil of its ancestral strength.

We have seen once again, the blossoming of that great tradition in which the King dies and the King lives. Now that the pageantry and the pomp and the circumstance and the walking of mourners in the streets are over, I can think of no words which more eloquently express the feelings of us all than these. They are the great lines which Milton wrote at the end of his drama about the death of Samson:

"Nothing is here for tears, nothing to wail
Or knock the breast; no weakness, no contempt,
Dispraise or blame; nothing but well and fair,
And what may quiet us in a death so noble."

It seems such a long time ago since "Death and his Brother Sleep" took a gallant King into their keeping.

I was in New York when the news came, attending a meeting of American bankers to whom I had promised to speak. A little while before the meeting took place, a Canadian friend phoned to tell me that the King was dead. I thought it proper to try to say a few words to them on what the King had meant to the peoples of the Commonwealth. I recalled to them that President Wilson had said "that the princes amongst us are those who forget themselves and serve mankind." At the close of the meeting, 2,500 American bankers, men of many races, and used to dealing with hard, economic, unsentimental things, stood for a minute in silent reverence, expressing their sorrow and our sorrow at the loss which they felt was intimate to them and to their country also. I shall never forget the moving generosity of that international tribute.

I suppose it is difficult, and perhaps impossible, to sum up what millions of people think about one man. But I would say that the people of these Islands, and indeed the peoples of the Commonwealth knew that King George the Sixth gave all he had to his job and did it well. They knew, that like his father before him, he did not, in his father's words, consider himself anything else than "an ordinary fellow." They believed that for him patriotism was a hard thing, as true patriotism always is. He was dear to the men and women whom he served and to none more than to the people of London, amongst whom he lived, because they knew that they were dear to him also. I have heard from many who knew him well, that from his early manhood, he was serious-minded and concerned with human problems and the improvement of the conditions in which his fellow citizens worked and lived. They had seen him share their suffering and their dangers. He too had shared their triumph and no one in his own way had contributed more to it.

A friend recalled to me an incident on a visit which the King and Queen made to London dockland on the morning after one of the most terrible of all London bombings. The King and Queen walked amongst the men and women in those little mean streets, where the soul of man stood immortal. Those amongst whom he walked had been stunned by the catastrophe by which they had lost their little homes. A man at the back of the crowd could not help shouting out: "You are a good King, Sir." And the King answered very solemnly and seriously, "And you are a good people."

And so, while the whole world of free men stood bare-headed in that solemn hour of his funeral procession, they brought their children out into the streets of London to watch, because they wanted them to remember and to tell their children's children, that they had seen a brave King pass by on his last journey—a sailor who had voyaged to the very sea-mark of his utmost sailing.

My own experiences in these last two or three days have been so many and varied that it is impossible in a few short minutes to recall more than a few of them.

By the kindness of friends I was allowed to sit in what is known as the Royal Gallery in St. George's Chapel. It was built, I believe, by Henry the Eighth so that Katherine of Aragon might witness unseen, the ceremonies of the Garter Knights. My window looked down directly on the altar and the chancel which were a few feet below it. A few yards to the right were the choir stalls, wondrously carved by the skill of men who lived over 500 years ago. In them sat the leaders of nations.

The altar was rich with the great gold communion service presented to the Chapel by King Charles the Second. There were four tall candlesticks, and at the foot of two of them, were the white wreaths of Queen Elizabeth and Princess Margaret. Before the altar was the carpet of the Order of the Knights of the Garter, gay with their colors and their coat of arms.

To the right of the altar was the effigy of King Edward the Seventh and Queen Alexandra, and of the King's little dog Caesar, who was not forgotten, even in the marble of death. Near it was the tomb of King Henry the Sixth. To the left were two miraculously wrought iron gates, fashioned in 1480 and enshrining the tomb of King Edward the Fourth.

Behind the altar was a great stained glass window, depicting the Kings of England. Directly in front of me was another window with the heraldic emblems of the Garter Knights. All the colors were iridescent in the brightness of the winter sun.

Grouped on the right of the altar were the choir, in their mulberry and white apparel. And before them stood the Archbishop of Canterbury and the Archbishop of York, in black and gold, the Bishop of Westminster, who is the Chaplain of the Order of the Garter, in red, and the Dean of Windsor, in red. And at the side, were the Moderator of the Church of Scotland, and the Moderator of the free Churches of England, in black gowns.

The roof of the choir stalls was gay with the hanging of the banners of the living Knights of the Order, and among those, was the Earl Alexander's banner of silver and white. Beneath it sat General Eisenhower. Inset, in the stalls, were brass tablets, recording the names and titles of those Knights who in the last 750 years had laid down the burdens and privileges of their knighthood.

Directly beneath me was the coffin of the King. When it was carried in, it bore the Royal Standard, the Imperial Crown, the Yellow Orb and the Sceptre and the lonely white wreath of the Queen

Mother. Behind the coffin stood the Queen, and at her side the Queen Mother, and Princess Margaret immediately behind the Queen, and the Princess Royal behind the Queen Mother. They were dressed in deep mourning and heavily veiled in black. Except when the Queen moved to perform her pious office in the last rites of death, they stood as motionless as statues, mute with the silent eloquence of grief.

Behind the Queen and the Princesses were the Royal Dukes in one line. At the right was the Duke of Edinburgh in naval uniform; the Duke of Gloucester in the uniform of the Hussars; the Duke of Windsor in the naval uniform which he had worn at his father's funeral, and the young Duke of Kent, in a suit of conventional civilian mourning.

Behind the Dukes were the Kings from other lands who had come to pay their last tribute to one who had brought honor to the institution of monarchy.

When the Archbishop of Canterbury spoke the words consigning earth to earth and dust to dust, I saw the young Queen take from a silver bowl, a handful of the rich earth of England and cast it on the coffin of her father, as with the King's own private standard and the lonely white wreath of the Queen Mother, it descended beneath the chancel floor towards the earth where it will rest. After these services, the Queen and the Princesses, the Royal Dukes and the leaders of foreign States, paid their last tribute of homage to the coffined King. I felt that I was witnessing the passing of an era and the beginning of one that was coming to birth.

The words of the service enshrined the beauty of the Scriptures and of the prayer-book. With the solemnity of grief, were mingled thanksgiving and eternal hope and the confidence of resurrection. The Dean of Windsor told me how the Queen and the Queen Mother had asked for the inclusion of an Easter hymn. Although the service ended with the dead-march from Saul, the Queen had asked that its last triumphant strains be followed by the overture to that oratorio which proclaims in magnificent harmonies the certain fulfilment of man's hopes.

At the end of the service, the choir sang an anthem with these lovely words which come from what is called the old Primer of Sarum. They were first sung in Salisbury Cathedral many hundreds of years ago:

God be in my head,
  And in my understanding.
God be in mine eyes
  And in my looking.
God be in my mouth
  And in my speaking.
God be in my heart
  And in my thinking.
God be at mine end,
  And at my departing.

Of the contrasting sights and sounds that flashed before my eyes and sounded in my ears as I sat in my room this morning, none are more vivid than these.

JUDITH ROBINSON

PITY THE BACKBENCHERS

This story by the late Judith Robinson, fiery columnist for the Toronto Telegram, *deals with the most famous Canadian political crisis of the Fifties: the Pipeline Debate. The Liberal government of Louis St. Laurent was in a hurry to get legislation through Parliament providing funds for the construction of a natural gas pipeline from Alberta to eastern Canada. When the Opposition fought the bill, on the grounds that it would give public money to an American-owned firm, C.D. Howe, the Minister of Trade and Commerce, moved for closure as he introduced each clause of his resolutions. Because of the large Liberal majority Howe was able to ram the bill through Parliament, producing passionate opposition from the Conservatives and CCF, and making closure a procedure that still stinks in the nostrils of most Canadians.*

Cet article de feue Judith Robinson, qui écrivait des chroniques enflammées pour le Telegram *de Toronto, évoque la crise la plus fameuse de la politique canadienne, au cours des années 50.*

Le gouvernement libéral de Louis St-Laurent se hâtait de faire adopter par le Parlement une loi fournissant des fonds pour l'aménagement d'un pipe-line de gaz naturel de l'Alberta à l'est du Canada. L'opposition se dressait contre le bill. Elle alléguait qu'il donnerait des deniers publics à une entreprise possédée par des Américains. C.D. Howe, ministre du Commerce, présenta une motion de clôture en entamant le débat sur chaque article du projet de loi. Comme la majorité libérale était considérable, Howe a pu précipiter l'adoption du bill au Parlement. De la sorte, il a suscité l'opposition passionnée des conservateurs et des cécéfistes. Il a fait de la motion de clôture, une procédure qui dégage une mauvaise senteur pour l'odorat de la plupart des Canadiens.

OTTAWA—Pity the poor Liberal backbencher. There he sits, scores and scores of him in long conditioned rows, waiting to get up and vote when the bell stops ringing.

Vote for what? For the destruction of those principles of parliamentary freedom which once commanded his party's proudest loyalty.

Clattering and stamping he waits; booing and hooting to drown the sound of every parliamentary voice which dares appeal to those principles.

Just so that old Mr. Howe can have his pipeline faster. Just so one stubborn and insatiable septuagenarian may enjoy before he dies the satisfaction of knowing that he has broken to his will the free Parliament of his adopted country.

They are the self-proclaimed heirs of Papineau and Mackenzie, of Lount and Matthews, in the rows behind Mr. Howe.

These are they who used to boast that their political ancestry ran in unbroken line from Pym and Hampden, Henri Quatre and Coligny through the Elder Pitt and Charles James Fox on the one hand and Lafayette on the other.

These are they whose fathers were wont to quote Junius and the Areopagitica and Tom Payne as their sacred books and to tell their children the stories of heroes of Liberalism who risked all for freedom.

They are the same who now are pouring freedom down a pipeline because a power-hungry ancient tells them they have to.

They stand to be counted for C. D. Howe's pipeline bill and none flinches and none protests. Only a few try to make excuses. If they don't rush the bill through fast, they say, Mr. Howe may lose the pipe for his pipeline and next year it may cost a lot more money.

It may. So what? Is money of such supreme value that every freedom of Parliament and all the proud traditions of this free nation must be jettisoned to save a few million dollars? Apparently it is that valuable in Mr. Howe's book and in the book of the once-Liberal party he dominates.

So base can materialism become and so all-powerful in the hands of a really efficient materialist.

There was a moment in the Canadian House of Commons yesterday when CCF Leader M. J. Coldwell silenced the loud uproar from the government back benches by half a dozen words edged and pointed with contempt.

Then the bedlam broke out again and the ghost of Canadian Liberalism took a last look at her betrayers and left the place.

While she was leaving, Liberal House Leader Walter Harris was heard to proclaim that he need not defend the Liberal Government's decision to push through the clauses of Bill 298 without permitting debate en route.

He need not defend it because the Social Credit spokesman in the House had already presented the Liberal party's argument for closure-by-postponement and he had nothing to add.

He had nothing to add. The Social Credit argument for throttling Parliament was good enough for that fast-rising Liberal, Hon. Walter Harris, MP.

With Parliament throttled, Mr. Howe could get his pipeline bill through from Alberta faster and perhaps save money on the pipe. Mr. Harris was quite happy about the prospect.

And when the Leader of the Opposition tried to shake his happiness by reminding him of his duty to defend parliamentary freedom he just sat tight and smiled beside Mr. Howe, who scowled. Beyond Mr. Howe the Prime Minister sat, his face wiped of all expression, and behind the two old men and their No. 1 disciple the hooting and banging, the stamping and the yells resumed along the rows of Liberals.

This, someone in the gallery said, is how Hitler did it. As he spoke the pattern formed in memory:

A shell of a leader clinging to the reins of authority long after its reality has been taken from his hands. The hunger for power and more power growing in the real leader, and being served by the smartness of smart lieutenants who cut for him, when they begin to irk, the restraints caution has imposed. The forms of responsible government still observed by supine survivors of a parliamentary party that has already betrayed the reality.

Wealthy men, the men who see a profit in the efficiency of tyranny, betraying their country's hope to ensure their own possessions. And the Reichstag voting noisily to order for the leader's greater power and for the leader's wider domination.

The leader could make them all richer. The leader could ensure more and better jobs. The leader could push everything out of their way if they would follow in a mob; could get them all a place in the sun, or a gas furnace for their cellars or something of equal importance and value compared with those small things, liberty and self-government.

The nightmare was dispelled by the voices of Her Majesty's Loyal Opposition raising hell with Mr. Speaker one after another in rapid succession.

Fortunately for us all and our hope of freedom there is a fighting Opposition in Ottawa. Small but fighting. No Opposition ever fought a better fight than it did yesterday; Tory and CCF together, rule-books in hand.

An epic should be written on that battle of the rules. If the Canadian Parliament and people have the good fortune to come through to the end of it with a few rags of freedom left, an epic will be written on it one day.

Cartoon by Robert Chambers of *The Halifax Herald.*

Caricature de Robert Chambers du *Herald* d'Halifax.

The Vancouver Sun—May 24, 1957

TOM ARDIES

2,000 PERSONS 'FOLLOW JOHN' INTO PLOWED FIELD

The Pipeline Debate showed Canadians how insensitive to public opinion the Liberals had become after 21 years in power. As a result the country was ripe for a change of leadership. All that was needed was a party leader who could exploit the growing distaste for the St. Laurent regime, and that man emerged in the person of John Diefenbaker, who was chosen Conservative leader in 1956.

Diefenbaker's election campaigns of 1957 and 1958 amounted to a holy crusade for a return to honesty and vitality in government. If there is one day that can be pinpointed as the beginning of the Diefenbaker era, it must be May 23, 1957, when he reached Vancouver on the final, all-out push of the June campaign. That afternoon 2,000 people turned out for a Diefenbaker barbecue in a farmer's field south of Vancouver; and that night more than 6,000 attended a thunderous rally in Vancouver's Georgia Auditorium, the largest local election meeting in 22 years. At least one reporter detected in this sudden enthusiasm the first signs of the overwhelming support that was to bring Diefenbaker, in 1958, the largest parliamentary majority in Canada's history. His story is reprinted here.

Le débat sur le pipe-line a montré aux Canadiens à quel point les libéraux étaient devenus insensibles à l'opinion publique après 21 ans de pouvoir. Par suite, le pays était mûr pour un changement de chef. Il suffisait de trouver un chef de parti capable d'exploiter le dégoût croissant pour le régime St-Laurent. Cet homme sortit du rang. Il s'agissait de John Diefenbaker, qui fut choisi comme chef conservateur en 1956.

Les campagnes électorales de Diefenbaker en 1957 et 1958 se ramenaient à une sainte croisade pour le retour à l'honnêteté et à la vitalité du gouvernement. S'il est un jour en particulier qu'on puisse désigner comme l'aube de l'ère Diefenbaker, ce doit être le 23 mai 1957, jour où le chef conservateur arriva à Vancouver, pour le suprême effort de la campagne de juin.

Cet après-midi-là, 2,000 personnes se rendirent à la fête champêtre en l'honneur de Diefenbaker, sur la terre d'un cultivateur au sud de Vancouver. Le soir, plus de 6,000 personnes assistèrent à un ralliement tumultueux, à l'auditorium Georgia de Vancouver; c'était la plus grande réunion électorale tenue dans cette ville depuis 22 ans. Au moins un reporter décela, dans cet enthousiasme soudain, les premiers signes de l'appui écrasant qui allait donner à Diefenbaker la plus grande majorité parlementaire dont parle l'histoire du Canada. Voici son article.

The footsteps of 2,000 people took the "Follow John" path Thursday afternoon in a farmer's field at Cloverdale.

Those footsteps kicked up a lot of dust—and that dust hung as a warning cloud on Canada's political horizon.

Its message: John Diefenbaker, the new leader of the Progressive Conservatives, is a man to be reckoned with.

He is selling himself, fast, hard, and sure.

This further evidence of a sudden surge of public interest in John Diefenbaker came at a public barbecue on Ted Kuhn's big farm on Bamford Road off the old Pacific Highway.

Mr. Kuhn, PC candidate in New Westminister, had 1,500 steaks on hand, and one might have thought he had sort of overstocked.

Not so. Two thousand people showed up.

John Diefenbaker, who has been pulling some big surprises since he moved into British Columbia, had pulled perhaps the biggest of them all.

Drawing 2,000 people to an open farm field—much of it freshly plowed—is REAL politicking.

The crowd wasn't interested in the steaks, either.

The crowd—old people, young people, all kinds of people—brought the "Follow John" slogan to life.

They followed him all over that field, pulling at his sleeve, pumping his hand; praising him, thanking him, practically worshipping him.

Everybody had somebody they wanted to introduce to him.

"Mr. Diefenbaker, a lady from Weyburn. . . . Mr. Diefenbaker, a man from Mossbank. . . . Mr. Diefenbaker, a lady not from Saskatchewan, but . . . please, one of the oldtimers, it means so much. . . ."

It did appear to mean an awful lot, too, such as in the case of the woman who shook hands, ran back to a circle of friends and squealed, "HE shook hands with ME!"

John Diefenbaker, who said he was hungry, and just had to eat some of his steak, was kept so busy he managed only a couple of nibbles on the hamburger bun.

The "Follow John" routine started as soon as he stepped down from the platform after a short speech and swept on until PC officials were almost forced to drag him away from the crowd's clutches.

He had no time for conversation. Just "Hello. How are you? Very glad to meet you," over and over again.

The people pushing in around him knew this, but still persisted, as if this pat little exchange was important, extremely important.

It wasn't that John Diefenbaker cut a spell-binding figure in that field.

He looked and acted tired. It often appeared that his dark sharp eyes, the most striking thing about him, were unseeing. Nor did he seem to hear anyone beyond the person clutching him at the moment.

Three times a photographer asked him to remove his black homburg and pose for a picture.

Three times there was no answer.

Finally a public relations man lifted the hat from his head.

The photographer snapped the picture.

The public relations man returned the hat.

There wasn't the slightest indication that this new miracle man of politics was aware of the little by-play.

What has he got? Just how far will this go?

"Thank you, thank you, thank you," John Diefenbaker called when he finally reached the car waiting to return him to Vancouver. "Goodbye, goodbye, goodbye."

Somebody called back, "Goodbye, John, the next prime minister," as the car pulled away.

Perhaps—for who can say it is impossible—that is just how far this will go.

La traditionnelle fécondité québecoise.

Quebec's Traditional Fertility.

Aux élections de 1958, John Diefenbaker a remporté une majorité parlementaire sans précédent. Une large tranche de cette majorité comprenait les 50 sièges gagnés au Québec. Cette caricature de Raoul Hunter a paru dans *le Soleil.*

A major part of the unprecedented parliamentary majority won by John Diefenbaker in 1958 was the 50 seats he received from Quebec. This cartoon by Raoul Hunter appeared in *Le Soleil.*

ANDRE LAURENDEAU

LA THEORIE DU ROI NEGRE

En 1932, Henri Bourassa avait quitté la direction générale du Devoir, *et Georges Pelletier lui avait succédé. L'héritage était lourd. Le journal avait longtemps combattu le régime Taschereau, à Québec, et la guerre l'avait dressé contre le gouvernement King. Beaucoup de ses collaborateurs se trouvèrent du coup en sympathie avec l'Union Nationale. Aussi à la mort de Pelletier, lorsque Gérard Filion devint directeur général, en 1946,* Le Devoir *connut une sorte de révolution de palais.*

Gérard Filion aussitôt devait faire équipe avec André Laurendeau qui, durant plusieurs années, avait dirigé L'Action nationale. *Différents, les deux hommes se complétaient admirablement et l'on admet volontiers que leur association valut au* Devoir *ses années les plus brillantes depuis la retraite d'Henri Bourassa. Rédacteur en chef du* Devoir, *André Laurendeau devait exercer une influence certaine sur le cours des choses et ajouter beaucoup au prestige du journal. Et ceci, tant à cause de son style sûr que de ses analyses souvent pénétrantes.*

De tous les articles de Laurendeau, aucun ne devait connaître un plus grand retentissement que La théorie du roi nègre. *Par la suite, il devait d'ailleurs revenir sur cette question, et lui consacrer un papier très articulé dans l'édition anglaise de* Maclean's Magazine, *en mai 1959.*

When Gérard Filion became the publisher of Le Devoir *in 1946, he teamed up at once with André Laurendeau, who for several years had been editor of* L'Action nationale. *Although different, the two men complemented each other admirably and it is generally acknowledged that their association was responsible for the most brilliant years that* Le Devoir *had known since Bourassa's retirement. As editor of* Le Devoir *André Laurendeau was to exert an unmistakable influence on the course of events and add greatly to the prestige of the paper. This was due as much to his sure grasp of style as to his often penetrating analyses.*

Of all Laurendeau's articles none is more widely known than La théorie du roi nègre. *Afterwards he was to come back to this subject and devote to it a very articulate piece in the English-language edition of* Maclean's Magazine *in May 1959.*

Vendredi dernier M. Maurice Duplessis mettait brutalement à la porte de son bureau un journaliste du *Devoir,* M. Guy Lamarche.

Le reporter assistait à la conférence de presse du premier ministre. Il n'avait pas fait un geste, pas prononcé une parole. Simplement, il était là. C'en fut assez pour déclencher la colère de M. Duplessis. *Dehors,* lui a crié le premier ministre. Estimant qu'il exerçait un droit normal dans un pays démocratique, le journaliste du *Devoir* a refusé d'obéir. Alors M. Duplessis l'a fait expulser par un agent de la police provinciale.

Trois groupements de journalistes ont depuis protesté contre ce geste. Ils en reconnaissent spontanément la gravité. Un reporter "dûment mandaté par son journal pour assister à (la) conférence de presse" du premier ministre doit pouvoir "exercer librement son métier": ce sont les termes de la mise au point la plus modérée.

Par contre les journaux eux-mêmes se sont montrés très philosophes en rédaction. A deux exceptions près, ils n'ont rien dit. Nous ne leur ferons pas l'injure d'en conclure qu'ils n'ont rien ressenti. Ils sont les gardiens naturels non seulement de la liberté d'expression mais de ce qui la rend possible et la protège: notamment la liberté d'accès aux sources d'information. En conséquence, l'expulsion d'un reporter d'une conférence de presse, à laquelle tous sont théoriquement conviés, n'a pas pu ne pas leur causer d'alarme. Disons qu'ils ont, mieux que les journalistes, su contenir leur indignation.

Car si M. Duplessis s'amuse à pratiquer des exclusives, chacun sait qu'un jour ou l'autre il pourrait en devenir la victime. Le geste qu'il a posé contre *Le Devoir,* qui l'empêcherait de le répéter contre un autre journal? Il s'agissait cette fois d'une conférence de presse: en vertu du même postulat, il pourrait s'agir demain des débats parlementaires.

Et quel est ce postulat? L'arbitraire. M. Duplessis considère, sincèrement croyons-nous, le pouvoir comme une propriété personnelle. Il en dispose à son gré. Ses amis obtiennent des faveurs. Les comtés amis reçoivent un traitement particulier. Les députés de l'opposition n'ont en

Chambre à ses yeux que des moitiés de droits: il les traite comme s'ils n'avaient pas été élus aussi légitimement que les majoritaires.

M. Duplessis paraît croire juste et légitime d'affamer l'opposition: qu'il s'agisse de situations ou de routes, d'écoles ou de ponts, seuls ses favoris sont servis. Il vient d'appliquer ce principe aux journaux: un adversaire à son gré n'est pas digne de l'entendre. Il choisit parmi les journaux ceux qu'il regarde comme loyaux, et il commence d'exclure les autres.

Cet arbitraire va contre la démocratie et les coutumes d'un régime parlementaire.

D'habitude les anglophones sont plus sensibles que nous aux atteintes à toutes les formes de liberté. C'est pourquoi M. Duplessis a mauvaise presse en dehors du Québec. Les attaques qu'il subit en Ontario ou au Manitoba ne s'inspirent pas toujours de cette doctrine: les vieux préjugés de "race" et de langue s'y en donnent souvent à coeur joie. Mais nous aurions tort de tout expliquer par des préjugés ethniques. Les Britanniques ont conquis peu à peu les libertés politiques; ils en connaissent davantage le prix; ils sont plus sensibles d'habitude aux menaces qui pèsent sur elles.

D'habitude, écrivons-nous. Car dans le Québec cette tradition paraît singulièrement anémique. Du moins si on en juge par les journaux anglophones quand ils jugent les événements québecois.

S'agit-il du bâillon imposé à Ottawa par une majorité: alors tous les journaux en choeur protestent, et c'est un beau chahut. Le gouvernement, écrivent avec raison les journaux anglophones (y compris ceux du Québec), vient de violer d'importantes libertés parlementaires. Fouettée par les journaux, l'opinion s'émeut. Cette question contribue à la défaite du gouvernement: c'est l'affaire du pipeline.

A l'Assemblée législative du Québec, des incidents de ce genre sont monnaie courante: nos journaux de langue anglaise les subissent sans presque protester. Pourquoi?

L'expulsion de Guy Lamarche vendredi dernier est dure à avaler. Les journaux anglais commencent par se taire. *La Gazette* émet avant-hier, au milieu d'un article sympathique au gouvernement, la protestation la plus froide qui se puisse imaginer. Hier *Le Star* déclare le geste de M. Duplessis maladroit mais ne parvient pas à le juger mauvais. Pourquoi?

Les journaux anglophones du Québec se comportent comme les Britanniques au sein d'une colonie d'Afrique.

Les Britanniques ont le sens politique, ils détruisent rarement les institutions politiques d'un pays

Le mal que font les hommes vit après eux.
The evil that men do lives after them. (*Shakespeare*)

Quand Maurice Duplessis était premier ministre du Québec, Normand Hudon du *Devoir* caricaturait toujours Duplessis avec un vautour perché sur son épaule. Voici comment Hudon a réagi à la mort de Duplessis.
While Maurice Duplessis was Premier of Quebec, Normand Hudon of *Le Devoir* always caricatured him with a vulture perched on his shoulder. Here is how Hudon reacted to Duplessis' death.

conquis. Ils entourent le roi nègre mais ils lui passent des fantaisies. Ils lui ont permis à l'occasion de couper des têtes: ce sont les moeurs du pays. Une chose ne leur viendrait pas à l'esprit: et c'est de réclamer d'un roi nègre qu'il se conforme aux hauts standards moraux et politiques des Britanniques.

Il faut obtenir du roi nègre qu'il collabore et protège les intérêts des Britanniques. Cette collaboration assurée, le reste importe moins. Le roitelet viole les règles de la démocratie? On ne saurait attendre mieux d'un primitif. . . .

Je ne prête pas ces sentiments à la minorité anglaise du Québec. Mais les choses se passent comme si quelques-uns de ses chefs croyaient à la théorie et à la pratique du roi nègre. Ils pardonnent à M. Duplessis, chef des naturels du pays québécois, ce qu'ils ne toléreraient pas de l'un des leurs.

On le voit couramment à l'Assemblée législative. On l'a vu à la dernière élection municipale. On vient de le vérifier à Québec.

Le résultat, c'est une régression de la démocratie et du parlementarisme, un règne plus incontesté de l'arbitraire, une collusion constante de la finance anglo-québecoise avec ce que la politique de cette province a de plus pourri.

Toronto Daily Star—Monday, November 3, 1958

RAY TIMSON

STAR REPORTER RECREATES MINER'S FACE-DOWN ETERNITY

Springhill is a little coal-mining town in Nova Scotia a few miles from the New Brunswick border. The mine disaster of 1958, which cost 74 lives, and which is described in this unusual story by Ray Timson, was the third in the town's history. The previous ones had occurred in 1891 and 1956. This last disaster, coming upon the heels of a long decline in the fortunes of the Nova Scotia coal industry, seemed to leave Springhill with no future at all. But since then it has been slowly recovering, with a new mine opened and some new industries established.

Springhill est une petite ville de la Nouvelle-Ecosse, située à quelques milles de la frontière du Nouveau-Brunswick. Elle vit de l'exploitation des charbonnages. En 1958, il est survenu dans ses mines un désastre qui a coûté 74 vies et qui était le troisième de son histoire. On en trouve la description dans ce reportage exceptionnel de Ray Timson. Les deux désastres précédents étaient survenus en 1891 et 1956.

Le dernier faisait suite à une longue période de marasme dans les charbonnages de la Nouvelle-Ecosse. Il semblait boucher toutes les perspectives d'avenir de Springhill. Depuis lors, la ville se rétablit lentement. On a mis en exploitation une nouvelle mine et établi de nouvelles industries.

Springhill, N.S., Nov. 3 — Byron (Barney) Martin, 42, trapped for almost nine days in the devastated depths of Springhill's No. 2 Mine, spent the 200 hours alone, face-down in the dirt, trying to scratch his way out. He lay in what could be described as a shallow grave, six feet long and three feet deep, a grave that almost claimed and kept him. Throughout the entire ordeal, he had but three drinks of water. He had no food whatever. He uttered only one word the whole time.

His legs were buried under a rockfall and his stomach was propped up on other rocks beneath him. With his face to the ground, he was in a position much like kneeling, the kneeling that's done by people who pray. He knelt that way for nine nights and eight days.

When rescued Saturday at 5:45 a.m., his fingernails were worn down past his fingertips, and the flesh of the finger-tips was rubbed raw from his futile efforts to claw his way to freedom. His lips were swollen like a Ubangi's. A nine-day beard was matted into his chin and cheeks. His nostrils were almost plugged with coal dust. His lungs were heavy with gas. His stomach was wracked with the pain of hunger. His legs were numb from lack of circulation. His arms ached from the constant scratching. And yet he thought he had been in the mine for just a single night.

For this is the true tragedy of Springhill. While a world cheers every word in such a dramatic rescue, more men shake their heads. What does it do to a man who survives such an ordeal? What does it do to his mind?

There are dozens of men living and working in Nova Scotia coal towns like Springhill who were once listed as "Among those rescued," but their family physicians say they have not been the same men since.

Barney Martin started his shift of 8:04 p.m. on Thursday, Oct. 23, when he and 173 other men of Springhill—average age 42—were doing regular jobs on the 3-to-11 shift in the Cumberland Coal Company's deep No. 2 mine.

At 8:05 p.m., there was a thunderous upheaval and tons of coal and rock tumbled down on miners picking away at coal seams on the longwall faces or engaged in moving the picked coal through the various levels to the slope and thence up to the surface.

At that instant, Barney Martin was hurled eight feet down the longwall face at the 13,000-foot level and pinned by rockfall between two stonepacks. His miner's lamp was blown off his head. As he lapsed into unconsciousness, the din of moaning, groaning and dying men grew fainter and fainter until he heard nothing at all. He lay in the shallow cavity between the packs, rock piled up at his feet and over his legs, rock piled under his waist, and rock piled high six inches from where his head rested in the dirt.

At 8:45 p.m., up at the pithead on the surface, mine manager George Calder led a party of 20 men down the 2.7-mile slope, straight down to the bottom-most 13,800-foot level which they reached at 11:30 p.m. after restoring ventilation and removing much stone and debris. There they found Jim McManaman, an overman or foreman, with 12 other men and they joined forces to work their way 150 feet up the longwall face.

A man hollered and the rescuers rushed to him. Except for about four square inches of his face, he was completely covered and there was only 18 inches between where he lay and the roof because of the floor buckling that came with the upheaval. Men shouted and strained and clawed at the rock for four hours before they freed Leon Melanson, whose leg was broken.

But up in the shallow grave on the 13,000 wall face, Barney Martin heard nothing. He had no knowledge that Calder and his men were rescuing the first of 100 miners who survived out of the total work force of 174. By 5 a.m., Friday, Oct. 24, the crowd, drawn to the pithead by the ominous "bump" that was felt in Amherst 16 miles away, had seen 81 miners come safely out, although 19 were injured.

About this time, as can best be determined, Barney Martin awoke, spat out the dirt that had been sucked into his mouth while breathing heavily during his period of unconsciousness, and looked around him. There was nothing but blackness. He tried to move his legs but the rockfall on top of them prevented him. He reached in front of him and felt more rock and started tearing at it with his hands, trying to grasp something solid with which he could cling and pull himself free. Only handfuls of dust and crumbled rock came away.

He had not eaten. His lunch pail was back on the 13,000-foot level. He reached around for his water can, hanging from a hook on his belt. Although there was less than a tumblerful in it, a supply that a man would ration if he knew it had to last nine days, he drank generously because he had no idea how long he had been there or how long he would remain. The water stimulated him somewhat and he began clawing at the rock again, clawing, clawing until again, he became exhausted and his face fell in the dirt. The gas made breathing difficult and he lapsed into unconsciousness again.

As Barney slept, three crews of men, led by respirator-equipped draegermen, were tunnelling their way to the 13,000-foot face. Harold Gordon, bossman of all the company's coal mines, was telling a Friday press conference that the underground destruction had been terrific, that there was no hope of any life at the 13,800 or 13,400 levels and little hope that any of the 55 miners at the 13,000 level would be found alive. Barney was in no position to deny the report.

Some 300 feet down the longwall face from where Barney Martin lay, a group of 12 men were gathered in a space too small to stand up in, or even sit upright. They were near the bottom of the wall and Caleb Rushton, a choir singer when he's not a miner, was leading them in singing hymns as they began the first of six days of praying that they'd come out of it alive.

Less than 100 feet down from Barney, another group of seven men were doing the same thing, led by Maurice Ruddick, a father of 12 children and known to the 1,000 Cumberland employees as "the singing miner." They were in an area about 50 feet long, four feet wide and three feet high.

Saturday came and 11 bodies had been brought to the surface. Sometime during the day, Barney Martin, awake again and still clawing at the rock, took his second drink. On Sunday, about the time the first two of what will total 74 funerals were being held, Barney took his last drink, emptying the can. There had been no food in his stomach since his meal Thursday before he went to work, and the water caused instant nausea. Barney's face fell in it, and he went unconscious again and the gritty coal dust and dirt began imbedding itself in the skin of his face.

Calder and his rescuers were plodding on, and, by Sunday, they had just about reached the face of the 13,000 wall. Shortly after midnight, the seven men 100 feet down from Barney divided the last of two meat-spread sandwiches and 2½ quarts of water, and sang Happy Birthday to Garnet Clarke, who was 29 on Monday. One of the seven taking his share of the food was Percy Rector, whose arm was jammed among timbers and who pleaded with the other six to take the axe they had and chop it off to free him from the painful trap he had endured 3½ days.

Early Monday morning, two of the seven, Garnet Clarke and Currie Smith, started up through the debris of the wall seeking an escape. They had looked in other directions on each of the previous days they had been imprisoned, but impasses blocked them each time. They came upon Barney Martin and from the bent position of his body presumed he was dead. But as they bent over him, he raised his face from the dirt and spoke the only word he was to utter the entire nine days. "Hello," Barney said, and his face fell into the dirt again.

Clarke and Smith, having no food or water to offer the man, rearranged his position, taking away jagged rocks that were digging into the man's sides. The air was clearer near him, they noted, and he would be safer where he lay. To move him might cause injury. They returned to their small space and sang anew for their deliverance.

Monday afternoon and breakthrough: Calder and his men reached the 13,000 face but their spirit flagged considerably when the first body they found was that of Charlie Burton, who had been a hero in the 1956 fire and explosion in No. 4 mine when he found his way out after four days of entombment and led to the rescue of 88 miners. Charlie wasn't going to do it again.

On Tuesday, there were six funerals and a statement that said there could be no hope for any men being found alive. At 1:45 p.m., Wednesday, Calder's men got through more debris and came across an air pipe 80 feet from the 13,000 face. There was a lot of air coming out of it and suddenly there were three tappings on it from somewhere in the face. Then a series of taps. Blair Phillips, one of the rescuers, asked if anybody was up there. Back through the pipe came Gorley Kempt's voice: "There are 12 of us. Come and get us."

Barney Martin didn't hear the joyous cries of the rescuers and the rescued. It is safe to assume he was in an advanced state of delirium by this time, and whatever strength he had mentally and physically was not being used to concentrate on hearing sounds. He was still clawing at the rock in front of him where he had now worn two pathways the width of his hands, much like those you can make by scratching at the sand on a beach. There was no fingertip bleeding. As he wore the skin thinner and thinner, the grime he was clawing at clogged into the skin.

At 3.23 a.m. Thursday, Gorley Kempt was the first of the 12 to be brought to the surface and the other 11 followed within an hour and 25 minutes. Interviewed at All Saints' Hospital, they offered next to no hope there were others still alive in the mine although one of them, Harold Brine, said at the time: "Once we thought we heard somebody up above us but we can't be sure. It sounded like somebody trying to dig out."

Barney Martin's clawing, perhaps.

On Friday, as Springhill buzzed with word that Prince Philip would be making a personal visit to the disaster town that evening, the six men 100 feet from Barney sucked on coal and ate bark stripped from timber. There were only six: Percy Rector, 55, the man who wanted his arm cut off, had died from the shock and pain of the mangled limb. The six men with him had no idea when rescue might come, and none cared to pick up the axe and do what Percy asked. The shock of such action might kill him on the spot, they figured.

At 4:45 a.m. Saturday, a few short hours after Prince Philip had come and gone, Bud Henwood, deputy overman, climbed out of the head of the tunnel the rescuers were digging to let another man take his place. Behind him were bossman Harold Gordon, mine and union officials who were forming the bucket brigade moving back the rock and coal the men in front were clearing. In the silence of the change-over, the ears of the rescuers picked up the sound of three slow but distinct scratches. They set upon the rock like crazy men and 50 minutes and 12 feet of rock later they came upon Barney Martin. His ceaseless scratching finally had got results.

Up the open space they raced until they broke through to the other six men. One of them, Maurice Ruddick, the singing miner, hollered: "Give me a drink of water and I'll sing you a song." Quickly, the rescuers asked whether these six had heard any noises that might indicate more men were alive.

"Just some scratching," Ruddick replied. "From down that way, where Barney Martin is." Barney Martin, rendered conscious again by sips of sugary tea, muttered to a rescuer: "Thank God I'm alive." At the hospital he spoke again, to miner Norman McDonald: "God must have saved that little hole for me."

Barney Martin, a miner 17 years, had put in his toughest shift.

Le Devoir, Montréal—10 janvier 1959

GERARD FILION

SIMPLES REFLEXIONS SUR UN SUJET D'ACTUALITE

On reconnaît, en général, que la grève des réalisateurs de Radio-Canada qui faisait suite à celle de La Presse, *en octobre 1958, eut un effet profond sur les rapports entre francophones et anglophones au sein de la Société. On dit même que c'est à compter de ce moment que René Lévesque, déçu de l'attitude des ses collègues de langue anglaise demeurés au travail, s'intéressa de plus près aux raisons d'être du nationalisme québecois et, en dernier ressort, qu'il décida de s'engager sur le plan politique.*

Dès le début de la grève, le directeur du Devoir *n'avait pas caché qu'à ses yeux, cette grève ne réussirait jamais à frapper l'opinion, à émouvoir sérieusement l'homme moyen et le gagne-petit. Désireux toutefois de contribuer au règlement du conflit, il fut le premier au Québec à parler de la possibilité d'un syndicat de cadres.*

Cet article de Gérard Filion, en plus d'être du bon journalisme, a ceci de particulier que le signataire, après avoir été le premier président de la Société générale de financement, est aujourd'hui le directeur général de Marine Industries.

It is generally recognized that the CBC producers' strike which followed that at La Presse *in October 1958 had a profound effect on the relations between French-speaking and English-speaking personnel in the heart of the Corporation. It is even said that it was then that René Lévesque, disappointed in the attitude of his English-speaking colleagues, who had remained at work, became increasingly interested in the objects of Quebec nationalism and decided finally to enter the political arena.*

From the beginning of the strike, Gérard Filion, the publisher of Le Devoir, *made it no secret that in his eyes the strike would never succeed in making any impression on public opinion, in exciting any serious reaction from the ordinary man and small-wage-earner. Always willing to contribute to a settlement of the conflict, he was the first person in Quebec to speak about the possibilities of forming a union for managerial employees.*

Pour comprendre quelque chose à la grève des réalisateurs de Radio-Canada, il faut savoir que l'entreprise, au sens économique du terme, a grandement évolué depuis la naissance des premiers syndicats.

Le syndicalisme fut à son origine un instrument de libération contre le despotisme des patrons. A l'époque, la situation était claire: il y avait d'une part un ou quelques patrons, faciles à identifier, maîtres absolus de leur entreprise, embauchant et congédiant à volonté; et d'autre part, des travailleurs soumis à tous les risques de la conjoncture économique et à tous les caprices de leur employeur.

Mais l'entreprise de 1958 est d'un type fort différent. Elle est d'abord une société de capitaux ou un service public. L'autorité n'est plus concentrée dans la volonté d'un seul homme. Certes il y a encore le président et le directeur général qui symbolisent et incarnent l'autorité. Mais les fonctions sont tellement diverses, les rouages sont tellement complexes que le directeur général n'exerce pas son autorité par des décisions arbitraires mais en ayant recours à des règlements administratifs, à des consultations de table ronde, à des délégations de pouvoir. Dans les grandes entreprises, l'autorité est diffuse; elle se retrouve en proportion décroissante à mesure que l'on descend dans la hiérarchie des fonctions. Elle s'incarne pleinement chez le directeur général pour s'amenuiser graduellement jusqu'au niveau du contremaître.

L'un des caractères particuliers de l'entreprise moderne est l'importance croissante des fonctions intermédiaires correspondant à une diminution égale de fonctions proprement productives. Si on faisait l'analyse d'une industrie comme celle de l'automobile, on constaterait que depuis vingt-cinq ans la proportion des ouvriers a constamment diminué, alors que celle des collets blancs de toutes catégories s'est accrue dans une proportion inverse. C'est que l'entreprise moderne a procédé à un fractionnement, à une multiplication des tâches administratives: vente et publicité, trésorerie et finance, comptabilité, et contrôle, recherche, etc. L'automatisation accentuera cette montée des fonctions intermédiaires à mesure que la production se fera par des robots.

Le syndicalisme que nous connaissons en Amérique est un syndicalisme de travailleurs au sens d'exécutants, qu'il s'agisse d'hommes en salopettes ou de collets blancs. Toute notre législation, autant américaine que canadienne, se limite à reconnaître et à protéger les syndicats de travailleurs sans responsabilité de direction. Il existe bien aux Etats-Unis quelques unions de contremaîtres groupées dans la *Foremen Association of America*, mais la loi ne leur reconnaît aucun pouvoir de négociation collective.

Les pays européens, beaucoup plus avancés que nous en ce domaine, ont créé il y a déjà longtemps des syndicats de cadres. Que sont-ils? Ils groupent les salariés qui participent d'une façon plus ou moins immédiate à la direction de l'entreprise. Ils jouissent du droit de négociation collective et participent aux ententes qui se discutent et se concluent sur le plan de l'industrie. Mais ils sont fort différents des syndicats de travailleurs. Ils ne sont reliés à aucune fédération syndicale mais ont formé leurs propres fédérations de syndicats de cadres. En France, le groupement porte le nom de Fédération générale des Cadres.

Qui adhère à de tels syndicats? Des ingénieurs, des chefs de service, des directeurs de personnel, des contremaîtres d'usine, des surintendants, bref, tous ceux qui, à un titre ou à un autre, détiennent une part plus ou moins grande d'autorité. Dans les conseils d'usines, ils siègent tantôt du côté des patrons, tantôt du côté des employés, selon les questions à débattre.

L'association des réalisateurs de Radio-Canada est, croyons-nous, une des premières tentatives d'organisation de salariés qui participent à la fois à l'autorité et à l'exécution. Dans le contexte européen, elle serait considérée comme syndicat de cadres et jouirait des privilèges réservés à un tel groupement.

Pour entrer un peu plus profondément dans le sujet du litige, il semble bien que Radio-Canada et l'association des réalisateurs ont tour à tour raison selon le point de vue auquel on se place.

Le droit d'association est un droit naturel qui existe pour les réalisateurs comme pour n'importe quel autre groupe de personnes. L'exercice de ce droit ne doit sans doute pas se faire de la même façon quand il s'agit d'un groupement qui participe à la direction de l'entreprise, mais c'est là une autre question. Donc Radio-Canada ne peut décemment nier aux réalisateurs le droit de former un groupement syndical ou professionnel.

D'autre part, Radio-Canada ne peut pas accepter de traiter avec l'association des réalisateurs sur la même base qu'elle négocie avec l'Union des Artistes, qui représente de simples exécutants. Sa position juridique est solide, de même sa position philosophique, si on tient compte du principe que l'autorité dans une entreprise ne peut se diviser contre elle-même.

Mais se retrancher derrière un tel principe pour refuser toute négociation équivaudrait à un simple prétexte pour briser l'association des réalisateurs. Car rien n'empêche Radio-Canada de traiter avec ses réalisateurs selon la formule de syndicats de cadres, c'est-à-dire association faisant partie de la direction mais groupant quand même des hommes libres, des hommes qui ont des problèmes à discuter, qui ont des suggestions à faire, qui ont des améliorations à introduire dans l'exécution de leurs fonctions. Cette approche du problème nécessiterait évidemment toute rupture de droit ou de pure sympathie avec la C.T.C.C. L'affiliation d'un syndicat à la C.T.C.C. n'est pas une tache originelle, mais dans le cas présent, elle donne à l'association des réalisateurs un caractère que Radio-Canada ne peut pas accepter.

La formule de syndicats de cadres est peut-être nouvelle dans notre milieu; ce n'est pas une raison pour refuser d'en tenter l'application.

Car si la grève se prolonge, les partis se durciront et le règlement deviendra de jour en jour plus difficile. Radio-Canada peut toujours embaucher de nouveaux réalisateurs et recommencer là d'où elle est partie à l'automne 1952. Il faudra six ans pour rebâtir une équipe d'hommes d'expérience; dans l'intervalle c'est le public qui souffrira. Ou encore les réalisateurs peuvent, un à un, l'amertume dans le coeur, rentrer au travail. Mais alors, quel intérêt mettraient-ils à leur besogne, quel feu sacré pourrait les animer?

On peut de part et d'autre ressasser des rancunes, évoquer des griefs contre telle ou telle personne. Mais cela ne conduira nulle part.

Le conflit n'est pas insoluble, à condition de l'aborder dans une perspective nouvelle, l'esprit libre des rancoeurs qu'on a pu nourrir ou des promesses inconsidérées qu'on a pu faire, mais décidé à faire le partage du sentimental, du possible et de l'impossible.

L'association des réalisateurs de Radio-Canada peut être le premier syndicat de cadres à prendre forme au Canada.

Le Petit Journal, Montréal—26 mars 1961

JEAN-CHARLES HARVEY

CET ECRIN DE PERLES

Contrairement à beaucoup de journalistes canadiens de langue française, Jean-Charles Harvey a fait peu de salles de rédaction. Longtemps rédacteur en chef du Soleil, *il fut forcé de remettre sa démission après que l'Ordinaire de Québec eut condamné* Les Demi-civilisés *en 1934.*

Après avoir été directeur du Bureau (provincial) de la Statistique, il fonda un hebdomadaire montréalais, Le Jour, *en septembre 1937. Résolûment anti-fasciste,* Le Jour *fit campagne pour la réforme de l'enseignement et appuya sans relâche l'effort de guerre du Canada. Forcé d'en suspendre la publication le 29 juin 1946, il fut nommé, en 1950, rédacteur en chef du* Petit-Journal *où il reprit le combat contre le nationalisme. Il devait conserver la direction de cet hebdomadaire populaire jusqu'au moment de sa retraite en 1966.*

De tous les journalistes qui, de façon intermittente, ont dénoncé l'enseignement de l'histoire tel qu'il se donne dans les écoles françaises du Québec, Harvey fut l'un des plus vigoureux comme en témoigne l'article que nous reproduisons.

In contrast to many French-language journalists in Canada, Jean-Charles Harvey did not switch newspapers very often. For a long time editor of Le Soleil, *he was obligated to resign after the Bishop of Quebec censured his* Les Demi-civilisés *in 1934.*

After being manager of the Provincial Bureau of Statistics, Harvey founded a Montreal weekly, Le Jour, *in September 1937. Determinedly anti-Fascist,* Le Jour *campaigned for educational reform and gave unfailing support to Canada's war effort, but it was forced to suspend publication on June 29, 1946. In 1950 Harvey was appointed editor of* Le Petit-Journal, *where he took up again the fight against nationalism. He was to hold the editorship of this popular weekly until the time of his retirement in 1966.*

Of all the journalists who, at one time or another, have denounced the teaching of history in the French schools of Quebec, Harvey was one of the most vigorous, as witness the article reproduced here.

Enseigne-t-on encore "notre maître, le passé" comme on le faisait au temps de mon enfance? Apparemment . . . , du moins si l'on se rapporte à la conférence que faisait, ces jours-ci, à la Société de Pédagogie de Montréal, M. Michel Brunet, directeur de l'Institut d'histoire à l'université de la montagne. "La leçon d'histoire, a-t-il déclaré, se transforme trop souvent en une harangue moralisatrice au service de la religion, du clergé, de la 'race' ou des pouvoirs établis."

Ce sagace universitaire sera des premiers, sans doute, à trouver légitime que l'on cherche à tirer, de la "vérité historique", des motifs de fierté patriotique. Je crois bien que la chose se pratique dans tous les pays du monde. De là à enseigner les époques révolues de telle façon que les jeunes y contractent un chauvinisme dangereux, une sorte de dédain pour tout ce qui n'est pas de chez nous, une xénophobie faussant nos jugements sur quiconque n'est de notre sang et ne partage pas nos croyances, il y a loin, très loin.

M. Brunet cite, à ce sujet, les instructions officielles du Département de l'instruction publique aux instituteurs de la province de Québec. Ecoutez bien: "L'enseignement de cette matière doit faire ressortir . . . : le but apostolique en même temps que national poursuivi par les découvreurs, les fondateurs, les organisateurs de notre pays; le caractère religieux, moral, héroïque et idéaliste de nos ancêtres; la lutte constante contre des difficultés de toute sorte; la protection visible de la Providence sur la survivance de notre nationalité. . . . "

Le document se prolonge ainsi, sans rien oublier, sauf que, dans l'étude de l'histoire, il est plus juste, plus honnête, de s'en tenir à la véracité des faits qu'à la propagande.

Chose certaine, un grand nombre de nos bacheliers et collets blancs, au sortir de leurs études, ont la tête bourrée de mirages. L'un d'eux me disait, il n'y a pas longtemps, que "le Canada n'a plus aucune raison de demeurer une colonie de l'Angleterre". Il parut surpris d'apprendre que, depuis décembre 1931, alors que fut proclamé le statut de Westminster, notre pays jouit d'une indépendance toute aussi réelle et complète que celle des Etats-Unis, que

La rénovation nationale.
The National House-Cleaning.

Caricature de Berthio.
Cartoon by Berthio.

sa souveraineté est l'égale de la souveraineté de la Grande-Bretagne, que nous sommes demeurés de notre plein gré et par intérêt, dans l'association du Commonwealth, avec entière liberté d'en sortir n'importe quand, et que même notre allégeance à la Couronne britannique peut se révoquer par un acte de notre Parlement devant lequel Londres serait obligé de s'incliner.

On a même mis dans la cervelle d'une foule de petits Laurentiens que le Québec est comme une colonie des "maudits Anglâs" au sein de la confédération canadienne. Certes, ni le gouvernement provincial ni le Conseil de l'instruction publique ne sont responsables d'une aussi déplorable hérésie; mais un enseignement fait de légendes et d'abstractions idéalistes, enseignement prôné en haut lieu et contraire à l'esprit scientifique ou simplement réaliste, conduit fatalement à de telles aberrations. En fait, il n'existe probablement pas de confédération au monde dont les parties composantes jouissent de tant de liberté, de tant de privilèges, de tant d'autonomie. C'est ce qui fait que la province de Québec, maîtresse de ses écoles, de ses collèges, de ses universités, de ses immenses ressources naturelles, de ses croyances, de son code civil et disposant en plus, sur le terrain fédéral, de la balance du pouvoir, se trouve dans une situation que bien des nations lui envient. Elle possède ainsi des armes formidables.

L'un de nos poètes s'écriait un jour: "O notre histoire, écrin de perles ignorées!" Il pensait peut-être à de fausses perles; mais il en est de vraies que l'on a systématiquement escamotées. Le manuel que j'appris par coeur à la petite école, il y a bien longtemps, ne différait guère d'un livre de piété. Champlain et se femme étaient des saints, des personnages de vitrail. Les faits importants qui s'y déroulaient: l'arrivée des Récollets, la venue des Jésuites, l'évangélisation et la conversion des Hurons, les missionnaires martyrisés par les méchants Iroquois, le sacrement de l'Eucharistie reçu par Dollard et seize autres braves, les dévotions de Maisonneuve et de Jeanne Mance, les démêlés de Monseigneur de Laval avec ce malcommode de Frontenac, et ainsi de suite. Que de bon monde! Que de bon monde envoyait le roi de France chez les sauvages!

Ainsi marchait notre histoire, jusqu'à la défaite de Montcalm et la reddition de Québec. Après, il ne se passait pas grand-chose. Le régime anglais, sèchement traité, n'offrait à peu près rien à l'écolier qu'une série de mesures oppressives, devant aboutir, en 1837, à un soulèvement trop laïque, trop profane, pour obtenir la bénédiction épiscopale. Les chefs de cette rébellion impie durent même combattre sous le coup de l'excommunication. C'est pourquoi on leur refusait une place d'honneur dans les annales du siècle. Papineau n'était qu'une mauvaise tête, hélas!

Sur tous ces textes planait une atmosphère de propagande. L'impression principale qui s'en dégageait, c'est que nous étions le peuple choisi, le peuple providentiel, le peuple appelé à régénérer l'Amérique, le peuple échappé miraculeusement au siècle des philosophes, aux doctrines maudites de la Révolution française et au matérialisme subséquent à l'Indépendance américaine. Nous savions, en sortant de l'école, que nous avions une mission spéciale à remplir dans le monde, mais comme nous n'avions là-dessus aucune donnée précise, aucun parchemin signé de la main de l'Etre suprême, nous nous sentions perdus et cherchions anxieusement notre voie vers un idéal aussi vaste et aussi vague que la voie lactée.

CHARLES KING

TOURISTS STARE AT ARM-IN-ARM EXIT WITH WIFE

One of the great disappointments of the Diefenbaker years was the James Coyne affair. Coyne, who had been Governor of the Bank of Canada since 1954, had been a figure of controversy through his speeches, nationalistic in tone and sentiment, demanding changes in Canadian monetary policy. He had also been in continuous disagreement with Donald Fleming, Minister of Finance in the Diefenbaker cabinet, to whom the Bank of Canada was responsible. The differences between Coyne and Fleming came to a head when Coyne refused a government order to resign. Thereupon the Government introduced a bill in Parliament for his dismissal, and declined to allow his case to be referred to committee in the Commons. When the bill reached the Liberal-dominated Senate, Coyne went through a triumphant examination before its banking and commerce committee, and the Senate threw the bill out. Considering himself vindicated, Coyne then resigned. This story by Charles King includes parts of Coyne's remarkable last speech before the committee, in which he made it clear that his personal honour would rest on the Senate's decision.

Un des grands désappointements de l'ère Diefenbaker fut l'affaire Coyne. James Coyne était gouverneur de la Banque du Canada depuis 1954. Il suscitait des controverses par ses discours nationalistes de ton et de sentiment, qui exigeaient des modifications dans la politique monétaire du Canada. Il était continuellement en désaccord avec le ministre des Finances dans le cabinet Diefenbaker, Donald Fleming, dont relevait la Banque du Canada. Les divergences de vues entre Coyne et Fleming aboutirent à une phase critique quand Coyne refusa d'obéir au gouvernement qui lui ordonnait de démissionner. Là-dessus, le gouvernement présenta un bill au Parlement pour le congédier et refusa de lui permettre de présenter ses arguments au comité des Communes. Quand le bill parvint au Sénat où les libéraux dominaient, Coyne remporta un triomphe en comparaissant devant le comité de la banque et du commerce. Le Sénat rejeta le bill. Se considérant justifié, Coyne démissionna aussitôt. Le reportage suivant de Charles King comprend des extraits du dernier discours d'ailleurs remarquable que Coyne prononça au comité. Coyne y disait nettement que son honneur personnel reposerait sur la décision du Sénat.

James Coyne walked out of the Parliament Buildings at 11:33 a.m. today and out of the public life of Canada. There were tears in his eyes.

His wife ran to catch up with him, and the two walked off down Parliament Hill arm in arm through a cluster of astounded newsmen and tourists.

The end of his career came within one minute of his announcement to a Senate committee that regardless of the committee's decision on his fate, he would not remain with the central bank as governor.

He summed up his story in an emotion-packed 25-minute statement to the committee that has been studying the government bill calling for his removal from the $50,000-a-year post as governor.

His final words were "A vote in favor of this bill is a vote for guilty."

The stunned Senate committee adjourned almost immediately until 2 p.m., to give the governor a chance to forward his resignation to Finance Minister Fleming.

Mr. Coyne walked straight to his office in the Bank of Canada building on Wellington Street. He was reached by telephone a few minutes later and told a Southam News Services reporter that he would not send in his resignation until the Senate disposes of the bill to fire him.

Liberal senator Thomas Crerar said it would be better to let Mr. Coyne resign and avoid proceeding with the bill of dismissal, which he described as "a soiled page of our history, a stain, a blemish".

"Thank you for giving me this hearing," Mr. Coyne told the senators, "and for the patience you have shown in listening to me at great length.

"I am grateful to you for that."

He said it was apparent that the nation was grateful, too, to the senators for having made it possible for him to speak.

"I will not go into any statements of fact or detail," he said, "except that I would like to mention with appreciation the remarks of Senator Hugessen (Liberal-Inkerman) in the Senate chamber, when he said: 'If I had been faced with the kind of demand on the part of Mr. Fleming that the governor faced, I'd have told Mr. Fleming to go to hell—and that, in effect, is what the governor did.'

"Some people," Mr. Coyne continued, "may feel I should have done nothing more than that. In my own interests, perhaps they are right.

"But I felt it important in the public interest not to let the matter rest there.

"I felt it of great importance to bring out the facts—to make public the whole situation and surrounding circumstances—not only as a matter of general public information on a matter which ought to be of great concern to the public, but in order to show that the integrity of the position of governor, in my opinion, was worth defending—worth fighting for— in order to show any future government the inadvisability of repeating the sorry tactics of Mr. Fleming and the present government in the present instance.

"I couldn't have counted on being given a hearing before Parliament.

"The whole course of events—Mr. Fleming's invariable reaction in the past—requests repeated urgently in many journals of opinion in Canada, but all rejected—indicated it was most unlikely that I would be given a hearing. This was proved correct by the proceedings of the House of Commons on this bill.

"Neither could I count on a hearing in the Senate, although I confess now. . . I appear to have shown too little faith in the Senate's desire to see that truth and justice prevail.

"In the circumstances I find myself, I felt I had no right to take chances on the question. . . I had to rely on my own efforts to see that public replies were made to misleading, incomplete and inaccurate statements in the House of Commons by members of the government, and to reply to attacks made in the House not only on me, but on the very nature of the office of governor of the Bank of Canada.

"I regret having said certain things, and I regret having done certain things since May 30 (the day Mr. Fleming asked for his resignation).

"I felt I was fighting for important principles, and fighting very largely alone against an extremely powerful adversary—so powerful that it was bound to win in the end.

"There was no question of that," he continued. "The object of removing me was certain to be achieved within a short period. But it was important to fight against the methods adopted by the government . . . it was equally important to ensure as much information as possible was made available to Parliament and the people of Canada.

"Now that the fight is almost over—now that the issue is about to be placed in your hands to give a verdict, I wish to say I fully recognize that because of the events of May 30 and since—not because of anything before that date—the management of the Bank of Canada must change.

"Perhaps the directors feel that way, too, relative to their own positions.

"It is clearly impossible for me to continue as governor and to maintain relations with the present board of directors, in whose objective approach I can have no confidence—or relations with the present Minister of Finance, in whose view of the duties of his office and proper relations with the bank I can have no confidence.

"I am deeply concerned," he said, "that the Bank of Canada should commence without delay to re-establish its position in the community, and once more achieve the respect of other central banks and public opinion . . . that it had up to May 30.

"I knew from the beginning that this had to be the outcome; and honorable senators will realize that I am not lacking in understanding or integrity in relation to the necessity for severing my connection with the Bank of Canada.

"I said these things by way of background. . . .

"The question—the only question before this committee—has to do with charges that have been levied against myself in my capacity as governor . . . and in respect to my behavior as governor up to May 30.

"That question also has to do with the methods used by the government to bring about my removal —viewed in the light of the intentions of Parliament in the Bank of Canada Act.

"Those provisions in the Bank of Canada Act have not been amended . . . Bill C-114 (the bill declaring the governor's office vacant) does not say that 'good behavior' is changed to 'during pleasure.'

"The bill can only be justified by proof of the lack of good behavior on my part of such character to justify the minister of finance in asking my resignation. . . .

"This question of good behavior is fundamental to your decision on this bill, as it would be on a bill to remove the auditor-general, or the chief electoral officer, or the chairman of the Civil Service Commission—to mention only some whose positions have been specially provided for by Parliament.

"Your decision today will long be a precedent for what may be done in the future by governments yet to come—as to how they will challenge the good behavior of holders of these special offices. . . .

"I am confident you will not tear those safeguards down or let this government, or any future government, do so.

"The question before this committee is not just one of giving a man a hearing, but rendering a verdict on the basis of charges levied and the replies made to those charges.

"You are sitting . . . in a judicial capacity, not in a political capacity. You have honorably assumed a public duty of the highest importance.

"This is more in the nature of a bill of impeachment adopted by the House of Commons without a judicial inquiry, despite the demands of the opposition parties for such an inquiry—and submitted to the Senate for determination by the Senate.

"You have held an inquiry, without the co-operation of the government, or the presence of the accusers, or any examination of them. But you have done what you could. You have carried out your duty. . . .

"I am not going to review the evidence," the governor said.

"I can only say with deep respect . . . that the question before you is on your conscience—do you find the defendant guilty of misbehavior, justifying the decision of the government—or do you find him not guilty?

"A vote in favor of this bill, after this hearing, is a verdict of guilty. There can be no equivocating about that.

"I shall be marked for life as a man, a citizen of Canada, declared by the highest court to have been proved unfit to hold high office of Parliament by reason of misbehavior in relation to the duties of that office.

"A verdict of not guilty will not prevent my immediate departure from that office, but will permit me to retire honorably, and to hold up my head among my fellow citizens as one who this body of honorable senators of Canada have declared to be a man of honor and integrity, and devoted to the interests of the Bank of Canada, and to the general welfare, and it can only be said if this bill is defeated."

With that, Mr. Coyne turned and walked quickly out of the room, down the corridor of the Parliament Buildings, and out into the sunshine among the tourists.

The Senate protective officers who have escorted him into and out of the hearings for the past three days were caught by surprise, and were unable to catch him.

Nor could reporters, who dashed from the committee room to witness the scene.

At the door of the Parliament Buildings he paused momentarily, and waved away the Bank of Canada limousine that stood waiting for him.

He was half-way across the driveway in front of the buildings when his wife, who had sat silent throughout the committee hearings, came racing out the door and caught up with him.

He smiled and put his arm around her. She put her arm around him, and they walked off down the hill, indistinguishable from the crowds of tourists who came to Parliament to see another emotional spectacle—the daily changing of the guard on the lawn in front of the buildings.

By 11.35 a.m., the Coynes were out of sight.

They seemed to leave the impression, somehow, that the fight was ended, and the weight the governor has carried now for 43 days was suddenly lifted from his shoulders.

"My friend and I would like to consolidate our debts."

—Mon ami et moi aimerions centraliser nos dettes.

Cartoon by Duncan Macpherson of the Toronto *Star*.

Caricature de Duncan Macpherson du *Star* de Toronto.

JEAN-LOUIS GAGNON

CE MATIN NE RESSEMBLE A AUCUN AUTRE . . .

Si le nouveau journal *eut la vie courte, son influence, du moins pour un temps, devait s'exercer en profondeur. L'entrée de Jean-Louis Gagnon à* La Presse *avait mis fin à l'immobilisme de la plupart des journaux de langue française: on découvrit de nouvelles signatures, on modifia le style des quotidiens, on osa, au niveau du reportage, aborder des sujets longtemps tenus pour tabou. La fondation du* Nouveau journal, *au début de septembre 1961, devait accélérer le processus de renouvellement. La présentation typographique, l'utilisation de la photo et le dessin des pages devaient, en effet, inciter les autres quotidiens à repenser leur formule respective. Pour la première fois, on fit appel à des maquettistes de carrière et, tant pour défendre son prestige que pour faire face à la concurrence,* La Presse *confia à Gérard Pelletier la reorganisation du journal.*

L'article que nous reproduisons a ceci de révélateur que Jean-Louis Gagnon y explique, en termes larges, ce qu'il avait rêvé de faire au Nouveau journal, *et pourquoi il a fallu en suspendre la publication. On sait que ce quotidien fut financé par Mme DuTremblay et que celle-ci avait pris certains engagements. Mais lorsqu'elle refusa, pour des motifs qui n'étaient pas uniquement d'ordre financier, d'assurer plus longtemps la vie du journal, il fallut abandonner en cours de route le programme d'expansion qu'on s'était tracé et, peu après, se résigner à la faillite.*

If le nouveau journal *was short-lived, for a time at least it was to have a profound influence. Its typographical design and photograph and page layout were to spur other dailies to take a new look at their respective formulas. For the first time professional make-up men were employed, and as much to protect its prestige as to meet competition,* La Presse *entrusted the reorganization of the newspaper to Gérard Pelletier.*

The article reproduced here is revealing in that Jean-Louis Gagnon explains in broad outline what he had dreamed of doing at le Nouveau journal *and why he had to suspend publication. It is known that the paper was financed by Mme. DuTremblay, and that she had made certain commitments with regard to it. But when she refused to continue backing the newspaper, for reasons which were not solely financial, it became necessary to abandon the expansion programme that had been mapped out, and shortly afterwards to suffer the fate of bankruptcy.*

Faut-il s'excuser de mourir quand la rumeur publique vous a déjà enterré?

Les bonnes manières exigent tout au plus qu'on prenne congé de ses amis et de ses clients. Mais quand c'est un journal qui disparait des kiosques, ses artisans ne sauraient se contenter d'un simple coup de chapeau. Chaque quotidien qui meurt diminue d'autant les chances de libération intellectuelle données à chacun. Mais davantage encore quand il s'agit d'un journal dont la vie brève mais féconde a été un acte de foi.

Certes, nous y avons cru. Et d'autres—sans lesquels nous n'aurions duré qu'une saison.

Qu'on me permette de rendre à chacun ce qui lui appartient.

Je voudrais, au nom de la direction, remercier tous ceux qui, jusqu'au dernier jour, nous ont donné la preuve de leur amitié. Encore aujourd'hui, quand chacun savait que ce journal allait être le dernier, nous avons reçu un volume substantiel de publicité. Et la Gazette Printing Company Limited a tenu à ce que cette dernière édition soit aussi soignée que chacune des 243 numéros précédents. Au fait, exception faite du 5 septembre (1961) il est probable que *le nouveau journal* connaîtra aujourd'hui son plus fort tirage. Sympathie d'office? Non pas. Plus justement, fidélité d'hommes et de femmes qui, chaque jour ou à l'occasion, ont été les témoins du *nouveau journal.*

Mais un quotidien, c'est d'abord une équipe.

Le nouveau journal avait un style qui le distinguait de l'ensemble des journaux canadiens. Né libre, il voulut faire usage de sa liberté. Qu'il ait eu des ennemis, apparaîtra demain comme la preuve de son indépendance face aux pouvoirs.

Est-ce là la raison de son échec?

Sans doute, nous avions misé sur un tirage qui n'a pas été atteint. Beaucoup y verront une sorte de condamnation à l'effet qu'on ne peut sans péril s'écarter des techniques de presse qui ont fait la fortune de tels journaux. Mais il reste que, durant les derniers mois, la vente moyenne, au jour le jour, aura été de 43,000 et que ce résultat nous plaçait déjà au 5e rang des onze quotidiens du Canada français. Nous tombons parce que nous n'avons pu donner suite au programme que nous nous étions tracé. On ne saurait établir un quotidien en quelques mois. La nature a ses lois et aucune impatience ne saurait accélérer le jeu des saisons ou faire naître les moissons avant terme.

Au niveau des entreprises, le manque d'argent est une maladie mortelle: on peut y résister quelque temps, mais un jour vient où il faut rendre les armes. Les journaux n'échappent à cette règle— hélas! Mais précisément parce qu'ils sont faits par des hommes dont la signature, quand elle est valable, survit au quotidien forcé de fermer ses portes, il arrive que l'ivraie ne peut jamais complètement envahir le sillon tracé.

Dans la mesure où *le nouveau journal* aura marqué un progrès pour l'ensemble du journalisme canadien de langue française, sa disparition marquera un recul. Nous avons fait proprement notre métier en traîtant nos lecteurs en adultes. En même temps qu'un élément de comparaison, nous avons fourni à beaucoup de nos camarades une arme essentielle qui, dans le combat engagé, leur a permis de rompre en visière ou si l'on veut, d'être eux-mêmes. Soit dit en tout bien, tout honneur, il n'est pas prouvé que si *le nouveau journal* n'avait pas été fondé, les choses seraient maintenant ce qu'elles sont dans les salles de rédaction du Québec.

Depuis trente ans que j'exerce ce métier, j'ai dirigé beaucoup de publications dont quatre quotidiens. Mais jamais pareille équipe n'avait été rassemblée. Dans tous les services, un tel dévouement animait chaque personne que nous avions tous l'impression d'une sorte de vie unanime.

Mais on comprendra que je veux, au moment de leur donner la main, rendre à mes camarades de la rédaction un témoignage mérité. Beaucoup auront fait au *nouveau journal* leur apprentissage de la liberté. Tous avaient rêvé d'un quotidien d'information qui fut à la fois élégant et articulé. Pour avoir tenu cette gageure 244 fois, il est normal que leur effort soutenu, victorieux, fasse aujourd'hui mon orgueil.

La foule s'apprête à accueillir Sa Majesté.
The crowd prepares to greet Her Majesty.

Une fois de plus Berthio évoque un des éternels problèmes des relations franco-anglaises au Canada: les visites d'un membre de la famillee royale de la Grande-Bretagne. Il s'agit ici de la visite que la Reine Elisabeth a faite à Québec en 1964 et qui a provoqué tant de controverses.

Again Berthio addresses himself to one of the perennial problems of English-French relations in Canada: visits by British royalty. The reference here is to Queen Elizabeth's controversial visit to Quebec City in 1964.

TOM HAZLITT

IN EYES OF OLD WOMAN—FULFILMENT OF DREAM

A colony of over 7,000 Doukhobors was brought to Canada from southern Russia in 1899 as part of Clifford Sifton's vigorous immigration programme. Mystics who rejected churches, graven images and elaborate rituals, the Doukhobors had become unacceptable to the Czarist government because of their pacifist principles. They were settled on the prairies, and later a large number of them moved to British Columbia. Among them the most rigid sub-group was the Sons of Freedom, who, after the move to British Columbia, came into continuous conflict with the provincial authorities over the education of their children. Their nude protest parades became only too famous among Canadian newspaper readers.

The moving story told here by Tom Hazlitt forms one of the latest chapters in the history of these troubles. There was an ancient Doukhobor belief that the members of the sect must not dwell in one place for more than fifty years, but must move on westwards. The Sons of Freedom felt that their march to Agassiz fulfilled that condition.

Une colonie de plus de 7,000 Doukhobors fut amenée du sud de la Russie au Canada, en 1899, dans le cadre d'un vigoureux programme d'immigration lancé par Clifford Sifton. Les Doukhobors étaient des mystiques qui avaient rejeté les églises, les images sculptées, les rites compliqués. Ils étaient devenus inacceptables au gouvernement tsariste en raison de leurs principes pacifistes. Ils s'établirent dans les Prairies. Par la suite, un grand nombre d'entre eux allèrent s'installer en Colombie-Britannique. Un de leurs sous-groupes était formé des Fils de la liberté qui, une fois installés en Colombie-Britannique, eurent de continuels démêlés avec les autorités provinciales au sujet de l'instruction de leurs enfants. Ils se mettaient nus pour défiler et montrer qu'ils protestaient. Ces défilés ne devinrent que trop fameux parmi les lecteurs de journaux canadiens.

L'émouvant récit de Tom Hazlitt forme un des plus récents chapitres de l'histoire de ces troubles. D'après une ancienne croyance, les membres de la secte ne doivent pas demeurer à un endroit plus de 50 ans. Ils doivent s'acheminer vers l'Ouest. Les Fils de la liberté estimaient que leur marche vers Agassiz remplissait cette prescription.

SHOREACRES—The hard core of the Sons of Freedom people of the West Kootenays said goodbye to their homes and hit the impossible road for Agassiz at 11 a.m. Monday.

Some said goodbye while eating slices of tomato spread with peanut butter, and some did it with tears and some with songs.

There was a good deal of cynicism and joking, and some play-acting for the benefit of the visiting press.

But I wandered among them as they made their preparations and marched three dusty miles with them down the highway. And even if the strange migration of the Freedomite people fizzles out immediately, the odd truth is that every one of these people feels honestly in his heart that he or she is marching westward. And he believes he does this in response to some pre-ordained law established decades ago in the dour culture of his people.

The American tourists pausing on the road said it was unbelievable, and this reporter, quite accustomed to Freedomite demonstrations, found it unbelievable also.

The scene had something about it of a country fair, and something of a big company picnic. It was also quite insane from beginning to end.

But finally the praying and formalities and general packing up were done, and the column moved forward. The old Russian marching chant broke out from the throats of half a thousand people, and it was hard for a cynical reporter not to be caught up in the magic of a great mystic move westward, a move that began 64 years ago in Russia and carried on under the hot noon sun of Labor Day, 1962.

The marchers moved up a slight hill, shawls and sport shirts and bobbysocks stretching along Highway No. 3 as far as the eye could see.

In the eyes of an old sick woman I found the secret and the triumph of the Freedomites. She was unbelievably old and wasted—her relatives estimated her age variously at 79, 89 and 92—but she was one of those special pioneers who came from Russia, and when she was young and strong she harnessed herself to the plow in an attempt to grow food under these same barren hills.

Monday she lay groaning in a wooden cart, pulled down the road by her grandsons and great-grandsons. She spoke no English, but the look in those fine old eyes said eloquently that this painful journey west was her last triumph and her final reason for being.

As the column marched west, past the charred community houses of Glade, I also saw the tragedy of this migration, if that is what it is.

A young boy walked along, hand in hand with his sunburned, handsome father.

The boy said: "How far is it to Agassiz, Dad?"

Father replied: "It's a long way, boy. I don't think we'll get that far. But we've got to do the best we can."

The youngster nodded and his thin voice joined the chant of old Russia, and he let go of his father's hand and walked alone. The tragedy is that he will be able to tell his children that he was a proper Son of Freedom, and boast that he took part in the great march of 1962.

Le Petit Journal, Montréal—24 mars 1963

JEAN-CHARLES HARVEY

MOTS MALHONNETES

Peu de journalistes de langue française, au Québec, tiennent *durant 50 ans! Et parmi ceux-ci, combien résistent à l'usure du temps? A ce point de vue, Jean-Charles Harvey est donc un être rarissime: il a vieilli sous le harnais, et le matin même de sa mort, CKAC pouvait encore diffuser son dernier "commentaire"! Il fut l'un des plus brillants journalistes des cinquante dernières années, au même titre qu'Asselin et Francoeur.*

Paul Morand a écrit quelque part que la littérature et la pratique du journalisme sont incompatibles. Prix David, l'auteur des Demi-civilisés, *fut en fait l'un des rares écrivains d'imagination, au Québec, que le journalisme n'a pas dévoré. Au contraire, comme le prouve clairement la qualité littéraire de ses articles.*

Où situer Harvey? Il a toujours été un esprit libéral: formé à la lecture de Voltaire, de Taine et de Renan, aussi curieux que cela soit pour un ancien jésuite! Résolument démocrate, très "école laïque", il combattit tous les totalitarismes, de droite et de gauche, tous les nationalismes et les tabous religieux. Profondément canadien, attaché à l'histoire et à la nature du Canada, il n'a jamais cessé de dénoncer en termes vifs le séparatisme québecois et ses propagandistes.

Few French-language journalists in Quebec last out for fifty years. And among these how many resist the wear and tear of time? From this point of view Jean-Charles Harvey was very unusual indeed. He grew old in harness, and the very morning of his death CKAC was still able to broadcast his last talk. Along with Asselin and Francoeur, he was one of the most brilliant journalists of the last fifty years.

Where did Harvey stand? He was always a liberal spirit—his thought moulded by reading Voltaire, Taine and Renan, curious as that may be for a former Jesuit. Steadfastly democratic, very much of the "undenominational school," he fought against all totalitarianisms, right or left, all nationalisms and religious taboos. Profoundly Canadian, devoted to the history and nature of Canada, he never stopped denouncing in sharp terms Quebec separatism and its propagandists.

Hélas! Ce ne sont pas les sages qui brillent et emportent le morceau en temps d'élections ou dans les harangues populaires, ce sont les forts en gueule. Leur force de frappe —dixit Charles-le-Grand—réside dans leurs poumons et dans quelques mots clefs qu'ils se gardent bien d'expliquer ou qu'ils ne se sont pas même donné la peine de comprendre. Ils en arrosent la foule avec un aplomb de pompiers infaillibles. Avec ce truc-là, on peut devenir député, ministre, premier ministre. On peut même déclencher des révolutions.

Les exemples ne manquent pas. Dans leurs manifestes, leurs discours ou leurs livres de propagande—livres bourrés d'affirmations gratuites et de chiffres interprétés de façon partiale et fantaisiste—ces drôles répètent sans cesse: "Le Québec, sous le régime fédératif, est une colonie. On ne sort du colonialisme que par l'Indépendance." Ici s'applique bien le mot de Voltaire: "Mentez, mentez, il en restera."

Il est tout aussi absurde d'appeler colonie la province de Québec que de prétendre que le Texas, la Californie ou le Vermont sont des colonies des Etats-Unis. Ces Etats sont des parties intégrantes de la grande république souveraine, donc, participant à cette souveraineté. Le Canada est aussi un pays souverain en vertu du traité de Westminster. Ses parties composantes sont dix provinces, dont chacune est aussi souveraine que le tout. Le Québec ne fait pas exception. Dire que celui-ci est une colonie équivaut à dire que l'Ontario, le Manitoba, la Colombie-Britannique et les autres provinces sont autant de colonies. Ce serait faux et ridicule. Aux points de vue lois, libertés civiles et politiques, Ontario et Québec sont sur un pied de parfaite égalité. Que si l'une d'elles est plus peuplée et plus développée économiquement, cela ne suffit nullement à faire de l'autre une colonie.

Nos députés, à Ottawa, possèdent et exercent—s'ils ont des capacités et du coeur au ventre—les droits et prérogatives absolument identiques aux droits et prérogatives des autres députés de la confédération. Et puis, une province qui a fourni à la nation canadienne deux premiers ministres remarquables peut difficilement répondre à la définition d'un Etat colonial.

A quoi donc s'accrochent nos souverainistes pour justifier leur idée-force: "Il faut que le Québec cesse d'être une colonie?" Au fait qu'il faille parler une autre langue que la nôtre en franchissant notre frontière? Piètre justification! On attribue à un vice constitutionnel un phénomène qui tient uniquement à la loi inéluctable du plus grand nombre. Dans tous les pays du monde et dans tel ou tel milieu donné, il a toujours fallu et il faudra toujours apprendre et parler la langue de la majorité ambiante. Surtout si cette majorité est très forte. Or, nous sommes cinq millions sur dix-neuf millions au Canada et cinq millions sur 200 millions en Amérique du Nord. Cela ne suffit pas à nous transformer en colonie, particulièrement si nous considérons que, dans le Québec, environ 80 pour cent du peuple ne parle guère que le français et ne s'éduque qu'en français.

A ceci, nos séparatistes, acculés au pied du mur, nous répondront: "C'est en industrie, en finance et en commerce que nous sommes une colonie." Il est vrai que les Canadiens de langue française n'ont guère pris pied dans ce domaine. Le capital étranger y domine. Mais, à ce compte, l'Ontario même serait une colonie. Le nombre d'industries fondées grâce aux placements américains y est considérable. Allez donc demander aux Ontariens à qui appartiennent les immenses filiales canadiennes des fabriques d'autos des Etats-Unis.

Jusqu'à nos jours, tous les pays neufs se sont développés grâce à l'apport de capitaux étrangers. Il n'en pouvait être autrement. Ce sont ces capitaux qui, au cours du siècle, ont sauvé la "race" de souche française au Canada. Avant cette révolution industrielle, nous avions perdu environ un million des nôtres émigrés aux Etats-Unis parce qu'ils crevaient chez nous et trouvaient là-bas du travail et du salaire.

On a appelé IMPERIALISME ECONOMIQUE cette ère de placements pratiqués par des pays riches dans des pays en pleine naissance industrielle. Il paraît que cette ère tire à sa fin et que désormais, ce sera le NATIONALISME ECONOMIQUE qui prévaudra. C'est possible, même désirable en certains cas. Mais s'il suffit de placer son argent où ça rapporte pour être taxé d'impérialisme, je serai moi-même traité d'impérialiste si j'achète des parts de pétrole du Texas ou des services électriques du Brésil. Ici, on a peut-être encore affaire à un mot malhonnête.

Mais que le Québec cherche à bénéficier plus largement de ses richesses naturelles, il faut y applaudir à deux mains. On ne dira pas fin du colonialisme, mais commencement d'indépendance de fortune.

"... while at the moment they appear to have a slight superiority in fire-power...."

—... même si à l'heure actuelle ils semblent avoir une puissance de tir légèrement supérieure....

Len Norris du *Sun* de Vancouver se prononce sur la facilité avec laquelle le FLQ a volé des armes de la salle d'exercices militaires de Montréal en 1964.

La Presse, Montréal—24 février 1964

MARCEL GINGRAS — LA QUERELLE DES IMPOTS

Peu de questions, au Canada, ont fait couler plus d'encre que la querelle des impôts. *De façon concrète, "l'impôt direct" est devenu partie de notre folklore électoral depuis la première guerre mondiale. Mais c'est à l'époque où Maurice Duplessis en fit, dans une certaine mesure, la pierre d'assise de sa politique autonomiste, qu'elle est devenue, pour l'ensemble des provinces et pour le gouvernement fédéral, l'élément-clé de leurs relations.*

Le gouvernement Lesage était au pouvoir, à Québec, lorsque Marcel Gingras publia dans La Presse, *en 1964, un article fort documenté sur cette question,—et qui, par surcroît en retracait l'origine. Marcel Gingras—qui est aujourd'hui l'adjoint du rédacteur en chef du* Droit, *Willie Chevalier—fait état de "l'esprit de 1867" et tente, en s'inspirant des travaux de Maurice Lamontagne sur le fédéralisme canadien, de démontrer qu'au début de la Confédération, on n'était guère préoccupé de l'autonomie fiscale des provinces!*

Few questions in Canada have produced a greater flood of ink than the dispute over tax revenues. In a very real way "direct taxation" has become part of our electoral folklore since World War I. But it was in the era when Maurice Duplessis made it to a certain extent the foundation-stone of his autonomist policy that it became, for all the provinces and for the federal government, the key element in their relations.

The Lesage government was in power in Quebec when Marcel Gingras published in La Presse *a well-documented article on the question, tracing it back to its origins. Gingras, who today is assistant to the editor of* Le Droit, *Willie Chevalier, takes into consideration "the spirit of 1867" and attempts, while drawing inspiration from Maurice Lamontagne, to show that at the start of Confederation people were hardly interested in the fiscal autonomy of the provinces.*

A tort et à travers, il se trouve au Canada des gens qui réclament le retour à l'esprit de 1867 chaque fois que surgit une discussion sur le partage des impôts.

Toujours, ceux qui parlent ainsi ont à l'esprit le présumé droit exclusif ou prioritaire des provinces à l'impôt direct.

Commun chez les profanes ou chez les gens à demi renseignés, ce souhait se retrouve même sur les lèvres ou sous la plume des gens que leur métier place en contact quotidien avec la réalité politique.

Pour ne donner qu'un exemple et ne blesser aucun Canadien de langue française qui croirait voir s'élaborer ici une thèse contre le Québec, mentionnons tout simplement l'ancien chef conservateur, M. George Drew.

Aux élections de 1953, l'article cinq de son programme affirmait que s'il était porté au pouvoir, il rétablirait "les véritables principes dont s'inspire le pacte de la Confédération et qui sont exposés dans l'Acte de l'Amérique du Nord britannique."

Avec le nouveau Secrétaire d'Etat, M. Maurice Lamontagne, qu'il faudrait s'abstenir de citer à cause du préjugé dont il est victime au Québec, il nous faut nous demander à quel esprit du pacte confédératif songent ceux qui parlent ainsi car il y en eut plusieurs.

Selon qu'on est pour ou contre la centralisation, on interprète en faveur d'Ottawa ou contre lui le droit constitutionnel aux impôts directs.

En vertu de l'article 91 de la constitution, alinéa 3, le gouvernement fédéral a le droit de prélever des deniers par "tous modes ou systèmes de taxation", tandis que l'article 92, alinéa 2, accorde aux provinces "la taxation directe".

Ottawa a donc droit à tous les impôts et les provinces n'ont droit qu'aux impôts directs.

Ajoutons immédiatement que tout conflit à cet égard porté devant le Conseil privé de Londres fut réglé d'étrange façon quoique en faveur des provinces, en définitive. Chaque fois, Londres a reconnu le droit des provinces aux impôts directs, mais sans jamais nier celui d'Ottawa aux mêmes impôts.

Cela établi, citons une deuxième et dernière fois M.

Maurice Lamontagne qui, page 16 de son ouvrage "Le fédéralisme canadien", écrivait: "Avant de réclamer le retour non seulement à la lettre, mais aussi à l'esprit de la Confédération, il nous faut être bien conscients de ce que nous demandons et éviter d'identifier nos propres conceptions avec les intentions des Pères de la Confédération".

Que disaient donc les Pères de la Confédération? Dans les 1027 pages qui constituent le volume des délibérations parlementaires préparatoires à la Confédération, il ne se trouve qu'une seule phrase favorable à la thèse des autonomistes et encore, elle paraît avoir échappé à son auteur par pur accident, car tout le reste des débats démontre clairement qu'on ne voulait donner ou laisser aux provinces qu'un minimum de revenus.

Même chez celui qui laisse un instant entendre que le droit à la taxation directe appartiendra exclusivement aux provinces, on voit clairement que ce droit lui paraît inapplicable.

Voici cette phrase: "En transférant au gouvernement général toutes les grandes sources de revenus et en mettant à sa disposition, à une seule exception,—celle de l'impôt direct,—tous les moyens à l'aide desquels on peut faire contribuer l'industrie du peuple au besoin de l'Etat, il devient évident pour tous qu'une partie des ressources ainsi mises à la disposition du gouvernement général devra être appliquée, sous une forme ou sous une autre, à combler le vide qui, inévitablement, se ferait entre les sources de revenu local (provincial) et les dépenses locales". (page 68 des débats).

Cela devait se faire au moyen de subventions fédérales.

Avec George Brown, président du Conseil à l'époque (1865) l'homme qui parlait ainsi, A. T. Galt, ministre des Finances, était le seul à n'avoir jamais songé à donner aux provinces l'impôt direct en croyant qu'il serait applicable.

Réflexion faite, il se rendait à l'opinion de la majorité et en venait même à présenter comme une horreur le recours à l'impôt direct. "Je ne pense pas non plus que le peuple de ce pays tolérerait un gouvernement qui adopterait cette mesure", déclarait-il à l'Assemblée législative, le 7 février 1865.

Une telle phrase était bien loin des propos qu'il avait tenus quatre mois plus tôt à la conférence de Québec, comme le rapporte la *Canadian Historical Review* de mars 1920, p. 30. "Plusieurs d'entre nous croient que l'impôt direct est la solution idéale, mais nous n'insisterons pas pour faire valoir notre opinion".

Pour ce qui est de George Brown, le 8 février, 1865, il rappelait à l'Assemblée législative sa préférence pour l'impôt direct, mais pour immédiatement le dire impossible et ajouter: "Nos amis du Bas-Canada surtout ont une horreur profonde de la taxe directe".

Ce même M. Brown, il faut le rappeler en toute justice, ne continuait pas moins à croire à sa thèse, même, s'il ne la défendait plus, comme l'indiquent les débats du 7 mars 1865, p. 761: "Il eut été désirable de laisser chaque province percevoir elle-même, par des impôts directs, les fonds nécessaires pour faire face à ses propres dépenses".

Pis-aller, solution de dernier recours, le droit à l'impôt direct était donc accordé aux provinces, mais dans le vif espoir que jamais elles n'auraient à y recourir. La mesure était si impopulaire à l'époque qu'on la présentait comme une menace.

"Il n'y aura pas lieu de recourir à la taxe directe si ses hommes (ceux du gouvernement) sont sages et prudents", déclarait à Montréal Sir Georges-Etienne Cartier, le 29 octobre 1864.

Un adversaire de la Confédération, Antoine-Aimé Dorion, le 16 février 1865, p. 263 des débats, déclarait, en parlant du droit des provinces aux impôts direct: "Je n'ai aucun doute qu'avant plusieurs mois après leur organisation elles se trouveront dans la nécessité d'y recourir".

Dans ce même discours, page suivante, mentionnant le subside spécial de $63,000 par année consenti au Nouveau-Brunswick pendant dix ans, il donnait une nouvelle preuve de l'impopularité de l'impôt direct: "Cette somme est donnée à cette province pour subvenir à ses dépenses locales et lui permettre d'échapper à la nécessité de recourir à la taxe directe".

Les responsabilités des provinces devaient être grandes, on en convient, mais elles ne devaient commander que de légers déboursés.

L'éducation dont on parle tellement était à l'époque la responsabilité des municipalités grandement aidées par les communautés religieuses; l'assistance sociale n'existait pas, et Ottawa se chargeait de tous les frais de réelle importance.

Dans son rapport, la Commission Rowell-Sirois fait état des sentiments de l'époque lorsqu'elle rappelle, page 36, que près des quatre-cinquièmes des revenus provinciaux étaient cédés au gouvernement fédéral.

Les provinces devaient donc vivre de subsides fédéraux qu'elles acceptaient à l'époque mais que la Commission Tremblay devait dénoncer en 1956.

Page 30 de son rapport, la Commission écrit: "C'est donc à tort que l'on prétend que le régime général des subventions est conforme en tous points à la lettre et à l'esprit du pacte confédératif. Il constitue plutôt une exception au principe de l'autonomie et de la responsabilité financière de chaque gouvernement".

Simple écho de multiples jugements du Conseil privé de Londres, l'opinion de la Commission est, depuis longtemps chez ceux qui ont suivi l'évolution du pacte confédératif, l'interprétation logique et actuelle de ce pacte et devrait être une mise en garde contre ceux qui parlent sans cesse du retour à l'esprit de 1867.

Rien à cette époque ne favorisait l'autonomie provinciale et bien imprudents sont ceux qui, à tort et à travers, répétons-le, parlent sans cesse d'un tel retour.

La Presse, Montréal—25 février 1964

LA QUERELLE DES IMPOTS

II

Embarras plutôt que bienfait à cause de son impopularité à l'époque de la Confédération, l'impôt direct est rapidement devenu morceau de choix dans l'assiette fiscale.

Quinze ans de vie confédérative ne s'étaient pas écoulés que les premières querelles surgissaient sur le droit à cet impôt ou à ces impôts.

C'est en 1881, en effet, que le Conseil privé de Londres était appelé à trancher un premier différend sur le sujet. Le jugement alors rendu (Citizens' Insurance Co. of Canada v. Parsons) devait par la suite servir de base à tous les jugements subséquents.

Dans ce jugement, le Conseil privé déclarait en résumé que l'acte confédératif, dans son texte comme dans son esprit, ne laissait place à aucun doute sur les droits respectifs du pouvoir central et des gouvernements provinciaux.

L'article 91 de la constitution accordait à Ottawa le pouvoir de prélever des deniers "par tous modes ou systèmes, de taxation",—taxation directe comprise,—et l'article 92 ne laissait aux provinces que "la taxation directe dans les limites de la province".

Le pouvoir d'Ottawa était général et celui des gouvernements provinciaux limité, voire même restrictif. Plus encore, le pouvoir des provinces n'existait qu'à la seule fin ou peu s'en faut, de leur permettre à leur tour d'autoriser les municipalités à percevoir l'impôt foncier.

Tout cela paraît très clairement aux débats antérieurs à la Confédération, par exemple lorsque George Brown, le 8 février, 1865, explique la répugnance du Bas-Canada et des provinces du golfe à l'idée de l'impôt direct en disant que "cela vient de ce que ces dernières provinces n'ont pas un système municipal organisé comme celui du Haut-Canada", page 92 des débats.

Pour ce qui est des provinces mêmes, elles devaient vivre de subsides fédéraux comme on l'a vu précédemment, ainsi que des revenus du domaine public.

Parce que, dans l'esprit des Pères de la Confédération, les provinces ne devaient avoir que fort peu d'obligations financières, on ne leur laissait que fort peu de revenus.

Dans son ouvrage *Taxation in Canada*, J. Harvey Perry, de la "Canadian Tax Foundation", explique, pages 153 et 154, qu'on a donné aux provinces l'impôt direct à cause de son impopularité, présumant qu'elles n'en auraient pas besoin, et parce que leurs obligations devaient être fort limitées.

Perry écrit également qu'en 1867, personne ne prévoyait l'importance que prendrait l'impôt direct car, dit-il, à l'époque il existait une répugnance dans toute l'Amérique du Nord à l'égard de cette forme de perception de deniers.

Rapidement toutefois, répétons-le, une évolution s'est produite et les gouvernements en sont venus à se battre pour faire valoir leurs droits à l'impôt direct.

Au Canada, en ce domaine comme dans bien d'autres, l'influence américaine a joué.

"La première législation provinciale sur l'impôt des sociétés commerciales, celles de Québec en 1884, se fondait directement sur un précédent américain et la première loi sur les droits de succession, celle de l'Ontario, en 1892, était presque une copie d'une loi identique de l'Etat de New-York".

Voilà ce qu'écrit Perry, page dix de l'ouvrage cité, puis il ajoute: "L'impôt de guerre sur le revenu, en 1917, offre une ressemblance frappante avec une mesure américaine, et la première province à imposer une taxe sur l'essence, l'Alberta, s'y est résolue en 1922, seulement après que 19 Etats américains lui eurent donné l'exemple au cours des trois années précédentes".

L'impôt de guerre mentionné ci-dessus commanderait à lui seul tout un article tellement son adoption fut accompagnée de scrupules.

Interrogé récemment à ce sujet en vue du présent article, l'ancien ministre conservateur des Finances, M. George Nowlan, a rappelé que son prédécesseur de l'époque s'est tout d'abord opposé à cet impôt pour de multiples raisons, en particulier parce qu'il croyait que le coût de sa perception serait beaucoup plus élevé que le revenu qu'il donnerait.

Pressé d'agir à la première session de 1917, le ministre s'y était refusé. La guerre se prolongeant, il a toutefois dû reviser son jugement à la seconde session.

Les scrupules du ministre, sir William Thomas White, étaient bien dans l'esprit de l'époque. Chose étrange, avant la Confédération, des municipalités ontariennes prélevaient déjà un impôt sur le revenu des particuliers.

L'usage devait disparaître en 1867, mais revenir plus tard. On l'a peut-être oublié, mais avant la seconde guerre mondiale, en Ontario et au Nouveau-Brunswick, certaines municipalités avaient fait de même avec assez de bonheur. En Nouvelle-Ecrosse et dans les Prairies, l'expérience avait également été tentée, mais sans grand succès.

Durant la première guerre mondiale en outre, toutes les provinces,—sauf le Québec,—avaient imposé des taxes dites "de guerre" sur les propriétés.

En 1939, toutes les provinces frappaient d'impôt le revenu des sociétés commerciales, à un taux qui veriait d'un à dix pour cent. En 1940, le taux était de 5 p. 100 au Québec et en Ontario.

L'Ile-du-Prince-Edouard, le Manitoba et la Colombie-Britannique percevaient un impôt sur le revenu des particuliers en 1930 et, en 1939, quatre autres provinces faisaient de même.

A ce qui précède et qui pourrait s'accompagner de multiples exemples, on voit que Québec n'est pas la seule province à croire en l'autonomie et que, dans de nombreux secteurs, elle est loin d'avoir tracé la voie même si, avec l'Ontario, elle a toujours été celle qui a le plus fortement revendiqué ses droits aux impôts directs.

Les rares fois où elle a poussé ses réclamations jusqu'à l'ultimatum,—avec ou sans le mot,—on l'a dite adversaire de l'unité nationale et séparatiste.

Libre d'imposer un impôt sur le revenu personnel depuis 1946, alors que prenaient fin certains accords de location, Québec n'a usé de son droit qu'en 1953, tout comme l'Ontario d'ailleurs.

Antérieurement, lorsque Québec a exercé son droit à l'impôt direct, ce fut toujours avec répugnance, du moins durant les années antérieures à la seconde guerre mondiale.

Est-il besoin d'ajouter que contrairement à ce que croient certains Canadiens de langue anglaise, ce n'est pas Québec qui fut la première province à réclamer et à imposer l'impôt sur le revenu, mais la Colombie-Britannique, en 1876.

Perry rappelle ce fait à la page 15 de l'ouvrage cité. A la page suivante, il ajoute que ce fut l'Ontario qui, avant toute autre province, a imposé des droits de succession.

En 1894, l'Ile-du-Prince-Edouard a suivi la Colombie-Britannique dans le domaine de l'impôt sur le revenu. Elles furent ainsi les seules provinces à appliquer cet impôt jusqu'à ce que, en 1923, le Manitoba les imite.

L'histoire des impôts couvrirait ainsi des pages et des pages. Comme un journal n'est pas l'endroit où ce faire, contentons-nous d'observer l'évolution rapidement ébauchée des relations fédérales-provinciales dans le domaine fiscal et convenons que la province de Québec n'a jamais été seule à vouloir jouir des droits que lui confère la constitution.

Au bruit qu'ont fait ses réclamations à toutes les époques de notre histoire, il est permis de nous demander si les autres provinces n'ont pas obtenu autant qu'elle sur un ton moins bruyant.

En terminant, signalons qu'en retour de ce qu'elles obtenaient les provinces prenaient à leur charge des frais correspondants.

Ainsi, sans entrer dans les détails, rappelons que si leurs dépenses ne s'étaient accrues que de $20 millions au cours des trente premières années de vie confédérative, elles ont connu une augmentation de $433 millions au cours des 34 années suivantes.

Lentement, elles sont passées du régime des subventions à celui des impôts, font voir les comptes publics. En 1874, les subventions fédérales constituaient 57.7 p. 100 de leurs revenus. En 1921, elles ne représentaient plus que 13.1 p. 100. Par contre, durant la même période, les impôts qu'elles ont perçus sont passés de 0.6 p. 100 de leur budget à 39.1 p. 100.

Le reste de leurs revenus provenait des licences et des droits qu'elles touchaient sur le domaine public. A ce chapitre, on ne constate que peu de variations, les revenus en ces domaines passant de 41.7 p. 100 du total en 1874 à 47.8 en 1921.

Toronto Daily Star—Thursday, November 12, 1964

PETER C. NEWMAN

THE SECRET DEAL THAT SAVED THE PENSION PLAN . . . AND CANADA

The Federal government's scheme for a contributory Canada Pension Plan was introduced in the House of Commons by the Minister of Health and Welfare, Miss Judy LaMarsh, on July 18, 1963 — "with a fortissimo of political brass," according to the Canadian Annual Review. *But the Quebec government quickly gave notice of a provincial plan of its own. A federal-provincial conference in November 1963 was inconclusive, and the discussions were resumed at a further conference in Quebec City in March 1964. The Quebec plan appeared to be superior to the federal one; but the two parties could not agree on the tangled question of the division of federal and provincial sources of revenue. On April 2 the conference broke up with Mr. Pearson and Mr. Lesage giving separate press interviews. This critical situation led to desperate behind-the-scenes negotiations, and finally a new compromise agreement was announced in the House of Commons on April 20. The exciting story of these negotiations, as skilfully put together some months later, is told here by Peter Newman, Ottawa editor of the Toronto* Star.

Le projet conçu par le gouvernement fédéral pour établir au Canada, un régime de pension à participation fut présenté aux Communes par le ministre de la Santé nationale et du bien-être social, Mlle Judy LaMarsh, le 18 juillet 1963, "avec un fortissimo des fanfares politiques," d'après la Canadian Annual Review. *Mais le gouvernement du Québec ne tarda pas à annoncer son propre plan provincial. La conférence fédérale-provinciale de novembre 1963 ne donna aucun résultat. Les pourparlers reprirent à une autre conférence, celle de Québec, en mars 1964.*

Le programme du Québec semblait supérieur à celui du gouvernement fédéral, mais les deux parties ne pouvaient s'entendre sur la question embrouillée de la répartition des sources fédérales et provinciales de revenus. Le 2 avril, la conférence prit fin alors que M. Pearson et M. Lesage se séparèrent pour donner des entrevues à la presse. Cet état de choses critiques donna lieu à des négociations désespérées derrière les coulisses. Finalement, un nouvel accord de compromis fut annoncé aux Communes le 20 avril. Le récit palpitant de ces négociations, dont l'habile reconstitution fut effectuée quelques mois plus tard, a été rédigé par Peter Newman, chef des correspondants à Ottawa du Star *de Toronto.*

OTTAWA—For sheer drama, impact and audacity, no political event of the Pearson Years can match the process by which the federal government managed to obtain Quebec's endorsement for its third and final version of the Canada Pension Plan, tabled this week in the House of Commons.

Those five momentous days last April, when the Quebec-Ottawa pension agreement was negotiated, already have become clearly identifiable as a major turning point in Canadian history. The talks, reconstructed here in detail for the first time, achieved much more than a pension formula.

The accord came at a moment when Confederation seemed in real danger of breaking up. Jean Lesage had cornered himself into a position of having to impose double taxation in his province, a move that would inevitably have led to an open break with Ottawa. Lester Pearson seemed about to lose the sole claim to statesmanship which had survived his disaster-filled first twelve months in office: that he was the only federal politician who would hold this nation together.

The success of the dramatic April 7-11 negotiations suddenly made everything seem possible again. Lesage obtained the funds he so desperately needed without being forced into a position that might have driven even the moderates in his province towards separatism. Pearson was granted another chance to get a renewed grip on the country's problems. All the people of Canada were able to look forward to the benefits of a new dimension in social insurance. The nation had won a reprieve.

This was made possible by the fortuitous coming together of five very different men. Each brought to the negotiations a highly specialized talent—together they possessed exactly the qualities required to ensure success.

LESTER PEARSON contributed a superb sense of timing, honed during a lifetime of diplomacy which had taught him that large problems can be solved by allowing them to ripen to precisely that point when decisive action becomes acceptable.

JEAN LESAGE took the occasion to prove that he was a Canadian first and a Quebecker second, and that in his own person was embodied the best, perhaps the only, solution to the English-French rift threatening the fabric of Confederation.

TOM KENT, Pearson's policy adviser, used his cool, priceless ability to reduce large questions to manageable proportions, to work out the details of the complicated formula which eventually satisfied both Ottawa and Quebec.

MAURICE SAUVE, the federal minister of forestry, brought to the confrontation tough-minded independence and integrity, providing the key link between the sources of real (as opposed to titular) power in both camps.

CLAUDE MORIN, Quebec's deputy minister of federal-provincial affairs, contributed a sure instinct for the possible, gained during graduate work in social security problems at Columbia University, to tie up the Quebec side of the bargain.

The events which brought these five men together began to take shape at the federal-provincial conference, held in Quebec City from March 31 to April 2.

The conference had turned into a disaster of stunning proportions. It had been called in the hope of reaching some kind of compromise, among other things, on a federal pension plan. The pension scheme had first been introduced by Judy LaMarsh on June 18, 1963 as part of the instant legislation of Pearson's first "Sixty Days". The original plan had been scuttled by Quebec's objections to its pay-as-you-go philosophy and a new scheme was tabled on March 17, 1964. This one had taken Quebec's abstinence for granted and was supposed to be more in line with the Ontario pension approach. But that province made it clear that if Quebec could have a plan of its own, so could Ontario.

At the Quebec City conference, Ottawa's emissaries sat stiff with embarrassment while Quebec civil servants outlined their provincial plan to the premiers. It was indisputably a better piece of social legislation than the Ottawa version. Following the presentation, Pearson turned to a colleague and quipped: "Maybe we should contract into the Quebec plan." Robarts of Ontario and Roblin of Manitoba said as much publicly.

The unhappiest participant in the conference was Lesage of Quebec. His concern was not pensions. He knew he had the best plan. He had come anxious to negotiate for extra tax revenues and found to his dismay that no one was prepared to discuss his problems. (Quebec had been granted $42 million of an $87 million increase in equalization payments at the previous federal-provincial conference in November, and as far as Finance Minister Walter Gordon was concerned, the federal treasury could afford no more.)

The Ottawa delegation had come to Quebec willing to offer its "contracting out" formula for shared-cost programs. That and nothing more. At the end of the conference, a frustrated and angry Lesage warned that the next provincial budget would impose double taxes which he'd blame on Ottawa's intransigence.

The experiment in "co-operative federalism" on which Lester Pearson had bet his political life, suddenly was coming apart at the seams. At the same time, his pension plan, meant to be the main plank of the Liberal platform in the next election campaign, had been scuttled.

The full gravity of the situation didn't hit most of the federal participants until several days later. But even while the conference was still meeting, Claude Morin, Lesage's chief adviser on federal-provincial relations, had telephoned his former colleague Maurice Sauvé in Ottawa to warn him just how badly things were going. They had become fast friends during the 1960 provincial campaign when Morin had helped Sauvé draft the articles for the election platform which later swept Lesage into power. Now, Morin was appealing to the only Ottawa minister in whom he felt total confidence, to help stave off what he feared might be a national disaster. He confirmed that the Quebec budget, due in only 15 days, would angrily blame Ottawa for provincial tax increases.

As the precious days dropped away, the Pearson ministry remained inert. Maurice Lamontagne had stayed in Quebec City to begin a round of desultory negotiations with Bona Arsenault, the only provincial minister who'd talk to him. Neither man spoke with the accent of power.

During the five days after the conference, Maurice Sauvé met several times with Tom Kent, who is not only highly influential with the P.M., but alone of the people in that category, sympathizes with Lesage's problems.

On the morning of April 7, Kent gave Pearson a long memorandum outlining a daring formula which would allow Ottawa's requirements and Quebec's requests to be met in one package deal. Pearson decided to call a meeting of senior ministers at his home the following evening to discuss the proposals. But Sauvé, fearful of the time element —Lesage's double taxation budget was now only a week away—and impatient to get Quebec re-involved in negotiations, had already telephoned

Morin to find out whether he would receive an informal delegation from Ottawa the following day. Morin readily agreed.

Late that afternoon when Kent and Sauvé walked, grim-faced, into Pearson's office to ask permission for the journey, the Prime Minister greeted them bitingly with, "so what's the new disaster?" He heard them out, and made his decision: "I don't want it said I didn't do everything possible to save Confederation. Go ahead, but keep the trip secret."

It was 6:40 p.m. by the time Kent and Sauvé left the P.M. With only 30 minutes to pack, the two men caught the 8:10 T.C.A. flight to Quebec City. Sauvé's secretary had made reservations for them at the Chateau Frontenac hotel, but in order to preserve the secrecy of their mission, she booked Kent's room in the name of Claude Frenette, Sauvé's executive assistant.

When Kent and Sauvé switched aircraft in Montreal, they found themselves near Jules Lesage, the premier's son, who was full of probing questions. "Just a routine visit," Sauvé smiled weakly.

Morin came to Sauvé's hotel room at 9:30 the following morning, bringing word that Lesage woud receive them at 3 o'clock that afternoon.

By the time Morin left at 11:30, he had been briefed on Kent's compromise and reacted favorably to its terms. That afternoon, the Ottawa emissaries slipped through a side entrance into Lesage's office. René Levesque and Paul Gerin-Lajoie joined the talks. After Kent and Morin had outlined the formula, Lesage sprang out of his seat and on the spot postponed the date of his provincial budget presentation to allow more time for a settlement. Gerin-Lajoie and Levesque supported Lesage's enthusiasm. Although many issues remained unsettled at 4:20 when the meeting broke up and Lesage shook hands with his visitors, tears of pure happiness were in his eyes.

A provincial government plane brought Kent and Sauvé back to Ottawa by 7:30 p.m. They rushed to the Prime Minister's home, where five senior ministers (Sharp, Gordon, Favreau, Martin and Lamontagne) heard the report of their odyssey. General shock at the magnitude of what was being proposed persisted until the meeting broke up two hours later.

The next day (Thursday, April 9), Kent and Sauvé continued to work out the final details of the federal plan which Morin (and the Quebec government's pension expert, Claude Castonguay) would take up at a secret Ottawa conference, planned for that Saturday morning. On Friday, Judy LaMarsh, the minister nominally in charge of the pension legislation, was informed of the talks. But she pooh-poohed their importance and went off to Niagara Falls for the weekend.

Saturday morning the final and most important confrontation took place in an office adjoining the East Privy Council chamber. Kent, Sauvé, Dr. Joseph Willard, deputy minister of welfare, and D. S. Thorson, an assistant deputy minister of justice, represented the federal side, with Morin and Castonguay at Quebec's end of the table.

The bargaining began to meet obstacles, particularly in the attempt to meld the two pension plans. After a discouraging lunch at an Eastview hotel, the two sides grew even further apart. By four p.m., when a messenger knocked on the door and informed the Quebec delegation that a D.O.T. plane would be available to fly them home, they resignedly began to push their chairs away from the negotiating table.

At this point, Kent decided to go to the washroom. Sauvé followed him out. The two men quickly went over the list of outstanding differences between the pension plans. Sauvé suggested what he thought Quebec might be prepared to accept, and they reopened the negotiations. In the next three hours, both sides made major concessions and the Canada Pension Plan, as it now exists, came into being.

The over-all agreement turned out to be a costly settlement, worth $200 millions out of the federal treasury over the next two years.

The pension plan compromise was only part of the package. Its principal terms were these:

1. Quebec agreed to a constitutional amendment permitting federal pension benefits for widows under 65, orphans and disabled contributors.

2. Quebec agreed to modify its pension plan, bringing it more into line with Ottawa's mainly in cutting the transition period from 20 to 10 years, but including other significant alterations, among them the contribution rate.

3. Quebec agreed to take part in the federal-provincial tax structure committee.

4. Ottawa agreed to revise parts of its pension plan, mainly the investment of reserves which was surrendered to provincial control.

5. Ottawa agreed to grant Quebec an additional three per cent of income taxes in lieu of the federal students' loan and extended family allowances plans.

6. Ottawa agreed to double the rate of its withdrawal from the personal income tax field, giving the provinces 21 per cent in 1965 and 24 per cent in

1966. (This change brought the tax sharing formula to 27-21-25, remarkably close to Lesage's much-touted target of 25-25-100.)

The following Monday morning Kent telephoned Morin to doublecheck the details of their agreement. At 5 p.m. the same day, Pearson finally revealed the proposed agreement to his full cabinet. It was one of the most impressive performances of his career. Each of the objecting ministers—at one point the majority of the cabinet—found himself the target of a rare display of impassioned persuasion by the prime minister. Two days later the Pearson and Lesage cabinets approved the deal and on Thursday, April 16, the other provincial premiers were advised of the changes. On April 20, the terms of the package were made public.

In the Commons, Tommy Douglas hailed the agreement as "a real victory for national unity." Bob Thompson praised Pearson for avoiding a serious crisis in national unity and even John Diefenbaker called it "a step forward."

But it was Paul Gerin-Lajoie, speaking in the Quebec Legislature, who provided the most moving eulogy of the great pension entente.

"In the story of Canada," he said, "April 20, 1964, will become an outstanding date and the men who have taken part in these events will see their names in the pages of history."

Working Out a Formula.

Elaboration d'une formule.

Cartoon by Macpherson.

Caricature de Macpherson.

Southam News Services—December 8, 1964

CHARLES LYNCH

TO CHARLOTTE WITH LOVE

During her tenure of office as mayor of Ottawa, Charlotte Whitton managed to make the meetings of the city council and board of control compete for headlines with the House of Commons itself. After a succession of stormy scenes she was defeated in the municipal elections of 1964; and columnist Charles Lynch here bids her a fond farewell. But since then Charlotte has come back to city hall as alderman for her ward, and the local papers are once again telling us all about her towering rages, with the same old lack of enlightenment as to what the battle was really about.

Quand elle était maire d'Ottawa, Charlotte Whitton s'arrangeait pour que les réunions du conseil de ville et du bureau des commissaires fassent concurrence aux Communes afin d'avoir les manchettes des journaux. Après une suite de scènes orageuses, elle subit la défaite aux élections municipales de 1964. Ici, le chroniqueur Charles Lynch lui fait des audieux affectueux.

Depuis lors, Charlotte est revenue à l'hôtel de ville comme échevin de son quartier. Les journaux d'Ottawa nous racontent encore ses accès de rage folle. Comme autrefois aussi, ils ignorent le véritable enjeu du débat.

How have I loved thee, Charlotte?

Let me count the ways . . .

And in counting them, pen a note of affectionate farewell to one of the most unusual public figures it has ever been my pleasure to know or write about.

Last year we lost George Hees, and now Miss Whitton is departing, having finished third in Ottawa's elections. As you know, a 38-year-old whippersnapper named Reid gave 68-year-old Charlotte a fearful whomping.

Having voted for Charlotte in good years and bad, and having expected that at least two more years of her wonderful antics were in store, I now have to face the prospect of what life will be like without her.

The Ottawa newspapers, who fought her and now rejoice in her downfall, will never be the same. Many's a night I have trudged home from Parliament Hill, after a long, dull day, and been revived by the published tidings from city hall.

Columns of them, often with illustrations.

Charlotte was raising hell.

Letting loose with pistols, fists and tongue, and sometimes all three put together.

It was better than Bonanza, or Hockey Night in Canada.

I can see it now.

There will be an opening story or two after Mayor Reid takes over, remarking on peace, how wonderful it is.

The accounts will get shorter and shorter, until finally there will be a brief squib announcing that city council met, did business and adjourned.

Papers of other cities will suffer, too.

Thanks to Charlotte, meetings of the Ottawa city council often got national coverage, and as a sometime orator I could warm an audience by mentioning her name anywhere.

On the eve of her defeat, she got a full column plus a picture (the one in the tri-cornered hat) in the Sunday *New York Times*—a feat that no Canadian prime minister has ever been able to perform.

She made work easy for writers and photographers alike, and as a writer I was always swift to show my gratitude at the polls.

Her fame spanned the oceans, enlivening a world that has more than its share of dull characters.

She even dumbfounded the Russians, something that generations of Western statesmen have been unable to do.

Mr. Reid is twice as tall as Miss Whitton, and his feet are twice as big, but I bet he has trouble filling her shoes— those same pumps that led her to grief on the curling rink and gave the world its most unforgettable photograph. I pull it from my desk whenever moroseness sets in, and it never fails to cheer.

Mr. Reid is a Grit, and Charlotte a life-long Tory, so some effort is being made to read party significance into her fall. This effort to narrow her image is contemptible, for she cut across party lines and Prime Minister Pearson was once among her fans, though he regretted a joking offer to put her in the cabinet.

John Diefenbaker was not a devotee while in power, and her efforts to get elected to the House of Commons threw a chill into Tory ranks, just as the Senate trembled at the news that she might be appointed there.

The delightful possibility that she might be named our ambassador to Ireland withered on the vine after she resorted to fisticuffs against a male colleague at city hall who, she said, had reflected upon her honor.

All these things, and more, found their way into the public prints and led her to be named woman of the year so many times they finally gave it to Judy LaMarsh to break the monotony.

Charlotte talked so fast she sometimes interrupted the flow of her own conversation, and this is one reason men found her so hard to deal with.

At one time, when she and I were newspaper columnists together, she had the office next to mine and used to burst in when her indignation became too great to bear in solitude.

She would blaze away and it was up to me to find the wavelength and beam in on it, which after about five minutes I usually managed to do. By that time she was off on something else, and by the end of an hour I was pooped.

It always seemed to make her feel better and I didn't begrudge the time, though I rejoiced when she returned to city hall.

"They're all trying to tree this old cat," was one of her sayings at election time, when all the agencies of sanity, efficiency, and finally bilingualism, were mobilized against her.

Caricature de Hudon.

Cartoon by Hudon.

They have her treed, at last.

I hope they let her keep the hat and the robes of office that have enlivened many a trip on the Rideau Canal, many a royal visit, and many a convention at which the routine business of civic greetings turned into something outrageously funny, or sometimes merely outrageous.

Sometimes she wouldn't shovel the snow, and sometimes she salted the streets until our feet were pickled and our cars were eaten out from under us, or pounded to pieces in the potholes.

Through all this have I loved thee, Charlotte, and wave a fond goodbye.

Many who rejoice at your going will come to miss you, too.

Le Devoir, Montréal—30 décembre 1964

JEAN-MARC LEGER

LE QUEBEC A LA RECHERCHE DE LA PERSONNALITE INTERNATIONALE

Beaucoup plus récente que "la querelle des impôts," la question des relations du Québec avec les pays francophones a aussi provoqué d'ardents débats politiques et de vives réactions de la part des journaux. Spécialiste au Devoir *des questions de politique étrangère, Jean-Marc Léger qui fut l'un des artisans de l'Association des universités entièrement ou partiellement de langue française, s'est souvent interrogé sur "la personnalité internationale du Québec".*

Journaliste consciencieux, toujours précis dans ses exposés, Jean-Marc Léger, on le constatera, a des vues arrêtées sur ce sujet. Par ailleurs, l'article que nous reproduisons a le mérite d'expliquer très clairement les problèmes que cette question soulève au plan constitutionnel, et il résume en peu de mots la position respective du ministère des Affaires extérieurs et celle du gouvernement du Québec — puisque celle-ci n'a pas véritablement changé depuis l'arrivée au pouvoir de l'Union nationale.

More recent than the dispute over tax revenues, the question of Quebec's relations with French-speaking countries has also provoked heated political discussion and sharp reactions on the part of the newspapers. Le Devoir*'s specialist on questions of foreign policy, Jean-Marc Léger, who was one of the architects of the Association of French-Speaking Universities, is often called upon for his views on "Quebec's international personality."*

A conscientious journalist who is always precise in his statements, Jean-Marc Léger has decided opinions on this subject. The article reproduced here explains very clearly the problems raised by this question on the constitutional level; it also sums up in few words the positions of the Minister of External Affairs and the Quebec government respectively, the latter not really having changed since the Union Nationale's assumption of power.

La complexité et la lenteur des négociations qui se poursuivent depuis quelques mois en vue de la conclusion d'un important accord de coopération culturelle et technique entre la France et le Québec soulignent avec éloquence les inconvénients de l'absence d'un statut international pour le Québec. Elles illustrent en même temps l'importance de l'enjeu et laissent prévoir les difficultés que soulèvera la solution d'un problème qu'il n'est plus possible d'éluder.

Ce n'est pas la première fois que se pose dans un pays de caractère fédéral la question des relations internationales ou celle du partage de compétences en ce domaine. Elle a été résolue différement selon les Etats, mais on retiendra qu'en Suisse, par exemple, et plus encore en Allemagne fédérale les Etats fédérés (canton ou lander) ont, dans certains cas et à certaines conditions, pouvoir de négocier directement avec l'étranger. Il y a eu en Allemagne, ces dernières années, de nombreux exemples de l'utilisation par tel ou tel Land de cette prérogative.

Jusqu'ici, la question n'avait pas été directement soulevée au Canada: l'interprétation de la constitution, la tradition, le fait qu'Ottawa ait progressivement hérité des compétences de souveraineté exterieure jusque-là assumées par Londres faisaient que le gouvernement central assumait seul tout le domaine des relations internationales. Il adhérait et participait seul au nom du Canada même à des organisations internationales dont le champ d'activité recouvre des problèmes de stricte juridiction provinciale ou de juridiction concurrente: Unesco, Organisation internationale du travail, etc.

Or voici qu'à la faveur du réveil et de la prise de conscience qui s'y manifestent dans plusieurs domaines, le Québec est amené à être présent sur le plan international, à prendre des contacts, à nouer des relations et à rechercher naturellement avec tel ou tel pays, ceux du monde francophone particulièrement, la conclusion d'accords de coopération ou encore à envisager soit de recevoir le concours de certains d'entre eux, soit, inversement, d'octroyer une assistance même modeste, à quelques-uns. Il ne s'agit ici ni de politique étrangère au sens propre, ni de commerce extérieur, moins encore évidemment de questions d'ordre militaire: le problème est posé dans des domaines qui relèvent exclusivement—ou principalement— de la juridiction provinciale: enseignement, culture et recherche scientifique au premier chef.

C'est alors que l'on se heurte à l'absence d'un statut juridique, à l'absence d'une personnalité internationale pour le Québec (pour les autres provinces aussi bien mais jusqu'à présent seul le Québec, pour des raisons évidentes, est aux prises avec ce problème et amené à y chercher une solution). C'est alors aussi que l'on mesure le caractère équivoque et paralysant d'une situation en vertu de laquelle le Québec ne peut négocier et traiter avec l'étranger, même dans des domaines de sa juridiction, parce qu'il n'a pas la personnalité internationale et qu'inversement Ottawa, tout en ayant cette personnalité, ne peut négocier ni conclure des accords dans des domaines qui ne relèvent pas de sa compétence intérieure. Certes, il est toujours loisible de trouver des compromis plus ou moins heureux et satisfaisants en vertu desquels, par exemple, un accord est préparé et négocié entre Québec et Paris, puis signé entre Ottawa et Paris, même s'il intéresse uniquement et principalement le Québec. Mais pour des motifs d'efficacité, de dignité et de bon sens, cette formule boiteuse ne peut durer indéfiniment.

On en a eu la démonstration lorsqu'en novembre dernier, le gouvernement d'Ottawa, par son ambassadeur à Paris, a transmis à l'Elysée par l'intermédiaire du ministère français des Affaires étrangères, un message du premier ministre Lesage au général de Gaulle. Dans ce message le Chef du gouvernement québécois (avant son voyage à Paris) exposait l'importance que le Québec attachait à l'accord culturel France-Québec en préparation et souhaitait que cet accord fut signé directement entre Paris et Québec, par les deux ministres de l'Education, M. Fouchet et M. Gérin-Lajoie.

Or en transmettant ce message, l'ambassadeur du Canada a fait, au nom de son gouvernement, deux réserves qui aboutissent en fait à torpiller d'avance la requête du Québec: a) le gouvernement canadien estime insoutenables les conceptions du gouvernement du Québec et n'envisage quant à lui, entre Paris et Québec, qu'un accord intérimaire et exceptionnel destiné à être remplacé par un accord ultérieur et "régulier" entre Ottawa et Paris; b) si le gouvernement français croit devoir conclure sans tarder un accord avec le Québec, ce ne pourra se faire que par échange de lettres entre le ministère français des Affaires étrangères et son équivalent canadien. L'ambassadeur du Canada ajoutait que "le gouvernement fédéral se préoccupe de sauvegarder ses propres prérogatives en matière de relations extérieures".

Il est normal qu'Ottawa ait ce souci, mais il est tout aussi normal que Québec ait la volonté de faire reconnaître par étapes son droit de négocier directement avec l'étranger, dans des domaines de sa compétence actuelle et future, d'autant encore une fois, qu'il existe de nombreux précédents. Et cette reconnaissance devra entraîner aussi la représentation directe du Québec dans celles des institutions internationales dont la vocation a trait à l'enseignement, à la culture, au travail, à la sécurité sociale, à la recherche scientifique, etc.

La question n'a pas été soulevée à l'occasion du statut de la délégation du Québec et de la forme juridique de l'accord culturel et technique avec la France.

Elle l'est aussi et le sera, de plus en plus, en matière de coopération internationale ou d'assistance aux pays en voie de développement. Ainsi le Canada est fréquemment invité à envoyer des enseignants (du secondaire et du technique en particulier, et bientôt du supérieur) dans les pays francophones d'Afrique. Ottawa paraît consentir aujourd'hui que la sélection et le recrutement des candidats soient faits par le Québec mais à partir de là, exerce sa juridiction sur tous les aspects de leur activité à l'étranger, y compris l'aspect pédagogique. C'est là une situation malsaine et anormale, qui n'est pas conforme à l'esprit de la constitution. Il faudra que les enseignants québécois restent sous la juridiction du ministère de l'Education, même à l'étranger, au moins pour ce qui a trait à leur activité pédagogique et à leur statut professionnel. Il semblerait d'ailleurs normal que le gouvernement du Québec soit étroitement associé à toutes les décisions intéressant l'assistance financière, culturelle et technique du Canada à l'Afrique francophone, voire même qu'il soit éventuellement amené à administrer et à gérer les crédits affectés à ces fins.

C'est une partie considérable qui va se jouer à ce propos dans les prochains mois ou les toutes prochaines années. La présence du Québec sur le plan international, si modeste soit-elle encore, est un fait acquis et l'activité du Québec sur ce plan ne peut qu'aller croissant. Le problème est dès lors posé de la personnalité internationale, problème dont la solution peut aisément être trouvée dans la nécessaire réforme de la constitution du Canada. Il est possible que les autres provinces n'y attachent pas la même importance mais cela confirme le besoin du "statut particulier" du Québec qu'estiment nécessaire les plus modérés des porte-paroles québécois, à commencer par le chef du gouvernement.

La Presse, Montréal—3 mars 1965

LEOPOLD LIZOTTE

A 40°, RIVARD ETAIT SORTI POUR ARROSER LA PATINOIRE

Léopold Lizotte est déjà un vieux routier du journalisme montréalais. Chef de la rubrique judiciaire à La Presse, *il présente tous les jours aux lecteurs du journal le film du procès le plus retentissant du moment. L'évasion de Lucien Rivard, compte tenu des circonstances loufoques dont elle s'accompagna, devait lui offrir l'occasion d'une série de papiers dont il serait possible de tirer un excellent roman policier.*

Le Canada est un pays tranquille: si on fait exception du grand fait divers classique — désastre d'avion, incendie ruineux, assassinat d'occasion — il est rare qu'un scandale juteux, on pourrait dire "cinématographique", fasse les manchettes de la presse mondiale. La naissance des jumelles Dionne et le drame de Sault-au-Cochon où un Québecois amoureux fit sauter un avion en plein vol au lieu de réclamer un divorce, auront été somme toute, de 1867 à 1965, notre grande contribution à la une *des journaux. Mais cette année-là, le monde devait en voir de toutes les couleurs: l'évasion de Rivard et celle de Lemay, l'Affaire Munsinger et d'autres encore... Jamais le nom du Canada ne s'était aussi souvent retrouvé en première page des quotidiens à fort tirage de Londres, de Paris, de New York.*

Léopold Lizotte is already an old hand in the Montreal newspaper world. As chief court reporter for La Presse, *he presents his readers every day with a portrait of the case that is attracting the most attention at the moment. Lucien Rivard's escape from prison, taking into account the outlandish circumstances surrounding it, gave Lizotte the chance to write a series of pieces which would make an excellent detective story.*

Canada is a peaceful country: if you except the standard big news story (the airplane disaster, the ruinous fire, the odd murder), it is seldom that a really juicy scandal, something for the movies you might say, makes the headlines of the world press. The birth of the Dionne quintuplets and the sensational story from Sault-au-Cochon, when a lover blew up an airplane in flight instead of asking for a divorce, would have been, finally, Canada's great contributions to the front pages between 1867 and 1965. But from that latter year on, the world was to receive all kinds of things from us: Rivard's escape and Lemay's, the Munsinger Affair, and still more.... Never had Canada's name been seen so often on page one of the big dailies of London, Paris and New York.

L'absence de formation des gardiens de la prison commune de Montréal.

Telle sera la principale raison que donnera le procureur-général de la province, M. Claude Wagner, cet après-midi, pour expliquer l'évasion nettement rocambolesque de Lucien Rivard et d'un autre prisonnier de Bordeaux, au début de la soirée d'hier.

Absence de formation et manque indéniable de jugement, qu'il a sans doute été tenté d'ajouter.

Qu'on en juge.

Lucien Rivard, qui combat depuis des mois une demande en extradition de la part des Etats-Unis, avait demandé et obtenu la permission de s'occuper de la promotion des sports d'hiver, dans son aile.

Rien de répréhensible à cela.

Et, à ce titre, il avait également obtenu la permission de sortir de sa cellule, en soirée, pour aller arroser la patinoire commune.

Encore rien que de très normal.

Sauf que, hier soir, alors que la température extérieure etait de quelque 40 degrés au-dessus de zéro, dans la métropole, il obtint d'un garde la permission d'aller . . . arroser, tout comme si le mercure eût été au plongeon!

Cette permission, incidemment, le gardien la donna à Rivard et à l'un de ses adjoints aux sports (André Durocher) sans consultation préalable avec quelque supérieur que ce soit.

Et ils se mirent à arroser.

Mais, très bientôt, l'un des deux détenus exhiba ce qui semblait être un revolver.

Mais qui n'était, en réalité, qu'un morceau de bois sculpté, ayant cependant toutes les apparences d'un pistolet. Et surtout qu'il était fort bien astiqué de noir à chaussure.

En très peu de temps, le garde fort peu méfiant est maîtrisé, et on l'enferme dans un vestiaire où sont gardés les articles de sport utilisés par les prisonniers.

On s'empare alors de son gilet et de son képi, et on pénètre dans la chaufferie, où, en série, on maîtrise rapidement les trois employés, qu'on ligote à l'aide de ruban gommé utilisé ordinairement pour "taper" les bâtons de hockey.

Cette opération terminée, on sort de la pièce avec une échelle. Quelque chose d'assez pratique lorsqu'on veut escalader un mur.

On se dirige alors vers un angle du mur entourant la prison et on réussit à monter sur un premier parapet où un deuxième garde est maîtrisé et "relégué" sous un petit hangar voisin.

On hisse alors l'échelle sur le petit hangar et on atteint le sommet du mur, où un troisième gardien est maîtrisé, en même temps qu'on lui enlève sa carabine de service.

On fixe alors le long boyau d'arrosage à une aspérité quelconque du mur, et on se laisse glisser de l'autre côté.

Le tour est joué.

Lucien Rivard et André Durocher sont libres.

Ils n'auront plus qu'à menacer un automobiliste de leur arme "empruntée", et les grands espaces sont à eux.

Un autre continent, peut-être.

Du côté de la chaufferie, c'est-à-dire en direction de la rue Poincaré, on retrouve à l'extérieur de la muraille de la prison une petite bâtisse sur un talus. M. Robert D. Leulher qui habite au 11,811 Poincaré affirme catégoriquement que la porte extérieure de cette bâtisse donne vraisemblablement sur le mur de la prison. Sous le talus se trouveraient les réservoirs d'huile qu'il serait trop dangereux d'entreposer à l'intérieur de l'enceinte en béton de la prison.

Les pistes des prisonniers vont donc de cette bâtisse jusqu'à la clôture de broche surmontée de barbelés, vis-à-vis un poteau de corde à linge placé sur le terrain de M. Ernest Béliveau, au 11,807 rue Poincaré.

Les pistes s'arrêtent à la clôture où l'on voit que les deux hommes ont piétiné quelque peu, probablement le temps de lancer une corde quelconque vers le poteau. A l'extérieur de la clôture, sur le terrain de M. Béliveau, les pistes reprennent au pied du poteau et conduisent directement à la rue Poincaré, où les deux hommes ont accosté le comptable, M. Jacques Bourgeois, pour s'emparer de son automobile, à quelque 500 pieds de l'endroit où ils ont quitté le terrain de la prison.

Mlle Emilia Béliveau, soeur de M. Ernest Béliveau, a raconté à notre reporter que vers 8 h. 40 hier soir, on entendit des bruits suspects à la porte du garage situé sous le salon. C'était deux gardes de la prison de Bordeaux qui venaient enquêter. Ils avaient dans les mains une carabine qui, ont-ils dit à Mlle Béliveau, avait été retrouvée près de sa maison, très certainement abandonnée là par les fuyards qui ne voulaient pas attirer l'attention en se promenant ainsi armés dans la rue, puisqu'ils considéraient qu'ils étaient maintenant en liberté. Cette carabine devait appartenir au garde que les fuyards avaient assommé.

Par ailleurs dans les milieux proches du procureur général de la province, M. Claude Wagner, on affirme comme certain que les deux hommes ont escaladé le mur de béton, haut de quelque 25 ou 30 pieds. Ce qui écarterait ipso facto, l'hypothèse du tunnel. Mais les pistes à l'extérieur de l'enceinte de béton sont bien visibles et ne peuvent qu'appartenir aux évadés.

Rivard, le personnage central de l'enquête Dorion, était emprisonné depuis le 19 juin dernier, à Bordeaux, où il attendait que la cour se prononce sur sa deuxième demande d'habeas corpus qui éviterait son extradition vers les Etats-Unis où l'attendent des accusations de contrebande de stupéfiants.

L'enquête Dorion a été instituée à la suite des déclarations de l'avocat montréalais Pierre Lamontagne, voulant qu'un pot-de-vin de $20,000 lui ait été offert pour que, en tant que représentant des autorités américaines, il facilite la libération sous caution de Lucien Rivard.

Aussitôt sortis de la prison, les deux fugitifs ont forcé, à la pointe du revolver, un automobiliste, M. Jacques Bourgeois, à leur laisser conduire son auto.

Pendant un court trajet, ils ont conversé assez familièrement avec Bourgeois pour ensuite l'abandonner, non sans lui avoir laissé $2 pour lui permettre de rentrer chez lui en taxi, et avoir promis de lui téléphoner plus tard pour lui dire où serait son auto.

Comme convenu, Rivard téléphona à l'automobiliste à qui il avait un peu forcé la main pour lui laisser savoir que son auto était stationnée à la sortie nord du boulevard Gouin où effectivement, les policiers l'ont trouvée.

Il semble que Rivard ne soit pas à court d'argent. Hier après-midi, sa femme a pu, avec son autorisation, retirer $2,000 du coffret de sûreté que la prison mettait à la disposition de son mari.

En un rien de temps, tous les services canadiens de sécurité étaient sur les dents, et des milliers de policiers aux trousses des deux fuyards.

Pendant qu'à Québec le procureur-général, M. Claude Wagner, déployait toutes les mesures d'urgence, à Ottawa, trois ministres conjuguaient leurs efforts: M. Guy Favreau, ministre de la Justice, M. Jack Pickersgill, ministre des Transports, et M. Nicholson, ministre de l'Immigration.

Les ministres ont annoncé au cours d'une conférence de presse donnée en fin de soirée, que les autorités américaines avaient été alertées et que toutes les forces policières du Canada, y compris celles de l'Immigration, avaient été mises sur un pied d'alerte.

Pour sa part, le ministre Pickersgill a demandé aux gérants des aéroports de Montréal et Toronto d'avoir l'oeil ouvert sur toutes les envolées aussi bien privées que commerciales.

Le ministre s'est aussi adressé directement au président du Pacifique Canadien, M. N. R. Crump, et à un vice-président non identifié de la Compagnie des chemins de fer nationaux, pour que les agents de police de ces compagnies soient particulièrement vigilants.

—Quoi de neuf, à part ça?
("Arrosage, pots-de-vin, au gouvernement," disait la manchette.)

Cartoon by Macpherson.

Caricature de Macpherson.

ROBERT REGULY

STAR MAN FINDS GERDA MUNSINGER

When the RCMP claimed they couldn't locate Hal Banks in 1964, Robert Reguly of the Toronto Star *found him by taking a simple trip to the docks in Brooklyn. Mr. Reguly did an equally brilliant bit of sleuthing when he found Gerda Munsinger in Munich in 1966. Gerda, of course, had been involved in espionage work for the Russians in Germany, and was later found by the RCMP in Montreal to have suspicious relations with certain members of the Diefenbaker cabinet. Her case, which had been closed without any breach of security being unearthed, was reopened by Lucien Cardin, the Minister of Justice in the succeeding Liberal government, who apparently believed that Gerda had died in the meantime. But Mr. Reguly found her, like Banks, alive and flourishing.*

En 1964, la Gendarmerie royale du Canada prétendait qu'elle ne pouvait repérer Hal Banks. Robert Reguly, du Star *de Toronto, l'a trouvé en faisant un simple voyage dans le port de Brooklyn.*

Reguly a également accompli un brillant travail de limier en repérant Gerda Munsinger à Munich en 1966. Gerda, bien sûr, avait été mêlée à un travail d'espionnage pour les Russes en Allemagne. Plus tard, la Gendarmerie découvrit à Montréal que Gerda avait des relations louches avec certains members du cabinet Diefenbaker. Son dossier avait été fermé sans qu'on eût découvert d'atteinte à la sécurité. Il fut rouvert par Lucien Cardin, qui devint ministre de la Justice dans le gouvernement libéral suivant. Cardin croyait apparemment que Gerda était morte dans l'intervalle. Mais Reguly finit par la trouver comme il avait trouvé Banks: Elle vivait et même se portait fort bien.

MUNICH—The girl Canada calls Olga Munsinger is alive and well.

Her real name is Gerda Munsinger. She is tall, blonde and shapely.

I found her in a chintzy flat in an affluent district of Munich, wearing a gold September birthstone ring that was the gift of a former Canadian cabinet minister.

I had a fifteen minute chat with her last evening and have just returned from a longer discussion over lunch today.

I did not tell her of Justice Minister Lucien Cardin's statement yesterday that the girl at the centre of the 1961 sex-and-security case alleged to involve Conservative cabinet ministers died of leukemia four years ago.

But I did say that her name had been mentioned in the House of Commons.

Immediately, she said: "Perhaps it's about Sevigny?"

Pierre Sevigny was Associate Minister of National Defence in the Diefenbaker government.

Gerda said she had been his frequent companion in the years 1958, 1959 and 1960. That birthstone ring was a keepsake he bought for her in Mexico.

She'd travelled in a twin-engined government plane with him to Boston "for the races."

She'd visited his Beacon Arms Hotel suite in Ottawa. He'd visited her apartment in Montreal.

Once "I attended an election banquet at the Windsor Hotel in Montreal. Diefenbaker was there and so were most of the cabinet."

Gerda said she also knew a second Conservative cabinet minister—"very well."

One of her minister friends was once called in by "somebody in Ottawa" for a warning to "go easy" on their relationship in public "because an election was coming on."

I told Mrs. Munsinger, now a coffee shop manageress, that her name was at the centre of Canada's biggest political storm in years as a result of Cardin's statements.

She took the news calmly and said: "If the justice minister wants any information, why doesn't he call me?

"You know where I live. If you can find me, surely he could."

She volunteered to come back to Canada to tell all she knew "if they keep pushing my name around in Canada."

Then, she seemed to have second thoughts.

She said she wanted physical protection if she returned to Canada to testify at any inquiry, expressing fears for her life from a Montreal businessman-racketeer.

At today's lunch, she apologized for having been slightly reticent at our first brief meeting last night.

She had been afraid, she said, that I might be an emissary from the racketeer in Montreal who she said "had good reason to keep me quiet."

Later, I asked her what she had to say about the charge that she had been a Communist spy. Without batting her long eyelashes, she answered: "If I were a spy, would I be working for a living?"

Then she turned to what she obviously found a more pleasant topic. She walked across the comfortable living room and came back with a copy of the Social Register of Canada.

"I know and I can call many people in here. I tried to phone Sevigny last night in Montreal but he wasn't home."

She said she was once known as "Ricky" as well as Gerda by her Montreal friends.

She categorically denied that she had left Canada under pressure.

"No Mounties visited me before I left. I had been homesick for years for Munich and after I came back, intending a visit, I decided to stay."

She recalled her marriage to Mike Munsinger, an American GI who took his discharge in Germany. They were divorced in the 1950s.

Gerda remembered the date of her arrival in Canada as August 7, 1955.

She came aboard the Arosa Star, a ship which later became famous as the Yarmouth Castle when it burned in the Bahamas last August with heavy loss of life.

In Montreal she said she worked as a waitress and as a secretary.

Before returning to Germany she made a brief trip to Cali, Colombia in 1960. She intended to marry a newspaper heir but thought better of it and returned to Montreal.

She was born Gerda Hessler of Koensigburg, East Prussia, where her mother still lives. Gerda fled East Germany "as a refugee" in 1948—at the age of 19.

One year she was elected Miss Garmisch-Partenkirchen in a beauty queen contest in the Bavarian ski-resort town.

Friendly and uninhibited as she was in our first talk, Gerda Munsinger was waiting for her wealthy businessman boy friend, "Mr. Wagner."

Her still shapely figure dressed smartly in black-dotted gray wool, her centre-parted hair curling long at the sides, she sat and eyed the clock; an attractive woman, though past the first bloom.

The Avenue Road-style one-bedroom apartment would cost around $175 a month in Toronto.

The furniture is attractive but rather heavy with fringe drapings.

A few months ago she was working as a waitress at a popular restaurant.

It was through the restaurant that I found her. And Gerda, storm centre that she is, was remarkably easy to find.

I was at the door of her apartment within three hours of my landing at Munich Airport.

I went straight to the coffee bar where, I had learned, she had been a waitress in mid-1965. The proprietor scratched his head. Yes, he remembered the street, but the number . . . no, he couldn't be sure.

He gave me the two numbers he thought most likely. At the first I tried, a smart, four-storey apartment building, it was there on the wall of the foyer—G. MUNSINGER, in capital letters on a neat nameplate. But no one answered the buzzer.

I stood on the sidewalk, watching the blondes go in. One . . . two . . . three . . . any one of them could have been the mystery girl.

At 6:45 (12:45 Toronto time) I pressed the buzzer again. A girl's voice called "herein, bitte."

I went on up, saw her in her doorway and said "Gerda Munsinger?" She said "yes." I identified myself and asked if I could talk to her.

She agreed—but even then she was apologizing for having so little time.

She answered the questions she wanted to answer and left me to guess the rest.

And the rest was plenty.

CLAUDE RYAN **TERRE DES HOMMES**

A la fois symbole de notre progrès et couronnement des fêtes du Centenaire de la Confédération, Expo 67, a-t-on dit, est une entreprise commune dont le succès démontre que les Canadiens de langue française et de langue anglaise, peuvent travailler ensemble, dans un climat d'égalité et le respect absolu du bilinguisme. Personne ne doute que l'Expo influencera de façon bénéfique les relations entre "les deux peuples fondateurs" et, qu'en même temps, son succès permettra à tous les Canadiens de prendre mieux conscience de leur identité.

Le nom de Claude Ryan, le nouveau directeur du Devoir, *est symbolique, dans une certaine mesure de l'effort tenté depuis quelques années pour que la Confédération, tout en demeurant un instrument de progrès matériel, fournisse aux deux cultures canadiennes le moyen de s'épanouir en toute liberté. L'Expo est une fenêtre sur le monde, mais c'est aussi un enseignement, grâce auquel il devrait être plus facile de trouver, dans un esprit de fraternité, des réponses adéquates aux questions normales que soulève le fédéralisme canadien.*

Expo 67 is a symbol of our progress and at the same time the crowning point of the Centennial celebrations. It has been well said that Expo is a co-operative enterprise whose success demonstrates that French-speaking and English-speaking Canadians can work together, in an atmosphere of equality and absolute respect for bilingualism. No one doubts that Expo will influence beneficially the relations between the "two founding races," and that its success will permit all Canadians to become more conscious of their identity.

The name of Claude Ryan, the new publisher of Le Devoir, *is to a certain extent symbolic of the recent efforts to make Confederation, while still an instrument of material progress, a home in which both Canadian cultures may flourish unhindered. Expo is a window on the world; but it is also a lesson, thanks to which it should be easier to find, in the spirit of brotherhood, adequate answers to the problems raised by Canadian federalism.*

Pendant six mois, les peuples les plus divers, les disciplines les plus variées, se côtoieront à l'Expo dans l'amitié. Chaque nation, chaque discipline se fera un point d'honneur de montrer ses réalisations. Chacune voudra mettre en relief les secteurs où elle croit être en avance. Il y aura, dans les efforts de chaque pays pour retenir l'attention des visiteurs, une note d'émulation qui est un élément essentiel du paysage humain.

Dans cette rivalité saine, on ne sentira toutefois aucun désir de domination égoïste, aucune pointe d'intrigue ou de mesquinerie. Les responsables de l'Expo ont réussi ce tour de force de faire converger les initiatives de tous vers un thème central qui permet à chacun de s'exprimer sans aucune crainte, avec le maximum de plénitude, tout en acceptant de s'intégrer dans un ensemble à dimension universelle. Cette unité fondamentale de l'Expo—favorisée et créée pour ainsi dire par le thème "TERRE DES HOMMES" —est le trait le plus riche du grand événement qui s'est ouvert hier. Nous y retrouvons une vieille loi, trop souvent oubliée, de l'existence humaine. La recherche d'un objectif universel, loin d'étouffer les particularismes légitimes, exige au contraire que ceux-ci s'expriment avec le maximum de liberté. Nous verrons à l'Expo la préfiguration de ce que pourrait être un monde habité par la fraternité et l'esprit de collaboration. Des peuples qui s'affrontent tous les jours à des conférences le plus souvent stériles se rencontreront ici dans l'amitié et le respect réciproques. Les visiteurs—pour la plupart, des citoyens ordinaires qui, dans leur pays respectif s'identifient volontiers à la politique de leur gouvernement—passeront de l'un à l'autre pays avec un égal esprit d'ouverture. Ils admireront les réalisations de la Russie soviétique. Ils goûteront également les réussites des Etats-Unis et de leur propre pays. Dans cette grande cité temporaire que sera l'Expo, il n'y a plus ni Juifs, ni Gentils, ni maîtres, ni esclaves, ni barbares, ni civilisés. Il n'y aura plus que des hommes en quête d'une meilleure connaissance les uns des autres.

Les dimensions grandioses de l'Expo ne sauraient faire oublier cependant que celle-ci sera en même temps un rappel éloquent des inégalités et des divisions qui règnent toujours dans le monde. Par la puissance même de l'effort qu'ils ont déployé afin de se présenter aux hommes sous leur jour le plus favorable, les pays les plus riches nous rappellent qu'il existe, à côté d'eux, des pays pauvres dont certains ne seront même pas représentés, faute d'argent, à l'Expo, dont d'autres seront présents sous des formes modestes qui limitent singulièrement leurs possibilités d'expression. Chaque pays voudra également se faire connaître aux visiteurs de l'Expo sous son jour le plus beau: il faudra continuer, tous les jours, à lire les journaux, à écouter la télévision afin de se rappeler que certains paradis terrestres qu'on pourra contempler à l'Expo n'expriment pas toujours complètement la réalité de tous les jours. On constatera également l'absence à l'Expo de pans entiers d'humanité. Un pays comme la Chine n'a malheureusement pu être invité à participer à l'Expo, à cause de circonstances politiques déplorables. De même, la grande majorité des pays de culture hispanique—cela inclut l'Espagne et l'Amérique latine—seront absents, à cause de raisons financières. Ces absences doivent être déplorées. Puissent-elles au moins servir à nous rappeler l'immense chemin qui reste à parcourir avant que l'unité de la famille humaine devienne une réalité dynamique.

Pour nous, Canadiens, l'Expo marquera une période de pause dans cette recherche laborieuse de notre identité et de notre propre équilibre que nous poursuivons fiévreusement depuis quelques années. Nous avons beaucoup parlé, ces dernières années, de nos problèmes, de nos divisions, de nos hésitations. Le contact que l'Expo nous propose avec le grand air de la vie universelle, sera, pour nous, une cure de santé psychologique. L'Expo ne nous apportera pas de solutions toutes faites à nos problèmes. Elle ne nous fera même point oublier ceux-ci. Elle nous offrira, toutefois, pour les mieux apprécier, la seule échelle de référence vraiment valable en définitive: celle de la famille humaine tout entière. Nous sortirons de cette expérience plus mûrs, plus ouverts à des réalités qui nous étaient peu familières, plus conscients du caractère relatif de certaines de nos interrogations, plus avertis de problèmes encore plus aigus et plus urgents qui se posent ailleurs. Cela devrait nous rendre plus aptes à voir et à régler demain nos problèmes dans l'esprit qui convient à la "TERRE DES HOMMES", cette terre dont aucune parcelle n'appartient de manière définitive ou exclusive à qui que ce soit mais dont l'ensemble des richesses ont été créées pour servir à l'utilité et au progrès de tous.

PETER C. NEWMAN

EXPO A TURNING POINT IN OUR HISTORY

Confederation in 1867 was the work of a small group of colonial statesmen who, in their imaginations and ambitions, were in advance of their contemporary colonials. They were also hard-boiled politicians, adept at making deals. As we have looked back at Canadian history since 1867, it has seemed too often to be the making of deals that has survived in our memories. But the Fathers of Confederation were also excited by a sense of impending greatness. Peter Newman, excited by the opening of Expo 67, thinks that we have recovered it. "SO MOTE IT BE."

En 1867, la Confédération fut l'oeuvre d'un petit groupe d'hommes d'Etat coloniaux qui, par leur imagination et leurs ambitions, l'emportaient sur les coloniaux de leur époque. C'étaient aussi des politiciens consommés, habiles à conclure des marchés. En évoquant les événements survenus depuis 1867, on garde le souvenir peut-être trop exclusif des marchés conclus. Mais les Pères de la Confédération étaient également aiguillonnés par un sentiment de grandeur imminente. Exalté par l'ouverture de l'Expo 67, Peter Newman pense que nous avons retrouvé ce sentiment. Qu'il en soit ainsi.

MONTREAL—The cannonade of fireworks which marked the opening of Expo, bursting in a technicolor tattoo over the St. Lawrence on an April afternoon, may in retrospect turn out to have been one of those rare moments that change the direction of a nation's history.

How, after sponsoring this world's fair, can we ever be the same again? This is the greatest thing we have ever done as a nation (including the building of the CPR) and surely the modernization of Canada—of its skylines, of its tastes, its style, its institutions—will be dated from this occasion and from this fair.

At the very moment when the governor-general, a sombre presence amid the gaiety of the day, declared Expo officially open, I was standing in front of the U.S. pavilion, which was shimmering and soaring in the sun like an aviary fit for eagles. Beside me, a young Expo hostess, all done up in white leather and a blue beanie, shrieked in pleasure at no one in particular, "C'est merveilleux."

And it was marvellous. All of it. Not just any one building or exhibit: not just the zooming helicopters and purring hovercraft, but everything. It's a wow of a fair. It's fabulous. It's the sun and the moon and the stars. And the more you see of it, the more you're overwhelmed by a feeling that if this is possible, that if this little sub-arctic, self-obsessed country of 20,000,000 people can put on this kind of show, then it can do almost anything.

The $650,000,000 Expo will cost is a small price for the impression of Canada its millions of visitors will take away with them. Never again will they need think of us —or will we need think of ourselves—as an impotent appendage of either Great Britain or the United States. They may not learn much about our history (even though the Canadian pavilion makes it as alive and interesting as it deserves to be) but they will know that we are a nation which has joined the 20th century and is reaching for the 21st. The imagination on display on these two tiny islands in the St. Lawrence has established this much beyond dispute.

A kaleidoscope of impressions of the first day at the

fair crowd in: passing a pale-blue Buick lonely in the morning on the Ottawa-Montreal highway and in the back seat the upright and somehow gallant figure of John Diefenbaker on his unheralded way to the fair his government first sponsored and brought to its tremulous beginning. . . Louis St. Laurent looking like a kindly effigy of himself, being escorted to a seat in the distinguished visitors section at the Place des Nations by an Expo hostess and the crowd around him, suddenly alert to who he was, bursting into spontaneous applause. . . Jack Pickersgill, nervously removing his fedora, just in case the tune the Expo band was playing happened to be some country's national anthem. . . George Hees, striding into the stands where the opening ceremonies were taking place, flexing his shoulder muscles like a tired but still game quarterback. . . The provincial premiers like wedding cake figures stepping up to the dais in morning clothes. . . Jean Drapeau, triumphant, the real founder and moving spirit of the fair. . . This was the establishment gathered together in mink and millinery to offer itself ponderous congratulations.

Outside was the fair that had exceeded their dreams and everyone else's so full of youth and gaiety that it made the middle-aged spill laughter.

Everywhere there were pretty girls, all miniskirts and smiles, German girls in pearl-grey boots and orange tights; British girls striped from top to bottom in red, white and blue; Czech girls with open Slavic faces and scarlet wool suits; Pakistani girls demure in saris. Outside the Indian pavilion I saw a Sikh on a sawhorse, laughing, and inside the American pavilion I heard a Negro marine soft-selling the Apollo program.

One of the biggest surprises of this astonishing fair was the British pavilion, so stodgy on the outside, so witty within, a celebration of the history of the English-speaking peoples presented with unexpected flair and self-deprecating humor. In the middle of industrial marvels, literary giants, historical pageants there's an untidy line of bushes and burrs and birds singing and a sign that proclaims: "Is there under heaven a more glorious and refreshing object than an impregnable hedge?"

It was a day to be remembered for a lifetime. I came to the fair a nationalist, full of pride in Canada. I left it a humanist, full of hope for man.

—Ca ne peut entrer dans le gâteau.

Cartoon by Macpherson.

Caricature de Macpherson.

CHRONOLOGICAL LIST OF STORIES / LISTE CHRONOLOGIQUE DES ARTICLES

DATE	STORY / ARTICLE	AUTHOR / AUTEUR	SOURCE	PAGE
May 1, 1915	Thrilling Story of Canadian Heroism	Aitken	*The Ottawa Citizen*	118
May 14, 1915	The Memorial to Canadians Fallen in War	Kipling	*The Ottawa Citizen*	123
11 septembre 1915	"L'Action catholique", les évêques, et la guerre	Asselin	*L'Action*	126
4 février 1916	Un épouvantable incendie détruit la nuit dernière le Parlement d'Ottawa		*La Presse*	130
April 9, 1917	Canadians Carry Strongest Enemy Defence in West	Lyon	*The Canadian Press*	136
29 mai 1917	L'Effort militaire du canada	Bourassa	*Le Devoir*	138
August 21, 1917	Bitterest Battle Ever Fought in West Is Glorious Victory for Canadians	Lyon	*The Canadian Press*	140
29 septembre 1917	La prohibition totale		*Le Soleil*	142
October 13, 1917	The Union Government		*The Mail and Empire*	145
December 8, 1917	Death Roll Grows		*The Morning Chronicle*	147
22 décembre 1917	Si le coeur vous en dit!		*Le Soleil*	150
30 mars 1918	Deux émeutes depuis jeudi ont bouleversé Québec		*Le Soleil*	153
September 4, 1918	Canadians Break Wotan Line	Livesay	*The Canadian Press*	158
November 12, 1918	Ottawans Joined In Celebrations As Never Before		*The Ottawa Citizen*	160
February 24, 1919	Fitting Final Tribute for Departed Chieftain		*The Ottawa Journal*	164
August 8, 1919	Hon. W. L. Mackenzie King Chosen Leader in Spirited Contest	O'Leary	*The Ottawa Journal*	166
September 15, 1920	New Words	McArthur	*The Globe*	168
October 20, 1923	Bull Fighting Is Not a Sport— It Is a Tragedy	Hemingway	*The Star Weekly*	170
22 janvier 1927	L'Avenir de la Confédération	Gautier	*Le Droit*	174
August 1, 1928	Percy Williams Captures Second World Title	Elson	*The Vancouver Province*	176
February 19, 1932	Eyewitness Tells Story of Last Desperate Stand by Trapper		*The Edmonton Journal*	177
July 22, 1932	Commons Crowded As Message From King George Opens Parley	Roberton	*Winnipeg Free Press*	180
December 26, 1933	Scribe Joins Poker Game of Devil's Isle Convicts	Sinclair	*Toronto Daily Star*	182
May 14, 1934	A Dominion of British Columbia		*The Vancouver Sun*	184
May 28, 1934	Quintuplets Born to Farm Wife	Dumsday	*The North Bay Nugget*	186
February 14, 1935	This Tartan Business	MacRae	*The Regina Leader*	188
June 17, 1935	Tribune Reporter Pushed to Preserve His Incognito	Woodsworth	*The Winnipeg Tribune*	190
June 22, 1935	Cabinet Says 'No' to Camp Strikers	Wayling	*The Vancouver Sun*	192
July 2, 1935	Tear Gas and Bullets As Strikers Stampede		*The Regina Leader-Post*	194
May 25, 1936	Red Ryan, Pal, Officer Are Slain	Dingman	*The Globe*	195
August 25, 1936	Hitler Daily More Popular	Halton	*Toronto Daily Star*	198
October 1, 1936	Mr. King at Geneva	Dafoe	*Winnipeg Free Press*	201
June 2, 1937	Plain Folks' Show Equals Royal Spectacle	Allen	*The Winnipeg Tribune*	204
19 octobre 1937	Le cas de conscience de M. Bourassa	Gautier	*Le Droit*	206
September 30, 1938	What's the Cheering For?	Dafoe	*Winnipeg Free Press*	209